의 **격랑**에 오늘을 **묻다**

인쇄 2012. 3. 23

발행 2012. 3. 29

문인구

예지

김종욱

집 황경주

자인 마야

자인 신성기획

화인페이퍼

서정문화인쇄사

호 제1-2893호

자 2001. 7. 23

경기도 고양시 일산동구 장항2동 751번지

031-900-8061(마케팅), 8060(편집)

031-900-8062

978-89-89797-79-1 03040

의 책은 오늘보다 나은 내일을 위한 선택입니다.

역사의 격랑에 오늘을 묻다

역

1판
1판

지은

펴낸
펴낸
책임

표지
편집
종0
인소

등록
등록
주소
전화
팩스

ISE

ⓒ
Pu
Pri

에

쉬지 않고 무엇인가 하여야 직성이 풀리는 성격 탓에 1985년 발간한 『한국법(韓國法)의 실상(實相)과 허상(虛相)』을 고쳐 쓰려는 생각에서 원고에 손을 대기 시작했다. 이 작업을 끝내고 나서 시간이 나면 회고록이라도 쓸까 하는 요량이었다. 그러던 중에, 정확히 말하면 1994년 말과 97년 여름, 70세가 넘어서 두 번이나 큰 수술을 받았다. 하나는 폐 수술이었고 또 하나는 심장 수술이었다.

처음 것은 폐암이라는 이유로 미국까지 가서 수술을 받았지만 오진이었다. 회복에 어려움이 없었지만 몸에는 타격이 컸다. 나중의 것은 진짜 생사를 건 수술이어서 그만큼 회복도 어려웠다. 그때마다 죽음을 각오하고 유서를 썼다. 정확하게 말하면 두 번 쓰다 중단하였다. 유서를 쓰고 있자니 '죽긴 왜 죽어' 하는 생각이 들어 두 번 다 찢어버렸다. 그 탓인지 지금까지 잘 살고 있다.

심장 수술을 받고 난 다음에는 힘이 다 빠진 느낌에 앞으로는 신문도 안 읽고 책도 가까이 하지 않겠다고 몇 번씩이나 다짐하였다. 이것저것 생각하는 일, 원고를 쓰는 일도 일절 안 하기로 결심하였다. 이 책과 같은 방대한 원고를 쓰는 일은 더더욱 생각조차 할 수 없는 일이었다.

그러나 수술 후 2년이라는 세월은 나를 수술 전과 거의 같은 상태로 되돌려놓았다. 그래도 원래 생각했던 대로 『한국법의 실상과 허상』의 수정

작업을 한다는 것은 여의치 않았다. 그 책은 일종의 학술서적이라 영어·프랑스어·독일어의 주석을 달아야 하는데, 원서를 새로 읽고 그동안의 변화를 탐구한다는 것은 내게 거의 불가능한 일이었다. 그래서 나이도 80이 넘었으니 회고록을 쓰기로 생각을 바꿨다. 책으로 발간하지 않더라도 글로 정리해 두면 내 아이들이 읽어도 의미가 있을 성싶었다. 아이들과는 내가 공적으로 하는 일에 관해 대화한 일이 거의 없었기 때문이다.

처음에는 보통 격식대로 출생, 성장에 관한 일로부터 시작하여 내가 겪은 모든 일을 쓰기 시작했다. '나'라는 한 사람이 한 일, 겪은 일이라고 하지만 분량이 적지 않았다. 결국 궁리 끝에 나의 공적 활동 부분, 즉 검사, 변호사로서 한 일만 쓰기로 했다. 그중에서도 변호사로서 다룬 사건은 제외하고, 변호사 단체에서 한 일만 골라 적어보려고 했다. 나는 변호사 단체의 활동에 많은 시간을 바쳤다. 변호사가 변호사다운 활동을 하려면 변호사 단체가 활발하게 움직여야 한다는 신념에서였다. 물론 변호사 단체의 일은 여러 사람의 협동의 산물이다. 그러므로 변호사 단체 활동 중에서 내가 창의적으로 새로 시작했던 일만을 다루기로 했다.

이 정도로 범위를 줄여도 쓰는 일은 쉽지 않았다. 이런 글을 쓰기 위해서는 그때그때 메모를 하고 자료를 모아두었어야 했는데 그러지 않았기 때문이다. 나를 꼼꼼하다고 말하는 이가 더러 있는데 실제로는 영 그렇지가 못하다. 그렇다고 필요한 자료가 어디에 따로 있는 것도 아니니 자료를 새로 모으는 것은 꽤 시간이 걸리고 힘이 드는 일이었다. 모은다고 하지만 새로 찾는 일이었다. 나는 내가 취급한 사건들이 크건 작건 관계없이 적어둔 적이 없다. 이 책에 언급한 사건들은 날짜도 내용도 모두 기억에만 의존해 쓴 것이다. 그러므로 세부적인 내용은 쓰려야 쓸 수도 없었고, 내용 중에는 당시의 기록을 찾아보면 잘못된 서술이 있을지 모른다.

불충분하기 짝이 없는 자료를 노쇠한 기억력으로 보충하며 쓴 글이니 논리적인 것과도 거리가 멀다. 그러나 나는 단지 지난날을 회고하기 위해서가 아니라 당시 내가 어떤 생각을 가지고 어떤 일을 시도했는지를 담아내려고 노력했다. 과거를 통하여 현재의 일이 갖고 있는 의미를 새기고 현재 일어난 일들을 통하여 과거를 되돌아보기 위해서다. 역사의 교훈이란 그런 것이 아닌가?

1장에서는 1945년 8월 15일 광복을 기점으로 내가 한 일(저지른 일)을 몇 가지 적었다. 내가 겪은 이런 일들을 겪은 법률가는 그리 많지 않을 것이라 생각한다.

2장에서는 육군 법무관으로서 겪은 좀 색다른 일들을 비롯하여 제대 후 검사로 재직하면서 겪은 일 중 기억에 남는 몇 가지 사건을 썼다. 여기서는 헌법과 형사소송법의 관계도 다루었다. 검사가 형사사건을 다룰 때에는 형사법적 시각에서만 볼 것이 아니라 헌법적 시각에서도 보아야 한다는 생각 때문이다.

3장에서는 국가보안법 개정에 관한 이야기를 실었다. 1957년 나는 선배 검사들과 국가보안법 개정안 기초에 관여했는데, 그것이 어떻게 변질되어 3·15 부정선거, 4·19혁명, 5·16군사정변으로 이어졌는지 짚었다.

4장에서는 변호사 단체들을 비롯해 법률가 단체에서 활동하던 일을 다루었다. 군사독재 정치를 무너뜨리는 계기를 제공했던 전두환 전 대통령의 이른바 '4·13 호헌조치'와 그에 대한 첫 반박성명이 대한변호사협회 협회장 명의로 나간 경위도 설명했다.

5장에서는 1992년 중국과의 수교 전후에 학술회의를 겸해 중국을 여행하면서 보고 들은 것을 적었다. 중국이 사회주의 국가이면서 시장경제를 채택하여 세계경제에서 우뚝 선, 문자 그대로 대국(大國)이 되는 과정을 현지에서 보면서 느낀 것을 쓴 것이다.

6장에서는 변호사들의 국제 교류를 활성화하기 위해 노력했던 일들을 정리했고, 7장에서는 내가 변호를 맡았던 형사사건 중 비교적 생생하게 기억하는 사건들을 골라 적어보았다.

8장에서는 내가 고 아산 정주영 명예회장 및 아산재단과 맺어온 관계를 다루었다. 아산과 나는 성격도 다르고 하는 일도 달라 오래 함께할 수 없다는 것이 사람들의 평이었지만 30여 년을 선후배처럼, 친형제처럼 친숙하게 지내면서 일도 많이 했고 보람 있는 나날을 보냈다. 그 관계는 내가 생각하기에도 아주 드문 일이라 긴 말이 됐다.

9장에서는 내가 힘을 보탰던 사회활동에 대해서 적었다. 판사, 검사, 변호사는 보통 본업에만 충실하면 된다는 생각에서, 그리고 오해를 피하려고 본업 외의 일은 회피하는 것이 보통인데 그래도 사회(봉사)활동을 해야 한다는 생각에서 실천했던 일들이다.

10장에서는 이런저런 상념과 미래에 대한 소망을 정리해 보았다. 마지막 순간까지 출판할까 말까 많은 고민 끝에 발간한 이 책이 앞에서도 일언했듯 단순히 과거를 회고하고 미래를 말하지 않는다면 의미가 없다는 생각 때문이었다.

이 글을 쓰면서 한 가지 깨달은 것은 내가 종합적, 체계적으로 아는 것이 너무나도 없다는 것이다. 책깨나 읽어 나름의 사유(思惟)가 있다고 자부했는데, 영 그렇지가 않았던 것이다. 어쩌면 머릿속이 이렇게 텅 비었을까 하는 한탄마저 나왔다.

글을 쓰다가 막히면 예전에 읽었던 책을 다시 읽었는데, 끼워진 쪽지나 죽 그어놓은 밑줄을 만나면 반가웠다. 친근감을 느끼긴 해도 완전히 새로 읽는 기분이었다. 그럴 때에는 의미를 얻었으면 말은 버리라는 '득의망

언(得意忘言)'이라는 고사로 자위를 하곤 했다. 다만 즐겁고 뿌듯하다고 생각한 것은 새 책이든 헌 책이든 책을 읽을 때마다 '그렇군' 하고 감동하고 긍정하는 일보다는, '아니지, 그 말은 틀린 말이지' 하며 내 생각과는 다르다고 부정하는 일도 많아졌다는 사실이다. 따라서 나의 글 속에는 기성의 틀에서 벗어난 것이 적지 않다고 여겨진다.

이미 나이가 들 만큼 들고 둔해질 대로 둔해진 사람이 보잘것없는 필력으로 겨우겨우 책을 엮어 내놓게 되었다. 졸필이나마 읽는 분들이나 저자를 기억하는 분들이, '진정 지난날의 문인구의 인생이 잘 담긴 글이다'라고 여겨준다면 더 이상 바랄 것이 없겠다.

끝으로 감사의 말을 전하고 싶은 분들이 있다. 이 글이 책의 모양을 갖추고 햇빛을 보게 된 것은 안동일 변호사와 최종고 서울대 법대 교수의 조언과 지도 덕분이다. 안동일 변호사는 1987년 2월부터 2년간 내가 대한변호사협회 회장을 할 때에 공보이사로서 많은 어려움을 같이했고 현재는 동산불교대학 명예이사장을 맡고 있다. 최종고 교수는 한국인물전기학회 회장을 맡고 있는 저명한 법사상학자이다. 두 분께 마음으로부터 감사를 드린다. 황경주 편집장은 3권 분량의 막대한 원고 중에서 중요한 부분을 골라 한 권의 책으로 정성스럽게 만들어주었고, 박주 사무원은 흩어진 자료를 모으고 PC로 정리하는 어려운 작업을 해주었다. 고마울 따름이다.

2012년 3월

문인구

3장 국가보안법 이야기

4장 대한변협과 함께
시대의 격랑을 넘다

5장 중국을 공부하다

6장 국제 교류가
중요하다

7장 형사 사건의 재판과 변호

8장 정주영 회장과 나 그리고 아산재단

9장 법률가와 사회활동

10장 노년의 상념과 소망

1장

광복 그리고 6 · 25

광복

1945년 8월 15일 우리는 광복이라는 감격을 맞이했다. 나는 그 얼마 전 일본군의 소집영장을 받고 함경남도 함흥 부근의 비행장 건설공사를 담당하는 일본군 부대에 배속되었다. 하루는 소대장이 나에게 우리 소대에 삽이 모자라니 이웃 소대의 작업장에 가서 삽 한 자루를 훔쳐오라고 지시했다. 만일 들키면 맞아 죽을 테니 조심하라는 엄포를 들은 터라 얼마나 떨렸는지 상상할 수도 없다. 삽을 갖다주자 소대장은 사과 한 쪽을 주면서 상으로 주는 것이니 들키지 말고 몰래 혼자 먹으라고 했다. 사과를 먹는 동안 시간은 또 왜 그리 천천히 가던지…. 그러나 나는 큰일 없이 약 15일 만에 돌아왔다. 그 이유는 정확히 잘 모르지만, 아마도 패퇴의 색이 짙어 비행장이 필요 없게 되었는지도 모른다. 부대에 들어가던 날 몇 시간 늦게 도착했다고 칼집에 끼어 있는 대검으로 배를 찌르다시피 후려쳐서 얻어맞은 아픔은 지금도 잊을 수가 없다.

그리고 며칠 있다가 광복을 맞이한 것이다. 그때 광복이라는 말을 썼는지 그런 말이 있었는지조차도 기억이 없다. 그만큼 나는 우둔한 시골 청년이었다. 주변 사람들의 행동이 달라지고 태극기를 휘두르며 소리치고 다니는 사람들이 많이 생겨서 이것이 독립이라는 것인가보다 했다. 우익이다 좌익이다 하는 말도 들려왔지만 모두 나와는 관계가 없는 일이었다. 더욱이 이웃 면에는 좌익 청년단이 많았지만 내가 사는 면에는 별로 없었다.

한번은 이런 일도 있었다. 1945년 광복되던 해에 전염성 열병인 콜레라가 전국을 휩쓸었다. 그때 내가 살던 동네에서 10리쯤 떨어진 소래면 포리(현재의 소래포구 지역) 지역에 환자가 많이 발생했다. 미군정 당국에서 치료약을 보내왔으나 어느 누구도 전염이 두려워서 나서지 않았다. 치료약이 있는데도 그것을 전달할 사람이 없어서 많은 사람이 죽어야 한다는 것은 실로 어처구니없는 일이었다. 나는 선뜻 자원하여 그 마을을 찾아가 약을 나눠주었는데, 나의 이런 행동이 얼마나 도움이 됐고 환자가 몇 명이나 사망했는지 기억은 없다.

1945년 10월 16일 이승만 박사가 고국을 떠난 지 33년 만에 여의도 비행장에 도착했을 때에는 비행장에 나가서 소리쳐 만세를 부른 생각은 나지만, 그분이 초대 대통령이 되어 헌법을 만들고 정부를 수립했던 일들에 대해서는 아무것도 모르고 지냈다.

1948년 4월 3일에 일어났던 제주4·3사건이나 10월 19일에 일어났던 여수순천10·19사건이 일어난 것은 들었는지 못 들었는지 잘 생각이 안 난다. 1948년 5월 10일 UN 관리하에 제1대 국회의원을 선출하는 총선거가 실시되고, 7월 17일 대한민국 헌법이 제정되고, 8월 15일 대한민국이 건립된 것은 주지의 사실이지만 그때는 그런 경과를 단편적인 소문으로 들었을 뿐 자세히 알 까닭이 없었다.

건국청년단

어느 해 어느 날인지 기억이 나지 않지만 나는 청년단에 가입했다. 광복 당시 나는 수리조합에 근무하고 있었는데, 수리조합의 민태영(閔泰英) 이사님은 나를 무진 사랑해 주셨다. 이사님의 후원으로 서울대 법대에 다닐 수 있었는데, 청년단에 참여하게 된 것도 이사님의 권유였다. 청년단 이름이 '대한독립촉성회 청년단'인지 '대한독립촉성 청년단'인지 기억이 잘 안 나지만 '독립'이라는 문자가 들어 있던 것만은 확실하다. 그 후 '대동청년단'으로 이름이 바뀐 것 같기도 하다. 그리고 '민족청년단'이라는 청년단도 새로 생겨나 '국가지상, 민족지상'이라는 구호를 내걸었던 것도 기억난다. 이렇게 광복 후 희망적인 분위기를 타고 우리 면에도 건국청년단이 생겨났고, 나는 내가 살고 있는 경기도 부천군 소래면 청년단의 부단장이 되었다. 청년단 단장은 교회의 장로였던 민태영 이사님이 맡았던 것 같다. 우리 면에는 좌익 청년단이 없어서 좌익과 싸운 기억은 없다.

그 대신 나는 단원들의 계몽을 위하여 〈청운〉이라는 잡지를 발간했다. 몇 사람으로부터 원고를 받아서 등사판 원지에 철필로 쓰고 낡은 용지에 등사를 해서 끈으로 묶어 만든 것이다. 여름방학이 되면 서울 사설기숙사 같은 곳에서 공부하는 대학생을 초빙해 한글 및 교양에 관해 강의도 열었다. 학생들은 어차피 방학이면 기숙사에서 식사를 할 수가 없었다. 이렇게 하면 학생들은 밥도 얻어먹고 떠날 때에는 얼마 안되지만 용돈도 받아 갈 수 있었다.

또 극단을 꾸려서 사람들이 모일 수 있는 동네 몇 군데를 돌아다니면서 연극을 공연하기도 했는데, 이 방면에는 한 치의 소질도 없는 내가 어떻게 그런 일을 했는지 모를 일이다.

모스크바 3상회의가 언제 열리고 신탁통치 결정이 언제 났는지 기억이 안 나지만 신탁통치 반대를 하여야 한다는 상부 단체의 지시를 받고 서울운동장(지금의 동대문역사박물관)에서 열린 반탁대회에 단원을 끌고 참석한 일도 있었다. 그때는 신탁통치가 되면 대한민국의 독립은 바랄 수가 없게 되어 신탁통치를 반대하여야 한다고 믿고 있었다. 서울운동장에서 개최한 반탁대회가 끝나고 을지로 6가부터 1가까지 '반탁!'을 외치면서 행진한 기억도 새롭다.

젊고 건강한 청년의 남다른 정의감과 용기가 넘치던 때였다.

호랑이 소굴에서의 담판

1946년인지 47년인지 분명하지 않으나 한번은 광복 기념일을 앞두고 지금 부천시 유한양행이 있는 자리에서 좌익분자들이 우익 인사들을 습격하기 위하여 도끼, 곡괭이, 낫, 쇠고랑 등 갖가지 무기를 만들고 있다는 정보가 들어왔다. 언제나 있던 일이지만 이번에는 규모가 좀 크다는 것이었다.

당시도 그 자리엔 유한양행의 공장이 있었다고 기억하는데 주변은 세 방향이 낮은 산으로 둘러싸여 있었다. 그래서 나는 새벽에 아래쪽에 모인 좌익 청년들이 충분히 그 위세를 느낄 수 있을 만큼 청년단원 수백 명을 동원하여 산상에 한 줄로 도열시켜 그 분지를 에워쌌다. 우리도 몽둥이 하나씩은 다 들고 있었다. 그러고서는 이렇게 외쳤다.

"너희들과 우리들은 이렇게 싸울 필요가 없다. 만일 싸우게 되면 너희들은 다 죽고 말 것이다. 무기를 버리고 손을 들고 나오면 모두 무사히 집에 돌아가게 할 것이다."

하지만 그들이 들을 리가 없었다. 그렇다고 바로 쳐들어갈 수도 없었다. 그래서 몇 번인가 반복해서 소리쳤지만 반응이 없기는 마찬가지였다.

그래서 나는 "그렇다면 내가 그 안으로 내려갈 테니 이야기를 해보자"라고 제안했다. 주변에서는 맞아 죽는다고 한사코 말렸지만 나는 백기를 들고 혼자 산을 내려가 공장 안으로 들어갔다. 몇 사람이 쫓아오겠다는 것을 말렸다. 산 위에서는 소리를 지르면서 세를 과시하여 나를 성원했다. 나는 공장 안에서 여러 사람들을 상대로 별별 소리를 다하면서 무기를 버리고 평화롭게 지내자는 말로 설득하는 데 성공하였다.

그렇게 해서 그들은 무기를 버리고 순순히 밖으로 나왔다. 그러나 산꼭대기에 있던 우리 청년단원들이 일제히 만세를 부르며 공장으로 들이닥치면서 몇 사람을 때리려고 덤벼들었다. 나는 약속은 약속이라고 하며 그들을 저지했다.

그때 나의 국회의원 입후보 이야기가 나왔지만, 그 따위는 안중에도 없었다.

안양경찰서를 포위하다

어느 해 이른 봄 나는 힘깨나 쓰는 청년단원 두 사람에게 이웃 시흥군 수암면에 가서 이름난 좌익분자 두 명을 붙잡아오라고 했다. 우리를 습격할 준비를 하고 있다는 첩보가 있었기에 그러지 말라고 타이르려는 생각에서였다. 두 사람은 그 집을 찾아갔으나 그들은 외출 중이었다. 허탕을 친 두 사람은 대청마루에 놓인 피아노를 발견하고 "빨갱이 주제에 무슨 피아노냐?" 하며 피아노를 부수어 엉뚱한 곳에 분풀이를 했다.

그대로 넘어갈 일이 아니었다. 피해자가 고소를 했는지 안양경찰서에서 그 두 사람을 체포해 가서 구속했다. 뒤늦게 이 사실을 알게 된 나는 예기치 못한 결과에 흥분한 나머지 단원 100여 명을 3대의 트럭에 싣고 4, 50리를 달려가서 안양경찰서를 포위했다. 비록 미군정 시대이기는 했지만 경찰서쯤은 안중에도 없는 젊은 혈기였다. 그리고 소리쳤다. "어떤 놈이 우리 단원을 잡아갔느냐? 단원을 내놓든가 일전을 하든가 택일하라!" 숫자의 위세에 눌렸던 것일까? 대원들을 앞세운 협박성 요구 앞에서 안양경찰서는 더 이상 버티지 못하고 순순히 단원들을 풀어주었다.

그러나 얼마 후 그 두 사람에게 서울지방법원의 소환장이 날아들었다.

주거침입죄인지 재물손괴죄인지 기억이 나지 않는다. 순순한 석방에 방심하고 있다가 뒤통수를 맞은 셈이었다. 그 두 사람이 법정에 소환되던 날 나도 법정으로 가 방청석에 앉았다. 피고인들이 순순히 자백을 한 탓인지 법정심리는 간단히 끝나고 재판장이 퇴장하려고 일어섰다. "재판장님!" 허망한 재판에 실망한 나는 벌떡 일어나서 소리쳤다. "이 일은 제가 시켰으니 제가 벌을 받겠습니다. 저를 대신 재판해 주세요."

그러나 판사는 대답 대신 빙긋이 웃고 그냥 나가버렸다. 분을 삭이지 못한 나는 그 재판장이 어느 방에 있는지 이리저리 헤매다가 그의 방을 찾았다. 아마도 판사에게 한바탕 따지고 싶었던 시골 청년의 만용이었을 것이다. 판사실로 들어가니 그는 도시락을 펴놓고 점심을 먹고 있었다. 그 광경을 목격한 순간 나는 정나미가 떨어져 내가 뭐 이런 판사한테 사정을 하고 따지고 할 것이 없지 않느냐는 야릇한 감정이 생겼다. 무슨 일이냐고 말을 건네는 판사를 보고 아무것도 아니라는 대답만 하고 뛰쳐나왔다. 왜 그랬는지 지금도 잘 모르겠다. 다만 무의식중에도 판사는 훌륭한 사람인 줄 알았는데 김치, 깍두기가 섞인 도시락이나 먹고 있는 것을 보니 나와 같은 사람이라는 실망감 같은 것이 작용한 것 같다. 지금 그런 광경을 목격했다면 존경심이 생겼을 텐데 말이다.

결국 그 사건은 벌금을 내는 것으로 매듭지어졌다. 지금 생각하면 두 사람에 대한 재판은 당연한 일이고 나의 행동은 무모한 짓이었다. '청년운동은 곧 건국운동'이라고 철석같이 믿어온 나의 가슴에도 이 사건은 정체 모를 응어리로 자리를 잡았다. 나의 청년운동은 그 구호가 아무리 그럴듯하고 위세 당당해도 뜬구름을 잡는 행위에 지나지 않는다는 무력감과 함께 어느덧 나의 허장성세(虛張聲勢)에도 제동이 걸리기 시작했다. 평소 내가 생각해 온 정의감은 무엇인지 회의가 든 것이다.

피난

　나는 1950년 6월 25일 전쟁이 일어나기 직전, 5월 12일 서울대 법대를 졸업하였다. 그전에 이미 제3회 변호사시험(현재의 사법시험)에도 합격하여 6월 초부터는 서울지방검찰청에서 사법관시보(司法官試補)로서 실무수습을 하고 있었다. 그때 나의 집은 현재의 시흥시 대야동에 있었다. 학교 다닐 때도 이 집에서 통학을 했는데, 검찰청에 나가기 시작했어도 서울에 집을 마련하지 못하여 거기서 통근을 하고 있었다. 새벽에 집을 나오면 한 10리쯤 산길을 걸어 나와 경인선 소사 역에서 서울행 기차를 타는 먼 길이었다.

　그날, 그러니까 6월 25일은 일요일이어서 늦잠을 자고 전날 군대에서 휴가를 나온 동생과 같이 동네 이발소에 가서 이발을 하고 있었다. 의자에 나란히 앉아 이발을 하고 있는데 라디오에서 북한의 남침을 알리면서 휴가 장병의 조속한 복귀를 호소하는 다급한 목소리가 흘러나왔다. 방송은 시시각각 전황을 알리면서 장병의 복귀를 몇 번이고 반복하고 있었다. 도저히 믿어지지 않고 무슨 까닭인지 알 수도 없었지만 이발을 계속할 형편이 아니었다. 긴장되고 불안한 순간이 이어졌다. 서둘러 이발소를 나와 동생을 부대로 돌려보냈다.

동생은 부대로 돌아간 후 소식이 끊겼다. 미군의 참전이 알려지고 계속 불리한 전황 속에서 국군이 일방적으로 대구 근처까지 밀렸을 때도 동생의 생사는 알 수 없었다. 그렇게 반년이 지나고 다음해 1월, 내가 육군 중위(법무관)로 부산에서 근무하고 있을 때 거리를 지나다가 교통정리를 하고 있는 동생을 보았다. 동생은 부대로 돌아간 그날 이후 여기저기서 무수한 전투를 치르다 전상을 입고 입원했는데 거의 다 나아 그 일을 하고 있었던 것이다. 어떻게 그 기쁨을 다 말할 수 있으랴!

나는 6월 25일 동생을 부대로 돌려보낸 후 집으로 돌아왔다. 다음날에도 라디오는 끊임없이 전황을 전하고 있었지만 조금 망설이다가 검찰청에 출근했다. 모든 것이 정상이 아니었다. 길에는 사람들이 넘쳐흐르고 짐을 가득 실은 소달구지가 줄을 잇고 있었지만, 검찰청은 이미 텅 빈 상태였다. 우선 거리에 나가서 38선 접경 지역에서 몰려온 피난민들에게 전황에 관하여 이런저런 이야기를 물어보았다. 모두 흥분하고 당황하여 별안간 밤중에 북한군이 쳐들어왔다는 말만 되풀이할 뿐이었다.

저녁에는 중국집에서 한 선배를 만났다. 눈앞에 다가온 전쟁보다는 약속이 더 중요했는지도 모를 일이었다. 선배도 나와의 약속 때문에 서둘러 서울을 빠져나가지 않은 것이었다. 우리는 여기저기서 주워들은 전쟁 이야기며, 어떻게 서울을 빠져나가 피난을 갈 것인지, 전황은 어떻게 될지 늦게까지 이야기를 나누었다.

시간이 늦어 하룻밤을 서울서 묵고 27일 아침에 잠시 검찰청에 다시 나갔다가 서울역으로 가니 객차는 이미 운행되지 않고 있었다. 나는 한강 다리를 건너기 위해서 황급히 한강으로 갔다. 그러나 이미 군에서 통제하여 다리를 건널 수가 없었다. 다리 아래로 내려가서 배를 타려고 했으나 사장(沙場)은 인산인해였다. 이리 밀리고 저리 밀리다가 겨우 쪽배를 얻어 타고 일단 강을 건너니 마음이 편해졌다.

노량진 쪽 둑에 주저앉아서 얼마 동안 시내 쪽을 쳐다보는데 별안간 북한의 야크기가 나타나 한강 다리를 기총소사하고 여의도 쪽으로 날아갔다. 꼭 무서웠다는 생각은 없었던 것 같은데 왜 빨리 그 자리를 뜨지 않고 한참 그 자리에 멍하니 앉아 있었는지 지금 생각해도 모를 일이다. 거기서 집까지는 족히 50리는 되었다. 중간에 버스도 타고 트럭도 얻어 타면서 밤중에야 집에 들어섰다.

다음날 근처에 있는 파출소를 찾아갔더니 청년들이 인민군이라고 붙들어온 어린 청년을 총살하느냐 마느냐 하고 떠들고 있었다. 그 청년은 빡빡 깎은 중머리였는데 인천형무소에서 복역하다가 문이 열려서 전부 탈출했다고 하며 자기는 인민군이 아니라고 했다. 나는 확신은 없었지만 그 청년의 말이 미더웠다. 그래서 몇 마디 편을 들어주었지만 통할 리가 없었다. 모두 흥분하고 있었다. 얼마 후에 그는 밖으로 끌려 나갔는데 죽임을 당한 것 같았다. 피난 중에도 한참 동안 그 고운 얼굴이 자주 떠올라 그때 왜 내가 더 강하게 말리지 못했을까 하는 자책감에 시달렸다. 시보라는 꼬리가 달려 있긴 했지만 검사라고 고함을 치면 말릴 수도 있었으니 말이다. 이 일은 내가 처음 경험한 6·25의 참극이었다. 그 후 이래서 죽고 저래서 죽는 참극은 날이 갈수록 심해갔다.

다음날 나는 부지런히 짐을 챙기고 양조장을 하고 있는 친구에게 돈을 빌려 노부(老父)는 집에 놔둔 채 갓 결혼한 아내만 데리고 피난길에 나섰다. 그러나 얼마 안되는 피난 보따리도 무거워 아내는 한 20리쯤 걷고 난 뒤에는 도저히 못 가겠다고 주저앉았다. 어떻게 할 것인가? 한참 망설이다가 집으로 되돌려 보냈다. 아내는 그때 임신 중이었다.

같이 집으로 돌아갈까도 생각했지만 그때는 이미 동네에서 "문인구 죽여라"는 대자보가 나붙고 있어서 같이 돌아설 수가 없었다. 우익 청년단 간부였지만 좌익 청년단을 붙들어다가 고통을 준 일은 없었고, 검사라고 해도 시보에 불과했지만 나는 그들에게 처단의 대상이었다. 아내야 동네에서 아는 사람도 적고 누구와 다툰 일도 없으니 무사할 것이라는 생각이 들었다. 헤어질 때 아내에게는 이런 말을 했다.

"세상이 없어도 죽지는 말아라. 혹시 인민군 장교가 살자고 하면 같이 살아라. 이럴 때는 그런 것이 흠이 될 수 없다. 죽지 않고 산다는 것은 그 자체가 고귀한 것이며 무한한 가치를 지닌다. 미국도 참전했다는 말이 들리니 전쟁도 얼마 안 가서 끝이 날 것이고 나도 반드시 돌아올 것이니 꼭 살아만 있어라." 장인에게 따귀를 맞아가며 결혼한 아내였다. 그러고는 남쪽을 향하여 무거운 발걸음을 떼었다. 돌아보고 또 돌아보는 진짜 슬프고 고달픈 피난길의 시작이었다.

북한의 남침이 있은 지 3, 4일도 채 되지 않았는데 정부와 국회는 극단적인 혼란에 휘말렸고 거리는 피난을 떠나는 사람들로 가득 찼다. 그런데도 나에게는 이상하게 비감(悲感) 같은 느낌은 전혀 없었다. 국군이 계속 밀리고 미군도 힘에 겨운 싸움을 하고 있다는 느낌은 있어도 내가 죽거나 대한민국이 망할 것이라는 생각은 꿈에도 해본 일이 없었다. 그러기에 감히 아내에게 그런 말도 할 수 있었다고 생각한다.

나는 일단 수원으로 방향을 잡았지만 인민군이 이미 수원까지 들어왔다는 소문에 발안 장터로 우회하는 수밖에 없었다. 발바닥은 부르트지 않은 곳이 없었다. 두 밤쯤 남의 집 외양간에서 잔 기억이 난다. 그러다가 억수같이 비가 쏟아지는 날 저녁 무렵에 미군들로 북적대고 있는 오산에 닿을 수가 있었다.

오산은 미군과 피난민으로 범벅이 되어 대혼란이었지만 발바닥에 빈틈없이 생긴 물집으로 인해 더 걸을 수가 없었다. 무슨 수를 써서라도 트럭을 얻어 타야 했다. 남쪽으로 가는 듯한 미군 빈 트럭을 발견하고 올라탔다가 내리라고 곤봉으로 몇 대 얻어맞았다. 그래도 물러설 수는 없었다. 얻어맞는 것은 문제가 아니었다. 겨우 한 트럭에 올라타긴 했는데 행선지도 몰랐다. 쏟아지는 비 때문에 그 자리에 있던 담요를 몇 사람과 함께 뒤집어쓰고는 잠이 들었다. 그럴 때 비를 맞으면서 잠이 들면 죽는다는 말을 나중에 들었다. 지칠 대로 지친 상태에서 짐짝처럼 다닥다닥 붙은 몸과 몸이 만들어내는 온기로 따뜻해져 오랜만에 푹 잤다. 누가 깨워서 일어나보니 대전이었다.

　대전에 도착했으니 이제 살았다는 희망은 생겼지만 전세가 계속 나빠지는 것 같아서 다시 대구를 향해서 떠났다. 그때는 객차가 끊어진 뒤여서 내가 겨우 얻어 탄 것은 대전 다음 역에서 석탄을 실어 나르던 무개차(無蓋車)였다. 무개차가 철로를 달릴 때에는 그런대로 수건으로 입을 막고 있으면 됐지만 굴속을 지날 때는 석탄가루와 먼지가 날려 견딜 수가 없었다. 정말로 죽을 것만 같았다.

　기차가 설 때면 동네에서 물과 먹을 것을 갖다주는 사람들이 왜 그리도 많은지, 피난민들에 대한 동정심이 극진하다는 것을 느꼈다. 그런데 기차가 경상도에 들어선 다음부터는 물과 먹을 것을 갖다주는 사람들이 뚝 끊어졌다. 경상도라고 인심이 나쁠 리 없지만 피난민들이 몰려들기 시작하니 귀찮은 존재로 인식이 되었는지 모른다.

　피난길은 비참했지만, 나는 노래를 부르면서 스스로를 달랬고 무슨 야유회가 이렇게 난장판이냐고 능청을 떨며 주변 사람들을 웃기기도 했다. 의식적이기도 했지만 무엇인가 낙관적인 무드가 나를 지배하고 있었다.

젊음은 그래서 좋은가보다.

나는 피난길에서 6월 25일 바로 그날과 그 후 며칠 사이에 벌어진 북한 군의 동향, 국군의 항전(抗戰)과 후퇴, 무자비한 살상 등을 듣고 봤다. 단편적인 것들이었지만 모두 몸과 마음으로 얻은 지식이었다. 북한과 공산주의에 대한 나의 시각이 확고히 자리 잡아가고 있었다.

집사람과는 국군이 서울을 수복했을 때 재회했다. 그동안 집사람은 혼자 남아서 시부모를 모시고 고생깨나 한 모양이었다. UN군의 인천상륙작전이 머지않던 여름 집사람은 학질에 걸렸는데, 몸은 고생을 했지만 덕분에 인민군 주도의 여성동맹에 나가지 않을 수 있었다. 여성동맹에서 나오라고 연달아 권고하러 왔지만 학질로 인해 걸을 수도 없는 사정을 보고 포기했던 모양이다.

한의사이시던 아버지는 별별 약을 다 써보았지만 집사람의 학질이 낫질 않자 집안 식구도 제대로 못 고치면서 무슨 염치로 한의사를 하느냐고 하시던 한약방 간판을 떼버리셨다고 한다. 하루는 아버지가 저녁 준비를 하고 있는 집사람을 갑자기 뒤에서 회초리로 세게 두 번을 때리셨다. 집사람이 놀라 왜 그러시느냐고 묻자 깜짝 놀라게 하면 학질이 낫는다는 말이 있다고, 그것도 복숭아나무 가지를 잘라다가 때리면 더욱 효과가 있다고 하여 복숭아나무 밭에 가서 복숭아를 한 바구니 사고 나뭇가지를 2대 꺾어왔다고 하셨다. 그 후 인천상륙작전이 시작되어 서울을 향한 함포사격이 가해지자 대포가 동네 위로도 날아갔는데 그 소리가 엄청나 무서웠다고 했다. 그때쯤 집사람의 학질도 떨어졌는데 어쩌면 그 함포사격에 놀라서 나았는지도 모를 일이다.

6·25의 교훈

내가 앞에서 6·25를 중심으로 나의 움직임을 자세히 적은 것은 대한민국의 반공정서가 전 국민의 대북 불신과 증오에서 우러난 아주 자연스러운 현상이라는 것을 강조하고 싶어서이다. 대한민국의 반공은 정부의 반공정책 때문만도 아니고 우익 단체의 선동 때문만도 아니다. 그것은, 다른 말로 표현하면 6·25를 통하여 자연스럽게 얻은, 자유민주주의·시장경제·인권에 대한 옹호와 주권재민(主權在民) 의식의 표현이다.

북한의 6·25 남침은 조직적인 것이었고 체계적인 것이었다. 그것은 대한민국 사람들을 말살하기 위한 것이었고 신생 대한민국을 전복하기 위한 것이었다. 그것은 당시의 공산주의 종주국 소련의 지시와 후원에 힘입은 것이었고 동맹국 중공의 선동과 지원에 의지한 것이었다. 6·25 후에도 북한의 파괴공작은 끊임없이 계속되었다.

6·25로 인해 수많은 인명 피해가 뒤따랐다. 군인은 말할 것도 없고 특히 민간인의 희생이 컸다. 북한에서도 적지 않은 군인과 민간인이 희생됐다. 60여 년이 지난 지금도 그 상처는 아물지 않고 있다. 전쟁 때 포로가 된 국군이 아직도 북한에서 신음하고 있다. 납북된 어부도 북한에서 살고

있다. 그간 남북 간에 많은 회담이 있었음에도 불구하고 우리 정부의 어느 누구도 그런 일에 관심을 보이고 그들의 송환을 위하여 노력하고 있다는 말을 들은 적이 없다. 우리는 어떻게 하다가 자국민의 안전과 보호에는 관심이 없는 정부 아래서 살게 되었는지 알 수가 없다. 미국은 60여 년 전에 전사한 시신을 찾는 데도 온갖 힘을 다 쏟는데 그렇게는 못하더라도 포로로 잡혀 살고 있는 장병은 데려와야 하지 않은가?

6·25만 없었다면 지금쯤 우리는 통일이 돼 있을지도 모른다. 통일까지는 몰라도 서로 가깝게 왕래하며 북한 출신 남한 인사들이 고향에 돌아가서 살며 사업을 벌이고 있을지도 모른다. 그러면 북한도 지금처럼 경제가 바닥에서 맴돌지는 않았을 것이다. 남한에서 보릿고개가 옛날이야기가 됐듯, 북한의 기사(饑死)도 옛날이야기가 됐을지도 모른다.

남북의 상호 불신도 남남 갈등도 모두 6·25에서 기인한다. 6·25전쟁, 북한의 남침만 없었다면 더러 좌익으로 활동하는 사람을 보아도 그렇게 증오하는 일은 없었을 것이다. 계획적으로 의도적으로 수백만 명이 넘는 남한 동포를 죽였으니 그날 이후 그들은 동포의 지위에서 쫓겨났다.

물론 원죄는 북한의 남침이었다. 민족의 상잔은 60년이 지난 현재도 만악의 근원으로 작용하고 있다. 6·25 이후 수십 년간 대한민국의 대북 정책은 강경 일변도일 수밖에 없었다. 남북 간에 교류가 시작된 후에도 남북 교류를 담당하는 당국자의 행동까지 친북의 눈초리로 의심하는 시각마저 있다.

북한도 남북 간 협상이나 교류가 잘 안 되는 원인이 남침에 있다는 것을 잘 알고 있으리라고 믿는다. 그들이 사실을 정반대로 뒤집어 북침설을 퍼뜨리는 것도 민족 반역이라는 대죄의 책임을 면해보려고 발버둥치는 음모이다. 한때는 이에 동조하는 지식인들이 끼어들어 더욱 국민의 반감을 샀고 젊은이들을 혼란에 빠뜨리기도 했다.

1953년 7월 UN군과 북한군, 중공군은 휴전협정을 맺었지만, 북한은 6·25전쟁이 국군의 북침으로 시작된 것이라는 주장을 굽히지 않았다. 그러나 그런 주장은 나에게는 말할 것도 없고 38선에서 기습을 당한 군인들이나 그 근처에서 피난길을 나선 사람들에게는 통할 리가 없었다. 그 후 한참 계속된 북한의 북침설은 의도적으로 조작된 허위의 말장난에 불과했다. 1989년 동유럽과 소련이 붕괴되고, 중국의 개방에 힘입어 비밀자료들이 공개되자 6·25의 진상이 더욱 명확히 밝혀졌다. 그 후 일부 지식인의 북침설도 어느덧 수그러들었다.

6·25로 그렇게 많은 인명과 국토가 모두 파괴되는 비참한 피해를 입고도 60년이라는 아주 짧은 사이에 대한민국을 선진국가의 반열 가까이 올려놓은 장한 대한민국 국민은 그래도 우리 동포라는 의식과 아량으로 경제지원을 통하여 북한을 포용할 정도로 성장했고 마음의 여유도 생겼다. 하지만 6·25와 일련의 사태는 여전히 북한 불신의 근본원인이 되고 있다. 물론 6·25도 세월이 흐르면서 국민의 기억에서 점차 사라지고 있다. 하지만 6·25를 소재로 한 영화나 이야기가 그칠 날이 없고 그 시대를 겪은 사람들, 그 이야기를 들으면서 성장한 사람들이 한참은 살아 있을 것이니 사람들의 기억에서 아주 사라지는 일은 없을 것이다. 원래 이런 일은 그것이 민족 내부의 일이건 이민족과의 일이건 오래오래 사람들의 기억에 남는다. 1000년 전 십자군이 일으켰던 전쟁도 민족 간, 국가 간, 종교 간, 지역 간의 갈등과 대립의 한 원인으로 여전히 작용하고 있다. 내가 6·25 남침을 만악(萬惡)의 근원으로 보는 까닭이다.

2장

검사의 정의

부산 피난생활

6·25 당시 부산에는 피난민이 하도 많아 잘 데가 없어 한동안은 황북동 교회 안에서 잤다. 교회에서는 예배 볼 때 신자들이 앉는 의자들을 한구석에 몰아놓고 잘 수 있게 빈자리를 만들어놓았다. 다른 곳으로 가고 싶어도 마땅한 자리가 없었다. 게다가 돈도 얼마 남지 않아 한 끼를 굶는 한이 있더라도 돈은 아껴야만 하는 형편이었다. 그러던 중 부산지방검찰청에 갔더니 현직 사법관시보라고 월급을 얼마간 주기에 받은 기억이 난다.

어느 날 길을 걷다가 김종문이라는 친구를 만났는데 육군 중령으로서 계엄인사부 책임자로 있었다. 그가 계엄인사부에 나와서 대북방송을 해줄 수 없겠느냐고 말하기에 얼씨구나 하고 덤벼들었다. 보수야 얼마가 됐든 일자리가 생겼다는 것이 참으로 반가웠다. 그 덕분에 무일푼의 친구들 몇 사람은 도울 수 있었다. 그 후 얼마 동안 대북방송을 하였는데 집에 혼자 남겨두고 온 집사람이 이 방송을 듣고 내가 살아 있다는 것을 알게 되기를 바라는 마음 간절하였다.

얼마 후 부산에 더는 있을 수 없어서 사상 역까지 가서 겨우 방을 하나

얻었다. 답답하기 이를 데 없는 방이었지만 좋은 점도 있었다. 강변이라 숨통은 틀 수 있었고 큰길가 집이 되어 미군 탱크나 무기를 실은 트럭 같은 것이 북상하는 것을 볼 수 있었다. 나는 하나, 둘, 셋 숫자를 세면서 이제 미군이 본격적으로 오는구나 하고 즐거워했다. 밤에도 탱크 지나가는 소리가 나면 자다 말고 일어나서 그 숫자를 세곤 했다.

하루는 길을 걷다가 서울대 법대 동기생 조병직 목사를 만났다. 부산에서 만난 유일한 동기생이었다. 그 후로 우리는 매일 만나다시피 했다. 그러던 어느 날 새벽에 조 목사 친구가 찾아와서 조 목사가 붙잡혀가 부산 시청 앞 광장에 있다고 알려줬다. 다급한 국군이 아무 데서고 보이는 대로 젊은 사람들을 붙들어가서 일선으로 보내는 긴급한 때였다. 서둘러 '계엄(戒嚴)'이라고 씌인 큰 완장을 차고 시청 앞에 갔더니 광장은 젊은이들로 가득 차 있었다. 나는 그곳에 있는 단상에 올라서서 "조병직 있어? 조병직 있어?" 여러 번 외쳤더니 "네! 여기 있습니다" 하는 소리와 함께 손이 번쩍 올라왔다. 나는 계엄사령부에서 범인을 잡아가는 것처럼 그를 데리고 나왔다. 경비하는 장병들이 있었지만 내 완장을 보고는 아무도 말리지 못했다. 나는 급한 마음에 친구만 생각한 것이다. 필시 그곳에 모인 많은 젊은이들이 전선에서 귀한 목숨을 잃었을 것을 생각하면 나도 마음이 편하지 않았다. 그러나 조 목사는 그것이 마음에 몹시 걸렸던지 후에 나도 모르는 사이에 아는 장교에게 부탁해서 계급 없이 카빈총 하나 달랑 메고 압록강까지 종군했다고 한다.

9월에 들어서자 인천상륙작전을 위해 그쪽 지리를 잘 아는 청년들이 있으면 추천해 달라기에 같은 부천군 소래면에서 피난을 온 두 사람인가 추천을 해준 기억도 난다. 그 후 나는 다시 부산의 작은 여관으로 옮겼다. 새벽이면 들렸던 "제첩국 사이소! 제첩국 사이소!" 하는 아주머니의 목소리가 지금은 그리운 추억이 됐다.

그러다가 어느 날 육군 법무관을 모집한다는 말을 듣고 신청서를 넣었다. 나는 바로 육군 중위로 임명되었고, 검사가 되었을 때는 대위였다. 군인이긴 했지만 훈련을 받을 시간이 없어 아침에 1시간 거수경례와 같은 기본동작과 오후에 1시간 구보훈련을 받은 것이 전부였다. 사격훈련 한 번 해본 일도 없이 군인이 되었던 것이다. 그래서 나는 친구들을 만나면 가짜 군인이었다고 농담을 하곤 했다.

그렇게 시작한 군인생활은 1년 정도 육군 법무관으로 일한 뒤 끝을 맺었다. 내가 이렇게 일찍 제대를 한 것은 검찰청에서 사람을 필요로 했기 때문이었지만 다른 이유도 있었다. 앓고 있던 치질이 심해져 수술을 받았는데 의사가 엉터리였던지 오히려 덧나서 움직일 수 없는 상태가 되어버렸다. 군복을 입고는 있었지만 법무관이라서 군인생활이랄 것도 없었고 지금 생각해 보면 신 나는 일이기도 했다. 하지만 제대를 하고 사복으로 갈아입은 뒤 광복동 거리를 걷는 기분이란 '정말 자유란 이런 것이구나' 하는 느낌을 주기에 충분하였다.

젊은 법무관의 만용

당시 군 법무관이라면 누구나 그랬듯이 나도 엄청나게 많은 사건을 처리했는데, 그중 하나가 세칭 '체신부사건'이었다. 이 형사 사건은 수입 통신기자재를 의도적으로 파괴해 바다에 버렸다고 육군 합동수사본부에서 송치한 사건인데 조사를 해보니 피의자 8명이 배를 타고 부산으로 오다가 배가 출렁대는 바람에 송신기자재가 떨어진 것일 뿐 그것을 일부러 바다에 버리고 온 것은 아니라는 것이 판명되었다. 그러므로 나는 송치관서인 합동수사본부의 담당직원을 불러다가 추가해서 제출할 증거가 있느냐 묻고 없을 때에는 전원 무혐의로 석방할 수밖에 없다고 이야기했다.

그 직원은 나하고 기껏해야 30분가량 이야기를 하고는 되돌아갔는데, 본부장에게는 오후 늦게서야 보고한 듯하다. 당시 본부장은 천하를 잡을 듯 위세를 부리던 모 대령이었는데 전화부터 걸어왔다. 내가 전화를 받으니 대뜸 "너 왜 남의 직원을 하루 종일 붙들어놓았어!" 하고 소리쳤다. 30분도 안돼 돌아갔다는 나의 대답을 듣자 그는 "뭐 어째, 이 자식아!" 하면서 전화를 끊었다.

나의 상사였던 한 대위가 이거 큰일 났다고 걱정하자마자 그 대령이 쳐들어와서 문 중위가 어떤 놈이냐고 소리쳤다. 내가 벌떡 일어나 그의 앞으로 가서 빳빳하게 서서 "접니다" 하고 말하니 "이 자식아, 너야?" 하며 한 대 칠 기세를 보였지만 치지는 못하고 몇 마디 더 욕을 했다. 그 순간에 나와 같이 임관한 김 대위가 옆에서 달려들면서 "여보시오. 대령이면 대령답게 처신하시오. 여기가 어딘지 알아요!" 하고 대들자 기세가 죽은 듯 어디 두고 보자며 되돌아갔다. 군 사정을 잘 모르는 김 대위 덕분에 겨우 맞는 것만은 면했다.

이렇게 나는 합동수사본부장과 정면으로 충돌했다. 합동수사본부는 구속 송치한 8명 전원을 기소하여 사형에 처하여달라고 했지만, 나는 조사 결과 어느 누구에게도 범죄를 인정할 만한 증거를 찾을 수 없으니 모두 불기소(不起訴) 석방하겠다고 맞섰다.

합동수사본부장은 당시 계엄하의 수사 전권을 장악하고 있어서 중위 계급장을 단 법무관쯤은 안중에도 없었다. 그러나 나는 비록 계급은 중위였지만 검찰관이라는 자부심 때문에 한 치의 양보도 하지 않아 싸움은 국방부 차관의 중재를 받는 상황으로 비화했다. 차관이 중앙에 앉고 양쪽에 각각 부산 분실장과 나, 합동수사본부장과 담당수사관이 앉아서 격론을 벌였지만 나는 조금도 양보하지 않았다. 8명 중 한 사람만 기소하면 어떠냐는 절충안도 나왔지만 단호히 거부하였다. 그러자 그날로 나는 당시 육군 법무감실이 있는 대구로 전출 명령을 받았다.

지금 생각해 보면 왜 그렇게 흥분했는지 모르겠다. 아무리 공익을 대표하는 법무관이라 할지라도 주어진 여건 속에서 최선을 다하면 되는 것이었다. 더욱이 그때는 전쟁 중이 아니었던가. 전쟁 중에는 모든 사람이 긴장하고 흥분하고 이성을 잃기 쉽다. 어쨌든 그때는 죽고 싶을 정도로 허탈감을 느꼈다. 그래서 당시 국회가 열리던 부산시민회관 방청석인 2층에 앉아 별별 잡념과 망상에 사로잡혔다. 경과를 자세히 적은 유서를 써서 뿌릴까 하는 생각도 했다. 그러나 실행에 옮기지 못한 채 다음날 지프차에 실려 경주를 거쳐 대구로 향했다. 당시 비참한 심정은 이루 표현할 길이 없었다. 이대로 지프차가 뒤집어져 사고라도 나서 죽었으면 했지만 그것도 생각대로 안 됐다. 경주 부근 울퉁불퉁한 황토 비탈길에서 앞바퀴가 빠져나갔지만 지프차는 그대로 주저앉아 별 탈이 없었던 것이다. 그것이 운이라는 건가.

이렇게 해서 대구로 부임하여 부산 소식을 기다렸다. 그러나 답답한 마음은 금할 수가 없어서 근무지 대구를 이탈하여 부산에 가서 후임 담당 법무관에게 나의 소신을 밝히는 등 무모한 행동도 하였다. 아무리 법무관이라도 있을 수 없는 일이었다. 며칠이 지나도 결말이 나지 않아 어쩔 수 없이 대구로 되돌아왔다. 후일 양측의 체면을 세워주는 타협안으로 8명 중 한 명이 대표로 구속기소되었지만 무죄판결을 받았다고 한다. 나의 근무지 이탈 건도 문책 없이 넘어갔다. 나의 고난과 만용이 보람과 구원을 얻은 셈이다.

이렇듯 나는 검사가 되기 전부터 특이한 일을 겪었다. 검사는 몸을 내던지는 한이 있더라도 소신을 관철하여야 한다고 누가 가르쳐준 것도 아닌데 어떻게 그렇게 당돌한 짓을 했는지 알 수가 없다. 다만 형사소송법 교과서를 읽어서 검사의 직무가 엄정하다는 것을 알고 있었을 뿐이다. 검사는 공익의 대표자라는 말 한 마디, 혹은 법의 엄정한 집행자라는 인식이 나를 그렇게 만든 것 같다.

전쟁 중의 피의자들

육군 법무관으로 재직한 기간은 짧았지만 그동안 6·25전쟁이라는 극한 상황 속에서 지금으로서는 도저히 생각할 수 없는 일들을 많이 목격했다. 그때는 상황이 상황인 만큼 피의자의 혐의사실을 제대로 조사하여 억울한 사람을 풀어줄 여유가 없었다. 누군가 그놈은 빨갱이다, 인민군의 첩자다 하면 이것저것 가리지 않고 처참한 형벌을 받는 일이 다반사였다.

재판도 거치지 않고 억울하게, 너무 억울하게 죽은 사람들도 많았고, 재판을 받고 사형이 선고된 경우도 지금 같으면 무죄나 기껏해야 징역 몇 년으로 끝날 사건도 많았다. 법무관으로 일하며 기소 여부를 가리기 위하여 수사기관에서 보내온 사건들을 처리하다 보면 억울한 사람이 너무나 많았다. 그러나 그것을 가리는 일은 쉽지 않았다. 군법회의(재판)가 끝나도 억울하다는 진정서가 쇄도했다.

전쟁은 그런 시대를 만든다.

마음대로 한 '형 집행정지'

하루는 그 많은 진정서들 가운데서 감동적인 글로 엮어진 진정서 한 장을 읽게 되었다. '부역자'였지만 내용은 생각하기에 따라 별것도 아닌데 징역 20년의 중형을 받고 복역 중인 사람이었다. 진정서를 읽고 나는 그의 애국심에 놀라 이런 사람을 형무소에 가두는 것은 잘못이라 생각했다. 그래서 형 집행정지 결정서를 만들어서 육군 참모총장의 재가를 받아 석방하였다. 당시 나는 육군 참모총장의 재가를 받을 일이 있으면 전속부관에게 갔는데, 그는 총장의 재가를 대신하거나 도장을 내주곤 하였다. 형 집행정지 결정서를 들고 갔을 때도 도장을 내주어 한마디 설명도 안 하고 재가 도장을 찍었다. 이쯤 되면 육군 중위의 권한도 막강했다. 그분은 후에 사회에서 큰 활동을 하였고 명사로서 이름도 떨쳤다.

참혹한 고문

한번은 이런 일도 있었다. 어느 군 수사기관에서 보내온 사건으로 기억되는데, 피의자를 조사하려고 하니 피의자가 "검사님, 조사를 하기 전에 보여드릴 것이 있습니다"라고 말하면서 바지 자락에서 성기를 꺼내 보여주었다. 아픈 것을 참고 내미는 것을 보니 성기는 피투성이로 세로 3cm 정도는 찢어진 것 같았다. 너무나 처참해서 알았다, 미안하다는 말로 옷을 입게 하였지만 분해서 참을 수가 없었다.

아무리 전쟁 중이고 국민이 미워하는 좌익사범이라고는 하지만, 상상할 수 없는 일이었다. 일제강점기의 유산인 고문은 광복 후에도 수사기관의 숨은 무기가 되었지만, 이렇게 성기에 심한 상처를 입힌 고문 이야기는 들어본 적이 없었다.

나는 바로 그 부대에 연락해서 조사관을 보내라 지시하였지만, 그 조사관은 전선에 전속돼서 없었다. 이미 눈치채고 빼돌린 것이었다. 그가 전선에 전속됐는지 확인할 방법이 없으니 체포할 방법은 더욱 없었다. 결국 범죄사실의 경중을 따질 것도 없이 피의자를 석방하고 위로의 말로 달랠 수밖에 없었다.

6·25전쟁의 참극은 우리 생활 구석구석에까지 심한 부작용을 낳았다. 어쩌면 지금까지도 이어지고 있는지 모른다.

절도 사건의 어려움

절도범의 눈물

6·25전쟁 직전 사법관시보로 서울지방검찰청에 첫 출근한 나에게 배당된 첫 사건은 절도 사건이었다. 피의자를 앞에 두고 어떻게 조사를 해야 할지 잘 알지 못했지만, 절도죄의 조사는 그리 어려운 일은 아니었다. 사실 여부만 물으면 되기 때문이었다.

그러나 피의자가 묻는 말에는 대답을 하지 않고 계속 울어대기만 하는 데는 당황할 수밖에 없었다. 피의자는 물건을 훔친 사실을 부인하지 않으면서도 자기의 딱한 사정을 늘어놓는 데 여념이 없었다. 어린 딸을 두고 아내가 도망갔는데, 자기는 몸도 부자유스러워 돈을 벌 길이 없는데다 애는 키워야 하기에 물건을 훔쳤다는 것이다. 피의자가 그와 같은 말을 하면서 계속 우는 바람에 나도 눈물을 글썽거렸다. 나는 조금 눈물이 많은 편이다.

그렇다고 검사가 피의자를 조사하면서 같이 눈물을 흘린다는 것은 우스운 일이라고 생각했기 때문에 기록서류철을 눈높이로 들어 얼굴을 가리고는 읽는 척했다. 하지만 피의자는 내 목소리가 이상한 것을 알아챘을 것이다. 이것이 내가 사법관시보로서 처음 담당한 절도 사건이었다. 병아리 검사로서 지도관인 부장검사의 지시에만 따를 때이므로 그 피의자를 기소유예했는지 기소했는지는 기억이 나지 않는다.

알고 보면 까다로운 절도 사건

사법관시보를 끝내면서는 검사를 할 것인가, 판사를 할 것인가 결정해야 했다. 지금도 사법연수원을 수료하는 사람들은 누구나 한번쯤은 고민하는 문제이리라. 1951년 내가 왜 판사가 아닌 검사를 선택했는지는 나 자신도 똑 부러지게 그 이유를 말하기가 힘들다. 하지만 당시 그런 질문을 받으면 판결문 쓰기가 싫어서 검사를 했다고 대답했다. 판사가 재판의 결과를 판결(주문)로 표현하는 것도 어렵지만, 그러한 판결(주문)에 도달한 이유를 서면으로 쓰려면 보통 어려운 것이 아니라고 생각했기 때문이다. 판사들이 쓴 판결을 받아보면 늘 느끼는 것이었다.

요새는 어떤지 몰라도 전에는 사법관시보가 되면 누구나 절도 사건으로부터 수사를 익히기 시작하지만 검사가 되고 나면 절도 사건은 될 수 있으면 피하려고 했다. 절도 사건을 많이 다루는 검사를 '절도검사'라고 폄하하는데 검사로서는 명예롭지 못한 별칭이었다. 사회적으로 떠들썩한 사건, 정치인이나 대기업가가 연루된 사건을 다루어야 '명검사'가 되는 것이지 절도 사건만 다룬다는 것은 그 검사가 중요한 사건을 다룰 만한 능력이 없다고 상사들이 느끼기 때문이었다.

그러나 사실 절도 사건만큼 다루기가 힘든 사건도 없다. 절도 사건은 범죄내용은 간단하지만 그 이면에는 복잡한 인간사가 깔려 있기 때문이다. 절도를 한 피의자는 대담하게 협박하는 강도도 아니고 간교하게 잘 속이는 사기꾼도 아니다. 어떻게 보면 마음 약한 사람들이다. 남의 눈을 피해 몰래 훔친다는 것이 바로 그 증거이다. 절도의 대상도 큰 물건이나 큰돈이 아니다. 있어도 그만 없어도 그만한 물건이나 몇 푼 안되는 돈을 훔치는 일이 허다하다. 범죄를 저지르는 사람도 성인보다는 청소년이 많고 심리적으로 나약한 사람들이 많다.

그래서 무턱대고 기소하자니 절도범의 형편이 너무나 딱하고 기소유예를 하자니 도둑놈을 놓아준다는 사회의 비난을 받기 쉽다는 난점에 부닥치기 일쑤다. 게다가 절도 사건의 경우 피의자도 제대로 변명을 하려 들지 않는다. 그러므로 명검사라도 그 딱한 처지를 헤아리면서 인간미 있게 해결하려면 아무리 지혜를 짜내도 어려운 것이 절도 사건인 것이다.

일용품의 절도와 밀수

우리 국민들이 6·25전쟁으로 초토화된 국토를 지금과 같이 풍성한 나라로 만든 것은 기적과도 같은 일이다. 요새는 경제성장이니 경제발전이니 하는 말을 당연한 듯 쓰고 있지만, 국토가 폐허가 되었던 전후에 그런 말은 어불성설이었다. 판잣집이라도 들어앉을 자리가 있고 물건을 만들어낼 수 있는 공간만 있으면 그것으로 족하던 때였다. 그래서 경제부흥이라는 말이 유행했고 그것이 그 시대의 목표였다. 경제부흥에 앞서 이런 어려움에서 벗어나는 데 한몫한 것이 미군 군수물자의 절도와 불하였다.

6·25전쟁 직후에는 의류나 식품의 생산공장이 거의 없어 여기저기 주둔하고 있던 미군부대에서 절취한 군용품이 남대문시장이나 동대문시장의 상품뿐 아니라, 서민들이 필요한 생필품의 중요한 공급원이었다. 그 시대를 살아온 사람들 중에는 한 번쯤 미군용품의 신세를 지지 않은 사람이 거의 없을 것이다. 상황이 이러하였으니 당시 미군부대에서 군용품을 훔치는 것은 당연한 일로 받아들여졌다.

서울지방검찰청으로 넘겨지는 군용품 절도 사건만도 하루 수십 건에 이르렀다. 사정이 이러하니 절도범이라는 이유만으로 기소할 수는 없었다. 물론 법률상 유죄를 면할 수는 없었지만, 피의자의 구구한 개인 사정은 제쳐놓고라도 국가 경제의 성장 과정에서 미군의 군용품 절도를 생필품 확보의 필요조건으로 받아들일 수밖에 없었다.

대개의 경우 기소유에 처분을 하면서 군용품을 절취한 부대에는 다시가지 말라고 타일렀지만 갈 곳이 없는 절도범은 다시 그 부대에 가서 군용품을 절취하다가 미군 헌병대에 의하여 붙잡혀오기 일쑤였다. 왜 그곳에 다시 갔느냐고 핀잔을 주지만 그도 나도 쓴웃음을 지을 수밖에. 미군헌병대도 절도범을 잡아서 보내면 왜 석방하느냐고 우리에게 항의를 했지만, 그들인들 우리의 사정을 몰랐겠는가. 모든 사람이 군복을 염색해만든 잠바와 바지를 입고, 지프차를 훔쳐다가 만든 '시발택시'를 타고 다니는 형편이었는데 말이다. 나는 그때도 등산을 즐겼는데, 등산 잠바는말할 것도 없고 허리에 찬 물통까지도 모두 미군용품이었다.

1950년대, 특히 휴전 직후에는 밀수도 성행하여 지금은 이해할 수도 없는 생필품까지 밀수의 대상이었고 얼마라도 돈이 도는 곳은 밀수와 관련이 있다고 보아도 무방할 정도였다. 남쪽 어느 해안도시에서는 신축 빌딩이 올라가다가 밀수 단속을 했더니 건축이 중단되는 일도 있을 정도였다.

한번은 세관의 여의도공항 출장소 직원 13명을 전원 구속한 일까지 있었다. 공항이라고 해봐야 벌판에 비행기가 서 있는 게 고작이었는데, 밀수품을 싣고 들어온 비행기 바로 옆에 트럭을 대고 양단을 실어 나를 정도였으니, 이쯤 되면 세관 직원은 뇌물 수수를 넘어 밀수의 공동정범이었다.

밀수범이나 군용품 절도범의 처벌에도 개인의 사정과 국가 경제적인측면, 사회적인 측면을 고려하는 지혜가 필요하던 시대였다.

중고 미군 군수품 불하 사건

　종로경찰서에서 보내온 사건으로 기억한다. 고소인이 돈을 내서 미군 수물자를 불하받았는데, 불하받는 일을 맡아 진행했던 피의자가 마치 자기 돈으로 불하를 받은 양 군수물자를 가로채서 마음대로 처분하여 횡령했다는 사건이었다. 그런데 피의자는 경찰에서는 고문에 못 이겨서 시인했지만 사실은 자기 돈으로 군수물자를 불하받고 처분한 것이니 자기에게는 아무런 잘못이 없을 뿐만 아니라 자기가 부산까지 가서 도와준 고소인과 그의 일당이 역으로 조작한 사건이니 진상을 밝혀서 처벌해 달라고 했다.

　피의자의 말투로 보아서 진실성이 있어 보였지만 고소인과 고소사실을 뒷받침하는 증인이 두 사람이나 있어서 피의자의 억울함을 풀기는 그리 쉬울 것 같지 않았다. 하지만 피의자는 부산에 가서 조사해 보면 알 것이라고 호소했다. 먼저 고소인이 말한 대로 그들이 비행기를 이용한 사실이 있는가를 알아보는 것부터 시작하였다. 그러나 비행기회사의 승객명부에는 고소인과 그 일당의 이름이 없었다. 여기에 의문을 품은 나는 부산까지 출장을 가서 고소인과 그 일당이 묵었다는 여관의 종업원을 조사했다. 종업원의 대답에 따르면 그 사람들이 묵은 것은 사실이지만, 여관비를 제때에 낼 수 없어서 피의자가 와서 정산을 했다는 것이다. 고소인과 그 일당, 피의자의 인상착의와 연배와 이름으로도 확인했다. 그러니 불하대금처럼 큰돈을 누가 냈는가는 불문가지였다. 결국 고소인을 무고죄로 구속기소하고 피의자를 석방했다.

어수선한 사회 속에서 고소인이 억지 주장을 하고 두 사람이 고소사실을 뒷받침하는 증인이 되면 웬만한 피의자는 방어하기 힘들 것이다. 이런 경우 구속된 피의자가 홀로 억울하다고 주장해 보았자 그렇게 쉽게 풀리지 않는 것이 현실이기 때문이다. 미국처럼 범죄사실을 뒷받침할 만한 증인이 최소한 두 사람은 있어야 사형에 처할 수 있다는 헌법의 규정이 있어도 증인 두 사람만 있으면 미운 사람 한 명쯤 감옥에 보내는 것은 그리 어렵지 않다. 그러므로 웬만한 피의자는 버틸 만큼 버티다가 체념하는 것이 보통이다. 검사가 피의자의 말에 귀를 기울이는 것도 중요하지만, 피의자가 자유롭게 하고 싶은 말을 다 할 수 있는 분위기를 만들어주는 것이 더욱 중요하다. 그리고 번거롭고 힘이 들더라도 그 말에 따라 증거를 찾는 일은 검사의 임무이다. 그러나 밀려드는 사건들에 시달리는 마당에 시간이 많이 걸리고 비용도 드는 귀찮은 일은 아무래도 소홀하기가 쉽다. 그러니 구체적 정의 실현에는 검사의 지극한 정성이 필요하다.

미군용 타이어 단속

　미군이 쓰다 버린 군용품 중 우리 생활을 지탱해 주는 데 큰 역할을 한 것이 차량이었다. 그중 하나가 지프차를 개조한 시발택시이고 지프차와 트럭의 중간급인 스리쿼터를 개조한 중형버스였다. 트럭을 개조한 큰 버스들도 있었지만, 모두 부품과 타이어는 미군수품에서 나온 것을 쓰고 있었다. 미군수품은 미군부대뿐만 아니라 미군용품을 쓰고 있는 국군부대에서도 흘러나왔다. 합법적인 불하도 있었지만 불법으로 유출되는 것이 더 많았다.

　법무부에서 검찰과장을 하고 있을 때의 일이다. 미군부대나 국군부대에서는 늘 군용품의 불법유출을 단속해 달라고 요구하였다. 그중에서도 눈에 띄는 버스 타이어를 단속하라고 촉구하였다. 군 당국으로서는 너무나 당연한 요구였지만 그 요구를 그대로 다 들어줬다가는 국내의 자동차들은 거의 다 설 수밖에 없는 실정이었다. 나도 매일 그런 차를 타고 다녔으니 말이다. 그렇다고 군용품인지 아닌지 금방 분간할 수 있는 타이어를 보고도 그대로 방치할 수 없는 일이었다. 결국 나는 상공부의 담당자와 타이어 회사 사람들을 불러 국산 타이어의 생산 실정과 수입품의 상황을 물어보았다. 그 결과 이제는 조금씩 단속하여 나라의 체면을 세우면서 미군에게도 미안하다는 표시를 할 수 있다는 판단을 내릴 수 있었다.

몇 번 협의를 거친 후에 나는 이렇게 하기로 했다. 운수업에 종사하는 대표자들을 불러 이제는 차에 사용되는 타이어의 4분의 1을 매월 국산으로 대체하여야 한다고 강조하며, 앞으로 4개월 동안 타이어를 모두 국산이나 합법적인 수입품으로 바꾸라고 했다. 4개월의 여유를 둔 것은 새로 갈아 넣은 타이어가 어느 정도 닳을 때를 기다리기 위해서였다. 운수업자들이 법률을 명백히 어기고 있기는 했지만 그들도 살리고 서민생활 전체에 미치는 영향도 최소한도로 줄이는 방향으로 법의 집행에 신축성을 기했던 것이다.

고문을 방임한 검찰

나는 1950년 5월에 검사 발령을 받고 1963년 9월에 그 자리를 떠날 때까지 13년간 서울지방검찰청에서만 근무했는데, 6·25전쟁이 끝나고 난 이듬해인 1954년에는 4개월쯤 인천지청에서 근무했다. 제3대 국회의원 선거가 있어 인천지청에서 검사 한 사람이 더 필요했기 때문이었다.

인천지청에 있는 동안 선거사범을 처리한 기억은 별로 없고 선거와 관련된 듯싶은 국가보안법 위반 사건을 맡았던 것이 기억에 남는다. 동인천 경찰서에서 보내온 사건으로 기억한다. 30세가 채 안된 젊은 여자 피의자가 국가보안법을 위반한 사건이었다. 고향 충청북도 괴산에서 인민군에 부역하여 애국 인사들을 밀고하여 살해케 하였다는 것이 여자의 범죄사실이었다. 조사를 해보니 피의자는 순순히 자백했다. 다만 진술한 증인이 한 사람뿐이어서 살인죄를 적용하기에는 증거가 너무나 미약했다.

증거 불충분으로 계속 수사를 하기 위하여 석방하였는지 아니면 위에서 무슨 지시가 있어 석방하였는지 확실하지 않지만, 나는 계속 수사하기로 했다고 말해주고 피의자를 석방했다. 그런데 석방 후의 일이 나를 놀라게 했다. 그 피의자가 며칠 후 검찰청으로 나를 찾아와 조용한 방이 있으면 좋겠다고 했다. 무슨 일인가 싶어 딴 방으로 가서 여자와 마주 앉았더니 구속되어 있었을 때 내 앞에서 자백한 것은 모두 거짓이다, 사실은 경찰의 고문을 견딜 수 없어서 그렇다고 대답했던 것뿐인데 너무나 억울하다고 울먹였다. 어째서 내 앞에서 순순히 범죄사실을 자백했느냐고 물었더니 경찰이 검찰청에 가서 딴 소리를 하면 다시 데리고 와서 혼내준다고 했기에 다시 고문을 받을까봐 그랬다고 했다.

검사가 된 지 4년이 채 안된 나는 당황할 수밖에 없었다. 여자의 고백은 계속 이어졌다. 서울에 있는 한 회사의 경리사원이었는데, 모시고 있던 분이 국회의원 선거에 나갔고 그 때문인지 사장을 비롯해 자신도 회사 돈의 용처와 그 액수에 관하여 조사를 받았지만 자신만 동인천경찰서로 옮겨졌다, 조사 담당자는 옷을 모두 벗기고 사실대로 말하라고 강요했는데 때리지 않아도 옷을 벗기고 문답을 하는 것은 고문이다, 여자로서 느끼는 수치심은 얻어맞는 것 이상이다 하면서 울먹였다.

나는 6·25전쟁 때는 어디서 무엇을 했느냐고 물었다. 전쟁이 나자마자 부산으로 피난을 가서 여자경찰학교에 입학하여 소정의 교육을 받고 경찰관이 되었다, 전쟁 중에도 괴산에는 살지 않았다, 지금도 경찰학교 졸업증명서와 기념사진 같은 것들이 있다는 것이 여자의 대답이었다. 나는 미안하다, 사실이 그렇다면 아무 걱정 말라, 경찰학교 졸업장이 있으면 가져오라고 하고 돌려보냈다.

여자는 며칠 후에 졸업증서와 사진들을 들고 다시 나타났다. 기가 막힐 일이었다. 여자의 말에 따르면 이번 사건은 동인천경찰서에서 직접 조사하였다기보다는 서울에 있는 검사가 비밀을 유지하기 위해 동인천경찰서에 피의자를 가두어놓고 직접 조사했다. 그는 정치적인 사건들을 더러 다루어 이름이 나 있던 검사였다. 나는 믿어지지 않았다. 검사가, 어쩌면 검사가 그럴 수 있나? 얼마 안 가서 여자의 억울함은 풀렸지만, 여자를 고문하고 사건을 조작한 검사는 어찌할 것인가? 나의 고민은 컸다. 결국 본청 차장검사에게 사건 경과를 보고하고 그 검사를 입건 수사하겠다고 대들었으나, 후배 검사가 선배 검사를 다룬다는 것은 무리이니 자기에게 맡겨주면 상급 검찰청과 협의하여 처벌하겠다는 말로 나를 달랬다.

그 후 틈틈이 차장검사에게 확인했지만, 알았다는 대답만 들을 수 있을 뿐이었다. 결국 그렇게 시간이 흘렸고 차장검사가 병석에 눕더니 위독하다는 말까지 들려왔다. 나는 그 이상 채근할 수가 없었다. 하지만 경찰에서 이런 일이 일어나도 이해가 안 되는데, 그런 일을 막는 것이 검사의 직책이 아닌가, 어떻게 검사가 그런 일을 하였을까 하는 의문은 해소되지 않았다.

최근 검찰청이 정치적 사건이나 사회적으로 관심이 큰 사건은 철야 수사를 하였다고 자랑 삼아 발표하는 일이 있는데 피의자를 잠재우지 않고 하는 철야 수사는 명백한 인권 침해요 고문이다. 이 고문이 없어져야 다른 고문도 없어진다는 것을 잊어서는 안 될 것이다.*

---

* 우리나라 대법원이 피의자를 잠재우지 않고 철야로 수사한 경우 이를 고문이라고 판단한 것은 1997년에 이르러서였다; 편집자.

한 대 얻어맞은 검사

인천지청에서 근무하던 1954년 여름의 일이다. 현재는 인천지방검찰 청이 관할 지역이 광범위한 큰 검찰청이지만, 그때만 해도 3, 4명의 검사 가 근무하고 있는 작은 지청이었다. 하루는 동료 검사와 사무관, 친구와 함께 넷이서 안양계곡으로 놀러갔다. 인천 앞바다에 있는 섬 중에도 괜찮 은 데가 있었지만, 전쟁 직후라 어느 곳이나 삭막하고 배편도 좋지 않았 다. 그에 비하면 당시 안양계곡은 시원한 계곡물이 흐르고 사람들이 손쉽 게 찾아갈 수 있는 행락지였다.

토요일 저녁에 계곡에 도착해 보니 생각보다 사람이 많았다. 우리는 저 녁을 먹고 주막에서 하룻밤을 자기로 했는데, 주막은 방 한가운데를 미닫 이문으로 막아 방을 둘로 나누어 손님을 받고 있었다. 우리는 계곡에서 한참 동안 발을 담그고 놀다가 밤늦게 주막으로 돌아와 나란히 드러누웠 다. 그러나 주막의 술손님은 그칠 줄을 몰랐고, 여기저기서 소리치며 노래 를 부르는 바람에 도무지 잠을 청할 수가 없었다. 밤이 이슥하도록 주막 손님들이 계속 떠들어대자 참다 못한 동료 검사가 버럭 소리를 질렀다.

"야, 이 자식들아! 좀 조용히 하지 못하겠니?"

왁자지껄한 소란의 중심을 향하여 내뱉은 대상 없는 이 욕지거리에 나는 아차, 실수를 했구나 싶었다. 아니나 다를까 어떤 젊은 친구가 별안간 문을 세차게 발길로 걷어차 열어젖히고 "무엇이 어째, 어느 놈이야!"라고 소리치면서 들어서더니 다짜고짜로 누워 있는 우리 일행을 일으켜 앉혀서는 손찌검을 했다. 방어할 겨를도 없이 힘깨나 쓸 것 같은 젊은이에게 호되게 뺨을 얻어맞고 나니 아픈 것은 둘째 치고 검사 체면에 유원지에서 주먹패에게 손찌검을 당한 사실이 창피하고 부끄러웠다. 기분대로 하자면 신분을 밝히고 호통이라도 쳐주고 싶었지만, 그랬다가 예기치 못한 방향으로 사태가 진전되거나 잘못하여 신문에라도 나면 구설수는 물론이고 검찰청을 욕 먹이기 십상일 터였다. 벙어리 냉가슴 앓듯 끙끙대고 앉았는데, 끝자리에서 벌떡 일어나 앉은 내 친구가 우악스레 달려드는 젊은이의 손을 덥석 잡고 눈을 부라리는 것이 아닌가.

"이거 왜 이래? 어디다가 조막손을 함부로 놀려대고 있어!"

말투는 물론이고 겉보기에도 친구는 젊은이를 제압할 만한 힘이 있어 보였다. 그러나 친구는 어쩐 일인지 들어오는 공격만 막아낼 뿐 대거리를 하거나 능동적으로 공격할 기미는 보이지 않았다. 불한당의 기습이 친구에 의하여 잠시 주춤하고 있는 사이에 잠자리를 수습한 우리 세 사람은 상황을 친구에게 맡겨놓고 뒤쪽의 방문으로 슬그머니 물러 나왔다. 말조심만 했더라도 부닥치지 않았을 일이어서 부끄럽기도 했지만, 더 부끄러운 상황으로 발전될까 두려웠기 때문이다. 유원지에서 시정잡배들 간의 시비나 패싸움은 흔히 볼 수 있는 일이지만, 현역 검사가 시정잡배들과 맞붙어 싸우는 불상사가 일어난다면 그것은 차라리 그들에게 일방적으로 얻어맞는 것보다 더 부끄러운 이야깃거리로 시중에 회자될 것이 틀림없었다.

뒤뜰로 나서니 캠프파이어 하듯 장작불을 훤하게 피워놓고 옹기종기 둘러선 사람들이 있어서 그곳으로 다가가보았다. 그들은 저마다 경비라고 쓴 완장을 차고 있었는데, 자기들은 재향군인회 회원들로서 경찰의 부탁을 받아 유원지의 질서를 바로잡고 있노라고 자랑삼아 말했다. 반가운 마음에 나는 이렇게 청했다.

"반갑습니다. 실은 나도 육군 중위로 전역한 재향군인인데, 오늘 친구들과 놀러왔다가 옆방의 젊은 패들에게 얻어맞았으니 가서 싸움을 말려주시구려."

그러자 그들은 신바람이 나는지 선뜻 대답을 했다.

"아, 그런 일이 있었습니까? 그렇다면 염려 말고 같이 가십시다. 점잖으신 분들 같은데, 나쁜 놈들한테 봉변을 당하셨구려."

저마다 몽둥이 하나씩을 손에 든 그들과 주막으로 가보니 어느새 상황은 역전돼 있었다. 어떤 청년이 우리에게 주먹질을 한 젊은이를 잡아 맨바닥에 머리를 처박게 하고는 발길질을 해대고 있었다. 활약할 기회를 놓친 재향군인회 회원들은 청년의 분풀이만 하릴없이 구경하다가 돌아갔다. 알고보니 주먹을 휘두르며 우리 방을 침범했던 젊은이는 우리 친구에게 팔목이 잡혀 힘을 쓰지 못하게 되자, 구겨진 자존심을 되찾기 위해서 다시 옆방으로 건너가 애인과 자고 있던 특무대 소위에게 손찌검을 하려다가 도리어 얻어맞는 처지가 되었던 것이다. 당시의 특무대 장교는 무소불위의 사람들이었다. 그야말로 임자를 제대로 만난 것이었다.

국회의원선거

　제3대 국회의원선거가 있었던 1954년 온 나라에 선거 바람이 불면서 나의 가슴속 깊이 잠들어 있던 정치 열망도 기지개를 폈다. 다년간 청년 운동을 하였고, 내 고장에서는 처음으로 검사가 되어 선거구 관내에서는 내 이름이 제법 널리 알려져 있었다. 청년층은 말할 것도 없고 연배가 나보다 20, 30년이나 더 많은 장년층, 노년층의 격려도 눈에 보일 정도였다. 입후보만 하면 국회의원은 '따놓은 당상(堂上)'인 것처럼 보였다.

　나는 검찰청에 사표를 내고 고향에 내려가 옛 청년단 동지들을 규합하였다. 당시는 서해 5개 도서면이 부천군에 포함돼 있어 나를 미는 선배 유지들이 낡은 배를 타고 작은 섬들을 돌며 유세를 다녔는데, 그중에는 50대 촌로도 있었다. 지금도 못 잊는 분들이다.

　한창 선거운동에 가속도를 붙여갈 무렵 홍진기(洪璡基) 법무부 차관이 나를 불렀다.

　"장래가 촉망되는 법조인이 무엇이 부족해서 정계로 들어가려 하는가? 사표 제출 건은 없었던 일로 할 테니, 이북 출신인 장경근(張璟根) 씨를 밀어주게. 그분은 이북 출신이라 아무 데도 연고가 없는데 당선되면 서울

지역으로 옮길 거야."

간곡한 당부였으나 쉽게 물러날 수는 없었다. 일단은 정중하게 거절했다. 그러나 가까운 선배들의 만류도 만만치 않았던데다 내가 가장 존경하는 김형근(金亨根) 검사장의 권고를 물리치기는 힘들었다. 그분으로부터 나만큼 극진한 대우를 받은 사람은 이용훈(李龍薰) 변호사를 빼놓고는 없었으리라.

그렇지 않아도 선거운동을 시작하고 나서 내가 왜 이런 야바위판에서 놀아야 하는가 하고 회의에 잠겨 있을 때였다. 가깝다고 믿었던 친구가 나의 선거운동을 하고 있는 줄 알았는데 상대편 진영에서도 선거운동을 하는 비정한 광경을 보았기 때문이다. 정치에 뛰어들려면 자금도 조달해야 하는데 그 점도 애로가 많았다.

결국 내 나이 겨우 30세, 기회가 다시 오겠지 싶어 물러나기로 결심하고 친구들과 선배들을 만나 양해를 구했다. 같이 청년운동을 했던 친구 중에는 울음을 터뜨리는 사람도 있었다. 나는 장경근 씨는 여기에 아무런 연고가 없으니 이번 한 번만 당선시켜 주면 다음에는 꼭 내가 입후보하겠다고 달랬다. 결국 나의 조직을 그대로 모두 가동하여 장경근 씨의 당선을 도왔다.

그러나 장경근 씨는 국회의원이 된 후 서울로 선거구를 옮긴다는 약속을 깨고 말 한마디 없이 계속 부천에서 입후보하여 당선되었다. 그것이 정치의 세계라고 생각을 하면서도 섭섭한 마음을 금할 수가 없었다. 그러나 이미 나의 마음은 정치를 떠난 후라 섭섭한 마음은 오래가지 않았다. 장경근 씨는 4·19로 자유당 정권이 무너지면서 곤욕을 치른 후 작고했다.

그 후에도 중요한 정치적 변혁기마다 고향 사람들로부터 입후보 권유를 받았지만, 그때는 나의 가치관과 신념도 달라져 법조계와 사회활동에서 인생의 보람을 만끽하고 있었다. 어느 때인가 공화당 정부의 내무부 장관이 연락을 해와서 만났더니 서울 시내 어느 지역이라도 좋으니 한 선거구를 맡아서 국회의원에 입후보 해달라고 부탁을 했다. 그런 식이라면 당선될 수도 있다는 판단이 서기도 했지만 생각해 보겠다는 말로 일단 물러난 후 연락을 일절 하지 않았다. 국회의원이나 장관 자리 하나 맡으면 소신을 펼 수도 있을 것이라는 생각을 한 적도 있었다. 하지만 군사독재 정권과는 같은 길을 걷지 않겠다는 신념으로 외길을 지켰다. 그 길에서 내가 하고 싶은 일을 하면서 인생의 보람을 만끽했다.

자유당 정권과 군사독재 정권이 무너지고 정변이 있을 때마다 나의 능력과 지식으로는 그런 상황에서 엄청난 한계가 있음을 새삼 느끼며 정치에 끼어들지 않은 것을 다행한 일로 생각했다. 그럼에도 불구하고 세상 사람들이 바라는 무슨 자리나 기회가 주어졌을 때에 유혹을 뿌리치는 것이 쉬운 일은 아니었다.

미국에서 놀란 일

서울지방검찰청 검사로 일하고 있을 때인 1955년 뜻밖에도 미국 국무성 초청으로 2월부터 약 10개월간 미국에 체류한 적이 있었다. 댈러스에 있는 남감리교대학교(Southern Methodist University, SMU) 로스쿨에서 법률 공부를 하고 법원, 검찰, 법률사무소에서 연수를 하였다. 황폐한 작은 나라에서 검사 노릇을 하다가 미국과 같이 엄청나게 큰 나라에 가서 검찰제도와 사법제도를 보고 온 나의 충격은 컸다. 그중 두 가지 일이 기억에 남는다.

어느 날 댈러스 형사지방법원장실로 인사를 갔더니 내일 법정으로 나오라고 했다. 그래서 다음날 법정 방청석에 나가 앉아 있었는데 재판장이 입장하고 나서 나에게 손짓으로 단상으로 올라오라고 했다. 왜 그러나 싶기는 했지만 단상으로 올라가 재판장 옆에 서니 자기 자리에 앉으라고 하면서 법정 수위에게 의자를 하나 가지고 올라오라고 하더니 자신은 그 자리에 앉는 것이었다. 나는 몇 번 사양을 했지만 재판장이 명령하는 바람에 할 수 없이 내가 재판장석에 앉고 재판장이 작은 의자에 앉았다. 그리고 나서 나를 한국에서 온 검사라고 소개한 후 오늘은 국제재판이라고 해서 모든 사람을 웃겼다.

재판이 진행된 사건은 살인 사건이었는데 배심원은 유죄를 평결했고 재판장은 사형을 언도했다. 언도가 끝나자 재판장은 뒷문으로 나갈 줄 알았더니 단하로 내려가서 피고인의 등을 두드리며 법률상 할 수 없이 사형을 선고했지만 항소를 하라고 타이른 후 퇴장했다. 옆에서 지켜보고 있던 나는 큰 충격을 받았다. 미국에서는 재판장이 '나의 법원'(My Court)이라고 한다지만 재판장이 저렇게 다정할 수가 있나 싶었다.

또 하나는 그쪽의 법률사무소에서 겪은 일이다. 당시 한국에서는 한 명의 변호사가 한 명의 서기만을 두고 모든 일을 혼자서 처리하는, 이른바 '일인성주(一人城主)'가 상례였다. 이는 미국도 크게 다르지 않았다. 그런데 그 법률사무소는 형사 전문 변호사가 다섯 명이나 함께 일하고 있었다. 더욱 놀라운 것은 다른 사건은 일절 맡지 않는다는 조건하에 거액에 한 살인 사건의 변호를 대법원에서 끝날 때까지 전담하는 계약을 체결했다는 점이었다. 이는 미국 내에서도 드문 일이었다. 1심에서 패소하여 심급(審級)으로 올라가면 다른 변호사에게 의뢰하는 것이 보통이었기 때문이다. 나는 참으로 놀랐다.

나는 미국에 가기 전에 토크빌(Alexis de Tocqueville)이 쓴 『미국의 민주주의』를 읽었는데 이것이 크게 도움이 되었다. 토크빌이 미국을 방문한 것은 1831년 3월부터 1832년 2월까지였는데, 그때 미국에서는 벌써 민주주의가 꽃피고 법률가는 귀족으로 비춰지고 있었다. 프랑스혁명 이후 수십 년이 지나도록 안정되지 못하던 프랑스에서 살다가 미국 각 지역을 보면서 아래위 가리지 않고 합심하여 자치하는 미국의 민주주의와 법률가들의 활동을 보고 쓴 것이 바로 『미국의 민주주의』였다. 이 책 덕분에 미국만의 독특한 시스템을 큰 어려움 없이 이해할 수 있었다.

헌법과 형사소송법

헌법은 국가 운영의 최고 규범이며 기본권을 보장하는 국민의 장전(章典)이므로 모든 국정은 헌법에 따라 운영되어야 한다. 그러므로 국민의 기본권을 침해하는 국정 운영은 헌법을 위반한 것이라 법률상의 효력을 갖지 못할 뿐 아니라 형법상의 범죄가 되는데도 인권을 침해하는 사례는 너무나 많았다. 그럴 때마다 헌법의 수호와 인권의 옹호가 강조되었지만 구두선(口頭禪)으로 그칠 때가 많았다.

내가 헌법에 특별히 관심을 가지게 된 것은 미국 사법제도 시찰 때부터였다. 그때 공부하고 경험한 것을 통해 법률의 해석과 집행, 특히 인권과 관계가 있는 형사법규의 적용에는 헌법의 해석과 판단이 선행되어야 한다는 것을 알게 되었다. 나는 당시 형법보다는 형사소송법에 깊은 관심을 갖고 있었다. 피의자나 피고인이 혐의를 받고 있는 범죄가 형법 몇 조에 해당되는가에 대한 해석의 문제는 그리 어려워 보이지 않았다. 그러나 수사나 재판에서 피의자나 피고인이 과연 혐의를 받고 있는 특정 행위를 하였는가를 판단하는 일은 쉬운 일이 아니다. 사건 현장을 보지 못한 제삼자인 수사기관이나 재판기관이 자백을 하지 않거나 혐의를 부인하는 피의자가 무슨 범법행위를 하였는지 공정하게 확인하는 일은 무척 어려운 일이다. 내가 범죄의 성립 여부를 판단하는 형사소송법에 매달린 까닭이다.

그래서 나는 미국에 체류하는 동안 오필드(Lester B. Orfield)의 『체포에서 항소까지의 형사소송법』(Criminal Procedure from Arrest to Appeal)을 되풀이 읽었다. 미국 형사소송법 책은 읽다보면 그것이 형사소송에 관한 책인지 헌법에 관한 책인지 분간하기 어려울 때가 많을 정도로 헌법의 조문과 그에 대한 해석으로 가득 차 있다. 그러므로 형사소송에 관심을 가질수록 헌법에 대한 관심은 깊어져 헌법 책은 물론 미국 헌법과 판례도 두루 살폈다. 그 결과 나의 연구과제는 어느덧 형사소송법으로부터 헌법으로 번져나가고 있었다. 헌법 중에서도 기본권에 관한 규정은 검사나 판사 혹은 변호사의 눈에는 헌법의 핵(核)이 될 수밖에 없다. 헌법 책을 읽다보면 일반 법률 책을 읽을 때와는 달리 머리가 탁 트이는 것 같다.

미국 연수를 마치고 돌아왔을 당시 헌법을 형사실무나 형사소송과 연관해 연구하는 사람들이 거의 없어서 나는 헌법의 우월성과 실제성을 글로 발표하기도 하였다. 예컨대 1956년 2월, 당시의 유일한 법률잡지인 〈법정(法政)〉에 「미국의 검찰제도」라는 글을 연재했는데, 이 연재는 후에 경희대학교 대학원 법학박사 과정에서 연구했던 박사논문의 기본이 되었다. 또한 단행본(『영미검찰제도 개론』)으로도 출판되었는데, 1장을 헌법과 형사소송에 관련된 내용으로 완전히 채웠다. 비록 연재 글의 내용은 보잘 것없었지만, 미국의 검찰제도를 소개하면서 헌법의 관련 기본권 규정부터 모두 살핀 것은 당시 내가 얼마나 헌법과 형사소송의 연계에 관심을 갖고 있었는가를 말하여준다. 이것이 인연이 되어 경희대 법과대학과 이화여대 법정대학에서 형사소송법 강의도 했다.

국회 헌법 개정 공청회

-제5차 개헌, 1962년 12월 26일

1962년 군사독재 정권은 군정을 이양한다면서 헌법 개정에 착수했다. 1961년 5·16군사정변으로 효력이 정지된 헌법을 새 시대에 맞도록 개정해 민정이양을 한다는 명분이었다. 1962년 7월에 설치한 헌법개정특별심의위원회가 중심이 되어 헌법 개정안을 만들었는데, 나는 검찰을 대표해서 8월 23일 국회 공청회에 나가 헌법 개정에 관한 개인적인 소견을 밝혔다.

공청회에는 각 계에서 총 27명이 나와서 2일간 연속적으로 발언했는데, 김동리(金東里) 씨, 이항녕(李恒寧) 씨, 헌법학자 갈봉근(葛奉根) 씨 정도가 기억이 난다. 나는 검찰 대표였지만 검찰의 누구와도 의논한 일이 없이 개인적인 생각을 다듬어서 발언했다. 그 내용은 다음과 같다.

"원래 대통령중심제는 국회의 세력 분포에 지배되지 않고 일정 기간 안정하게 행정할 수 있게 하기 위함인데, 만일 대통령이 국회에 의하여 선출될 때에는 국회의 영향을 받게 되고 직접 국민들의 선택을 받아야만 강력한 행정을 할 수 있다는 의미에서 대통령은 국민에 의하여 직접 선출되도록 하여야 할 것으로 생각합니다. 대통령의 임기는 현행 헌법대로 4

년으로 하고 중임은 불허하는 것이 타당하다고 봅니다. 대통령의 임기는 4년으로 하는 것이 다른 나라의 통례로 알고 있습니다마는 이 임기만으로 그 포부와 소신을 다 실천할 수 없다고 할 것 같으면 이것을 5년 또는 6년으로 늘이는 한이 있더라도 평화적인 정권 교체를 확립하고 중임을 위해서 부당·불법한 정치적 활동을 기도하는 일이 없도록 하는 의미에서 중임을 피하는 것이 옳다고 생각합니다."

그때는 몰랐지만, 이에 대한 방청기가 몇 개 신문에 실렸는데 그중 〈경향신문〉(1962. 8. 24.)에 실린 소설가 박경리(朴景利) 씨의 평을 옮겨보면 이렇다. "검찰에서 나온 문인구 검사의 말은 침착하고 확실히 이채로웠다. 언론·출판·집회의 자유를 명문화할 것과 사형폐지론을 말하였는데, 아직 현실적인 문제에 있어 사형폐지는 불가능한 일이나 그 시행에 있어서 신중을 기하는 법의 제정을 말했다. 이때 공명하는 박수가 터졌다."

이 헌법 개정안은 공고 절차와 최고회의의 의결, 그리고 1962년 12월 17일의 국민투표를 거쳐 12월 26일 개정헌법으로 공포되었다. 그러나 개정헌법은 이 헌법에 의해 국회가 처음으로 집회한 날로부터 시행한다고 부칙으로 정하여 공포 1년 후인 1963년 12월 27일부터 효력이 발생하였다.

'제3공화국 헌법'이라고 불린 이 헌법도 1972년 10월 17일 박정희 대통령이 2개월간 국회를 해산하고 모든 정당 및 정치활동을 금하는 등 헌정을 중단하고 새로운 헌법을 만들겠다는 이른바 10·17비상조치로 불운을 맞았다. 그 결과 비상국무회의가 국회의 기능을 대신하면서 헌법 개정안을 마련하고 국민투표를 거쳐 새로운 개정헌법을 확정했다. 이것이 세칭 '유신헌법(維新憲法)'이었다. 국민투표를 거쳤다고는 하지만 군사 정권 맘대로 헌법을 개정한 것이다.

법무부 장관의 특명

꾀병 입원

1952년 서울지방검찰청 검사 때의 일이다. 한번은 법무부 장관이 불러서 장관실로 갔다. 장관은 '국제공산당사건'*이라는 것이 있는데 당시 현역으로 활동 중인 저명한 야당 정치인 두 사람의 이름을 거명하면서 6·25전쟁으로 인하여 확증이 드러났으니 그 사건을 맡아서 수사하라는 것이었다. 자료는 나중에 보내주겠다고 했다. 그러면서 그 사건의 수사를 끝내면 홍콩에라도 가서 수일간 쉬도록 하라고 했다. 당시는 아무나 홍콩

---

* 국제공산당사건 이승만 대통령이 자신의 재선과 독재 정권 기반을 굳히기 위해 한국전쟁(6·25전쟁) 중에 임시수도 부산에서 폭력을 동원하여 강제로 국회의원을 연행하고 구속시킨 일련의 정치적 파행인 부산정치파동의 하나였다. 1950년 5·30 총선 결과 야당이 압승하여 대통령 이승만의 재선이 어려워지자 1951년 11월 30일 정부는 대통령직선제 개헌안을 국회에 제출하였다. 그러나 1952년 1월 18일 국회가 이를 부결함으로써 정부와 국회 간의 알력이 시작되었다. 이에 정부는 국회해산을 요구하는 '관제민의(官製民意)'를 동원하여 국회의원을 위협하는 한편, 5월 25일 국회해산을 강행하기 위하여 부산을 중심으로 경남, 전남, 전북의 23개 시·군에 계엄령을 선포하였다. 그리고 5월 26일 대통령직선제를 강행, 내각제를 주장하는 야당의원 50여 명을 헌병대에 연행한 후 정헌주(鄭憲柱), 이석기(李錫基), 서범석(徐範錫), 임흥순(任興淳), 곽상훈(郭尙勳), 권중돈(權仲敦) 등 12명은 국제공산당 관련 혐의로 구속하는 정치파동을 일으켰다.

_국가기록원의 주제설명 중 「국제구락부사건」에서 발췌·정리; 편집자

에 갈 수 없는 시대이기에 유혹의 미끼를 던진 것이었다. 그런 유혹에 넘어갈 내가 아니었다. 사건을 배정하고 수사를 시키는 것은 검사장을 통하여야 한다는 생각에 느낌이 좋지 않았다. 법무부 장관은 법률상 검찰총장을 통해서만 검사를 지휘할 수 있는데, 이것은 불법적인 지휘였기 때문이다. 하지만 알겠다는 말을 남기고 자리를 떴다. 법무부 장관의 특명 사건이니 딱 부러지게 거절할 수도 없고 수사를 하겠다고 대답할 수도 없는 일이어서 이것저것 생각하고 주저할 시간이 없었다.

입원 핑계를 댈 작정으로 그날 저녁 신설동에서 개업 중인 윤복영 외과의원을 찾아갔다. 그 얼마 전부터 신경쇠약 증세로 진찰을 받으러 몇 번 갔던 병원이었다. 원장과는 별로 친분이 없었지만 진찰을 받는 동안 믿음직하다는 인상을 받은 것이 그 병원을 찾은 이유였다. 윤 원장을 만난 나는 대충 사정을 이야기하고 아프지도 않은 맹장을 떼어달라고 부탁하니 웃으면서 쾌히 승낙하였다. 그래서 그날 저녁에 바로 이불 보따리를 챙겨 입원하였다.

막상 입원하고 나니 아프지도 않은 맹장을 떼어내기 위해 생으로 수술을 한다는 것이 겁났다. 그래서 수술을 한 것처럼 하고 3일을 입원했다. 진짜 맹장 수술을 하면 퇴원하기까지 3일이 걸린다고 했기 때문이다. 병원에는 외부에서 알지 못하도록 조치하여 달라고 단단히 부탁하였다. 그런데 그 3일 사이에도 몇 사람이 알고 병원을 찾아오는 바람에 병실에서 놀고 있다가도 누가 들어오는 기색만 보이면 침대 위에 올라가 급히 이불을 뒤집어쓰고 드러눕는 소동을 벌였다. 한편의 희극이었지만 아픈 척하는 일도 쉽지 않았다.

3일 후 퇴원을 하고 수술 경과가 나쁘다는 핑계로 집에서 쉬고 있는데 전에 모셨던 법무부 장관이 위문을 왔다. 고마운 일이었지만 바로 말할 수도 없는 일이어서 연기하려니 힘이 들었다. 그로부터 이틀 후인가 어느 검사가 국제공산당사건을 담당하였다는 소식이 들려와 이제 됐구나 싶었지만, 3~4일을 더 쉬고 출근하였다. 검사가 이런 식으로 수사를 기피하는 것이 옳은 것인지, 옳지 않은 것인지는 잘 모르겠지만, 때로 자기 소신을 관철하기 위하여서는 이런 잔꾀라도 부려야만 할 때가 있다.

수사기록을 훔쳐간 법무부 장관

나는 윗사람과 꽤 충돌한 젊은 검사였다고 할 수 있다. 1950년대 후반에는 조폭들도 많고 세력 다툼이 심할 때여서 동대문에서도 조폭의 두목이 모든 상권을 휘어잡고 회비라는 명목으로 돈을 뜯어내는 일이 성행했다. 그 두목은 다른 일에도 연관되어 있었지만 정치적 배경이 두터운 거물이어서 경찰도 손을 대지 못했다.

나는 회비 명목의 공갈을 금지하려고 그 두목을 구속수사할 결심을 했다. 검찰청의 수사과장을 불러 실정을 설명하고 내가 만나자고 한다고 말하면서 그를 데리고 들어오라고 했다. 정치적 배경이 든든한 그는 이번에도 자기를 구속하지 못할 것이라고 믿었는지 순순히 따라 들어왔다. 나는 그의 죄목을 통고하면서 그를 조사한 뒤에 구속했다. 그런데 다음날 출근을 하니 캐비닛에 보관해 두었던 그의 수사기록이 없어졌다.

알아보니 법무부 장관의 특명이라고 비서가 와서 수사기록을 가져갔다고 했다. 장관은 장관대로 그를 구속하려면 적어도 자신의 사전 승낙을 받는 것이 당연하다는 생각을 하고 있었던 것이다. 과연 그 두목은 거물이었다. 항의 끝에 그 서류는 되찾아왔지만 장관이 검사장을 통해 석방하라고 강력히 지시하는 데는 어쩔 수가 없었다. 나는 나대로 할 일은 하겠다고 뻗댔지만 말을 안 들으면 사건을 다른 검사에게 배정할 것만 같았다.

목적만 달성하면 되는 일. 나는 장관에게 그를 석방하는 조건으로 앞으로 장사꾼한테서 회비를 걷지 않겠다는 서약서만은 받겠다고 대들었다. 그것까지는 장관도 거부하기가 힘들었는지 승낙을 하기에 서약서를 받고 그 두목을 석방했다. 장관실에서 담당검사의 수사서류를 훔치다시피 가져간 일은 아마도 검찰사상 초유의 일이었을 것이다.

국회의원의 시계 밀수

미국인 밀수범

나는 밀수 사건을 많이 다루었지만, 지금도 기억에 남는 것은 현역 국회의원이 시계 밀수에 관련되었던 사건이다. 당시 밀수의 대상이 되는 시계는 시계 중에서도 중급품 이하의 것들이었다. 거기에 '스위스제'라는 딱지만 붙이면 국민을 매혹하기에 족했다. 시계도 국산품은 별로 없었고, 있다 하여도 시간이 잘 맞지 않았으니 시계 밀수는 성행할 수밖에 없었다. 그러나 아주 기초적인 산업에 속하는 시계 제조업 입장에서 보면 시계 밀수의 성행은 업계 전반에 타격을 주는 일이었다.

1956년 10월경 김포세관은 미국인 K를 시계 밀수범으로 송치하였는데, 사건을 수사해 보니 배후 조직이 있음을 직감할 수 있었다. K는 단순히 용돈을 받고 심부름을 한 데 불과하다고 주장했는데, 조사하면서 사람의 됨됨이를 보니 밀수꾼이라고 보기가 어려웠다. 1950년대에 미국인은 우리에게는 큰 은인으로 비춰졌다. 나는 6·25전쟁 때 미국이 우리를 도와주지 아니하였으면 대한민국은 존재할 수가 없었을 것이라 생각했다. K에게도 나의 이런 감정이 전달되었을 것이다. 좋은 말을 주고받다 보니 그도 안도하였는지 쉽게 누그러져 시계 밀수의 배후가 누구라는 것을 자백하였다.

죄도 중하지 않았지만 자백도 나를 움직였다. 먼저 K를 기소유예하면서 다시는 이런 일에 끼어들지 말라는 훈계와 더불어 사적이라는 전제로 미국인에 대한 한국인으로서의 고마움도 표시하였다. 우리 한국인은 한국에서 전사한 그 많은 미국 병사들을 영원히 잊지 않을 것이라는 말도 덧붙였다. 석방 후 그를 어느 동료 검사에게 영어강사로 소개하였는데, 한 1년쯤 지나 그는 앞으로 한국을 위하여 일하고 싶다는 의미 있는 말을 남기고 미국으로 돌아갔다.

K의 자백에 따라 조사해 본 결과 마카리오장이라는 중국계 포르투갈인이 그 배후의 중심임을 알아냈다. 형과 아버지와 같이 조직적으로 시계 밀수를 하고 있던 그는 이미 동대문시장과 남대문시장에서는 유명한 존재였다. 나는 이번 기회에 시계 밀수를 발본색원하기로 결심하였다.

김포세관과 서울시경 외사계 직원들을 지휘하여 마카리오장 형제를 체포하는 데까지는 큰 어려움이 없었다. 하지만 1956년 10월 10일 대만에 쌍십절(雙十節) 축하사절단의 일원으로 갔던 한 국회의원이 마카리오장과 같이 홍콩에서 서울로 들어왔는데 검사 없이 통관된 그 국회의원의 트렁크에 시계가 들어 있었다는 혐의를 포착한 나는 긴장할 수밖에 없었다. 그 국회의원은 대통령선거에서도 큰 역할을 한 쟁쟁한 실력자였기 때문이었다.

조사를 계속하여 마카리오장이 입국한 후 그 국회의원의 자택으로 가서 트렁크를 들고 나왔다는 사실도 밝혀냈다. 여기까지는 쉽게 확인할 수 있었지만 그 트렁크에 시계가 담겨져 있었는지, 담겨져 있었다면 몇 개가 들어 있었는지는 알 길이 없었다. 구속된 마카리오장도 그 속에 시계는 없었다, 트렁크는 짐이 많아진 그 국회의원에게 빌려주었다가 되찾은 것뿐이라는 말로 항변했다. 국회의원이 자기의 '빽'인데 네가 어쩌랴는 식이었다. 홍콩에서 돌아올 때에 짐이 많아져서 트렁크를 빌려주었다는 말 자체도 믿기 어려웠지만, 트렁크를 찾으러 갔다는 사실은 분명 그 속에 시계나 다른 그 무엇이 들어 있었을 것임을 강력하게 의심케 하였다. 그러나 심증만으로는 어찌할 도리가 없었다.

그것을 밝히는 일이 그리 쉽지 않다는 것은 미리 짐작할 수 있었다. 국정의 중추에 참여하고 있는 국회의원이 연루되지 않았다면 더 수사를 하지 않고 구속 송치된 내용만으로 마카리오장을 기소하는 데 그쳤을지도 모를 일이다.

나는 연일 김포세관 담당직원과 시경 외사계 직원을 독려하여 남대문시장과 동대문시장의 시계상을 조사하도록 하였으나 국회의원이 귀국한 다음날에 시계를 산 사람을 알아낼 수 없었다.

검사의 불기소확약서

외제 시계는 어느 점포에나 즐비하였고 수량도 적지 않았지만, 어느 시계가 그 국회의원 가방에 숨겨져서 들어온 것인지를 알아낼 수 없었다. 그래서 꾀를 내어 밀수한 시계를 샀다고 자백하여도 이를 처벌하지 않겠다고 약속을 했다. 경찰들이 그런 말로 시계상들을 달랬지만 아무도 호응하는 사람이 없었다. 하는 수 없이 어느 날 저녁 시경 외사계에 남대문시장에서 시계 장사를 하는 사람들을 10여 명 모아놓고 이렇게 말했다.

"시계를 산 사람이 있으면 말을 하십시오. 시계를 판 사람은 여러분들도 잘 아는 마카리오장입니다. 우리가 이렇게까지 밀수범을 찾는 것은 국회의원이라는 중책을 맡은 정치인이 그 밀수에 끼어 있다고 믿기 때문입니다. 정치인만 아니면 이렇게 철저한 수사를 하지 않습니다. 정치인이란 무엇입니까? 오직 나라를 위하여 뛰어야 하는 사람 아닙니까? 우리는 언제까지나 이렇게 살아야만 합니까? 여러분들은 장사꾼이니까 돈을 버는 것은 본업입니다. 그러므로 밀수품인 줄 알고 시계를 샀다고 해도 절대로 처벌하지 않겠습니다. 자, 여기 내 이름으로 처벌하지 않는다는 확약서를 쓰겠습니다.”

나는 말을 마치고 그 사람들 앞에서 불기소확약서를 쓴 뒤에 서울지방검찰청 검사 아무개라고 서명하고 도장을 찍었다. 놀란 쪽은 이를 지켜본 경찰관들이었다. 상인들은 꿈쩍도 하지 않았다. 어쨌든 나는 이 문서를 외사계에 맡기고 갈 것이니 상인들에게 널리 그 취지를 알려달라고 신신당부하였다. 다음날 저녁엔 동대문시장의 상인들을 불러 똑같은 일을 되풀이하였다.

그러자 며칠 지나 외사계에서 연락이 왔다. 남대문시장에서 시계상을 하는 나이 지긋한 사람이 자수를 하겠다고 했다는 것이다. 나는 시경 외사계로 나가서 그 사람을 만났다. 그 사람은 나의 약속이 틀림없느냐고 재차 확인했다. 똑같은 말을 되풀이하면서 잘못된 국회의원의 행적을 바로잡는 것이 나의 목적이라고 강조하자 그는 마카리오장으로부터 그가 입국한 다음날 시계 20개를 샀다고 말했다. 참으로 감동적인 순간이었다. 자기는 장사를 오래했는데 나의 열정에 감격했다는 말도 보탰다. 이 소문이 퍼져서 여러 군데서 신고가 들어와서 비교적 쉽게 500개 정도의 시계가 그때 반입되었다는 사실을 확인할 수 있었다.

법전 어디에도 검사에게 불기소확약서와 같은 문서를 발행할 수 있는 권한을 준 조항은 없었다. 이것은 미국 댈러스 검찰청 등에서 연수를 할 때에 얻은 지식을 활용한 것이었다. 미국에는 형사소송법에 검사가 범죄사실이나 형량에 관하여 피의자나 피고인과 흥정을 하는 '당사자주의' (형량흥정주의, Bargaining System)이라는 것이 있었다. 피의자가 스스로 입을 열지 않는 한 신문(訊問)을 할 수 없고 확증이 없는 한 기소도 할 수 없는 기소배심(Grand jury, 대배심) 제도하에서 검사가 피의자의 고통을 줄이면서 피의자를 처벌할 수 있는 기묘한 제도이지만, 인권이 우선하는 나라에서는 있을 수 있는 일이라고 봤다.

이런 지식을 바탕으로 나는 검사의 권한과 재량권을 최대한으로 활용했던 것이다. 물론 윗선과는 미리 의논한 일이 없었지만 후일에도 이 점을 문제로 삼은 사람은 없었다. 지금도 어느 검사가 이런 식의 수사를 하겠다고 나서면 검사장은 허용할 수 있을까?

그리하여 국회의원이 통관한 그 트렁크에 밀수된 시계가 들어 있었다는 사실은 확인된 셈이다. 하지만 그 트렁크 속에 시계가 들어 있었다는 것을 국회의원이 알았는가는 다른 문제였다. 요새는 잘 모르지만 당시는 트렁크 바닥을 2중으로 만들어 그 밑에 시계를 넣으면 세관직원이 트렁크 뚜껑을 열어보아도 잘 알 수 없도록 만드는 것이 유행하였다. 세관직원이 눈감아주면 더욱 문제될 리가 없다. 누가 감히 국회의원이 들고 들어오는 트렁크를 열어볼 수 있겠는가?

피의자 신문조서

이제부터가 문제였다. 이쯤 되면 공개수사를 한 것이나 마찬가지여서 내용은 거의 매일 언론에 보도되었다. 하루는 그 국회의원을 불러서 신문했다. 그로부터 며칠 지난 어느 날 저녁 나는 서울지방검찰청에서 그 국회의원과 마주 앉았는데, 그는 마카리오장으로부터 홍콩에서 산 선물을 담아가지고 오기 위하여 트렁크를 하나 빌렸을 뿐 그 속에 시계가 들어 있었다는 것은 전혀 알지 못했다고 잡아뗐다. 마카리오장의 말과도 일치했다.

나는 구체적으로 짐은 누가 꾸렸느냐고 물었다. 본인이라는 답이 돌아왔다. 누가 같이 거들었냐고 묻자 호텔 방에는 다른 사람이 없었으며 자기 혼자서 짐을 꾸렸다고 했다. 이런 경우를 대비해서 나는 구석에 놓아두었던 트렁크 두 개를 제시하고 차례차례 들어보라고 하였다. 하나는 시계가 전혀 들어 있지 않은 빈 트렁크요, 다른 하나는 시계 500개를 담은 트렁크였다. 두 개를 모두 들어보게 한 후 대답을 기다렸다. 그는 하나는 가볍고 다른 하나는 너무 무겁다고 대답했다. 시계 500개의 무게는 얄팍한 요새 시계들과 달라 아주 묵직하여 그 중량감이 다른 짐들과는 판이하게 달랐다. 그도 나의 의도를 눈치챘는지 놀라는 모습이 역력하였다. 피할 수 없다고 느꼈겠지만 여전히 자기는 모르는 일이라고 잡아뗐다. 몰랐다고 하면 몰랐다고 피의자 신문조서에 올릴 수밖에.

그렇지 않아도 내가 만든 피의자 신문조서에는 부인하는 내용이 70~80%, 인정하는 내용이 20~30%여서 동료들 사이에도 부인해도 그대로 받아주는 검사로 유명하다면 유명하였다. 대구고등법원장까지 지내다가 돌아가신 어느 선배는 서울지방법원 형사부장을 할 때에 이렇게 말하곤 했다. "당신 조서는 자백하는 내용보다 부인하는 내용이 더 많아. 그러니 피고인이 검사의 강요에 못 이겨 자백했다든가 고문을 당했다든가 따위의 말은 할 수 없잖아."

미리 쓴 사표

1956년 12월 국회의원의 구속동의 요청서를 국회에 제출했는데, 예상과 달리 부동의로 결말이 나고 말았다. 결국 그 국회의원은 불구속으로 기소할 수밖에 없었으니 재판은 피고인과 검사 간의 다툼이 아니라 검찰과 정치권의 싸움으로 번질 수밖에 없었다. 처음에 국회의원을 비난하던 여론도 끝내 부인하는 국회의원을 동정하는 경향이 나타나기 시작했는데 정치권에서는 더욱 그러했다. 충분히 있을 수 있는 일이었다. 이승만 대통령 시대의 자유당 국회의원들은 정치인의 권세를 만끽하였다.

1심에서는 징역 6월의 실형이 선고되었고, 2심에서는 원심이 파기되고 무죄가 선고되어 검사로서는 중대한 고비를 맞았다. 검사가 기소한다고 하여 100% 유죄가 되는 것은 아니지만 이 사건의 무죄는 검사뿐만 아니라 법무부 장관께도 정치적으로 큰 영향을 미칠 것이 뻔했다. 법무부 장관은 국회에 국회의원의 구속동의를 요청한 장본인이었기 때문이다.

나는 나대로 수사 초기부터 적극적인 자세로 이 사건을 몰고나갔고 관계자 회의를 할 때마다 법무부 장관을 비롯한 상층부에서 딴 소리가 나올까봐 언제나 선수를 치곤 하였다. 때로는 담당검사가 좀 조용히 해주었으면 좋겠는데 하는 눈치가 보이기도 하였다. 이젠 상고심에 운명을 걸 수밖에 없었다. 대법원의 상고심 선고가 예정된 전날, 나는 사표를 미리 써서 주머니에 넣었다. 상고기각이 되면 지체 없이 사표를 제출하여 모든 책임을 스스로 진다는 각오를 다진 것이다.

다음날의 상고심은 원심을 파기하고 징역 6월을 자판(自判)하는 획기적인 것이었다. 과문의 탓이긴 하지만 대법원이 원심을 깨는 일은 있어도 자판하는 일은 전무후무했던 것으로 기억한다.

정치적으로 사회적으로 떠들썩했던 사건은 이렇게 일단락되었다.

밀수 근절에 대한 열정

나는 있는 법률로 안 되면 새로이 입법이라도 하여 밀수를 근절해야 한다고 생각했다. 그래야 겨우 싹이 트고 있는 우리의 제조업이 빛을 볼 수 있다는 판단에서였다. 그러다보니 관세법 위반을 비롯한 관련 법률에 대한 나의 소신은 날로 굳어져갔다. 혹은 내 가슴속에 관세법에 관한 한 누가 감히 나를 따를 수 있을까 하는 교만도 묻혀 있었는지 모른다.

한 사건에 두 번의 비약상고와 자판

1957년경의 일이라고 기억되는데 중국인과 포르투갈인 2명이 항공편을 이용하여 밀수를 한 사건이 있었다. 나는 이들을 관세법 위반으로 기소했는데, 1심 법원은 사실 자체는 인정하면서도 한국은행법 위반으로 판단하자 대법원에 비약상고(飛躍上告)를 하였다. 그 결과 파기환송판결이 나왔다.

대법원으로부터 환송을 받은 1심의 새로운 재판부는 다시 당시의 법률인 군정법령 제93호를 적용하여 각각 벌금 95만 환씩 선고하였으므로 나는 다시 대법원에 비약상고를 하였다. 이에 대하여 대법원은 관세법 위반으로 보는 것이 타당하다는 이유로 파기하면서 각 420만 환과 240만 환의 벌금을 선고하는 자판을 하였다. 자판은 거의 없는 일이었는데, 대법원도 같은 사건에 대하여 두 번씩이나 비약상고를 받고 원심파기를 하다보니 자판을 했던 것 같다. 되돌아보면 재판사에 길이 남을 만한 사건이 아니었나 하는 생각이 든다.

특정외래품판매금지 법안 입안

지금 생각하면 내가 왜 그렇게도 밀수품 단속에 집념을 갖고 앞장섰는지 알 수가 없다. 요새처럼 경제가 잘되지 아니하면 나라가 바로 설 수 없다는 인식이 뚜렷했던 때도 아니었는데 말이다. 한때는 서울지검 산하에서 일어나는 밀수 사건은 거의 내가 도맡아 하다시피 하였다. 그래서 때때로 내 이름이 신문지상에 오르내렸다.

1959년 5월 10일 법률 제616호로 공포·시행된 '특정외래품판매금지법'은 내가 입안한 것이다. 밀수가 성행하면서 수입금지품목이 버젓하게 백화점에서 팔리던 상황이었다. 단속을 해도 여러 사람의 손을 거쳐 점포에 진열된 물품을 밀수품이라고 단정하는 것은 법률적으로 어려운 일이었다. 밀수품이라는 것을 심정적으로는 알 수 있어도 법정에서 엄격한 증거법칙에 따라 증거를 제시한다는 것은 거의 불가능했기 때문이었다. 그래서 입증 책임의 전도라고 할까, 특정 외래품의 경우에는 밀수품이 아니라는 증명을 피의자가 입증하도록 하는 법안을 생각해 낸 것이다.

김포세관, 재무부의 담당과장들과 여러 날 회의를 하면서 특정외래품판매금지법을 입안하였다. 법안의 제1조에 기재되어 있던 것처럼 특정외래품판매금지법은 국내 산업을 저해하거나 사치성이 있는 특정 외래품의 판매를 금지함으로써 국내 산업의 보호와 건전한 국민 경제의 발전을 기하는 것이 그 목적이었다. 법은 발효 후 몇 차례의 수정을 거치면서 한때 제몫을 톡톡히 하여 특정 외래품을 점포에서 발견할 수 없게 되었다. 이 법은 1982년에 폐지되었는데, 처음부터 한시적인 법률일 수밖에 없었다.

아내에게 사치품을 파는 백화점은 출입하지 말라고 당부한 것도 이 무렵의 일이다. 이 법으로 인하여 일시적으로는 밀수품이 백화점에 공공연하게 진열되는 일은 없어졌다.

.

법률과 인정

간첩으로 남파된 자식을 신고한 어머니

1957년 아니면 58년의 일로 짐작한다. 어느 날 월북했던 동생이 간첩으로 변신하여 미아리에 살던 형의 집을 찾아들었다. 형은 월북한 동생이 살아 돌아온 것이 놀라웠지만, 남한의 정보를 수집하러 왔다는 동생의 말에 경악했다. 형은 자수를 하면 살 수 있다고 권하였지만, 동생은 어머니만 잠깐 뵙고 떠나겠다고 했다. 형은 시간도 벌 겸 어머니를 만나게 하려고 다른 곳에 살고 있는 어머니에게 연락하여 급히 오시도록 하였다. 죽었다고 믿었던 아들을 만나자 어머니는 한참을 울고불고 반가워하였다. 그리고 자수하라고 아들을 달래보았지만 공산주의 사상에 젖은 아들을 설득할 수 없었다. 어머니는 체념한 듯 아들에게 과일을 사올 테니 무엇이든 조금 먹고 떠나라고 말하고는 집을 나섰다. 그 길로 어머니는 인근 파출소에 간첩이 왔다는 신고를 한 후 과일을 들고 집으로 돌아왔다. 그러면서 다시 아들에게 자수하라고 매달렸지만 아들의 결심을 바꿀 수 없었다.

결국 아들은 얼마 있다가 들이닥친 경찰에게 붙들렸다. 어머니는 그대로 돌려보내는 것보다는 경찰에 붙들려가게 하는 것이 아들을 살리는 길이요 나라를 위한 길이라고 믿었을 것이다. 하지만 얼마나 비통하고 착잡했을까?

이 사건이 나에게로 넘어왔다. 붙들려온 경과를 보아도 간첩 여부에는 의문의 여지가 없었지만, 형량이 문제였다. 전국 각지에서 북한의 무장 공작대들이 발호하던 상황이어서 간첩은 사형 아니면 무기징역으로 처단되던 때였다. 그러나 나는 이 아들을 어떻게 처벌할 것인가를 놓고 고민하지 않을 수 없었다. 법률에 규정한 자수 조항에 해당되면 형량이 훨씬 내려갈 수는 있었지만, 어머니의 신고는 신고일 뿐이었다. 오히려 아들은 어머니의 자수 권고를 거부함으로써 철저한 공산주의자임을 스스로 증명한 셈이었다.

그러나 나는 심정적으로 어머니의 신고를 아들의 자수로 보는 쪽으로 기울어졌다. 어머니의 살신성인의 인(仁)은 자비요 사랑이었기 때문이다. 이런 경우 어머니의 자식에 대한 애절한 사랑을 살려주는 것이 자유민주주의를 살리고 대한민국을 대한민국답게 만드는 길이라고 생각했다. 검사답지 않다거나 법률가답지 않다고 말하는 사람이 있을지 몰라도 나는 어머니의 사랑은 법률보다는 상식으로 판단해야 한다고 느꼈다. 결국 나는 아들에게 15년의 징역을 구형했는데, 당시로서는 아주 파격적인 구형이어서 관계자들을 놀라게 했다.

나는 담당판사를 찾아가서 법정에서 다 하지 못한 말을 부연하면서 관례대로 사형을 구형하지 않은 이유를 설명한 후 구형대로 선고하여 달라고 신신당부하였다. 그래서인지 다행히도 15년 징역의 선고가 이루어졌고, 쌍방의 항소 포기로 15년형은 확정되었다. 판결이 난 후 나는 어머니를 불러서 원래는 사형감인데 어머니의 정성 때문에 15년형으로 그쳤으나 그 이하로는 형량이 내려갈 방법이 없다는 점을 누누이 설명하고 본인도 대한민국의 모습을 보았을 테니 자주 면회 가서 계속 타이르라는 말로 위로하였다. 본인이 잘못을 뉘우치고 전향을 하면 15년 이내에 나올 수 있다는 말도 잊지 않았다.

그 후 나는 그가 어떻게 되었는지 모른다. 그러나 어머니의 따뜻한 사랑과 정으로 재생의 길을 걷지 않았을까?

어느 목사의 구속과 아내의 병

1954년인가 55년 연말에 어느 교회의 목사를 구속한 일이 있었나. 피아노 2대를 밀수입하였다는 혐의였는데, 그 증거를 어느 정도 수집해 둔 나는 해가 저문 추운 겨울 어느 날 그 목사를 소환하여 조사를 했다. 목사는 순순히 범죄사실을 자백하였고 그 자백을 통하여 또 한 사람의 공범이 있다는 것을 알게 되었다. 공범은 광범위한 밀수조직을 갖고 있는 진짜 밀수범이었다. 공범의 소재를 파악하고 구속하기 위하여서는 당신부터 구속할 수밖에 없다고 목사에게 말을 하자 목사는 자기는 죄를 지었으니 구속되는 것은 어쩔 수 없는 일이지만 오랜 병으로 시달리고 있는 아내는 자기가 구속된 사실을 알게 되면 충격을 받고 죽을지도 모른다고 통사정을 했다. 하지만 공범을 체포하고 서로의 내통을 막기 위하여서는 목사를 구속할 수밖에 없었다.

한참을 고민하다가 우선 그 아내의 병환이 어느 정도인가를 파악하는 것이 급선무라고 생각하였다. 그래서 밤이 늦었지만 수사관 두 사람을 보내 주변 사람들을 만나 알아보라고 지시하였다. 그 결과 정확한 상황은 잘 모르겠지만 병이 무겁다는 것을 알게 되었다. 그래서 나는 일종의 타협이라고 할까 꾀를 내서 피의자에게 오늘이 12월 26일이니 3~4일 간만 구속을 하고 그 사이에 나는 무슨 방법을 써서라도 공범을 체포할 테니 적극적으로 협조해 달라고 말했다.

3~4일간이라도 구속은 구속이므로 형사소송법에 따라 가족에게 구속통지를 하여야 할 텐데 이 경우는 그럴 수도 없는 일이었다. 그래서 피의자에게 구속통지를 내일이나 모레 발송하여 당신이 집에 돌아간 뒤에 받을 수 있게 하자, 그 대신 바로 집에 편지 한 장을 쓰되 급한 일이 생겨서 부산에 다녀온다고만 해라, 나는 그렇게 피의자와 이야기를 주고받은 뒤에 입회서기에게 법원에 구속영장을 청구해서 집행하라고 이른 뒤 퇴근하였다.

애걸하던 목사와 그 아내의 병환을 걱정하며 청사 밖으로 나오니 지금도 기억이 날 정도로 구름 한 점 없는 중천에 둥근 달이 떠 있었는데, 그 달이 그렇게 차가워 보일 수가 없었다. 내가 하는 일이 무엇이기에 목사와 같은 성직자를 구속하여야만 하는가 그러다가 그의 부인이 죽기라도 하면 어쩔 것인가라는 자책 같은 것이 나를 괴롭혔다. 나는 그날 밤 집으로 돌아가지 않고 친구 조병직 목사의 집에 가서 검사라는 직업과 내가 처한 인간적인 고민을 이야기하면서 긴 시간을 보냈다. 검사만큼 어려운 직업이 있을 것 같지 않다.

피의자의 구속에도 여러 가지 요건이 고려의 대상이 되어야 한다. 가족이 입는 정신적 고통을 어떻게 피의자의 수사, 구속, 기소 여부에 연관시키느냐 하는 문제는 모든 검사들이 겪는 고민이다.

구속 피의자와 부친의 사망

이 사건도 역시 밀수와 관계가 있는 어느 중소기업 사장이 피의자였는데, 수사를 하다보니 아주 장래가 촉망되는 유능한 사람임을 알게 되었다. 게다가 나와 고향에서 같이 자란 친구가 나타나 그를 풀어달라는 부탁을 했다. 하지만 피의자를 석방할 방법은 없었다. 가까운 친구의 부탁, 그것은 검사라면 누구나 겪는 딜레마일 것이다. 그러다가 연장 구속기간이 만료되기 며칠 전 피의자의 부친이 사망하였다는 소식이 들려왔다. 나는 피의자에게 사망한 부친의 장례에 참석할 기회를 안 준다는 것은 잔인하다는 생각이 들어 그것을 이유로 그를 석방하고 불구속기소하였다. 그 덕분에 친구도 웃는 낯으로 대할 수 있게 되었다.

한 기 위의 선배 변호사는 나를 만나면 이런 말을 하곤 했다.

"어떻게 하길래 그래? 자기가 맡은 피의자들 중에는 다른 검사한테서 징역 3년(구형)을 받는 것보다는 문 검사한테서 징역 5년(구형)을 받는 것이 훨씬 낫다는 말을 하니 말이야."

나는 피의자의 구속과 그 가족이 겪는 고통에 무척 예민했던 것 같다.

검사의 자세와 처신

나의 이름을 도용한 사기꾼

한번은 시내에 나갔다가 고급 승용차가 다니는 것을 보고 놀란 적이 있다. 기껏해야 지프차나 시발택시를 타고 다니는 것이 고작인 때에 승용차, 그것도 미제 고급 승용차를 보니 금방 밀수품이 아닌가 하는 의심이 든 것이다. 세관에 알아보았더니 공식 통관된 것은 없고 미군 당국에서 불하한 것 같은데 통관수속을 제대로 안 했으니 법적으로는 관세법 위반이 틀림없다고 했다. 그 제품 12대가 미8군에서 H상회로 나갔다고 확인해 주었다. 바로 수사에 착수하였다.

그런데 어느 날 수사를 받고 있던 H상회의 사장으로부터 사람을 보냈느냐고 묻는 전화가 걸려왔다. 그런 일이 없다고 말하였더니 지금 어떤 사람이 와서 돈 5만 원을 보내달라고 씌어 있는 내 명함을 제시했다고 했다. 몇 명이 왔느냐고 물었더니 자기 방에는 한 사람이 들어와 있는데 밖에 한 사람 더 있는 것 같다고 했다. 나는 바로 수사요원을 보낼 테니 돈을 주는 척하고 잠시만 붙들고 있어달라고 말한 후 즉시 두 사람의 직원을 보냈다. 얼마 후 직원이 와서 H상회 사장 방에 있던 청년 한 명은 잡아왔는데 밖에 있다던 사람은 없었다고 보고했다. 아마도 안에 들어간 사람은 나오지 않는데 검찰청 쪽에서 온 듯 보이는 지프차에서 형사 같은 사람들이 내리는 것을 보고 도망갔을 것이다.

사기범은 나의 고향이 시흥이라는 것까지 알고 있었다. 그래서 인쇄소에서 내 명함을 찍어 들고 가서 내가 고향에 급히 갈 일이 생겼는데 돈이 필요하게 되어 심부름 왔다는 그럴싸한 핑계를 댔던 것이다. 그러나 그의 말을 의심한 H상회 사장은 돈을 준비하는 척하고 옆방으로 가서 나에게 전화를 했던 것이다. 그도 그럴 것이 내가 밀수 승용차의 수사를 시작하자 H상회 사장은 여러 경로를 통하여 나에게 접촉을 시도하였지만 목적을 달성하지 못했기 때문이다. 그러니 내가 사람을 시켜 돈을 보내라고 할 리가 없다고 판단하였다고 했다. 역시 그는 기업가다웠다.

그가 돈을 주었다면 어찌되었을까. 그가 나에게 연락을 안 했으면 돈은 사기꾼에게 건너갔을 것이고 나는 돈을 받았다는 누명을 썼을 것이다. 검사의 청렴한 자세와 처신이 얼마나 중요한가를 일깨워주는 대목이다.

어느 여자의 전화 한 통

법무부 검찰과장으로 있을 때의 일이다. 한참 바쁜 시간에 전화가 걸려왔는데 젊은 여자의 음성이었다. 반가운 말투로 다짜고짜 오늘 저녁 5시에 그 다방으로 나오라는 것이다. 누구냐고 물었더니 벌써 자기 목소리도 잊었느냐고 묻는다. 전화를 잘못 건 것이 아니냐고 반문하였더니 문 검사가 아니냐고 되묻는다. 그때만 해도 서울에는 문 검사가 나밖에 없었고 신문에도 꽤 내 이름이 오르락거릴 때여서 문 검사라면 혼동할 리가 없었다. 그래서 직감적으로 누군가가 내 이름을 팔았다는 생각이 들어서 다방으로 나가 본인을 만나야겠다고 마음을 정하였다. 그래서 "그 다방이 어디지"라고 반말로 물었더니 태평로(지금의 세종대로) 어디라고 일러준다. 분명 누군가가 문 검사를 사칭하여 여자를 만나고 있다는 생각이 들었다.

그러나 그날따라 어떻게나 바빴는지 약속시간에서 1시간 가까이 늦은 6시쯤에 일러준 다방으로 갔다. 막 다방을 들어서는데 젊은 여자가 다방을 나와 오른쪽으로 가는 것을 보았으나 그 여자라고 특정할 수도 없는 일이었다. 잘못 말을 건넸다가는 욕이나 먹을 것 같아서 못 본 체하고 다방 안으로 들어갔다. 다방 안에 여자는 한 사람도 없어서 아까 본 여자다 싶었지만 어찌할 도리가 없었다. 아마 그 여자는 화를 내면서 문 검사 욕을 하였을 것이다.

결국 5분쯤 앉았다가 쪽지 판에서 짐작으로 하나를 뽑아보았더니 기다리다가 오지 아니하므로 그대로 가는데 자기 집으로 오라고 씌어 있었다. 5시 50분으로 표시되어 있는 것으로 보아서 다방에 들어오면서 만난 여자가 틀림없었다. 그 여자의 집이 어딘지도 모르는 일이니 그 후엔 잊어버리고 말았다. 물론 그 후 그 여자로부터 전화도 없었지만 그날 저녁쯤 혹은 다음날쯤 문 검사라고 사칭한 누군가가 그 여자의 집을 찾아갔을 것이다. 웃을 수밖에 없는 일이지만 검사를 하다보면 이런 일 저런 일 겪게 마련이다.

불법도강죄와 처녀 피의자

6·25전쟁 직후에는 한강 다리를 건너서 서울로 들어가려면 도강증(渡江證)이라는 경찰서장의 허가가 필요했다. 허가 없이 한강을 건너려고 하면 한강 입구에서 길목을 지키는 헌병에게 붙잡혀 불법도강죄로 헌병대로 끌려가곤 하였다. 그렇지 않아도 헌병대의 힘은 막강했는데, 이런 일에까지 헌병대가 나섰으니 시민들이 겪는 생활의 불편은 대단하였다. 물

론 전쟁 중이나 전쟁에 준하는 비상사태하에서는 모두 참고 견딜 수밖에 없었지만 도강증은 과했다 싶다.

한번은 20세 전후의 젊은 여자 피의자가 송치되었는데, 불법도강죄와 절도죄가 죄목이었다. '불법도강죄'라는 공식 죄명을 본 것은 이때가 처음이었다. 여자는 어느 헌병 장교와 동거하였는데, 어느 날 몇 개 안되는 금붙이를 가지고 서울로 달아나려고 한강을 건너다가 체포된 것이다. 피의자를 조사해 보니 전적으로 부인했다. 자기는 그 헌병 장교와 동거한 일도 없고, 금품을 훔친 일은 더더욱 없다는 것이다. 나란 ㄱ 장교가 여관에 가자, 자기 집에 가자는 것을 끝내 거절하였더니 이렇게 자기에게 죄를 뒤집어씌웠다는 것이다.

이 사건의 경우 여자가 헌병 장교와 동거했다는 것이 전제가 되는 이상 여자가 동거한 일이 없다고 한다면 그녀의 말이 맞다는 생각이 들었다. 그래서 본인에게 금품을 훔쳤다고 하더라도 얼마 안되는 것이어서 용서해 줄 수 있으니 정직하게 말하라, 동거 여부는 병원에 데려가서 조사해 보면 금방 알 수 있다고 다그쳤다.

그러나 여자는 자기의 말이 거짓이 아니라고 우겨댔다. 할 수 없이 나는 여자를 데리고 검찰청 바로 뒤의 한일병원으로 데리고 가서 부인과 의사의 검사를 받게 하였는데 담당의사는 남자와 동거한 흔적이 없다고 확인해 주었다. 더 따질 이유도 없어서 여자를 무혐의로 석방했는데 그 뒤가 문제였다. 여자는 몇 번이나 검찰청 사무실로 찾아와서 밖에서 만나자고 졸랐다. 할 수 없이 근처 다방에 가서 차 한 잔을 나누면서 이래서는 안된다고 타일렀더니 그 후 다시 나타나지 않았다.

그런데 어느 날 대검찰청의 고위급 검사가 만나자고 하기에 그의 방을 찾아갔더니 중년 여성이 두 명이 있었다. 내가 자리를 잡자 그중 한 명이 아무개를 아느냐고 하면서 그 여자에 대해 묻는다. 내가 안다면서 사건 경위를 말해주었더니 이번에는 옆자리에 앉아 있던 중년 여성을 덕수국 민학교(지금의 덕수초등학교) 교사라고 소개해 준다. 그 여교사의 이야기는 이렇다. 여교사는 그 여자하고 알고 지내는 사이였는데, 한번은 여교사가 학교 운동회 때문에 집에 늦게 들어간다는 것을 알고 그 여자는 여교사 집으로 찾아갔다. 집에 계신 할머니께 신문지를 오려 넣어 포장한 뭉치를 3만 원이라고 건네주면서 여교사로부터 휴대용 전축을 가지고 나오라는 부탁을 받았다고 말하고는 전축을 들고 갔다. 그러고는 다시 만날 수 없었다는 것이다. 그런데 그 여자에게 문 검사가 같이 살자고 하는데 어떻게 할까 고민하는 듯한 말을 몇 번 들었다고 했다. 그래서 혹시 내가 그 여자의 소재를 아나 싶어 수소문 끝에 찾아왔다는 것이다. 나도 그 여자를 만난 일이 없어서 지금 어디 있는지, 무엇을 하는지 알 길이 없지만 찾아보겠다고 말하고는 그 방을 나왔다.

이런 유의 일을 맞닥뜨리게 되면 아주 난감하다. 여자가 그렇다는데 남자가 아니라고 그러면 여자 얘기를 믿는 것이 상례로 되어 있다시피 한 세상에서 그 여자를 붙들어오지 못하면 나는 오해를 받기에 십상이라는 생각이 들었다. 그래서 다시 여교사에게 그 여자가 다니는 다방이나 빵집 같은 데는 없느냐고 물었더니 두 군데 이름을 들을 수 있었다. 당장 수사과 직원을 보냈더니 두 시간쯤 지나서 그 여자를 붙들어왔다.

어찌된 거냐고 다그쳤더니 요령 없는 대답이 돌아왔다. 그리고 전축은 팔아먹은 것이 아니라 자기 집에 그대로 가지고 있다고 했다. 전축은 곧 압수되었는데, 훔친 전축을 집에 그대로 갖고 있다니 그러면 무엇 때문에 그런 짓을 했을까 이상했다. 여자는 더러 생리 때에 남의 물건에 손을 댄다는 연구 결과가 있는데 그 때문이거나, 가벼운 정신질환이 있을지도 모른다고 판단하였다. 내가 오해를 풀기 위해서는 그 여자를 구속하는 것이 마땅하지만 그런 정도의 일로 사람을 구속한다는 것은 나의 편익만 생각하는 지나친 처사라는 생각이 들었다. 결국 그 여교사를 불러내 그 앞에서 여자를 막 야단치면서 나와 그런 관계가 아니라는 것만 인식시키고 돌려보냈다. 그 후 대검찰청 검사에게 가서 전후 사정을 얘기하고 웃고 넘어가긴 했지만, 검사 생활도 쉽지만은 않았다.

검사와 수사기록

당시는 검사가 기소하기 전까지는 수사기록을 보여주지 않는 것이 관례였다. 그러나 나는 수임 변호사가 와서 요청하면 수사기록을 보여주었다. 수사기록을 보여주면 수임 변호사가 만족하고 좋아할 뿐 아니라 나도 변호사가 이의를 제기하면 자세히 듣고 필요시 증인을 불러다가 조사함으로써 정확한 수사를 할 수 있어 좋았다. 소문이 그렇게 났기 때문인지 변호사는 물론 국회의원들도 당시 내 방에 놀러와서 이런저런 이야기를 했다. 민관식(閔寬植) 전 국회의원도 그중 한 분이었다. 검사는 정의를 세우는 데 있어 법률에만 매달리면 안 된다. 건전한 상식이 법률에 앞설 때가 있는 법이다.

1심 판결 비판과 〈법정〉지 논문

1957년경의 사건이다. 당시 유행하던 사금융(私金融) 또는 고리대금업자로 불리는 거부(巨富)의 사건이었다. 거부라고 해봤자 지금의 재벌과는 비교가 안 되었지만 당시로서는 이름만 들어도 대단한 존재로 인정되던 인사였다. 나는 그 당시로는 이식제한령(利息制限令, 이자제한법)이 사회적으로 비현실적이라는 일부 주장을 무시하고 공소를 했다가 1심에서 무죄

선고를 받았다. 피고인의 행위는 "제한령의 범위를 초과한 행위로 사금융의 거래를 하였다 하여 그 누가 사회적 비난을 가할 자도 없을 것"인데, 이러한 현실을 증명을 요하지 않을 정도로 일반화하였다는 것이 판결이유였다.

나는 항소를 했다. 그리고 그 항소이유서를 중심으로 그 판결을 한 판사의 무죄이유를 반박하는 내용의 논문을 기고했는데, 〈법정〉(1957. 7)에 「기대가능성(期待可能性)과 실정법(實定法)의 한계(限界)」라는 제목으로 실렸다. 초년 검사로서는 드문 일이었다.

후일 서울대 법대 신동운(申東雲) 교수로부터 『효당 엄상섭(嚴祥燮) 형법논집』이라는 저서를 받았다. 약 400쪽에 달하는 큰 책인데 「형법이론과 재판의 타당성」이라는 제목의 10장에 그 사건에 대한 판결과 나의 글에 대한 엄상섭 선생의 비판이 실려 있었다. 선생은 그 비판의 서두에 이렇게 썼다.

"이 두 분의 소장 법조인들이 현행법의 한계 내에서 타당성 있는 결론을 얻기에 성의 있는 노력을 하고 있음에 대하여 심심한 경의를 표한다. 왜냐하면 사안을 직업적으로만 처리해 버리는 고식적(姑息的)인 것에 빠지지 아니하고 또 보다 더 정의와 사리에 알맞도록 하려는 열의…."

효당 선생은 법조계에서도 존경을 받는 학구파였고 대선배였기에 비판인 것이었지만 이런 언급은 기쁜 일이었다.

정의와 상식은 충돌하게 마련이다

1960년 4월 19일 학생들의 의거는 자유당 정권을 무너뜨리고 이승만 대통령을 하야하게 만들었다. 당시 나는 법무부 검찰과장이었다. 검찰국에는 검찰과와 정보과가 있었는데, 전국의 검찰행정에 관한 사무는 검찰과에서 주관하고 있었다. 4·19혁명 직후 과도 정부 때의 일이다. 법무부 장관이 불러 가보니 한 통의 편지를 건네주었다. 그 편지에는 각 대학교 학생들의 이름이 20명 정도 적혀 있었는데, 몇 해 전에 징역을 살고 나온 어느 국회의원의 장학기관으로부터 장학금을 받고 공부한 학생들이었다. 자유당 안에서 자유당 정권 반대에 앞장선 그 국회의원을 사건을 조작하여 정치적으로 탄압한 자유당 정권 앞잡이 검사인 나를 파면하라는 것이 편지의 골자였다. 그 국회의원은 당시 국회에서 위원장까지 지낸 중진이었는데 은혜를 입은 학생들은 보은의 유혹을 야무지게 뿌리치지 못했을 것이다.

어처구니없는 말이라고 느끼면서 "어찌할까요" 하고 물었더니 보았으면 찢어버리라는 대답이 돌아왔다. 까마득히 높은 장관이, 그것도 정권이 바뀐 뒤에 새로 들어선 장관이 나를 믿어주니 얼마나 고마웠는지 모른다.

나는 편지에 이름이 적힌 학생 전원을 불러서 사정을 말하고 타이르겠다고 말하였다. 장관은 대뜸 지금 때가 어느 땐데 학생들을 부르느냐고 타일렀다.

그러나 나는 다음날 편지를 쓴 학생들에게 5명만 대표로 법무부 검찰과로 나오라는 통지서를 보냈다. 지정된 날에 5명의 학생 대표가 왔기에 법무부 숙직실로 데리고 가서 나의 떳떳한 입장을 설명하였다. 그러면서 이 사건에 관련된 수사·재판 기록을 넘겨줄 테니 충분히 검토하고 난 뒤에 다시 나를 만나자, 그때 내가 잘못했다는 결론을 얻게 되면 즉시 사표를 내겠지만 내게 잘못이 없다는 것이 판명되면 학생들이 신문에 사과광고를 내야 한다고 그들의 정의감에 호소하였다. 5명 중 3명은 아무 말이 없었으나 2명은 그렇게 하겠다는 대답을 하였다. 그래서 나는 내일부터 여기서 기록을 검토할 수 있도록 준비해 놓겠다고 했다. 하지만 학생들은 다음날도, 그 다음날도 나오지 않았다. 5일이 지날 때까지 기다려보았으나 학생들은 나오지 않았다. 이 일이 있고 나서 얼마 후 나는 서울지방검찰청 부장검사로 승진하여 다시 일선에 섰다.

그로부터 50여 년의 세월이 흐른 지금 이 일을 되돌아보면 어느 한쪽만이 옳았다고 할 수 없음을 확실히 알 수 있다. 나는 나대로 굳건하게 검사의 직무를 다한 것이고, 학생들은 나름대로 보은을 위해 움직였을 것이다. 그러나 이는 정의라기보다 상식이라 할 수 있다. 검사가 직무를 다하는 것도 상식이고 학생들이 은혜를 갚는 것도 상식적인 일이기 때문이다. 상식과 정의는 정의(定義)하기 어렵고 충돌하는 것이 상례다.

한일회담 대표

나는 자유당 정권 시절 검찰청 검사들이 국가보안법 개정안을 기초하는 데 참여하였고 국회 공청회에 연사로 나가 개정 찬성론을 폈다. 그러므로 보기에 따라서는 자유당 정권이 붕괴한 이상 나도 퇴출당하는 것이 당연했다. 그러나 1961년 4월 새 정권의 법무부 장관은 나를 서울지방검찰청의 부장검사로 영전시켰다. 결과적으로 자유당을 지지하는 위치에 있었지만 나의 검사로서의 행동은 공과 의에서 크게 벗어난 일이 없었다고 본 모양이었다.

그로부터 1개월 뒤 5·16군사정변이 일어났고, 1960년 새로 수립되었던 민주당 정부가 구성한 특별검찰부의 검찰관으로 나갔던 사람들이 구속되었다는 말이 들리기 시작하였다. 검찰청에도 거센 정치 바람이 불기 시작한 것이다. 나는 특별검찰부에 파견된 일은 없어서 붙들려갈 만한 이유가 없다고 믿었지만 불안한 마음은 가시지 않았다. 부패한 검사들을 색출한다는 소문도 들리고 있어서 누가 어떤 일로 모함할지 장담할 수 없었기 때문이다. 그래서 밤에는 집 뒷마당 축대에 굵은 밧줄을 걸어놓고 급하면 그 줄을 타고 도피하겠다고 생각하며 며칠을 보냈다. 그때 집은 청파동 3가에 있었는데 밧줄을 타고 축대를 내려가면 선린상업학교의 운동장으로 갈 수 있었다. 하지만 군인들은 밤뿐 아니라 낮에도 사방에 깔려 있어서 사무실에 나가서도 방에 앉아 있지 못하고 딴 방에 가서 잡담을 하거나 밖으로 돌아다니면서 사무실로 전화를 걸어 동태를 살피며 그날그날을 보냈다.

그러다가 어느 날 군사 정부가 만든 혁명검찰부에 파견할 검사 명단에 내가 들었다. 10여 명의 검사가 파견되는데 나는 부장검찰관으로서 책임자가 되었던 것이다. 큰일 났다 싶었다. 부패하지 않은 깨끗한 검사들을 선별했다는 말에 당장 잡혀갈 이유가 없어져서 안도하기는 했지만, 근본적으로 5·16군사정변에 반대하는 입장에서 혁명검찰부의 부장검찰관이 된다는 것은 참으로 견디기 어려운 일이었다. 그러나 우선은 혁명검찰부에 출근할 수밖에 없었다. 돌아가는 형편을 보아서 탈출할 생각이었다. 혁명검찰부장은 무시무시한 군인이었지만 다행히 수석검찰관은 친구인 육군 법무관 안경렬 대령이었다. 개인적으로는 정말 다행한 일이었다. 나에게는 사건을 직접 다루지 말고 전체적인 법률고문 역할만 하라고 했다. 특정 사건의 수사를 담당하지 않게 된 것은 다행이었다. 군사 정부하에서는 법률이 법률일 수 없고 재판 절차도 법률 절차에 따른 것이라고 말할 수 없었으니 말이다. 누가 누구를 처벌한단 말인가.

어쨌든 혁명검찰부에 근무한다는 자체가 달갑지 않았다. 거기서 어떻게 빠져나올지 생각을 해보았지만 뾰족한 수가 없었다. 그러던 어느 날 군사 정부와 일본 정부 간에 한일회담이 열리게 되었다는 말과 더불어 내가 한일회담 대표로 거론된다는 말을 듣고 열심히 수소문하면서 그쪽으로 매달렸다. 그 덕분인지 재일한국인의 법적지위문제를 담당하는 한일회담 대표가 되었다. 1961년 9월의 일이다. 그래서 혁명검찰부를 떠나 일본 도쿄에 가서 조용한 나날을 보낼 수 있었다.

내가 대표를 맡았던 한일회담은 1961년 10월부터 64년 4월에 걸쳐 이루어졌던 6차 회담이었는데, 후일 대한변호사협회(이하 대한변협) 협회장을 지낸 김윤근(金潤根) 변호사, 이천상(李天祥) 변호사, 정태섭(鄭泰燮) 변호사도 함께였다.

한일회담 대표로 도쿄에 가 있는 동안에도 군사 정부가 강행하던 판사, 검사, 변호사의 합동교육의 강사로 선정되어 주말이면 서울에 돌아오곤 하였다. 당시 내가 강의했던 과목은 '각국의 검찰제도'였는데, 대한변호사협회 회지에 영미 검찰제도에 관한 글을 쓴 것이 선정된 이유였던 듯싶다. 한일회담이 없는 주말 금요일에 서울에 와서 그날 한 반의 강의를 마치고 다음 주 월요일에 다른 반의 강의를 한 다음 그날 오후에 도쿄에 가곤 하였다. 강의 내용이야 별것도 아니었지만 강의를 듣는 판사, 검사 들 중에는 내가 무슨 특혜라도 받은 것으로 오해하는 사람도 있었을 것이다.

군사 정부는 못 하는 일이 없었다. 이런 희한한 방식의 강의도 있게 했으니 말이다. 한일회담이라고 해도 매일 회담을 하지는 않았고, 공식·비공식 회의를 합쳐서 일주일에 한 번 열리는 정도였다. 회담 준비는 벅찼지만 그래도 시간적으로 여유는 많았다. 일본 책방을 찾아다니고 서울에서 볼 수 없는 영화를 보는 일은 즐거웠다. 그러는 동안 일본어도 익숙해져 많은 일본 책을 가까이 할 수 있었다. 일본 책은 어려운 내용을 쉽게 풀이한 문고본이 많아서 생소한 정치, 경제, 역사, 특히 남보다 앞서 전자, 정보 분야의 지식도 익힐 수 있었다. 이 책 저 책 가리지 않고 탐독하게 된 것도 이때부터의 일이다.

그러나 한일회담대표의 일이 편안해서 좋기는 했지만, 대한민국을 중심으로 남북이 통일되어야 한다는 기본방침에 따라 회담에 임하고 있던 나로서는 대한민국은 38선 이남에서만 관할권을 갖고 있다고 인식하고 있는 일본 정부의 태도가 못마땅했다. 대한민국 정부도 그에 따라 교섭하고 있었으니 한반도 전체를 대표하고 있다고 자처했던 나로서는 잘못된 일을 하고 있는 것 같아 불안했다는 말이 더 적절했다. 그래서 1963년 8월 대표직을 사임하고 검찰청으로 돌아왔다.

검찰청을 떠나다

검찰총장과의 충돌 — 재정신청 1호

1954년 말경의 일이었다. 그때 내가 담당한 사건은 경찰서에서 보내온 사건이었는데 수사를 하고 나서 범죄가 되지 않는다고 판단했다. 검사장은 수사에 대하여 이래라 저래라 하는 말은 없었지만 검찰총장이 관심을 갖고 있다 말해 나는 수사 결과를 간접적으로 보고했다. 그러나 검찰총장은 몇 가지 사실을 더 조사해 보라고 했다. 하지만 시간을 갖고 추가로 조사해도 범죄가 되지 않기는 마찬가지였다. 또 그 결과를 보고했지만 양해하는 것 같지 않다는 말에 더 이상 수사할 일도 없어서 검사장의 재가를 받아 불기소 처분했다.

그 뒤가 문제였다. 1955년 2월에 미국 국무성 초청으로 연수차 미국에 체류하고 있었는데 동료 검사로부터 나의 뒷조사가 진행되고 있다는 편지를 받았다. 당시에는 고소인이 지방검찰청 검사의 불기소 결정에 대하여 고등검찰청에 항고를 할 수 있었는데, 고등법원에 재정신청을 할 수 있는 제도도 새로 생겼다. 이에 따라 검찰총장은 고소인에게 재정신청을 하라고 시켜놓고 담당검사인 나의 뒷조사를 지시한 것이었다.

나는 무슨 조사를 하여도 문제될 만한 일은 없다고 자부하고 있었지만 본인이 미국에 가고 없는 사이에 뒷조사를 한다는 것은 비겁한 일이라고 생각했다. 몹시 기분이 상했지만 미국에 앉아서는 어쩔 수 없는 일이었다. 10개월 후 한국으로 돌아왔더니 사건은 재정신청에서 기각되었는데 내가 알기로는 이것이 재정신청 제1호 사건이었다.

젊은 검찰과장의 포부

검찰과장으로 있을 때의 일인데, 그때는 통계라는 것이 없었다. 그래서 나는 처음으로 「검찰통계요람(檢察統計要覽)」이라는 소책자를 만들었다. 예산이 없어서 그림을 그릴 줄 아는 직원을 시켜서 직접 같이 만든 책이다. 같은 무렵 전국 검사의 무죄 대장도 만들었는데, 이상하게도 무죄가 몇 사람 앞으로 집중되는 것을 보고 검찰국장에게 보고

「검찰통계요람 4291~4293」

하여 본인에게 경고토록 하면서 인사에 참고하게끔 하였다.

또 한 가지 생각나는 일이 있다. 그때만 해도 모든 조서는 종서로 쓰고 한문을 많이 사용했다. 그러다가 한글타자기가 나오는 것을 보고 장래에는 한글 횡서가 주가 될 것이라는 생각에 나는 장관의 결재를 받은 후 전국 검찰청 앞으로 조서는 모두 횡서로 만들라는 지시를 했다. 그다음부터 검찰청에서는 기소서류를 횡서로 작성하여 법원에 넘겼는데, 법원은 여전히 종서를 사용했다. 그래서 검찰의 기록과 법원의 기록을 합치면 반은 횡서고 반은 종서가 되어 하나로 묶으려면 ㄱ자 모양이 되었다. 법원과

협의를 했지만 연구해 보겠다는 대답뿐이어서 한참 동안 이런 상태가 이어졌다.

검찰총장과의 충돌 1 — 재항고 사건

내가 부장검사가 되고 나서 검찰총장과 또 한 번의 충돌이 있었는데, 먼저 검찰총장과는 다른 분이었지만 정확한 시기는 기억이 안 난다. 고소인의 재항고로 대검찰청까지 올라간 형사 사건이 재기(再起)수사 명령으로 서울지방검찰청에 내려왔는데, 내가 그 사건을 담당하게 되었다. 당시 방적과 무역을 겸하는 어느 회사의 사장이 피고소인이 된 사건이었는데, 그 회사는 오늘의 대기업들과 비교하면 아주 작은 회사에 불과했다. 그런데도 이 사건을 맡은 대검찰청 검사는 이례적으로 일본까지 출장 가서 증인 조사도 하고 증거도 수집한 후 기소할 만한 가치가 충분히 있다고 자신을 얻었는지 서울지방검찰청에 재기수사 명령을 내린 것이다. 그러나 내가 기록을 읽고 몇 사람의 증인을 추가로 조사해 보니 불기소 처분을 한 당초의 결론이 옳았다고 판단되었다.

기록을 가지고 검찰총장에게 올라가 나의 판단을 설명했다. 다 듣고 난 총장은 나와는 다른 의견을 내놓고 기소를 하라고 했다. 그 자리에서 정면으로 거부할 수도 없는 일이라 좀더 수사를 해보겠다고 하고 물러났다. 약 2주쯤 후에 다시 검찰총장실로 가서 결과를 보고하였지만 총장은 의견을 굽히지 않았다. 나는 마음에는 없었지만 더 수사를 하겠다는 말로 그 자리를 벗어난 뒤에 그대로 한 달쯤 내버려두고 있었는데 검찰총장이 또다시 나를 불렀다. 이번에는 재기수사 명령을 내린 대검찰청 담당검사도 그 자리에 있었다. 언쟁에 가까운 토론을 벌인 후 총장은 격한 말로 바로 기소를 하라는 명령을 내렸다.

이제는 검찰총장을 설득할 수 없다는 판단에 사무실에 내려와 차근차근히 불기소장을 쓴 뒤에 다음날 아침 검사장에게 그간의 경과를 보고한 후 재가를 받고 사건을 끝내버렸다. 나도 나지만 검사장도 용감했다. 이것이 새 검찰총장과의 1차 충돌이었다.

검찰총장과의 충돌 2 — 증권파동 사건

5·16군사정변이 일어나고 얼마 되지 않은 어느 날 서울지방검찰청 검사장실에서 오라는 전갈이 있어 갔더니 12명쯤 되는 검사들이 모여 있었다. 도착한 나를 보더니 검찰총장실로 가자면서 검사장이 자리에서 일어섰다. 무슨 일이냐고 물었더니 증권파동 사건 때문인 것 같다고 하면서 자세한 것은 자기도 잘 모른다는 말로 얼버무렸다. 총장실로 가니 검찰총장(재항고 사건 때와 동일)은 자리에서 일어나 선 채로 나는 제일 우측에, 나머지 검사들은 좌측에 세워놓고 일장 훈시를 시작하였다. 총장은 주로 나를 향해서 말했는데, 당시 한창 문제가 되고 있는 증권파동에 대해 수사하기 위해서 12명의 검사를 파견해 달라는 요청이 중앙정보부로부터 있었다, 본인으로서는 가장 유능하다고 믿는 여러분들을 파견하기로 했으니 잘 부탁한다는 말이었다. 이 말을 들은 나는 그런 사건이 있다는 것은 신문을 통해서 잘 알고 있다, 이 사건은 정치자금 조달을 위한 권력싸움의 양상을 띠고 있어서 중앙정보부에 가서는 검사로서 효율적인 수사를 할 수 없으니 검찰청에서 수사할 수 있게 해준다면 단시일 내에 수사를 마치겠다고 대답하였다.

젊은 검사의 어처구니없는 대답에 발끈한 검찰총장은 지금 때가 어느 때인데 그런 말을 할 수 있겠느냐고 반문하면서 정부에서 검사를 보내달라면 안 보낼 수 없지 않느냐, 모두들 같이 가서 검사로서의 독자성을 발휘하여 수사하면 된다는 식의 꾸지람을 하였다. 그래도 정보부장이 직접 관심을 갖고 지휘하는 사건인데 정보부 건물 안에서 어떻게 독자적인 수사를 할 수 있느냐고 내가 계속 대들자 검찰총장은 다른 검사들은 일단 돌아가게 하고 나만 남게 하였다.

내가 검사장 옆의 빈자리에 앉으려고 하니 총장은 선 채로 나를 일으켜 세우고 등을 어루만지며 같은 대학의 선배로서 가장 유능하다고 믿는 문 부장을 특별히 선발하여 보내려고 하는데 너무 그러면 되겠는가, 잘못되면 큰 문제가 생길 수도 있으니 정보부에 가서 잘해달라고 나를 타일렀다. 나도 질세라 "저도 후배로서 마음 놓고 말씀드리겠습니다"라고 전제한 후 거기에 가서는 수사도 제대로 못한 채 창피만 당하게 될 것이라고 말대꾸를 했다. 소파에 앉아 가만히 보고만 있던 검사장은 참다못해 "총장님, 제가 데리고 나가서 타이르겠습니다"라는 말로 나를 끌고 나왔다. 검사장은 자기 방에서 나를 나무라는 듯 위로하는 듯 분간하기 어려운 말을 몇 마디 건넨 뒤에 방에 돌아가서 기다리라고 하였다.

다음날 출근하여 보니 다른 부장검사 한 명과 10명쯤의 검사들이 정보부에 파견되었다. 나는 그 일에서 벗어났지만, 검찰총장의 머리에는 못된 놈으로 각인되었을 것이다.

그 후 얼마 안 가서 3차 충돌이 일어났다. 나는 이 일을 계기로 서울지방검찰청을 떠나게 되었다. 밀려났다고 보는 것이 옳을지도 모른다.

검찰총장과의 충돌 3 — 횡령고소 사건

1963년 6월 혹은 7월의 일이다. 내가 잘 알고 지내던 조그만 중고품 매매 회사의 사장이 검사실로 찾아와 억울하게 고소를 당했다며 잘 부탁한다는 말을 남기고 돌아갔다. 흔히 있는 일이었다. 그 사장은 내가 잘 아는 믿음직한 사람이었는데, 그의 말을 들어보니 배임죄든 횡령죄든 죄가 될 것 같지 않았다. 그래서 담당검사에게 피고소인이 억울하다고 말하고 있으니 잘 수사해 보라는 말을 건넸다. 억울한 사람이 너무 많은 것 같다는 말도 잊지 않았다. 피고소인을 안다고 해서 담당검사에게 조언을 하는 것은 공인으로서 비난받을 일이다. 내키지 않았지만 억울하다는 말을 들어 몇 마디 했던 것이다. 아주 무서운 때였다.

그 얼마 후 내가 여주지청의 사무감사를 위하여 출장을 가고 자리를 비웠던 날이었다. 바로 그날 담당검사가 서울지방법원으로부터 구속영장을 받아 수사관을 피고소인의 집으로 보냈다. 우연히 집을 비워 체포를 면할 수 있었던 피고소인은 이곳저곳으로 피신하면서 나에게 전화로 돌아가는 형편을 묻곤 하였다. 나는 아직 잘 모르겠는데 돌아가는 형편을 보자, 괜찮지 않겠느냐 하는 정도로 간단히 대꾸하고 전화를 끊곤 하였는데, 이 전화가 모두 도청되고 있었다는 사실은 까맣게 모르고 있었다. 전화 도청은 군사 정부 당시 흔히 있었던 일이라서 모든 검사들이 경계하고 있었지만, 내 전화가 도청되리라고는 미처 생각하지 못하였다. 그러나 자주 걸려오는 전화를 어찌하랴.

나중에 알게 된 일이었지만 고소인은 어느 큰 요정의 마담이었는데, 그 마담은 정보부의 힘센 과장을 통하여 검찰총장에게 압력을 넣고 있었다. 이런 사정이 있어 담당검사는 가끔 검찰총장에게 직접 불려가서 중간보고를 했다. 이때 구속영장이 발부되었지만 피고소인은 도망하였다는 것과 나로부터 부탁을 받았다는 말도 했던 것 같았다. 검찰총장은 그렇게 소상히 내용을 파악하고 있었고, 그런 내용은 정보부 과장에게도 그대로 알려져 내 전화기를 도청하게 된 것이었다.

내가 담당검사에 대해 불쾌하게 생각한 것은 그 정도의 일은 알려줄 수 있을 정도의 친분도 있었는데 하필이면 내가 서울에 없는 날 구속영장을 발부받아 집행하려 한 그의 태도였다. 그렇지만 나는 검사라는 공인으로서 더 이상 담당검사의 일에 관여하여서는 안 되며 잘하든 못하든 담당검사가 하는 대로 놓아둘 수밖에 없다고 생각했다. 한편 피고소인의 혐의내용은 절대로 죄가 될 수 없다는 확신도 갖고 있어서 피고소인이 잡혀가도록 놓아둘 것인가를 놓고 심각한 고민에 빠졌다.

사퇴 결심

담당검사가 아니더라도 억울한 사람은 살려야 한다는 것이 모든 검사가 지녀야 할 연대책임 의식이라는 게 나의 확고한 신념이었다. 하지만 이미 담당검사에게 말을 하여두었으니 가만히 기다릴 수밖에 없다는 생각으로 양심을 속여보기도 하였다. 당시 나는 동기생 중에서 제일 먼저 검찰과장을 거쳐 부장검사가 된데다 한일회담 대표를 한 적도 있어서 검찰총장과 법무부 장관처럼 꿈같은 자리를 염두에 두고 있었다.

고민에 고민을 거듭하던 어느 날 갑자기 '검사가 무엇인가, 죄 없는 억울한 친지도 못 살리면서 어떻게 모르는 사람들을 살릴 수 있겠는가' 하는 나 자신을 나무라는 심정이 굳어졌다. 이제는 군사 정부고 검찰총장이고 정보부고 무서울 것이 없었다. 검찰청을 떠날 각오를 한 것이다.

나는 검사장을 찾아가서 그간의 경과를 모두 이야기하고 서울시경에 나가 있는 피고소인에 대한 구속영장을 회수해 달라 그렇지 않으면 담당검사를 직권남용(職權濫用)으로 처리할 거라고 장담하였다. 검사장은 자기도 알지 못한 사이에 일이 커지고 있다는 것을 염려한 탓인지 유무죄에 대한 확인을 위해 부장검사회의를 소집한 후 그 자리에 담당검사를 출석시켜 사건의 전말을 보고하게 하였다.

검사장, 차장검사, 부장검사 등 6명이 한자리에 앉아 담당검사의 소상한 보고를 들은 후 검사장은 부장검사 한 사람 한 사람에게 투표하는 식으로 죄의 성립 여부를 개별적으로 물어나갔는데, 한 사람의 예외도 없이 죄가 성립되지 않는다는 의견을 내놓았다. 이에 검사장은 담당검사에게 서울시경에 나가 있는 구속영장을 회수하라는 지시를 내렸고, 담당검사는 얼굴이 벌개져서 "제가 죄인이군요"라는 말을 남기고 자리를 떴다.

그러나 담당검사는 구속영장을 회수한 후 검찰총장에게 직접 갖다주었고, 검찰총장은 서울지방검찰청 수사과장에게 주어 다시 집행하라는 지시를 하였다. 이에 난처해진 수사과장은 구속영장을 검사장에게 다시 가지고 오는 참으로 볼썽사나운 일들이 벌어졌다.

법무부 장관의 중재

내가 사퇴 결심을 하고 검사장을 찾아가서 담당검사를 조사해 달라고 따진 것이 결과적으로는 아주 기묘하게 발전하였다. 어떻게 알았는지 이 일이 〈경향신문〉 1면 중앙에 「검찰총장 지검장 대립」이라는 제목으로 크게 실렸다. 지금 보아도 있을 수 없는 일이 벌어진 것이니 신문도 대서특필할 만했다.

사태의 발전을 염려한 민복기(閔復基) 법무부 장관이 전면에 나섰다. 먼저 나에게 "피고소인을 불구속으로 하되 법원의 판단을 받아보면 어떨까"라고 의견을 물어와, 나는 피고소인이 기소되더라도 무죄가 되리라는 확신이 있었으므로 구속만 되지 않으면 이에 동의한다고 대답하였다. 장기간의 구속은 때때로 죄가 없는 피고인을 유죄로 만드는 역기능을 한다는 것을 잘 알고 있었기 때문이다. 검찰총장도 장관의 불구속기소 제의에 동의하였다.

〈경향신문〉 1963년 8월 1일 자에 보도된 「검찰총장·지검장 대립」

이 과정에서 나는 억울한 사람을 살렸다는 자부심을 갖게 되었다. 그러나 정보부가 범인도피, 증거인멸 운운하면서 나를 잡아넣을 듯한 위세를 보였으므로 검찰청에 출근도 못 하고 며칠씩 가까운 동료 검사 집이나 청평 유원지에 가서 시간을 보내기도 했다. 참으로 괴로운 나날이었다. 또한 대검찰청과 지방검찰청이 정면 충돌한다는 보도로 결국 검찰청에도 큰 누를 끼치게 되었고 공인으로서도 선을 넘었다는 자책도 느꼈다. 나는 이 때문에 1963년 9월 사표를 내고 검찰청을 떠났다. 처음으로 밝히는 지나간 이야기지만 내가 사표를 낸 배경에는 한 젊은 부장검사의 저항과 복잡한 사정이 얽혀 있었다.

문제의 사건은 같은 해 12월의 대사령*으로 싱겁게 끝나고 말았다.

---

* 대사령(大赦令) 범죄의 종류를 지정하여 이에 해당하는 모든 죄인에게 베푸는 사면으로 국가원수가 내리는 명령이다. 형의 선고효력과 공소권이 소멸된다; 편집자.

이렇게 해서 나는 검찰청을 떠났지만 검사 생활을 청산하면서 이상과 현실의 괴리를 통감할 수밖에 없었다. 나는 1970년 『영미검찰제도 개론』이라는 책을 냈는데, 그 서문에 당시 나의 포부를 이렇게 적었다.

"나의 꿈은 지금 생각하면 검사가 되는 것에 있었던 것이 아니라 검사다운 검사를 개척하려는 것에 있었다. 검사다운 검사는 나만의 꿈이 아니라 젊은 날 검사가 되고자 하는 사람들의 공통된 꿈일 것이다. 1960년 전후에 나는 법무부 검찰과장을 하였는데 그때 나는 우리 검찰에 깊이 뿌리박고 있는 일제 시대의 인습과 관행을 분석하여 한국적인 검찰상을 구상하는 일에 여념이 없었다. 현재도 그리하지만 그때의 나의 목표는 우리 풍토, 습관, 인도(人道)에 적합하고 국민이 안심하고 살 수 있는, 우리나라 고유의 검찰제도를 수립하는 일이었다. 당시 우리 검찰을 개혁하여 세계에서 가장 앞선 검찰로 만들어보려는 열정을 품고 있었으며 그것도 별로 어려운 일이라고 생각되지 않았다. 우리의 주도로 국제적인 검찰관 회의를 개최하여 국민을 위한 검찰의 이념을 세계 앞에 제시하려고도 하였다."

대검찰청 검사로의 복직 권고

검찰청을 떠나고 2, 3년쯤 지났을까? 신임 권오병(權五柄) 법무부 장관으로부터 대검찰청 검사로 복귀하여 달라는 제안을 받았다. 개인적 친분이 없었던 제삼자까지도 나의 사임을 유감스럽게 생각하고 있었다는 것을 알게 되어 큰 위안을 받았다. 부장검사로 계속 남아 있었어도 대검찰청 검사가 되기에는 이른 경력이어서 과분한 제안을 고맙게 생각했지만 그때는 변호사업에만 전념하기로 마음먹은 터라 정중하게 사양했다.

변호사 간판을 달자 2개월 후 대사령으로 형사 사건이 모두 소멸하는 바람에 형사 사건 수임이 완전히 끊기는 등 고전도 하였으나, 검사로 있는 동안 영감, 영감 하는 소리에 도취되어 빨리 돌아가고 있는 세상 형편을 너무나 모르게 되어버린 나 자신을 발견한 것은 변호사업에서 얻은 성과였다. 검찰을 떠날 때에는 분한 마음을 참을 수가 없었던데다 민복기 법무부 장관의 말도 있고 해서, 당시 검찰총장만 떠나면 나는 다시 돌아온다고 별렀다. 하지만 3~4년 변호사와 현대건설 법률고문으로 일하는 동안 사람을 잡아넣고 만세를 부르는 검사보다는 골리앗 크레인으로 무거운 짐을 나르고 선박, 자동차 등의 물건을 만들어 수출하는 사람들이 훨씬 낫다는 생각을 하던 참이었다. 법률과 판례를 최고로 알고 지내며 법률가가 최고라는 생각을 하던 나에게 참으로 큰 변화가 일고 있었다.

여담이 되겠지만, 검찰총장을 통하여 나를 크게 압박했던 정보부의 실세 과장도 군사정변 주체들 간의 정치적 갈등에 휘말려 구속될 수밖에 없는 어려운 사건에 부딪히자 구속되기 직전, 나에게 전화를 걸어 자기 사건을 부탁하는 드라마 같은 일도 있었다. 본인이 검찰청에 가면 납치될 염려가 있다는 말도 했다. 참으로 어수선한 정국이었다. 얼마 후 여러 과정을 거쳐 무죄 판결을 받아 그를 구제했을 때의 기분은 무엇이라고 표현할 수가 없었다.

이렇듯 검찰총장이 일선 검사의 수사를 간섭하는 것은 광복 후 검사의 전통이 제대로 서 있지 않아서 생긴 일이지만 사람이 사는 사회에서 언제나 있을 수 있는 일이기도 하다. 검찰총장의 부당한 지시를 배격하고 공정무사하고 정치 중립적인 검찰상을 세울 수 있는 것은 담당검사의 굳건한 자세와 신념뿐이다. 그리고 그 신념을 뒷받침하는 것은 해박한 법률지식이 아니라 검사의 청렴이다. 청렴한 행동 없이 검찰의 정치적 중립을 세울 수는 없다. 검찰이 행정부처의 하나인 법무부에 소속된 조직이다 보니 고위직의 부탁을 받은 상관의 정치적 압력이라고 할까, 친분을 빙자한 청탁이라고 할까, 압력이나 유혹은 언제나 있게 마련이기 때문이다. 본인은 물론이고 가족의 깨끗한 몸가짐은 검사가 소신대로 수사하고 기소·불기소를 판단하여 국민의 신뢰를 받기 위한 대전제일 것이다.

검찰총장과 검사

　검찰총장은 정치권력과 같은 외부의 압력으로부터 검사를 보호하여 검사가 마음 놓고 수사와 공소권 행사에 전념할 수 있도록 만들어주어야 한다. 그러나 대통령의 임명을 받는 검찰총장이 의연한 자세로 법과 양심만을 믿고 정치적 중립을 지키는 일은 그리 쉬운 일만은 아닐 것이다. 그래도 옛날에는 상명불복으로 맞서는 기백이 넘치는 검사들이 많았다.

　이제 시대도 많이 달라졌다. 언젠가 어느 고검장이 징계를 받고 물러나면서 검찰의 정치적 중립을 외친 적이 있다. 이는 구체적 사건의 처리를 둘러싼 검찰총장 또는 검사장과 담당검사 사이의 분규가 아니라 검찰 중립론을 두고 검찰 수뇌부 사이에서 일어난 충돌을 핵으로 삼고 있다는 점에서 새로운 현상이었다.

　정치인에 대한 형사 사건만 터지면 검찰의 수사와 법원의 판결에 앞서 정부와 여야 의원들의 무절제한 사법적 발언이 부쩍 늘어난 것도 새로운 현상인데, 이는 검찰과 법원을 낮추어 보는 풍조이다. 그러다보니 검찰은 물론 법원도 정치권에 끌려다니고 있다는 인상을 국민에게 줄 수밖에 없다.

이 새로운 현상 앞에 검찰은 어떻게 자주독립을 달성할 수 있을까? 새 시대에 걸맞은 국민의 검찰은 어떤 것이어야 하는가? 나의 희망 같아서는 정치인들의 사건이라는 것은 그것이 형사 사건이든 민사 사건이든, 거물 정치인이 끼어들었건 졸개가 끼어들었건, 이를 다루는 것은 헌법과 법률이 법원과 검찰 그리고 변호사에게 위탁한 전권이라는 뚜렷한 법치정신을 가져주기를 바라지만, 그것이 쉽게 기대할 수 있는 일인가?

그렇다면 적어도 검찰의 고위직에서 일한 사람은 국회의원이나 정치인으로 진출하는 것을 자제하는 것이 하나의 방법이 될 수 있다. 검찰의 고위직에 오른 사람이 긍지와 자부는 어디에 두고 앞으로 국회의원이 되겠다는 생각으로 정치권의 눈치를 살피고 그들과 어울린다면 어떻게 맡은 책무를 다할 수 있겠는가? 검사로 출발할 때의 초념(初念)만 살아 있다면, 검찰의 고위직에 올라 자유민주주의와 헌정질서의 수호자로서 활동할 수 있었다는 그 자체에서 인생의 보람도 영예도 다 얻었다고 여길 수 있을 것이다.

퇴임 후에 저절로 제공되는 그 좋은 변호사직을 마다하고 뒤늦게 익숙하지도 않은 정치판에 뛰어들어 무엇을 하겠다는 것인가? 법률은 이렇다 저렇다 자문 역할이나 할 것인가? 변호사라는 일은 꾸준히 공부를 하며 실력을 닦아나가면 국민의 기본권 보호라는 막중한 일일 뿐 아니라, 사회발전에 공헌하고 많은 사람의 존경도 받을 수 있는 일이다.

성실하고 능력만 있으면 자본주의의 꽃이라고 할 수 있는 큰 회사의 경영에도 한몫할 수 있다. 아예 젊어서 정계에 나간다면 몰라도―그것은 오히려 바람직하기도 하지만―검찰의 고위직에 있는 사람이 어디 딴 생각을 품을 수 있단 말인가?

정치인은 어느 누구도 검찰권을 지켜주지 않는다. 검사 스스로 지켜야 한다. 나는 1960년대에 〈법정〉에 기고한 어느 글에서 검사를 '위대한 정치가'에 비유한 일이 있다. 정의감에 불타는 검사, 활기가 넘치는 검사는 혼란한 사회를 바로잡고 자유민주주의국가를 굳건하게 지키는 중추이기 때문이다.

검사 독립의 조건

검찰총장과 수사 담당검사와의 관계 — 원칙과 예외

검찰총장과 수사 담당검사 간의 문제는 한마디로 검찰의 정치적 중립이라는 문제로 귀착된다. 검찰의 정치적 중립은 말하기는 쉽지만 정의하거나 실천하자면 그리 쉽지 않은 일이다. 검찰 외부의 정치적 간섭이나 압력뿐 아니라 검찰의 위계질서를 통한 내부적 지휘나 간섭도 배제되어야 한다는 것이 정치적 중립의 정신이다. 검찰총장과 말단 검사 간의 위계질서는 피라미드형이지만 검사 한 사람 한 사람은 형사소송법상 독립적으로 수사권과 공소권을 행사하는 독립관청이어서 특수한 사정, 예컨대 국가 안위에 관한 사항과 같은 아주 예외적인 경우를 제외하고 검사는 검찰총장의 지시에서 벗어난다고 말할 수 있다.

국가 안위에 관한 수사 사건의 처리에는 국가적인 시야와 정치적인 판단이 크게 작용하므로 법률이 주된 기준이 되는 검사의 판단은 한 걸음 뒤로 물러날 수도 있다. 이렇듯 원칙과 예외를 분명히 하면 아래위의 갈등은 없어질 것이다. 이 점을 이론적으로 정립하기는 어려워도 상급자가 검사의 수사와 처리에 대한 의견을 존중하는 데서부터 출발할 수 있다.

젊은 검사와 검찰권의 행사 — 연륜과 인생 경험

형사소송법이 검사에게 완벽한 수사, 소추권(訴追權)을 인정하고 독립 관청으로서의 권한을 부여하고 있는 것은, 그가 인간적으로 성숙하고 법률적 경험도 충분하여 사람을 다룰 만한 자격요건을 어느 정도 갖추었다고 전제하고 있기 때문이다. 그러나 수사를 담당하는 검사 중에는 연령적으로 볼 때 인간적으로 성숙하지 못하고 경험이 부족한 젊은 사람들이 많다. 그러므로 법률적으로도 단순하지 않고 사회적으로도 복잡하여 정치적 사회적 영향이 큰 사건을 젊은 검사가 다룰 때에는 내부의 경험 있는 상사의 눈에도 위태롭게 보일 때가 꽤 있을 것이다.

여기에 검찰총장, 상급검사와 담당검사 간의 관계를 살필 때에 검토하여야 할 요건이 잠재해 있다. 수사를 당하는 당사자의 입장에서도 그렇다. 개개 사건의 특이성을 하나하나 따지지 않더라도 수사를 받는 피의자 또는 사건 관계자의 눈으로 보면 젊은 검사는 저런 나이에 어떻게 법률과는 거리가 있는 세상사나 인생사를 이해할 것인가 불안할 때가 많을 것이다.

검찰 내부의 위계질서는 전체적인 체계를 세워 검사에 따라 들쭉날쭉한 법률 해석과 지나친 주관적 판단의 개입을 막으려는 데 그 목적이 있긴 하지만, 상사의 지휘는 한 사람 한 사람의 검사가 그의 독립성을 확보하면서 경험의 부족으로 인해 불합리한 수사를 하지 않도록 미숙한 후임자를 도와준다는 이른바 조언의 성격을 띠는 것이 가장 바람직하다. 그러나 조언을 하다보면 조언인지 지시인지 분간하기 어려울 때도 있을 것이다. 담당검사의 독립성은 보장하되 연륜과 인생 경험을 결부하여 종합적으로 검토되어야 할 문제이다.

검사와 국민의 신임

검찰 수사에서 가장 중요한 것은 국민의 신임이다. 지금 검찰이 겪고 있는 가장 어려운 문제는 검찰이 국민으로부터 신임을 얻지 못하고 있다는 사실이다. 검찰이 하는 일은 구체적 사건에 관계가 있든 없든 잘하든 못하든 국민이 믿어주지 않는다. 어떻게 하다가 이 지경이 됐는지 알 수 없지만 비통한 일이다. 더러는 국민의 이해 부족을 탓하는 검사도 있는 듯하지만 국민의 이해 부족을 따지는 일은 더욱 불신을 조장할 뿐이다. 법조삼륜(法曹三輪)은 어느 한쪽이 무너지면 잘 굴러가지 않는다. 변호사 단체가 검찰을 비난하더라도 이런 이치에서 받아들여져야 한다.

검찰에 대한 불신은 법원의 불신을 일으킨다. 검찰에 대한 불신이 커지면 변호사도 설 땅이 없어진다. 법조계의 총체적 위기이다. 어떻게 국민의 신임을 되찾을 것인가? 수사를 잘하고 법률 해석을 잘한다고 검찰이 국민의 신임을 얻을 수는 없다. 먼저 피의자를 인간적으로 대하고 범죄가 개인의 범행임에 앞서 불가피한 사회현상이라는 인식 아래 공정한 수사를 하여야 한다. 모든 법률가는 구체적인 사건을 떠나, 당사자로서의 이해관계를 떠나, 범죄의 원인을 찾아주는 정성을 보여 땅에 떨어진 검찰의 신임부터 되찾기 위하여 같이 걱정하고 고민해야 한다.

법 앞의 평등

같은 법률과 같은 사건도 검찰이 보는 눈과 국민이 보는 눈이 다르다. 이러한 검찰의 시각과 국민의 시각의 차이는 법률의 본질적인 문제로서, 검찰에 대한 불신을 키우는 하나의 요소이지만, 지금까지 이런 점에 대한 문제 제기는 별로 없는 듯싶다.

한참 전의 이야기지만 검찰은 이른바 '옷로비 사건'(1999년 외화 밀반출

혐의를 받고 있던 신동아그룹 최순영 회장의 부인 이형자가 남편의 구명을 위해 고위층 인사 부인들에게 고가의 옷으로 로비를 한 사건; 편집자)에 대한 수사를 하면서 국민으로부터 엄청난 비난을 받았다. 그렇지 않아도 검찰은 그간 정치적 색채가 짙은 사건들의 처리를 놓고 국민의 기대를 저버렸다고 평가받았던 터에, 그 사건에 검찰의 고위 간부가 연루된 듯한 의혹을 받으면서 국민의 불신을 더욱 증폭시켰다.

옷로비 사건은 정치적으로 영향이 크고 사회적으로도 국민의 관심이 집중되었지만, 검찰이 다루기에는 법률적으로 너무 단순한 사건이었다. 고위층 인사 부인들의 사건이라고 하여 검찰이 다룬대서야 법 앞의 평등은 말뿐이고 국민 중에는 차별 대우를 받았다고 느낀 사람도 있었을 것이다. 검찰이 그 사건을 일반 사건과 다를 것이 없다는 판단으로 경찰에 맡겼으면 검찰을 보는 국민의 눈은 달라졌을지도 모른다. 그러나 검찰은 현직 법무부 장관 부인이 사건 당사자가 된 이 사건을 직접 다루는 과오를 범했다. 검찰을 지휘하는 최고의 감독자인 법무부 장관의 부인이 의혹을 받고 스스로 당사자가 된 사건을 어떻게 검찰이 제대로 다룰 수 있겠는가? 검찰로서는 공명정대하게 다루었다고 말할지 몰라도 믿어줄 국민이 어디 있겠는가? 그 결과 사건 관련자들 중 누구는 장관 부인 대접을 톡톡히 받았지만 다른 누구는 담요에 싸여서 검찰로 끌려가는 비참한 장면을 TV에서 보여주고 말았다.

검찰은 TV에 나온 그 장면을 한낱 피의자의 연행과정으로만 생각할지 모르지만, 그것은 한국 검찰의 현 수준을 보여주는 참혹한 장면이었다. 수사의 실체를 보여주는 듯한 이 장면을 TV에서 몇 번이고 보아야만 했던 국민들에게 검찰의 수사 결과 발표는 별 의미가 없었다. 국민적 수치심을 느낀 사람들도 많았을 것이다. 법 앞의 평등, 검찰과 경찰의 관계에 대하여 깊은 성찰이 필요한 사건이었다.

검찰의 발표와 국민의 판단

검찰은 옷로비 사건을 수사한 이상 법률적 판단 이외에 그와 같은 법률적 판단에 이르게 된 정치적·사회적 견해도 곁들였어야만 하지 않았나 하는 생각이 든다. 국민의 기대는 오히려 그런 것이었는지 모른다.

검찰은 언제나 그렇듯이 형법에 따라 범죄의 성립 여부만을 기준으로 수사 결과를 발표했다. 나도 그 외에는 다른 방법이 없을 것이라고 생각했지만 국민들은 장관 부인들이 그런 일에 끼어들었다는 자체를 비난하였다. 도덕적·윤리적 판단이 앞서는 것으로 법률은 문제가 아니었다.

이 사건에서 법률의 해석과 적용은 어려울 것이 없다. 국민도 그런 사건의 죄명 정도는 다 알고, 어느 사건이 구속수사 감인지 아닌지를 다 안다. 신문과 TV 전성시대의 산물이다. 다시 말하면 국민은 특정 사건에 대하여 법률적, 사회적 판단을 모두 하고 있는데, 검찰은 법률적인 판단만을 하고 있으니 사정은 반대가 됐다. 이런 사례는 적지 않다. 그 결과 검찰의 발표와 국민의 판단은 서로 엇갈릴 수밖에 없다.

국민의 의식 수준은 그만큼 높아졌고, 시대 상황도 많이 달라져서 이른바 세계화의 현상이 두드러지고 있는데 검찰은 옛날의 수사 결과 발표 방식을 고수하면서 어떻게 국민의 이해를 구할 수 있다는 말인가? 이 점은 단순히 검찰과 국민 사이에서만 일어나는 문제가 아니라 법원의 재판과도 관계가 되는, 정보사회가 만들어낸 법철학의 근본 문제이기도 하다.

지금도 잊을 수 없는 선배들

　나는 초임검사 때 참으로 훌륭한 분들을 검사장, 차장검사, 부장검사로 모실 수 있었다. 김형근 검사장을 비롯하여 장재갑(張載甲) 차장검사, 김형대(金亨大) 부장검사가 그분들이다. 모두 인격자이면서 검사로서의 굳건한 자세를 지키는 분들이었다.

　김형근 검사장은 비록 내가 검사이기는 하지만 6·25전쟁 중에 제대로 수습을 받지 못했다는 사실을 알고 검사로서 제대로 훈련하기 위하여 중요한 투서(投書)가 들어오면 직접 현장에 나가 수사하게 하셨다. 투서가 들어오면 관할 경찰서에 보내서 수사를 하는 것이 보통인데 나는 김형근 검사장의 지시에 따라 직접 나서서 수사를 했다. 수사가 관계인을 불러서 진술을 듣는 것이라면 별로 어려울 일이 없지만 용의자를 직접 만나서 진술을 들어야 할 경우에는 사정이 다르다. 죄를 지은 사람이라면 누구나 검사로부터 소환을 받으면 일단은 도망갈 것이 뻔하다. 이럴 때에는 수사관 한 사람을 데리고 직접 용의자의 집을 몰래 찾아가 덮쳐야 한다. 그래서 용의자를 체포하면 다행이지만 그렇지 못한 경우도 많다. 용의자가 도피한 곳을 찾아서 이 집 저 집을 쫓아다니지만 뒷북을 치기 일쑤여서 성공한 사건은 두 건인가에 불과하고 나머지는 모두 실패하였다. 하지만 현장 경험에서 나는 일선 경찰의 노고를 충분히 이해할 수가 있었다. 검사는 수사기록을 토대로 사건 담당경찰관의 잘잘못을 따지지만, 하나의 수사기록에는 몸으로 때우는 경찰관의 피와 눈물이 담겨 있다. 이런 경험 때문에 나는 경찰관을 비교적 자신 있게 지휘할 수 있었고, 일선 수사의 어려움도 이해해 주는 편이어서 야단을 칠 때 치더라도 웬만한 실수는 눈감아 주었다.

김형근 검사장은 검사가 제출하는 결재서류에 엄격했다. 특히 나는 결재를 제대로 통과하는 일이 거의 없었다. 기소·불기소에 대한 결정도 중요하지만 공소장의 범죄사실 내용과 불기소 이유를 하나하나 검토하고 빨간 글씨로 새빨갛게 첨삭(添削)을 하였다. 따라서 나는 결재서류를 반드시 마감 2~3일 전에 제출하여야만 했고 입회서기나 피의자에게 나의 결정을 미리 말해줄 수도 없었다. 검사로서의 위신이 말이 아니었지만 검사장의 결재가 어떻게 될지 알 수 없었기 때문이다. 이렇게 한 1년 훈련을 받고 나니 그 후부터는 내 마음대로였다. 모든 사건 처리에 자신이 붙었다.

나는 검사를 하면서 경찰학교에 강의도 나간 적이 있었는데 그때도 김형근 검사장은 소중한 가르침을 주셨다. 강의 내용은 교과서에 있는 대로 하면 그만이지만 "국민을 편안하게 잘 대접하라는 정신 교육을 잘해야 경찰도, 검사도 현직을 떠난 뒤에도 대접을 잘 받을 수 있다"는 것을 가르치라는 것이었다. 이렇게 생각하는 검사장이 어디 있겠는가? 지금 생각해도 훌륭한 분 밑에서 훈련과 지도를 받은 것은 나의 행운이었다.

검사는 항상 공정무사하여야 하고, 개인적인 친분으로 부탁을 받아서는 안 되지만 마지못해 꼭 봐주어야 할 사건이 있다면 그럴 때에는 자기에게 미리 얘기를 하라고도 하셨다. 엄부(嚴父)와 자모(慈母)를 겸한듯 얼마나 따뜻한 마음씨인가?

지금은 어떤지 모르지만 1950년대 60년대만 해도 국회의원의 세도는 대단했다. 장관실에 갈 때도 미리 약속도 없이 돌연 찾아가서 안에 계시다는 비서의 얘기만 들으면 발로 문을 걸어차고 들어가기가 일쑤였다. 그래서 검사장에게도 아무개 아무개를 석방하라고 지시하듯 야단치듯 요청을 하는 일이 부지기수였다. 그러나 김형근 검사장에게는 그것이 통하지 않았다. 국회의원이 찾아와서 그런 부탁을 하면, 나는 그런 결정권이 없으니까 얘기를 하려면 담당검사에게 가서 부탁하라고 했다. 그 바람에 검사실에는 국회의원들이 뻔질나게 들락거렸다. 표를 가진 주권자가 사정을 하는데 안 들어줄 수 없는 국회의원 입장에서 보면 그런 건방진 검사장이 있을 수 없었을 것이다. 검사 입장에서 보면 그때 한 번 국회의원에게 큰소리를 칠 기회를 갖게 된다.

나는 한때 정치인들을 많이 알고 지냈는데, 특히 야당 의원들을 많이 알고 지내서 내 방에 찾아오는 의원들이 많았다. 야당 의원들도 겉으로 보기에는 나를 좋아하는 것처럼 느껴졌다. 1958년 연말 국가보안법 개정 공청회에서 내가 한 공술(公述)이 야당 의원들이 느끼기에도 수긍할 수 있는 것이어서 그랬는지 모른다.

김형근 검사장은 검사장을 그만둔 뒤에는 내무부 차관과 장관을 지냈다. 더러 문안을 드리려고 아침 일찍 종로3가 골목 안의 자택으로 찾아가는 일도 있었다. 어떤 때는 출근길에 장관 자동차를 같이 타고 나왔는데 그럴 때면 먼저 검찰청 앞까지 와서 나부터 내려주고 내무부 청사로 가곤 하셨다. 검찰청 정문 안으로 들어가지 않고 조금 떨어진 곳에서 나를 내려주면서 누가 보면 좋지 않다는 말도 잊지 않았다. 어쩌다가 내무부부터 가면 차를 한잔 얻어먹기도 했는데, 비서실에서 차관실로 들어갈 때에는 나를 앞세우기도 했다. 이것이 소문이 안 날 리가 없다. 내가 치안국장이나 시경국장으로부터 최대한의 존대를 받을 수 있었던 것은 그분 덕택이었을 것이다.

장재갑 차장검사는 기소·불기소에 대해서는 이래라 저래라 지시하는 일은 별로 없었지만, 구형에 대해서는 까다로웠다. 6·25전쟁 직후이기도 했지만 육군 법무관의 경험도 있어서 나의 구형량이 많을 때가 있었다. 그럴 때에 그분은 구형량의 근거가 무엇이냐고 물었고 좀 많다 싶으면 "징역은 남이 가는 거니까 마음 놓고 구형을 하는 모양이군" 하고 야단치면서 구형량을 확 줄이기도 하였다.

김형대 부장검사는 내가 같은 부서에서 일을 할 때 가끔 용돈을 주곤하였다. 돈이 필요하면 나한테 말하지 어느 누구에게도 직접 돈을 요구하는 일이 있어서는 안 된다고 말씀하곤 하셨는데, 수사비용은 말할 것도 없고 회식비 같은 것도 마련해주곤 하셨다. 그분은 내가 무엇이라고 말하기도 전에 어딘가에서 구한 돈을 나눠주면서 검사는 일을 하고 있는 동안은 아무한테도 직접 돈을 받는 일이 있어서는 안 된다고 말씀하곤 하셨다. 돈은 귀하고 필요한 것이지만, 젊어서는 돈의 생태를 잘 모르니 돈은 잊고 살라는 말도 잊지 않으셨다. 뇌물을 받지 말라, 청빈하라는 말은 하기는 쉬워도 실제 행동으로 옮기기는 참으로 어려운 일이다. 나는 변호사를 하면서 외국에 자주 나갔는데, 내가 지나가는 도시에서 연수하고 있는 후배가 있는 것을 알면 얼마라도 용돈을 주곤 하셨다. 모두 김형대 부장검사의 교훈 덕분이다.

동료였던 이주식(李柱植) 검사도 잊을 수 없다. 참으로 인격자라고 할 수 있는 검사였다. 모든 사람에게 잘 대하는 사람이어서 피의자들로부터 존경을 받았다. 1958년 말 내가 국회 국가보안법 개정 공청회에 나가서 공술을 할 때에 그는 국회의원 옆자리에 앉아서 방청하고 있었다. 내 말이 먹혀들어 가자 야당 국회의원들조차 아무 말 안 하고 조용히 내 말을 듣고 있었는데, 별안간 어느 여당 국회의원이 소리를 버럭 질렀다. 그러자 평소 온순하고 품위 있던 그가 벌떡 일어나서 "조용히 있지 못해, 앉아!"라고 소리치던 모습은 지금도 잊을 수가 없다. 그때 그가 이런 열정적인 면이 있는 사람이라는 것을 처음으로 알 수 있었다.

나는 그가 너무 일찍 작고해서 서운하기 이를 데 없다. 말년에 위암 치료를 받으면서도 작고 직전까지 장애자 복지 지원운동을 하는 국제키비탄 동서클럽 회의에 나와서 정담을 나누곤 했다. 그는 인정이 있고 생과 사를 하나로 보는 인생관이 뚜렷한 사람이었다. 사망 직전 문병을 갔을 때 "며칠 안 남았어" 하고 말할 때에도 안색 하나 변하지 않고 담담했다. 사망 후에 추모의 글을 쓴다면서 한 번도 그런 기회를 갖지 못한 것이 두고두고 유감스럽기만 하다.

모두 이 세상에 안 계시지만 지금도 그분들에 대한 그리움은 한이 없다. 현재 검찰이 정치적 중립 문제로 국민의 신뢰를 잃어가면서 무너져 내리는 소리가 요란하고 검사가 길가에 주저앉는 듯한 흉한 모습을 보면서 혹시 참고가 될까봐 옛 이야기를 몇 마디 곁들였다.

3장

국가보안법 이야기

가장 고통스러웠던 기억

　국가보안법 이야기는 내게는 가장 고통스러웠던 일에 관한 이야기이다. 1958년 당시 집권여당은 자유당이었는데, 국가보안법 개정안을 통과시키기 위하여 국회의장이 무술경위(武術警衛)를 동원하여 야당 의원들을 쫓아내고 여당 의원들만으로 법안을 통과시킨 일이 있었다. 이것이 바로 '24파동'*으로 그해가 다 저문 12월 24일의 일이었다.

　당시 나는 34세의 젊은이였고 정식으로 검사에 임관된 것은 1951년 5월이니 검사로 일한 지 7년밖에 안된 말석 검사였다. 하지만 매일같이 남파되는 무장 간첩들을 처벌하면서 처벌하는 국가 입장에서나, 처벌받는 간첩들 입장에서나, 적절한 형벌을 받아야 한다는 죄형법정주의(罪刑法定主義) 입장에서나 1948년 12월 1일 제정된 국가보안법은 합당하지 않다

---

* 24파동 '24정치파동' '보안법파동'이라고도 한다. 1958년 자유당이 무술경위를 국회에 투입하여 야당 의원들을 감금하고 국회의사당 정문을 폐쇄한 채 여당인 자유당만이 출석한 국회에서 10개 법안 27개 의안을 통과시킨 사건이다. 대공 사찰 강화와 언론 통제를 내용으로 하는 국가보안법 개정안과 지방자치법 개정안, 1959년 예산안이 이때 통과되었다. 1958년 12월 24일에 일어난 사건이라 '24파동'이라는 이름이 붙었다; 편집자.

고 생각했다. 실무를 담당하는 몇몇 검사들이 법률을 개정할 필요가 있다는 이야기를 사담(私談)으로 하기 시작한 것이 공론화(公論化)되어서 개정안을 만들게 되었고 거기에 나도 한몫했기 때문에 여당이 무술경위로 야당을 제압하여 개정안을 통과시킨 것이 영 못마땅했다. 그 후로는 나도 무슨 큰 죄를 지은 것처럼 느껴왔다.

일선 실무자들이 국가보안법을 개정하려고 초안을 만들 때에는, 자유민주주의체제는 확고히 보전하되 혹독한 법정형은 조절하고 자유민주주의 국가 재판 절차의 인간성을 보여주어 과연 대한민국은 다르다는 인상을 주려는 의도가 있었다. 검사에게도 넓은 의미에서 '법'을 다루는 사법관이라는 의식이 강하다.

당시 신문들을 살펴보면 알 수 있지만, 여야는 모든 분야에서 충돌했지만 국가보안법 개정안에 대해서는 개정안 중 3개 정도의 조항에 대해서만 이견을 보였을 뿐 개정 그 자체에 대해서는 크게 다른 의견이 없었다. 적어도 나에게는 그렇게 보였다. 그러나 국가보안법 개정안을 중심으로 여야의 싸움은 개정 강행, 개정 반대로 갈라져 전면전으로 치닫고 있었다. 다행히도 야당 출신 법사위(法司委, 법제사법위원회) 위원들은 우리들 실무자를 초청해서 개정의 필요성을 묻고 의견을 들으면서 오히려 격려까지 하는 지성을 발휘했지만 여야의 싸움 쪽으로 가면 이것이 국회의원인가 싶을 정도로 비이성적인 행동을 서슴지 않았다.

1958년의 상황

국내 정세

1953년 7월 27일 휴전협정이 맺어진 후에도 북의 도발은 그칠 날이 없었다. 전선의 총격전과 포격전은 멈추었지만 간첩의 침투와 공작전선은 후방으로 확대됐다. 이런 의미에서 6 · 25전쟁은 끝난 것이 아니었다. 그러므로 전후방을 가릴 것 없이 매일같이 침투하는 간첩을 격퇴하고 공작원을 검거하여 사회질서를 유지하는 것은 수사기관의 최우선 목표였다. 또 반공을 주목적으로 삼는 시민단체가 넘쳐흘렀다. 그중에서도 북한의 압제 밑에서 살다가 월남한 사람들의 반공행동은 격렬하였다. 반공은 자연스럽게 국정의 지표가 되었다.

군경의 수사기관은 오직 간첩을 잡는 일에만 매달리다시피 하였다. 남파된 간첩이 자기의 연고부터 찾아들어 접선을 시도하고 거점을 만들려고 우글대는 상황에서 월북자와 일가친척이 되는 사람은 공연한 오해를 받을 소지가 많았다. 친지가 아니더라도 그런 사람을 만나면 누구든 수사의 대상이 되기도 했다. 간첩인 줄 모르고 만난 선량한 국민은 당연히 불평, 불만을 갖게 되었다. 그러나 간첩을 잡는 일은 수사기관으로서는 국민의 생명과 재산을 보호하고 국가의 안전을 확보하는 일이니 무리가 따르고 가혹한 수사가 이어질 수도 있었다. 따라서 모두 예민한 이런 상황에서는 말 한마디만 잘못해도 오해를 살 수 있었다. 반공을 이용한 정치적 음모와 간첩을 핑계 삼은 개인적 모함도 이에 가세했으니 국가보안법은 악법이라 비쳐지게 되었다. 그러므로 국민의 북에 대한 적개심과 반공정서는 더 강해질 수밖에 없었다. 국가보안법의 오용과 남용, 그로 인한 국민의 원망은 이렇게 시작되었다.

남북관계를 둘러싼 상황도 안정적이지 못했다. 1958년에는 중국(중공)이 한국에 있는 모든 외국군을 철수하라고 외쳐댔다. 휴전된 지 5년밖에 안된 시점이었다. 미국과 참전 16개국은 바로 이에 불응하는 성명을 냈다. KNA(한국민항공사)기 납북 사건도 이 해에 일어났다. 당시 국내에서 겨우 싹트고 있던 민간항공기업 KNA가 승객 28명을 태우고 부산을 출발하여 서울로 가다가 간첩에 의하여 납치된 것이다. 북한의 끊임없는 도발에 국민은 긴장을 풀 수 없었다.

국제정세

국제정세도 미국과 소련의 냉전이 계속되고 있어서 언제 열전으로 변할지 모르는 긴장상태였다.

1957년 8월에 소련은 대륙간탄도탄(ICBM) 실험에 성공하였을 뿐만 아니라 10월에는 세계 최초로 인공위성 발사라는 개가를 올렸다. 이것은 1961년 4월에 유인우주선 비행의 성공으로 이어져 소련이 군사・기술 면에서 미국을 압도한다는 인상을 국제적으로 각인하기에 충분하였다. 중국의 마오쩌둥〔毛澤東〕이 "동풍이 서풍을 압도한다"는 말을 할 정도로 공산진영은 크게 고무됐다. 그런 가운데 소련과 중국이 '국방 신기술에 관한 협정'을 체결했다. 1958년 8월에는 중국이 대만의 진먼〔金門〕섬과 마쭈〔馬祖〕섬에 포탄을 퍼부어 미 7함대가 긴급 출동하는 등 긴장이 고조돼 우리 국민은 또 다시 6 · 25전쟁을 떠올리며 불안에 떨었다.

우주 경쟁에서 상당히 뒤졌던 미국도 1962년 2월 존 글렌(John Glenn) 중령이 탄 유인우주선을 지구 궤도에 진입시키는 데 성공하여 어느 정도 자유진영의 불안은 가셨다. 하지만 1961년 1월에는 쿠바가 미국과 국교를 단절하고, 4월에는 미국 지원을 받은 쿠바 난민이 쿠바를 침공했으며, 62년 10월에는 소련이 쿠바에 미사일 기지를 설치하는 것이 미국 첩보기에 의해 포착되었고 미국이 이에 반발해 해상봉쇄를 발령하는 등 핵전쟁의 위기감이 고조됐다. 61년 7월에는 중국이 북한과 군사동맹을 체결했다.

북한을 지원하여 6 · 25전쟁 남침을 후원한 소련과 중국 등 공산진영이 이렇게 약진하니 국제정세를 보는 우리 국민의 불안은 클 수밖에 없었다.

국가보안법 개정

1958년 서울지방검찰청에 근무하고 있을 때 말석 검사인 내가 어떻게 국가보안법 개정 초안 작성에 참여하게 됐는지 그 경위는 자세히 생각나지 않는다.

국가보안법은 원래 여수순천10·19사건 이후 내란을 방지하고 처벌하는 법률로 1948년 초안되었다. 그러므로 일선 실무자들은 모일 때마다 6개 조문으로 되어 규정 형식이 단순한 당시의 국가보안법으로는 휴전 후 국지적 무력 침범보다는 '조용히 파고드는' 비밀공작으로 달라진 각종의 범죄유형을 처벌할 수 없으며, 범죄의 정도에 따라 처벌의 경중을 가리기도 어렵다는 데 인식을 같이했다. 내란죄에 대한 처벌 조항은 형법에도 있고 간첩죄에도 있었지만, 그것은 어느 나라에나 있는 적국(敵國)을 예상하는 조항이었다. 하지만 당시는 북한을 하나의 국가로 보는 것은 상상조차 할 수 없는 때였다.

따라서 무력과 폭력을 수반하지 않는, 합법을 가장한 은밀한 파괴행위를 처벌할 필요를 절감한 일선 실무자들은 국가보안법 개정에 의견을 모았던 것이다. 하지만 정부가 실무자의 건의(안)를 받아 몇 개 조항을 가첨

한 개정안을 제안한 후 뜻밖에도 24파동이라는 정치적 대변란으로 변모했다. 당시 정부가 제안한 국가보안법 개정 이유를 요약하면 다음과 같았다.

"현행 국가보안법은 제1조, 제2조에서 명시한 바와 같이 국헌(國憲)을 위배하여 정부를 참칭하는 결사 또는 집단과 기타 범죄 단체를 단속하는 것을 목적으로 한다. 하지만 전문 6조로서 규정 형식이 단순하여 6·25전쟁 이후의 착잡한 정세, 특히 북한 괴뢰집단의 전쟁에 의하지 아니한 침략을 의미하는, 위장평화통일공작을 주임무로 하는 간첩을 단속·분쇄하기 위해서는 개정이 필요하다."

그 후 민주당 정권이 들어서면서 24파동 이전의 국가보안법으로 복귀하려다가 사회적 혼란만 일으키고, 5·16군사정변으로 반공법이 새로 만들어지는 등 여러 차례 개정을 거쳐 1980년 12월 31일 전문이 개정된 25개조의 국가보안법이 탄생해 현재에 이르고 있다.

국회 국가보안법 개정 공청회

정부가 국가보안법 개정안을 내놓자 야당은 물론 일부 사회단체에서는 이에 반대하는 운동을 벌였다. 언론도 대체로 반대 입장이었다. 세상은 국가보안법 개정 문제로 시끄러워졌다. 그런 와중에 국회는 1958년 12월 17일 법사위 주관으로 국가보안법 개정에 관한 공청회를 열었다. 공청회 연사는 모두 6명이었는데 3명은 개정 반대의 입장이었고 3명은 찬성의 입장이었다. 나는 서울지방검찰청 검사로서 찬성의 입장으로 공청회에 나갔다. 국회에 연사로 나간 것은 이것이 처음이었다.

나는 어느 한 쪽에 기울어지지 않고 실무자로서 할 말만 하기로 결심했다. 공청회에 나가기 하루 전날 법무부 차관이 나를 불러 여당이 심의할 때 첨가한 독소조항 몇 가지에 대해서도 잘 설명해 달라고 부탁했다. 그 독소조항에 대해 야당은 극력 반대하고 있었기 때문이다. 그 자리에서는 묵묵부답이었지만 속으로는 '자기들이 그런 조항을 만들어 넣어놓고 무슨 말을 그렇게 해'라고 내심 불만을 품었다. 만일 공청회에 나가서 그런 말을 안 한 것이 상부의 불만을 산다면 사표를 내겠다는 결심을 했다. 당시 자유당 정권은 야당과 언론의 반대에 직면하여 비참한 모습이었다. 하지만 궁지에 몰린 정부나 여당의 입장을 봐주기 위하여 내가 초안을 작성할 때 관여하지 아니한 이른바 독소조항들을 실무자들이 만들어낸 조항이라고 거짓말을 할 수는 없었다.

공청회에서는 메모지 한 장만 들고 나가서 한 40분 정도 말한 것으로 기억한다. 이것은 당시 유일한 공중 매체였던 라디오로 전국에 중계방송되었다. 국회의 연단에 올랐다고 하여 떨리는 일은 없었고 반대의 목청이 높았다고 하여 위축되지도 않았다. 다만 시끄러워서 말을 할 수가 없었다. 그러나 나는 국회의원들이 떠들어대는 엄청난 소란 속에서도 실무 중심으로 강의조, 설득조로 때로는 목청을 높이면서 국가보안법 개정의 필요성을 강조했다. 그리고 실무자들은 개정 자료를 제출했을 뿐 어느 조항을 개정하고 첨삭하고는 당신들의 책임이라고 당당하게 맞섰다.

하지만 나는 국가보안법의 개폐론(改廢論)이 나올 때마다 가끔 옛날 일들을 떠올리곤 하는데, 그때 무슨 말을 했는지 제대로 다 기억하지 못하고 있어서 무엇인가 큰 잘못을 저지르지나 않았나 두려운 마음을 가질 때가 있었다. 그렇다고 일부러 국회도서관을 찾아가서 속기록을 찾아 읽고 싶을 정도로 불안하거나 열이 나는 것도 아니었다. 옛날에 국가보안법 개정에 관계한 일이 있다고 하여 내가 나서서 아는 체할 필요는 없다고 생각했기 때문이다.

그런데 법률사무소를 옮기던 와중에 책장을 정리하다가 내가 국회 공청회에서 발언한 내용의 속기록 사본을 발견했다. 필경(筆耕)으로 복사한 낡은 책자였다. 그래도 무슨 말이 튀어나올지 몰라 당장은 읽지를 않았다. 새삼 겁도 나고 당시의 일을 회상하고 싶지도 않다는 생각이 가슴을 짓눌렀다. 정성을 다했으리라고 생각은 하면서도 젊은 나이에 무슨 말을 했을지 장담할 수가 없었기 때문이다. 그러나 시간이 흐르면서 속기록을 안 읽을 재주가 없었다. 속기록을 읽고 난 뒤 당시 정부 편에 서서 공청회 연사로 나간 사람치고는 반공 일색으로 물들어 있던 시대의 격랑에 휩쓸리지 않고 중립적이고 공평한 입장에서 하고 싶은 말을 했구나 하는 느낌을 받았다.

죄형법정주의에 관하여

나는 구체적 사례를 들어 국가보안법 개정의 필요성을 언급하면서 엄격한 해석을 통한 죄형법정주의를 이야기했다.

"(법이 불비하니까 법원도 검찰도) 유추해석(類推解釋)도 할 수 있고 확대해석(擴大解釋)도 할 수 있고 좌로 해석할 수도 있고 우로 해석할 수도 있는 것입니다. 그러한 경우에 제가 놓여 있는 처지라고 하는 것은 어디까지나 엄격히 해석을 하라, 연필만 한 조문은 연필만 하게, 만년필만 한 조문은 만년필만 하게 해석해야지 만년필만 한 조문을 확대해서 고무풍선과 같이 늘이는 경우에 당하는 피해라는 것은 견딜 수 없다는 것입니다.…법률이 없는 까닭에 간첩을 처벌하면서 양심에 걸리는 때가 많습니다. 법정에 나가서 사형을 구형하는 것은 사형을 구형해 보는 그 사람이 아니면 알 수 없는 일입니다. 법률을 올바로 적용해서 올바른 증거를 갖고 사형을 적용하는 경우에도 구형하는 사람의 가슴은 안타깝습니다. 하물며 법률에 없는 것을 무리하게 해석해서 그가 아무리 죄를 지은 간첩이라고 할지라도 사형을 구형할 때에는 가슴이 아픈 것입니다."

형법의 간첩 조항에 관하여

"이 규정을 볼 것 같으면 '적국을 위하여 간첩 하거나' 이랬어요. 북한 괴뢰집단을 적국으로 부를 수 없는 것이고, 북한 괴뢰집단에 나라 국(國)

자를 붙여줄 수는 없는 것입니다. 어찌해서 이 조문을 무리하게 그대로 쓰라는 말씀들을 하십니까? '적국을 위해서'라는 문구를 북한 괴뢰집단에 적용하는 결과를 생각해 보신 일이 있으십니까? 이 판결이 대법원에 올라가서 '적국인 북한 괴뢰집단을 위하여' 이러한 문자가 만약 나올 때에 국제 회담에서 '너의 나라 대법원에서 적국인 북한 괴뢰집단이라고 나라 국 자를 붙여주지 않았느냐, (그러니 너의 나라와 북한은) 동등하다' 이런 말을 듣게 되는 것을 우리는 견딜 수 없었던 것입니다."

간첩의 인권에 관하여

그런 환경 속에서도 나는 북한에서 보낸 간첩도 같은 인간이라고 강조하면서 야당과 언론의 인권에 대한 무관심을 나무랐다. 당시 나는 구체적인 간첩 사건에서도 인간적인 배려를 서슴지 않았다.

"이북에서 내려오는 간첩도 우리 국민입니다. 인간의 생명이 전 지구 덩어리보다 크다는 것을 우리는 알고 있습니다. 그러므로 저희가 앞에 놓고 조사하는 간첩은 우리와 같은 국민이고 인간이다, 이북에서 살았다는 이유만으로 여기에 내려왔는지는 모른다, 그 밑에서 10년 동안이나 생활을 해보면 그들의 앞잡이가 되는지 모른다, 그런 경우에 처벌할 사람은 엄격히 처벌하되 그렇지 않은 자는 보도(輔導)를 한다든지 감독을 해서 선도하는 길을 마련하지 않으면 안 된다고 저희는 생각했습니다.…저희는 법률을 유추해석하고 확대해석할 때 도리어 매를 맞을 줄 알았습니다. 그러나 언론계는 조용했고 법조계도 간첩이라는 이름만 붙으면 유추해석이나 확대해석을 해도 아무 말을 하는 자가 없었던 것입니다."

이런 자세만이 공산주의로 무장한 간첩들에게 대한민국을 그리고 자유민주주의를 제대로 보여주어 건전한 새사람으로 유도하는 길이기도 하다는 것이 내 생각이었다.

국회의 책임과 국회의원의 임무에 관하여

아무리 실무적으로 개정이 필요하다 할지라도 법률의 개정 여부는 오직 국회의 권한이며 국회의원의 책임이라는 것을 강조했다.

"그래서 저희는 작년 연말에 그런 것(개정안)을 만들어가지고 제3대 법사위원회의 여러 위원들을 초청해서 저희의 고충을 설명했고 국회 법사위원회를 찾아가서 설명을 했습니다. 저희의 고충이 이러한 것이 있으니 여러분께서 이것을 하나 만들어달라, 이것은 어디까지나 자료에 불과하다, 이것을 시정한다든지 새로운 것을 넣는다든지 해가지고 고치시는 것은 여러분의 임무일 것이라고 말씀드렸습니다."

나는 국회의원을 면전에 놓고 하고 싶은 말은 다했다. 차차 떠드는 사람이 없어지고 주위가 조용해졌다. 벌떡 일어나 집어치우라고 소리를 지르던 한 국회의원을 향해 동료 이주식 검사가 앉으라고 호통치던 것도 이때의 일이었다.

국가보안법이 갖추어야 할 조문이나 내용은 그때의 환경과 사회적 조건, 국민의 법의식에 따라 결정될 일이라고 믿는다.

공산주의의 정체에 관하여

나는 마무리 부분에서 이런 말을 했다.

"1903년에 레닌은 17명의 공산주의자들과 공산당을 창설*했습니다.

---

* 러시아사회민주노동당 내에서 '볼셰비키'로 분열된 것을 말한다. 볼셰비키는 1912년 독립적인 당임을 선언했고 1918년 당명을 '러시아공산당'으로 바꿨다; 편집자

그러나 1917년 러시아에서 혁명이 일어날 때 공산당 당원은 4만 명으로 늘었습니다. 오늘날 공산 치하에서 살고 있는 사람들은 9억 명이라고 보는 것이 통설입니다. 그러면 그 9억이라는 숫자가 늘어가느냐 줄어드느냐 이것은 여러분의 현명한 판단에 맡길 도리밖에 없는 것입니다. 법률을 만드는 것은 여러분의 임무올시다.…저희는 또 이런 것을 기억하고 있습니다. 미국변호사협회에서 공산주의의 목적과 책략과 전술에 관한 연구위원회를 조직한 일이 있습니다. 그 보고서에서 이러한 문구를 읽을 수 있었습니다. '오늘날 소련이 가지고 있는 최대의 재산이라는 것이 인공위성도 아니고 수소폭탄도 아니다. 자유세계에 살고 있는 사람들이 공산주의가 무엇인지 또 그 공포가 어떤 것인지를 모르고 있는 그 자체인 것이다.'"

24파동

이렇듯 나는 정성을 다하여 내 의견을 제시했다. 하지만 이 공청회는 국회가 전문가의 의견도 들었다는 민주적인 형식을 갖추어주는 데 들러리를 서준 것에 불과했다. 그로부터 꼭 일주일 후 국회에서는 24파동이라는 전대미문의 난리가 났다. 정부가 공식으로 제안한 국가보안법 안이 야당의 격한 반대에 부딪혀 그 난리가 난 것이다. 24파동 후 나는 국가보안법이 통과돼서 잘됐다가 아니라 "이거 큰일 났구나" 하는 탄식을 멈출 수가 없었다.

당시 어느 야당 의원은 국가보안법의 필요성은 잘 알고 있지만 새로운 국가보안법을 만들어주면 실정을 거듭하고 있는 여당이 무슨 짓을 할지 모른다는 것이 그들의 참된 반대 이유라고 나에게 말했다. 국가보안법도, 대북정책도 여야의 정치 싸움 앞에서는 아무 힘을 쓸 수 없었다.

야당과 언론은 국가보안법 개정안 중 몇 개 조문은 독소조항이라고 지적하면서 정부와 여당이 정부안을 심의하는 과정에서 실무자들이 만든 초안 위에 새로 몇 개 조항을 추가로 삽입한 것이 문제라고 주장했지만 그것은 표면상의 이유였다. 결국 국가보안법 개정안을 놓고 여야는 정권 쟁탈전을 벌인 것이다. 국회의원의 머릿속은 추잡한 정치만이 지배하고 있었다. 끝내는 물리적 수단으로 법률안을 통과시키는 24파동이라는 처참한 결과를 낳고 말았다.

당시의 국회의원에게는 대한민국을 파괴하려는 간첩에게도 인간적인 배려를 하는 것이 자유민주주의적 통일로 가는 길이라는 긴 안목이나 대한민국 자유민주주의의 진가를 보이는 길이라는 철학은 눈곱만치도 없었다.

공청회 그 후

말석 검사의 흥분

국가보안법 개정안이 이런 식으로 국회를 통과하자 나는 우울한 나날을 보냈다. 분명 몇 개 조항에는 문제가 있었다. 어떤 조문들은 내가 보기에도 무슨 뜻인지 알 수 없었다. 그러나 국가보안법은 개정되어 시행되기에 이르렀다. 국가보안법이 개정된 이상 함부로 남용되는 일이 없도록 하는 일이 나에게는 급선무로 보였다. 그래서 나는 책을 써서 일선 경찰관에게 읽게 하여 국가보안법을 악용하는 일이 없도록 하는 것이 좋겠다는 생각을 하게 됐다. 그 책이 바로 공청회가 있고 나서 이듬해 봄 1959년 3월에 발행한 『신국가보안법 개론(新國家保安法 槪論)』이다. 나는 서문에 이런 말을 썼다.

"검찰과 경찰의 일선 실무가들의 불편 제거를 중요 골자로 한 신국가보안법안은 그것이 국헌을 위해하는 반역 도배의 단속을 목적으로 하고 있건만, 모체(母體)의 생명까지 위협하는 난산(難産)을 하였다는 것은 국민된 한 사람으로서 극히 유감이라 아니할 수 없다."

한낱 말석 검사가 공직자의 몸으로 "국민된 한 사람으로서"라는 표현을 빌려 정부, 야당은 물론 여당을 통틀어서 "너희들이 국가를 멸망의 길로 끌고 갈 뻔하지 않았느냐"라고 질타한 것이다. 표현은 서투르지만 당시의 전후사정을 아는 사람에게는 일종의 극언으로 비칠 수도 있었다. 아무리 내가 검사라고 해도 당시의 정국은 이런 말도 할 수 없을 정도로 엄혹한 때였다. 하지만 나는 물불을 가릴 처지가 아니었고 흥분해 있었다. 무뢰한들에게 순정을 짓밟힌 처녀의 비참한 심정이었다고나 할까? 내가 24파동이라는 뜻밖의 사태를 보고 얼마나 흥분했는지 계속되는 서문에 잘 나타나 있다.

"필자를 포함한 일선 검사들이 이 법을 기초할 때에는 오로지 대공사찰의 불편을 느껴 그 불편을 제거할 목적으로 초안한 것이고, 또한 그 초안은 어디까지나 입법의 자료를 제공함으로써 새로이 초안 자료를 수집하는 불편과 지연을 면하게 하여 입법을 촉진하려는 것이었다. 그들은 그와 같은 태도가 국민 전체에 대한 봉사자로서 또한 공익의 대표자로서 의당 취하여야 할 태도라고 믿고 있었다. 이렇게 작성된 초안 자료는 당연히 새로운 조항이 삽입되거나 어떤 조항이 삭제되리라 예상되었다. 왜냐하면 법률 제정권은 국회만이 가지고 있기 때문이다. 그와 같이 순수한 의도로 작성된 초안이 여당, 법무부, 법제실, 국무회의의 심의 수정을 거쳐 정부안으로서 국회에 제출된 후, 정부 수립 이후 최대의 파란으로 발전되었다는 것은 이 초안에 관여한 자들에게는 의외의 사실이 아닐 수 없었다. 민주주의는 타협과 설득에 있다고 한다. 이런 타협과 설득이 국가보안법 제정에도 적용되었던들 지금까지도 계속되고 있는 이 소란은 면하였을 것이다."

당시는 대북문제에 대해서는 어느 누구도 이견이 없었고, 검사가 하는 일에 대하여 토를 다는 사람이 없을 때였다. 실무자가 '불편하다'면 이를 바꾸어주어야 한다는 기분이 넘쳐흐르는 시대였다. 그 '불편'은 국가보안법이 "법률 정신에 어긋나는 조항이 있어서 검사로서는 양심상 불편을 느낀다"는 정도의 의미였다.

이런 관점에서 볼 때 국가보안법 개정안이 다름 아닌 반공문제, 북한문제인 만큼 여야가 서로 협의하고 타협을 하여야 한다는 것이 실무자들의 간절한 바람이었지만 끝내 24파동이라는 극한의 길을 걸었다. 당시 내가 느낀 실망과 울분은 지금도 생생하다.

그때로부터 50여 년의 세월이 흐른 현재의 국회는 어떠한가? 별로 달라진 것이 없어 보인다. 참으로 딱한 일이다. 4년이라는 짧은 기간에 다음 선거를 의식하고 발언을 하여야 하니 국회의원에게 긴 안목은 기대할 수 없는 일일 것이다. 그러나 현실적이고 합리적인 민주주의적 의정(議政)을 기대하는 마음은 간절하다.

일본 법률잡지의 혜안

당시 신문들은 언제나 야당 편을 들면서 국가보안법은 개정 자체가 필요 없는 것처럼 정부, 여당을 일방적으로 몰아붙였는데, 소위 독소조항이라는 부분도 전부 당초의 실무자 안에 포함되었던 것으로 단정하는 듯했다. 물론 여당이나 정부는 불리해지자 이 법안은 모두 실무자들이 초안한 것이라고 말했다. 그러나 실무자들은 그렇다, 그렇지 않다 어느 쪽이고 일체의 대응을 삼갔다. 법무부 장관을 비롯하여 정부가 처참하게 몰리고 있는 마당에 사실대로 말할 처지가 아니었으니 공직에 있는 사람으로서 윗사람에 대한 최소한의 도리라고 믿었기 때문이다.

우리 언론의 이런 이분법적 자세에 비해서 일본의 법률잡지 〈법률시보(法律時報)〉의 기사(1959년 3월 호)는 정곡을 찔렀다. 「한국의 신국가보안법」이라는 제하의 그 기사는 국가보안법 제정으로부터 개정 경위를 소상하게 소개하면서 공청회에 대하여서도 언급했다. 나에 관해서는 다음과 같이 썼다. "문인구는 실무자의 입장에서 스파이 처벌의 현행법의 불비(不備)를 주장하기만 하고 문제가 되는 조항에 대하여서는 입을 다물고 설명하지 아니하였다." 공청회의 관심 거리는 여론에서 거론되고 있는 문제의 조항들인데, 이에 대하여 초안에 참여했다는 실무자로 나온 사람이 일절 언급하지 아니한 것에는 '무슨 까닭'이 있음을 암묵적으로 설명한 것이다. 당시로서는 그 '까닭'이 대단히 중요한 의미를 갖는 것이었다. 무슨 법안이든 법안이 정부안으로 나오는 이상 정부, 여당의 심의를 거쳐 초안이 첨삭이 되는 것은 너무나 당연하다는 것을 말하고 있었기 때문이다. 그러나 당시의 여당은 자기들의 수정 부분을 밝히고 싶지 않아서 그것을 감추려고 한 것이다.

당시 〈법률시보〉는 국내에서도 많은 법률가들이 구독하고 있었는데, 그 부분이 아예 잘리거나 그 기사가 게재되어 있는 페이지 전문이 먹칠이 되어 배포되었다. 나도 후일 일본에 갔을 때에야 도서관에서 그 기사를 찾아서 전문을 읽을 수 있었다.

또 〈법률시보〉의 그 기사를 보면 당시 대한변협이 건의서를 내면서 '언론자유를 침해하는 17조 5항'만을 삭제 요구하였음을 알 수 있는데, 이는 당시의 개정안이 여야 간에 얼마든지 타협이 가능한 것이었음을 밝혀주는 증거라 하겠다.

국가보안법 개정 후의 파란

　1958년 12월 24일 국가보안법 개정안이 국회를 통과한 후 여야의 대립은 더욱 격화되었고 사회의 혼란은 심화되었다. 자유당에 대한 국민의 불신은 극에 달했고, 대통령선거가 가까워지면서 고령의 이승만 대통령 후계자 문제는 국민을 더욱 불안하게 만들었다.

　그런 상황에서 3·15 부정선거가 치러졌다. 1960년 3월 15일 정부통령 선거에서 대통령에 이승만, 부통령에 이기붕이 당선되었으나 자유당의 부정선거에 의한 것이라는 증거가 여기저기서 튀어나왔다. 마산에 이어 4월 18일에 고려대학교 학생들의 대규모 시위가 있었고, 다음날인 4월 19일에 경무대 앞에서 경찰이 시위 학생들을 향해 발포하는 유혈사태가 일어났다. 4·19혁명은 이렇게 시작되었다.

　결국 4월 27일에는 이승만 대통령이 하야하고 허정 과도 정부가 들어섰다. 6월 15일에는 헌법 개정안이 국회를 통과하여 의원내각제로 제도가 바뀌었고, 7월 29일 총선거에서 민주당이 승리를 거두자 윤보선이 대통령으로 선출되고 장면 내각이 발족했다. 8월 15일 북한의 김일성은 이런 어수선한 때를 놓칠세라 남북연방제를 제안했다.

개정 국가보안법의 원상회복

과도 정부 시절이었던 6월 10일에 민주당이 주도하고 있던 국회는 승세를 몰아 무엇이 그렇게도 다급했던지 이것저것 생각할 겨를도 없이 국가보안법을 1950년 개정안 수준으로 되돌려놓았다. 민주당으로서는 정권을 잡은 이상 자유당 때 그렇게 반대했던 개정 국가보안법을 그대로 둘 수는 없었을 것이다. 24파동이라는 참기 어려운 큰 모욕에 대한 설분(雪憤)도 있었으리라. 정치적 보복, 그보다 더 무서운 반격도 없다.

그러나 그것은 감정이었지 이성은 아니었다. 야당 시절 민주당을 도와준 국민이 여당이 미워서 야당을 후원한 측면이 강했으니 국가보안법 개정 반대에 힘을 모아준 것은 아니었다. 원래 국가보안법의 필요성이나 존재 자체에 대해서는 국민의 이견이 없었으며 여야의 대립은 더더욱 없었다. 그럼에도 불구하고 국민들은 언제나 내 편이라는 민주당의 착각은 정치는 자기들 마음대로 될 것이라는 자만에 빠지게 했다.

결국 얼마 안 가서 자기 손으로 종전의 그것으로 되돌려놓은 국가보안법을 가지고서는 대한민국의 안전과 자유, 헌법이 담은 민주적 기본질서를 지킬 수 없음을 알게 되자 새 정부와 집권 민주당은 다시 국가보안법을 재개정하려고 시도했다. 민주당 정부는 국가보안법 중 몇 개 조항에 손질을 하여 자유당 정권이 개정한 국가보안법에 가깝게 돌려놓으려고 시도했으나, 국민의 저항은 강했다. 민주당 정권은 너무나 달라진 국민의 모습에 크게 당황할 수밖에 없었다.

4·19혁명 후의 국가보안법

국가보안법을 원점으로 돌려놓았다고 하여 정국이 안정되고 사회가 평온해진 것은 아니었다. 4·19혁명 후에도 시위와 혼란은 계속됐다. 아니 날이 갈수록 극심해졌다. 10월 11일 학생들의 국회 난입은 무질서의 극이었으니 장면 정부의 무능을 천하에 폭로한 셈이었다.

사태가 이에 이르자 국민이 탄생시킨 민주당 정부도 그 양상으로 보아 파괴적 시위가 북한의 지령에 의한 공작이라는 판단을 하기 시작했다. 근로자는 생존권 확보를 명분으로, 교사들은 교육개혁을 주제로, 혁신 세력은 정당 결성의 자유를 이유로 매일같이 시위를 벌였다. 거기에 통일운동을 빙자한 혁신 세력, 용공 세력의 활동도 거세졌다.

그러나 재개정한 국가보안법으로도 어떻게 다스릴 방법이 없었다. 그렇다고 또다시 국가보안법을 재재(再再)개정한다는 것은 너무나도 명분이 없는 일이었다. 새 법무부 장관이 당시 검찰과장이었던 나에게 국가보안법 재재개정안의 입안을 부탁했으나 나는 정중하게 사양했다. 그래서 정부가 생각해 낸 것이 1961년 3월 발표한 '반공임시특례법안'이었다. 하지만 그것은 이름만 바꾸었을 뿐 국가보안법 재재개정과 다를 바 없었으니 어찌 쉽게 넘어갈 수 있었겠는가?

장면 총리의 비통한 호소

1960년 12월 13일 참의원에서 행한 장면 총리의 발언 내용을 보면 민주당 정부의 당황하는 모습이 잘 보인다.

"우리는 지난번에 자유당이 국가보안법이니 뭐니 이런 것을 만들어가지고 야당을 무자비하게 탄압하는 데 써먹었다는 것, 또 그렇게 써먹기 위해서 24파동을 일으킨 것도 다 알고 있습니다만 그 후에 야당에 있던 사람으로서는 우리가 당하던 그 지긋지긋한 탄압에 대해서 참 반발적으로 너무 지나치게 우리의 자유를 보장하기 위한다는 견지에서 그 모든 독소를 다 빼버리고 새로 이것을 개정한 것은 여러분께서도 다 아시는 바와 마찬가지올시다마는 지금 법관들의 말에 의해도 보안법에서 너무 지나치게 모든 독소를 뺀다고 빼놓아서 빨갱이를 지금 잡아 다스리려고 해도 법률의 미비한 점 때문에 철저하게 할 수 없다, 이것을 지금 다시 고쳐달라는 요망이 나오고 있는 것이올시다.…이 나라의 치안을 유지하기 위해서 절대로 필요하고 더군다나 공산당을 근본적으로 근절하고 그 행동을 봉쇄하는 데 절대 필요하다고 하면 어느 정도의 새로운 규제를 하지 않으면 안 될 것입니다."

참으로 답답하고 비겁한 이야기다. 참으로 허탈하고 비참한 이야기다. 그러나 '반공임시특례법'이라는 이름으로도 국회의 통과가 어렵겠다고 판단하자 민주당 정부는 국가보안법을 보강하는 쪽으로 방향을 바꾸었지만, 거센 반대시위는 그칠 줄 모르고 날로 득세하며 폭동의 양상으로까지 번져나갔다.

언론과 조재천 법무부 장관

24파동 전 언론들은 일제히 국가보안법 개정 반대론을 전개했다. 이런 분위기 속에서 〈동아일보〉는 1958년 8월 13일부터 「신국가보안법안의 맹점」이라는 제목으로 정계, 법조계의 대가 8명의 특별기고문를 실었는데, 거기에 후일 민주당 정권의 법무부 장관이 되는 조재천(曺在千) 씨가 포함되어 있었다. 국가보안법 재재개정법안이 민주당 정권에 의하여 제안된 후 〈동아일보〉는 1961년 3월 12일 자 「횡설수설」에서 장문의 비판문을 실었는데, 특별기고문에서 펼친 주장과 법무부 장관으로서 밝힌 입장이 정반대임을 꼬집으며 당시 민주당을 비난했다. 당시의 상황을 알기에 적절함으로 그중 일부를 인용한다.

"현행 국가보안법을 보강한다는 간판을 내걸고 '반공에 관한 특별법'

을 새로이 만들어내려고 하고 있다. 그 이유는, 오늘의 국가보안법만을 가지고선 조수처럼 밀려들고 벌떼처럼 일어나는 붉은 간첩도배를 근절할 수 없다는 것이다. 언뜻 듣기엔, 장 정권이 타공(打共)에 '전가의 보도'를 이제사 빼들게 되나보다 하고 일부 국민에겐 믿음직한 생각을 갖게 할는지 모른다. … 야당의 민권투쟁사를 혈루로 점철시킨 '24파동'이란 것도 그 국가보안법의 반민주성 때문이었다. … 그런데 민주당의 '임시특별법안' 입안자의 한 사람으로 보여지는 조재천 법무장관에 대해서 문득 생각나는 일이 있다. 즉, 그는 자유당이 신국가보안법을 만들려 할 당시, 본지에다가 '독재국가를 우려'하느니, '위헌적'이니, 또는 '인권을 유린하는 악질'이니 하는 장문의 비판문을 기고한 그것이다. … 이렇던 조 법무요, 그 같았던 민주당이, 오늘엔 자기네가 왕년에 사갈시(蛇蝎視)하던 이신(異身)·동체(同體)의 그 따위 유사법안을 짜내고 있으니, 이다지도 인심이 양극으로 변화될 수 있을까 하는 해괴하고도 허무한 생각만 든다. … 집권 전과 집권 후가 약간의 시차밖엔 없다. 엊그제까지 악법을 만들지 말라고 호통을 쳐서 국민의 절대 신뢰를 받던 사람들이, 집권 불과 반년에 그 같은 이곡(異曲)·동조(同調)의 독법을 좋아라고, 한수를 더 떠서 강화하려 해서 치열한 반대여론의 화살 앞에 서게 됐다."

민주당 정부는 논리적으로 할 말이 없었다. 민주당 정권은 꼼짝 못하게 되었다.

5. 16군사정변의 발발

4·19 이전과 이후의 시위는 완전히 그 성격이 달라진 것 같았다. 반대 시위는 거칠고 파괴적이었다. 사회혼란은 극도에 달했다. 6·25전쟁이 발발한 지 10년, 국민이 세워준 민주당 정부의 출범 전후 자유민주주의는

다시 흔들리고 있었다. 이런 극심한 혼란은 군인의 등장을 공공연히 기대하게 할 정도로 심화되었고 신문에는 그런 냄새를 풍기는 기사가 실렸다. 정부의 존립조차 위태로운 상태가 되었다. 이때 일어난 5·16군사정변은 민주당 정권의 탄생으로 겨우 명맥을 유지하던 민주주의의 싹을 송두리째 잘라버리고 말았다.

국가보안법 개정과 두 정권의 몰락

두 정권의 몰락

역설적이게도 민주당 정부가 준비한 '반공임시특례법안'은 5·16 군사 정부에 의하여 '반공법'이라는 이름으로 무서운 칼날을 달고 세상에 나타났다. 무슨 운명의 장난인가. 민주당 정부의 국가보안법 재개정 시도는 좌절되는 데 그친 것이 아니라 국민이 만들어준 자유민주주의 정권 자체를 송두리째 무너뜨리고 말았다. 국민의 축복을 받으며 탄생한 자유민주주의 국가 대한민국은 또다시 격랑에 휩쓸렸다.

자유당 정권, 민주당 정권 모두 국가보안법에 손을 댔다가 붕괴했다. 자유당 정부는 야당의 반대를 무릅쓰고 국가보안법 개정을 일방적으로 강행한 때문이었고, 민주당 정부는 상대당의 약세를 이용하여 일방적으로 밀어붙인 때문이었다. 반공이라는 점에서는 여야가 일치했을 뿐만 아니라 국민의 반공의식과도 합치했으니, 설득과 타협이라는 민주주의적 협상의 원칙을 소홀히 하지 아니하였다면 이런 일은 없었을지도 모른다. 그러나 우리나라의 여당과 야당은 언제나 대화가 없는 적대관계에서만 성립되는 것 같다.

내가 생각하는 정당

정당은 정권의 획득이 그 목적이라고 한다. 그렇다면 민주당 정부의 경우 야당으로서 반대할 것은 반대해도 정권을 잡았을 경우를 생각해 두었어야 하지 않았을까? 일단 정권을 잡는 데 성공했는데 왜 이것저것 따져 보지도 않고 서둘러 국가보안법을 재개정했는지 알 수 없는 노릇이다. 국민이 선택한 민주주의 정부이니 민주당 정권하에서는 북한이 간첩을 보내지 않고 공작도 하지 않을 것이라고 생각했던 것일까? 북한이 노동당 규약을 개정하여 대한민국을 국가답게 대접하고 민주당 정부를 존대하겠다는 약속을 받은 것도 아니었다. 오히려 4·19 이후 사회혼란의 틈을 타서 간첩과 공작원의 남파는 급증했다. 사회혼란은 공산주의의 온상이 아닌가?

거기에 국가보안법 개정 때나 4·19 이후에 보여준 것처럼 국민은 그 옛날의 그 국민이 아니었다. 이미 하고 싶은 말을 다 하면서 마음껏 자유를 누리고 있었다. 부정선거를 저지른 정권을 힘으로 쓰러뜨렸으니 못할 일이 없다는 자부심도 넘쳐흐르고 있었다. 문자 그대로 격랑이 물결치던 시대였다. 남북통일도 하고 싶으면 언제든 할 수 있다고 착각할 정도로 사회 분위기는 자유분방했다. 모든 것은 민주당 정부의 무능이 자초한 것이지만 국민의 방만과 방종도 숨길 수 없는 사실이었다. 이상적인 정치를 펼치고 억제됐던 자유와 인권을 신장하는 것은 좋지만, 북한의 지하공작은 저지하고 사회질서는 일단 유지하면서 국가의 존립은 확고히 하여야 하지 않겠는가? 그러므로 정부는 언제나 최악의 상황에 대비하여야 한다.

정권을 잡은 정당이 스스로 재개정한 법률로 사회질서를 바로잡을 수 없다면 그것은 자업자득이라고 할 수밖에 없다. 그러나 무슨 이유가 됐든 한 정권이 선거를 거치지 아니하고 무너진다는 것은 자업자득이라고 비웃을 수만 없는 국민적 비극이다. 정부의 무능한 책임도, 사회혼란의 피해도, 경제의 후퇴도 전부 국민이 뒤집어쓰기 때문이다. 그러므로 정권을 잡은 정부는 정권은 언제나 바뀌고, 비록 정권을 잡았다고 할지라도 대충 따져도 국민의 반수는 집권당과 생각이 다른 사람들이라는 것을 잊어서는 안 된다. 국민 과반수의 지지를 받지 못한 경우가 얼마나 많은가? 그러므로 다음은 반대당이 정권을 잡을 차례라는 것을 미리 염두에 두어야 한다. 그것이 여야가 때가 되면 정권을 바꾸는 민주주의의 정치제도다.

내가 겪은 정치인

1958년 자유당 정부가 국가보안법 개정안을 내놓아 여야의 대립이 격화되자, 국가보안법 개정 초안 작업에 참여했던 검사들은 여야 법사위원들과 만나 좌담회를 열어 국가보안법의 불비로 인한 실무자들의 고충을 호소하였다. 검사들이 먼저 찾아가기도 하고 불려가기도 하면서 간담회는 공청회 전후에 걸쳐 여러 번 열렸다.

그들은 여야 정당을 대표하는 존경받을 만한 사람들이었다. 야당 의원들은 정부와 여당이 법안심의 과정에서 새로 삽입한 몇 개 조항, 세칭 독소조항에 대하여서는 반대의사를 분명히 했지만, 전체적으로는 개정에 동의한다는 자세를 보였다. 이런 모임에서 그들은 언제나 실무자들의 노고를 치하하고 간첩을 한 명도 놓치지 말고 다 잡아야 한다고 격려하는 말을 잊지 않았다. 이런 식으로 여야 의원들과 검사들은 의기투합했다고 느낄 정도로 의견의 일치를 볼 때가 많았다. 그래서 국가보안법 개정안은 야당이 불만으로 여기는 일부 조항만 수정하면 무사히 통과될 듯이 느껴졌다.

그러나 간담회 다음날 아침 신문에서는 몇 자만 고치면 될 것이라면서 검사들을 칭송하던 국회의원의 이름으로 그가 검사에게 했던 말과는 전혀 다른 기사가 실리는 것을 볼 때에는 실망이 컸다. 그런 일이 가끔 있었지만 검사들로서는 정치인이란 그런 건가 하고 넘어갈 수밖에 없었다.

여러 차례 그들과 만나면서, 여야 의원들 사이의 논쟁을 보면서 가장 서글프게 느낀 것은 남의 힘(미국 외 16개국)에 의하여 북한의 침공을 물리치고 아직 휴전 중에 있는 북한과의 날카로운 대치 상황에서도 정쟁은 치열하였고 정치의 행태와 정치인의 양식은 믿을 수 없게 되었다는 사실이었다. 정치인은 그때나 지금이나 정적을 타도하는 데만 열을 올리고 한쪽은 정권 유지에, 다른 한쪽은 정권 쟁취에만 매달린다. 허설(虛說), 허세(虛勢)를 통한 인기 관리는 그들의 최고 덕목으로 보이기도 한다. 인간적 신의란 손톱만치도 없다.

정치란 무엇인지, 정권이란 무엇인지, 정치인의 본성은 무엇인지 젊은 검사로서는 알 길이 없었다. 해방 직후 한때 청년운동에 가담한 일이 있었고 국회의원 입후보도 생각해 본 일이 있던 나였지만 국가보안법 개정 과정에서 본 국회의원의 허장성세 앞에 국회의원에 대한 나의 부질없는 선망은 영구히 사라지고 말았다.

국가보안법 개폐론

국가보안법의 한시성

국가보안법은 남북이 자유민주주의체제로 통일이 되면 폐지되거나 전면 개정될 운명이다. 입법자들도 시간이 지나면서 북한의 침공이 사라지고 사회질서가 어느 정도 회복되면 국가보안법을 폐지하거나 개정할 수 있을 것이라고 예측하였다고 믿는다. 혹은 당시의 긴박한 상태나 법조계의 수준에 비추어 이런저런 생각 없이 다급하게 국가보안법을 제정하였을지도 모를 일이다.

남북관계와 국가보안법

그래서 남북관계가 조금만 호전됐다 싶으면 국가보안법 개정 이야기가 나온다. 남북관계를 보는 눈이나 정치적 입장에 따라 그 내용이 다른데, 심한 경우에는 국가보안법을 아예 없애야 한다는 폐지론도 나온다.

남북관계를 보는 눈은 보는 사람에 따라, 특히 정보의 접근성과 정치적 입장에 따라 크게 다를 수밖에 없지만 본질상 그 앞날을 단정할 수 있는 사람은 아무도 없다. 누구도 북한의 행방을 모두 탐구하고 그의 진의를 파악할 수는 없기 때문이다. 한반도에 다시는 전쟁이 없을 것이라는 말만큼 어리석은 말도 없다.

따라서 국정을 담당하는 사람이나 국민은 북한은 언제 무슨 일을 저지를지 모른다는 유비무환의 정신으로 국민의 자유와 국가의 안전을 발상의 기초로 삼아야 한다. 거기에는 세칭 보수니 진보니 하는 말은 끼어들 여지가 없다. 그러므로 국가보안법의 개정론이나 폐지론은 언제나 신중할 수밖에 없다. 외관상의 교류나 위장 평화 공작에 현혹되어 남북 간에는 아무 일이 없을 것이라고 낙관하는 것은 위험하다.

나는 국가보안법 개폐론이 등장할 때마다 그런 주장을 하는 사람들이 국가보안법을 폐지하거나 개정하여 내용 없이 형식만 남겨놓고도, 끊임없는 북한의 파괴 공작과 헌법 파괴 행위를 방지할 수 있다고 생각하는지 알고 싶다. 정치체제가 다른 남북으로 갈라진 분단국가가 아닌 평화를 누리는 국가에서도 자유민주 질서를 보호하고 헌법을 수호하는 법률을 갖고 있다는 사실을 아는지 묻고 싶다.

우리는 지나칠 정도로 자유를 즐기고 있다. 대부분의 젊은이들은 자기들이 누리는 자유가 저절로 생겨난 것으로 알고 있다. 6 · 25전쟁 때의 처참했던 일은 역사책에나 나오는 옛날이야기 정도로 이해한다. 그것이 할아버지, 할머니, 아버지, 어머니의 희생으로 얻어진 귀한 선물이라는 것을 모른다. 따라서 이런 젊은 세대는 한 번도 북한의 고루한 정치, 취약한 인권, 빈약한 사회, 몰락한 경제, 빈곤한 생활, 재침의 가능성은 생각해 본 일이 없으면서 남북통일은 금방이라도 될 듯 환상에 젖기도 한다. 남북통일문제에 관해 마음 놓고 이상론을 펴는 것도 이 때문이다.

이런 환경과 여건에서 국가보안법을 폐지하거나 개정해서 국민의 경각심을 이완시키고 검찰, 경찰, 국정원 등 대공수사 기관을 무력화해 보

라. 그간 방치한, 선량한 시민을 가장하여 남쪽에 살고 있는 북한 공작원들의 암약은 말할 것도 없고 친북 세력들의 자유민주주의적 기본질서의 파괴 행동을 무엇으로 막을 수 있겠는가?

북한의 음모와 술수는 상상을 초월한다. 북한의 음모와 술수를 이해하려면 그들의 원조이며 교사라고 할 수 있는 러시아의 사회주의 혁명사와 중국의 혁명사를 꼼꼼히 읽어봐야 한다. 베트남의 전쟁·통일사는 남북 문제에 대한 생생한 교훈이다. 대한민국의 성장과 번영에 자부를 느끼는 것은 좋지만 북한의 공작 활동을 방임하는 것은 금물이다.

국가보안법의 개폐론을 제창하는 사람들 중에는 그 근거로서 국가보안법이 악용돼 왔다는 사례를 드는 사람들이 있다. 그것은 누구도 부인할 수 없는 사실이다. 더욱이 국가보안법으로 인해 피해를 입었다고 생각하는 사람의 입장에서는 국가보안법의 폐지론을 주장할 수 있다. 그러나 그 이유는 당당하고 국민이 이해할 수 있는 내용이라야만 한다. 국가보안법을 폐지해도 남한에 대한 북한의 파괴공작을 막을 수 있다는 확고한 증거를 내놓아야 한다. 공산주의가 어떻게 달라졌으며 북한의 노동당이 어떻게 변하였는지에 대하여서도 말할 수 있어야 한다. 국가보안법 폐지를 말하기 위하여서는 북한의 조선노동당규약을 자세히 읽고, 어째서 공화국이라는 나라가, 혹은 헌법이 노동당이라는 정당의 관할하에 있는 한낱 정치적 기구에 불과한지를 설명할 수 있어야 한다.

국가보안법은 형사법이라 예방 기능도 중시하여야 한다. 그러므로 국가보안법의 개정이나 폐지를 논하려면 대한민국의 헌법과 안전이라는 확고한 터전에 서서 그 논거를 찾아야 한다.

북쪽과 눈에 보이지 않는 통일 전쟁을 하고 있는 마당에 일방적으로 우리의 국가보안법 폐지만 주장할 수 없다. 남쪽도 북쪽도 같이 통일을 바라고 있다고는 하지만 한쪽은 자유민주체제로, 한쪽은 공산독재체제로 생사를 건 이념 전쟁을 하고 있지 않는가? 꿈같은 이야기지만 남북이 국가보안법 유의 형사법을 모두 폐지하고 서로 자유롭게 오가면서 지내자는 주장이라면 얘기는 좀 달라진다.

헌법의 보호와 국가보안법의 기능

모진 고초를 무릅쓰고 자유를 찾아 대한민국에 온 탈북자들이 여기 저기 많이 살고 있지만, 이쪽 젊은이들은 그들이 왜 정든 땅을 버리고 탈북을 했는지 굳이 생각해 보려들지 않는다. 생활에 여유가 생기고 나만 편안하면 그만이라는 사회풍조가 이런 경향에 한몫한다. 하지만 신문기사나 북한에 갔다 온 사람들의 이야기만 들어봐도 북한의 살림살이가 얼마나 어려운지 짐작할 수 있다.

북한문제에 무관심한 사람은 북한 주민의 심한 고통을 모른다. 젊어서 고생한 사람도 일단 잘살게 되면 잊게 마련이니 이것은 어쩌면 당연한 일일지도 모른다. 오히려 북한 사람들도 우리와 비슷한 생활을 하고 어느 정도 자유를 누리고 있는 것으로 착각하는 사람도 있다. 그러므로 북한의 사정을 알려고 하지 않는 사람들에게 국가보안법은 있어도 그만 없어도 그만이다.

남북 간에 대화가 진전되고 교류가 활발해지면 국가보안법이 방해가 된다고 말하는 사람이 있지만, 나는 그럴수록 국가보안법은 필요하다고 생각한다. 남북의 교류나 왕래에 있어서도 대한민국 국민으로서의 자각을 잊어서는 안 된다. 같은 민족이라는 감상적인 말에 매혹되어 공산주의의 환상에 휩쓸려서는 안 된다. 대한민국 국민이면 누구나 남북통일의 꿈을 꾸고 있어서 통일에 관한 이상론에 젖기 쉽다. 남북통일만 되면 됐지

공산주의면 어떠냐는 식의 환상이 바로 그것이다. 바로 이런 국민이 생기지 않도록 사전에 예방하고 보호하는 역할을 하는 것도 국가보안법이 필요한 이유이다. 이런 사람들에게 무엇이 국가에 이익이 되고 해가 되는가를 미리 알게 하는 것은 국가의 책임이다.

북한과 비교할 때 우리가 잘살게 된 까닭은 훌륭한 헌법 밑에서 국민이 자유, 인권, 민주를 누리고 있기 때문이라는 것을 늘 알리고, 그런 가치는 끝까지 보호되어야 한다는 것을 이해시키기 위하여서도 규범으로서의 국가보안법은 필요하다.

국가보안법의 대체입법

국가보안법의 명칭

자유민주주의, 시장경제, 주권재민의 원리 등 자유민주주의적 기본질서를 유지한다는 생각과 대한민국을 수호하는 법률이 필요하다는 인식만 뚜렷하다면, 그것을 전제로 제정된 법률의 명칭은 국가보안법이든 자유민주질서수호법이든 문제될 것이 없다.

폐지론자 중에는 국가보안법이 있으면 남북통일이 될 수 없다고 주장을 펴는 사람이 더러 있지만, 남북통일이 제대로 진행되지 않는 이유는 우리의 헌법이 아니라 북한 노동당의 규약과 그 체제 때문이다. 바로 그것이 우리의 자유민주주의적 기본질서를 정면으로 파괴하려 들고 있기 때문이다.

자유민주주의적 기본질서만이 국민의 자유와 국가의 번영을 뒷받침하는 기반이라는 것은 세계사가 증명한다. 세계사를 전부 들여다볼 필요도 없다. 사회주의 국가의 원조인 소련의 탄생과 붕괴 과정을 보는 것으로 충분하다. 소련은 70여 년이라는 길고 긴 세월 동안 그 많은 사람들을 희생시키고도 국민들을 가난한 살림에 시달리게 만들었다. 중국의 사회주의체제도 마찬가지이다. 장제스〔蔣介石〕의 국민당 정부를 대만으로 쫓아내고 중공을 세웠지만 그 이후 수많은 시행착오와 문화대혁명이라는 대변란을 겪어야만 했다. 얼마 전에서야 겨우 시장경제의 장점을 깨닫고 중국은 장족의 발전을 이루고 있다.

북한만 따로 떼어놓고 보아도 공산주의는 공상이라는 것을 알 수 있다. 60여 년이라는 긴 세월 지상낙원을 부르짖었지만 남긴 것은 군사 우선주의 속의 주민의 가난과 굶주림뿐이다. 무슨 실험이 더 필요한가?

국가보안법에 대한 불신

모든 법률이 국민의 지지를 받고 신뢰를 받는다는 것은 쉬운 일이 아니다. 특히 국가보안법은 그간의 남용이 일으킨 국민적 불신 때문에 국가보안법이라는 명칭에 대한 거부감은 이를 그대로 둘 수 없게 만들었다. 그렇다면 꼭 국가보안법이라는 명칭을 써야 할 이유도 없다. 이런 생각에서 나는 1988년 11월 대한변협 협회장 재직 말기에 대내적으로 충분한 토의를 거쳐 국회의장에게 국가보안법을 폐지하고 '민주적 기본질서 수호법(가칭)'을 제정하라는 건의서를 보낸 일이 있다. 말하자면 대체입법(代替立法)을 하자는 것이다. 이 의견서를 보내기 전 어느 자리에서 만난 정부 통일문제 담당부서의 책임자에게 나의 생각을 이야기하고 그의 의견을 물어보았더니 긍정적인 반응을 보였다. 나로서는 대담한 결정이어서 정부 책임자의 의견을 듣고 싶었던 것이다. 나는 원래 좀 중요한 결정이다 생각하면 이미 결심한 일이라도 남의 의견을 묻는 버릇이 있다.

건의서가 나간 뒤에 당시의 야당은 찬성하는 성명서를 냈고 후일 '민주질서보호법'이라는 대체입법안을 발표하기도 했다. 야당은 대체입법의 제안 이유에서 "국가보안법의 중요성에 유의하여 13대 국회가 개원한 이후 1년 반이 경과한 오늘까지 이 법의 개폐 문제를 신중하게 검토하여 왔으며…초당적 시각, 국가적 관점을 유지하고 장기적 안목" 에서 접근해야 할 문제라고 말했다.

그런데 왜 이 법안이 여야의 협상 테이블에도 오르지 못하고 사라졌는지 알 수 없다. 그때나 지금이나 대북문제나 협상안은 언제나 각 정당의 독점물이다. 상대당과 협의해서 단일안을 만드는 법은 없다. 국가보안법과 같은 대북 관련 중대 사안은 상호 협의하여 보다 나은 법안을 만들어 협상력을 높여야 한다고 강조해 보지만 소용이 없다. 하루 빨리 시정되어야 할 큰 문제가 아닐 수 없다.

대체입법의 필요성

내가 그 시점에서 국가보안법을 폐지하고 가칭 '민주적 기본질서 수호법'을 새로 만들자고 제의하게 된 이유를 구체적으로 보면 이렇다. 당시는 유신독재가 사라지기는 하였지만 유신에 깊이 참여했던 군인 출신이 정권을 잡고 있을 때였다. 당연히 경찰과 운동권 학생들의 충돌은 계속될 수밖에 없었다. 민주화운동밖에 한 일이 없는데도 불구하고 선량한 시민과 학생이 잡혀가 국가보안법으로 구속되고 경찰의 고문도 끊이지 않아 국민의 비난이 쏟아졌다.

국가보안법이든 아니든 수사와 재판은 사건을 다루는 검사, 판사의 정의감이 바로 서 있는가 아닌가가 항상 문제다. 그런데 당시만 해도 5·16 후 장기간 암흑시대를 거치면서 검사, 판사 들 중에는 정치검사, 정치판사 소리를 듣는 사람들이 남아 있어서 국가보안법의 악용에 대한 국민의 비난을 가중하고 있었다.

그런 상황에서는 반국가단체의 구성원이나 지령을 받은 진성 범죄인까지도 수사를 받거나 재판을 받으면서 국가보안법을 악법이라고 비난하는 일을 서슴지 않았다. 재판은 준법정신이 전제이고 국민의 신뢰를 확보하는 데서 그 기능을 발휘할 수 있는데 계속되는 법정의 소란은 국민의 신뢰에 손상을 주어 사법 전체의 위기로 느껴졌다.

특히 당시 치열한 민주화 투쟁으로 대통령직선제를 이끌어낸 국민들은 야당 성향의 정치인이 대통령으로 당선되기를 기대했지만, 그 뜻을 이루지 못하자 누구의 잘잘못을 따질 여지도 없이 시위를 계속했다. 많은 희생자를 낸 1980년의 5 · 18민주화운동도 법적으로 해결되지 못했다. 정치적 긴장은 이어졌고 사회 불안은 여전했다.

따라서 국가보안법이 법률의 규정대로 처벌할 자를 처벌하고 그 악용과 남용이 방지되면서 선량한 국민의 인권을 확고히 보장하여 사법과 재판을 위기로부터 방어하기 위하여서는 우선 악법이라는 국민의 나쁜 인상에서 벗어날 필요가 있었다. 그러려면 일단 국가보안법을 폐지하여 대체입법을 하는 수밖에 없다는 생각을 하게 된 것이다. 새 헌법도 국민적합의로 개정되었으니 그 헌법에 따라 직선된 대통령이 재임하고 있던 그때가 대체입법의 적기라는 생각을 했다.

국민이 쟁취한 것이기는 하지만 여야가 합의하여 헌법을 개정하고 그에 따라 국민(정당)의 소망대로 대통령을 직선하였다는 것은 헌정 40년 만에 처음 있는 일이었다. 사법부도 새로 구성됐다. 그 때문인지 국가보안법 개정도 개폐 논의가 비교적 잠잠해진 이 기회를 놓쳐서는 안 된다는 생각도 했다. 당시 나는 대한변협 협회장을 맡고 있었는데, 이런 유의 예민한 건의를 하려면 내가 재임 중에 해야 할 텐데 임기도 몇 달 남지 않아 조바심이 나기도 했다. 모처럼 새 출발을 한 민주정치가 국가보안법이라는 명칭 때문에 지장을 받아서는 안 된다, 이때를 놓치면 두고두고 국가보안법을 놓고 정부와 국민 사이에 불필요한 소모전을 벌이고 국민 화합도 이루기 힘들다, 여야가 해야 할 일이 많은데 종전과 같이 국가보안법 때문에 속박을 받아서는 안 되지 않겠는가 하는 마음이었다.

국가보안법을 폐지하고 대체입법을 할 경우에는 더욱 완벽한 신법을 기대할 수 있다는 것도 결심에 도움을 주었다. 국민들은 물론 국회 안에 여야의 대립은 있어도 최근의 남남 갈등과 같은 이념의 대립은 없어 보였다. 서독의 형법처럼 대한민국의 헌정질서를 파괴하려는 북한의 어떠한 시도도 봉쇄할 수 있는 엄격하고 완벽한 법률이 제정된다면 더욱 바람직한 일이다. 내가 보기에 동서 대립을 겪고 있던 서독의 형법은 완벽했다. 서독의 형법 아래서 자유민주체제를 침범할 여지는 전혀 없었다. 우리보다는 모든 면에서 형편이 훨씬 좋은 독일에서도 국가와 헌법을 보호하기 위하여서는 이렇게 엄격한 법률을 두고 있다는 사실을 모두에게 알릴 필요가 있었다. 그런 의미에서 나는 공산당을 명문으로 불법화하고 있는 미국의 형법과 함께 독일 형법의 해당 규정 전문을 첨부해서 국회에 보냈다. 하지만 국회는 논의만 하다가 무슨 이유인지 국가보안법에 관한 작업을 중단했다.

문민 정부의 출범

그 후 국가보안법 폐지는 공론화되지 못한 채 잠잠해졌다. 국가보안법 위반 사건의 수사도 재판도 조용히 진행되었다. 현재도 이런저런 문제로 여전히 시위는 성행한다. 우리나라에서 민주주의는 시위와 동의어인지도 모른다. 각계각층의 이해관계가 얽힌 국민의 시위는 계속되고 있지만 국가보안법을 악용한다는 비난의 소리는 들리지 않는다. 오히려 북한이 남한의 불평불만을 이용하여 민족을 들먹이며 이를 부추기는 공작을 하고 있거나 북한 공작원들의 음모가 끼어들어 있으리라고 생각되는데도 수사당국이 이를 방치하고 있다는 우려의 목소리가 들린다.

물론 그간에도 국가보안법의 폐지론이나 개정론이 나오기는 했지만 국민의 지지를 얻지 못했다. 현재 국민은 더욱 성숙해졌고 국가보안법 남용의 여지도 사라졌다. 그러나 남북의 왕래와 접촉이 늘고 있고 통신이 고도로 발달한 정보화시대를 맞아 북한의 공작도 더욱 은밀하고 치밀해졌으리라고 믿어지는 요즘, 대공 일선에서 활동하고 있는 실무자들과 해당 전문가들의 광범위한 의견을 들어 고양된 인권과 법정형의 균형이 잘 잡힌, 시대의 감각과 현행 헌법에 맞는 새로운 입법을 연구해 볼 만하다.

좋은 법과 나쁜 법

법률의 제정 시기

짧게는 1년 전, 길면 10년도 훨씬 전에 제정된 많은 법률들이 오늘날에도 적용되고 있다. 현행 헌법도 1987년에 제정된 것으로 20년이 넘었다. 이런 점에서 법률은 요즘처럼 사회변동이 빠른 때에는 사회에 뒤떨어질 가능성이 있다. 이것을 보완하는 것이 판례이고 판사의 해석이다. 법률의 본질상 어쩔 수 없는 일이다. 법률은 구시대의 것이지만 현재는 물론 미래에 일어나는 일들을 심판한다. 법률만 그런 것이 아니다. 국회의원의 임기는 4년인데, 예컨대 임기를 1년 남겨놓고 있는 시점을 현재라고 말한다면 3년 전에 당선된 '구시대의 사람'이 현재의 달라진 '신시대 국민들'에 관한 문제와 국가 대사를 다루고 있는 것이다. 대통령의 임기와 직무도 마찬가지다. 이는 사회제도의 어쩔 수 없는 본질이다.

오용과 남용

국가보안법도 마찬가지다. 60여 년간 북한 노동당의 반국가단체 구성·가입을 처벌하고 이와 관련이 있는 범죄자들을 단속함으로써 대한민국의 안전 보장과 사회질서 유지에 큰 역할을 하였지만, 그런 과정에서 오용과 남용으로 비난을 받기도 했다. 국가보안법 위반 사건을 다룬 변호사치고 무죄가 될 만한 사건이 유죄로 되거나, 경한 형벌로 끝낼 수 있는 사건이 중형으로 처벌되는 사례를 겪어보지 않은 변호사는 없을 것이다. 나도 그중 한 사람이다.

어느 법률이든 오용과 남용은 있게 마련이다. 그러나 그런 일이 한두 번에 그치지 아니하고 오랜 세월 계속되다 보니 국가보안법은 악법이라는 인상을 줄 수밖에 없다.

검사, 판사의 자질과 권리 남용

국가보안법의 오남용은 국가보안법이라는 실체법(實體法) 자체의 결함에서 야기될 수 있지만, 수사기관 요원의 인권의식, 검사와 판사의 인간성과 법률가로서의 자질과도 관계가 있다. 법률의 오남용은 이론이 아니라 현실의 문제다. 일반적인 범죄 사건의 경우 가해(加害)와 피해(被害)를 놓고 고소와 고발을 전제로 수사기관이나 재판기관이 제삼자로서 끼어드는 것이지만, 국가보안법 위반 사건의 경우 대상이 되는 것은 국가에 대한 반역적인 범죄. 그래서 원칙적으로 북한의 지령을 받고 대한민국을 파괴하려는 특수한 유형에 속하는 범죄인 국가보안법 위반은 수사기관원이 직접 탐지하여 수사한다. 따라서 수사기관이나 재판기관에 관여하는 사람들의 국가관이나 가치관이 끼어들 여지가 많다.

이런 유의 범죄는 은밀하게 이루어지므로 증거를 포착하기가 어렵다. 따라서 수사기관에 종사하는 사람은 흥분하기 쉽고 열을 올리며 무리하기 십상이다. 경찰관이 뚜렷한 증거가 없어도 혐의만 있으면 체포하려 드는 것도 이 때문이다. 증거란 피의자가 혐의를 받고 있는 범죄사실의 근거가 되는 것인데, 국가보안법 위반의 경우 범죄사실이 무엇인가를 결정하는 일부터 간단치가 않다. 객관적으로 나타난 사실은 적고 피의자의 주장에 따라 좌우될 일이 많기 때문이다. 이러한 범죄사실의 특수성 때문에 피의자와 검사, 피고인과 판사의 대화(신문과 대답)는 거칠고 날카로워질 수밖에 없다. 검사·판사가 증거가 불충분해도 기소나 유죄판결의 유혹을 받는 것은 이 때문이다. 자연 국가보안법의 조문도 확대해석하기 쉽다. 그러므로 국가보안법 위반 사건은 일반적인 형사 사건과는 다르다는 것을 인식하고 법익이 국가적 이익과 국민의 자유와 직결되는 특수범죄라는 현실을 깊이 새기고 이론을 펴야 한다.

법률이 제대로 체계를 갖추고 조문이 잘 짜인 경우에도 억울한 사람은 나오게 마련이다. 법률은 스스로는 아무 말도 하지 않는다. 법률을 위반하는 사람이 나타나야 법률은 비로소 말을 하는데 그것도 그 사건에 관여하는 판사, 검사의 입을 빌린다. 그런데 검사도, 판사도 사람이다. 이 점은 법률보다도 더 중요하다. 권리 남용의 문제도 여기서 생긴다. 형사소송법은 이렇게 사람인 검사, 판사의 자의적인 재판을 금지하고 범죄 혐의를 받은 사람이 범죄 구성요건에 해당하는지의 여부를 증거를 통하여서만 엄격히 가리도록 자세한 규정을 두고 있다. 그러나 아무리 형사소송법이 잘 규정되어 있어도 그것을 해석하고 적용하는 것도 역시 사람인 검사와 판사이다.

판례는 이런 검사, 판사의 사실인정과 법률해석이 누적된 결과이다. 국가적 이익과 피고인의 인권을 같이 고려하고 거기서 균형을 찾으려는 노력의 결과이다. 거기에는 피고인의 주장과 변론의 내용이 담겨져 있다. 따라서 판례는 실제 재판에 있어서 국가보안법의 조문보다 더 큰 작용을 한다.

경찰의 수사

예외는 있지만 대개 검사의 기소도 판사의 재판도 경찰의 수사, 체포로부터 시작된다. 그러므로 경찰(정보·수사기관 포함)의 수사방법과 범죄인을 보는 시각의 균형 감각이 중요하다. 수사요원도 알아두어야 할 법률과 수사규범이 있기는 하지만 수천 명의 요원이 모두 모범자일 수는 없다.

실제로 벌어지는 하나하나의 사건은 천태만상이며 범인 중에는 수사요원의 지능을 훨씬 뛰어넘는 사람도 있다. 따라서 특정 사건을 다루는 수사요원은 범인의 성격이나 범죄 내용에 따라 행동을 달리할 수밖에 없다. 범인에 대한 고문과 불법수사가 생기는 까닭이다. 한때는 반공정서, 군사통치의 힘을 믿고 횡포를 부리는 수사요원도 있었으니 억울한 사람이 생겨날 수밖에 없었다. 그때 피의자의 권리를 방어하는 변호사가 있기는 했지만, 막강한 국가권력 앞에 변호사가 행사할 수 있는 수단은 아주미미했다. 게다가 국가보안법 사건의 경우, 변호사의 피의자 접견도 제한되는 일이 많았다.

경찰에 의한 피의자 신문조서가 작성되고 증거 수집이 끝나 검찰청에 송치되면 검사의 재수사가 시작되지만 한번 잘못된 일은 검사도 바로 잡기가 쉽지 않다. 부당한 재판을 받는 일이 없도록 3심제도라는 장치가 있기는 하지만, 일단 기소되면 경찰이 작성한 초기조서가 판사의 심증 형성에 영향을 주게 마련이다. 이것이 오판의 원인이 되기도 한다.

경험 많고 덕망 있는 검사와 판사

국가보안법의 오용과 남용은 강압정치하에서 법원, 검찰까지도 정치에 휩쓸려 정상 궤도를 벗어났던 구시대에 있었던 일들이 많다. 이제 그런 일은 없다고 생각한다. 원래 경험이 조금이라도 있는 검사는 자기 앞에 송치된 사건의 기록을 보면, 수사가 제대로 됐는지 조작됐는지, 처벌 감인지 아닌지 금방 감을 잡는다. 더욱이 정치적으로 조작된 사건은 아무리 경찰의 조서가 잘 만들어졌어도 당장 알 수 있다. 그것이 국가가 검사라는 전문직 제도를 두고 있는 이유다. 판사도 검사가 기소한 사건을 담당하여 재판하다 보면, 무죄인지 유죄인지 어느 정도는 미리 감지할 수 있다. 예외가 있긴 하지만, 국가보안법의 조문이 불완전하다고 할지라도 처벌하여야 할 사건인지 아닌지는 곧 알 수 있다는 말이다.

형식적으로는 검사의 조서에 증거능력이 있다고 하지만 그것을 믿을 수 있느냐 없느냐의 증명력(證明力)은 오직 판사의 자유로운 판단에 맡겨진다. 말은 똑똑 떨어지지만 어딘가 이상하다고 느껴지거나 부자연스럽다고 믿어지면 무죄다. 이것을 자유심증주의라고 하는데, 사법권의 독립을 보장하는 핵심이다.

판사는 법률이 불완전할수록 해당 조항을 엄격하게 해석하여야 하고 의심스러울 때는 피고인에게 유리한 쪽으로 재판하여야 한다. 검사와 마찬가지로 판사는 각자가 완전히 독립된 기관이다. 그런데도, 과거의 일이기는 하지만, 검사가 무죄라고 생각하면서도 정권의 압력이나 상사의 부당한 명령으로 양심을 속이며 기소하더라도 유죄판결을 받는다는 말이 변호사들 사이에서는 자주 입에 올랐다.

그러므로 국가보안법의 개폐론을 주장하는 사람은 국가보안법의 조문에만 매달리지 말고 국가보안법 위반 사건 수사의 현실과 형사소송법의 재판절차와 증거법, 검사와 판사의 자질 문제 등을 심각하게 생각해야 한다. 국가보안법에 다소의 결함이 있더라도 검사가 검사답고, 판사가 판사다우면 악법도 선법이 될 수 있다. 검찰청과 법원이 승진 의욕에서 벗어난 훌륭한 검사와 판사로 채워져 수사제도와 재판제도에서 제 역할을 잘

해내면 국가보안법도 악용되는 일은 없을 것이다. 나는 현실적으로 이 점이 더욱 중요하다고 믿는다.

앞으로 국가보안법 위반 사건은 남북통일에 관한 주장이나 북한의 체제문제와 연관된 것이 많아질 것이다. 그런 관점에서 국가보안법 위반 사건과 남북에 관련된 사건을 전담할 수 있는 전문성, 체계성, 종합성을 갖추고 인권과 처벌의 조화를 기할 수 있는 경험이 많은 검사와 판사로 구성되는 특별부의 설치와 같은 일도 생각해 볼 만하다. 행정부가 잘하고 못하고는 대통령, 국무위원들의 인격, 식견, 경험에 달려 있고, 국회가 잘하고 못하고는 국회의원들의 인격, 자질에 달려 있다. 사법부라고 다를 까닭이 없다.

1941년 뉴욕 주 대법원 판사를 지낸 버나드 보틴(Bernard Botein)의 저서 『사실심 판사』(Trial Judge)는 내가 여러 번 읽은 책이다. 그는 저서 첫머리에 '좋은 판사에 대한 귀족원 의장 린드허스트(Lord Chancellor Lyndhurst)의 정의'를 인용했는데, 그 정의에 의하면 첫째가 정직한 사람, 둘째가 근면한 사람, 셋째가 용기 있는 사람, 넷째가 신사라고 했다. 이 네 가지 덕목은 모든 직종에 적용되는 것인데, 좋은 판사의 정의에 들어 있어서 놀랐다. 린드허스트는 이 네 가지를 열거한 후 "약간의 법률 지식이 있으면 도움이 될 것이다"라고 끝을 맺는다. 변호사로 일할 때에는 재미난 관찰이라고 웃기도 했지만 시간이 흘러 사회가 다양해진 지금은 이 정의에 진심으로 동의한다.

실체법과 절차법의 상관관계

우리나라에서 권리 남용을 방지하기 위한 법은 대륙법계의 원리를 따라 '일반적 금지조항'의 형태를 취한다. 다행히 최근에는 형사소송법도 법률적으로 운영 면에서 피의자, 피고인의 권리를 중심으로 많이 개정되고 있다는 느낌이 들지만 먼저 실체법인 국가보안법이 그 내용부터 완벽하여야 함은 물론이다. 그리고 검사와 판사의 자질 향상과 더불어 변호인의 방어권이 강화되고 경찰의 수사와 검사의 기소를 포함한 형사소송의 전 과정에 엄격한 관문을 설정함으로써 실제적으로 국가보안법이 실체법으로 실현되는 것을 어렵게 만들어야 한다. 실체법의 실현 과정을 규정하는 형사소송법은 느슨하게 방치한 채 실체법만을 가지고 권력 남용을 금지하는 것은 거의 불가능한 일이다.

우리나라에서는 웬일인지 실체법과 절차법(節次法)을 거의 별개의 법률로 생각하고 학자도 이를 분리해서 연구한다. 현실적으로 볼 때 사람을 처벌하는 국가보안법(실체법)과 처벌이유(범죄사실)를 심리·결정하는 재판절차(절차법)는 같이 묶어서 연구하는 것이 옳을 것 같다.

절차법은 절차법대로 내용이 복잡하고 증거법이 같이 묶여 있어서 별도로 연구해야만 할 이유가 있다. 하지만 국가보안법의 경우 처벌조항을 특정인에게 형벌로서 부과할 때에는 그것이 특정인의 행위인지 아닌지와 처벌할 만한 사유가 있는지 없는지 증거를 중심으로 따지는 것을 묶어서 검토하면 국가보안법의 조문 중 문자 몇 개가 잘못되었느냐 여부에 대해서는 관점이 달라지리라고 본다. 24파동을 겪고 나서 조금이라도 엄격하게 재판을 하도록 하자는 의미에서 펴낸 『신국가보안법 개론』에서도 나는 두 법을 묶어서 엄격하게 다루어야 한다고 주장한 바 있다. 거기서 나는 미국의 기소배심, 공판배심(Petty Jury)을 참고로 하여 한국에서도 기소할 때에 검사가 독점하지 말고 민간인을 참여시키고 재판을 할 때에도 민간인을 참여시키면 실체법에 결함이 있다손 치더라도 재판 과정에서 시정되고 그 결과도 훨씬 달라질 것이라고 생각한다고 제안했다.

주권재민의 법리와 불고지죄의 이념

대한민국 헌법은 주권재민의 원리에서 출발한다. 주권재민은 국가의 모든 권리는 국민으로부터 나오며, 국민의 기본권은 무엇보다도 중요하다는 것을 의미한다. 기본권의 보장은 국민에게 의무도 지운다. 헌법상 국방의 의무로 대표되는 이 의무는 자기 나라는 자기가 지킨다는 국민의 당연한 도리를 법적으로 규정한 것이다.

일반론으로 말하더라도 국민은 누구나 범죄가 행해지고 있는 것을 보면 무엇인가 손을 써야 한다. 건장한 자가 약한 아녀자를 폭행하는 것을 보고 모르는 척하면 그것은 사람의 도리가 아니다. 힘이 닿으면 직접 제지할 수도 있고, 힘이 부치면 다른 사람과 합세하여 억제하거나 경찰에 신고하여야 한다. 그러지 않는 것도 범죄라고 할 수 있다. 자기가 알 수 있는 위치에서 범행이 행하여지고 있거나 행하여지려고 하는 것을 알게 되면 그 피해가 개인에게만 미치는 일반범죄라도 경찰에 고발하는 것이 국민의 의무이다. 국가보안법의 경우에는 특히 그렇다. 이것은 주권자인 국민이 공복(公僕)인 수사기관원에게 내리는 수사명령 또는 체포명령이며, 헌법상 국민에게 주어진 권리의 행사이다.

자유민주주의와 시장경제의 원리는 이를 지키기 위하여 싸우는 국민에게만 주어진다는 것을 우리는 역사와 체험을 통해서 알고 있다. 6·25 전쟁 이후 60여 년간 쌓아올린 국민적 경험은, 자유민주주의는 무엇과도 바꿀 수 없는 우리 삶의 이념이며 국민의 생동력이라는 것을 알게 했다. 한 가정이나 작은 직장이나 큰 사업체나 모든 조직에서 자기 방어와 발전에 관심이 없는 사람은 이미 그 구성원의 자격을 상실한다. 헌법을 수호하고 국가를 방위하는 데 관심이 없는 사람은 이미 국민의 권리와 의무를 저버린 것이다. 마키아벨리의 말처럼 자기 스스로 자기(나라)를 지키려고 하지 않는 사람을 누가 도와주려고 할 것인가?

국가보안법의 불고지죄(不告知罪)는 모든 국민에게 주권재민의 원리를 일깨워주는 상징적인 존재이다. 다만 고지를 한 사람과 고지를 당한 사람이 친지나 친족관계인 경우에는 범죄를 수사기관에 고지한다는 것이 인간적으로 그리 쉬운 일은 아니다. 국가보안법과 형법에 형의 감면 조항이 많은 것도 이런 이유에서다. 하지만 그것이 국민에게 주어진 헌법상의 의무라면 인간적인 고민을 극복하고 국가방위에 협조해야 할 일이다.

미국은 2001년 9월 11일 큰 테러를 당하자 형법에 많은 처벌조항이 있는데도 불구하고 테러 및 범죄수사의 편의를 위해 시민의 자유권을 제약할 수 있는 골자로 새로운 법률을 제정하였다. 이 법률은 '대테러법'(Anti-terrorism legislation) 또는 '애국자법'(Patriot Act)라고 불리는데 우리도 참고할 만하다고 생각한다.

정치적, 역사적 교훈

　민주주의란 설득과 화합, 양보와 타협 없이는 성립할 수 없다. 양보와
타협은 상대방이 굴복하는 것을 의미하는 것이 아니다. 양보를 얻어내기
위하여서는 내 자신의 주장이 과연 옳은가 아닌가를 먼저 반성하는 일이
필요하다. 따라서 양보는 주장하는 쪽에서 먼저 할 수도 있다. 경우에 따
라서는 나의 주장을 포기하는 일도 양보에 해당한다는 말이다.

　24파동 당시 여야가 양보하고 타협하는 양식을 보였으면 국가보안법
의 조문도 내용도 많이 달라졌을지 모른다. 여야는 마지막 순간까지 상대
를 믿지 않았다. 한쪽은 정권 유지, 한쪽은 정권 쟁취의 수단으로 국가보
안법 개정작업을 이용하였다. 만일 24파동이 없었고, 있었다고 할지라도
민주당 정권이 제대로 된 국가보안법으로 사회질서를 바로잡을 수 있었
다면 새삼 국가보안법을 재개정하자는 자기모순에 빠지는 일은 없었을
것이다. 민주당 정부는 재개정의 이유로서 반국가단체인 북한의 파괴공
작은 물론, 그들과 연관이 있는 행동도 처벌할 수 없다고 법원의 무죄선
고 사례를 발표하면서까지 반공임시특례법의 필요성을 국민에게 하소연
할 필요는 없었을 것이다. 거의 전 국민의 지지를 받던 민주세력, 민주당

이 어느 사회에나 늘 있는 다소의 사회혼란 때문에 5·16군사정변 세력에게 사회질서를 회복한다는 명분을 주지 않았을지도 모른다. 5·16군사정변이 없었다면 그에 이어진 살벌한 유신시대도 없었을 것이니 대한민국은 지금쯤은 좀더 발전한 형태의 민주주의 국가로 성장하였을 것이다.

당시의 언론도 책임이 크다. 국가보안법이 국민에게 잘 알려진 법률인 것 같아도 법률은 법률이다. 법률의 개정이나 폐지에는 알아둬야 할 요소들이 많다. 이럴 때 언론의 적절한 해설과 시사적인 계몽은 국민에게 길잡이가 된다. 지금도 마찬가지지만 언론은 여야와 정부는 물론 국민에게 절대적인 존재였으니 만일 그때 그런 기사나 권고가 있었다면 큰 역할을 했을 것이다.

상상의 날개를 펴면 한이 없다. 정권이 교체된 후에도 국가적 정체성과 중요 정책의 계속성은 유지되는 나라, 정권이 바뀌었다고 국민이 흥분하거나 큰일 났다고 걱정하지 않아도 되는 나라, 차분하게 국정을 협의할 줄 아는 여야가 있는 나라. 상상의 날개는 한이 없다. 하지만 지나간 그때의 일이 너무나 안타깝다.

산행과 사색의 나날

　일선 실무자로서 순수한 마음으로 국가보안법 개정작업에 참여했다가 뜻밖에 24파동을 겪고 난 후에는 의문투성이의 정계를 쳐다보면서 이럴 수가, 어디 이래서야 하는 탄식을 멈출 수 없었다. 내가 어떻게 할 수도 없고 책임을 질 일도 아니지만 병이라도 날 듯싶었다. 결국 극심한 노이로제라는 병에 걸리고야 말았다. 여러 병원을 찾았지만 이 병은 잘 낫지 않았다. 이렇게 지친 몸을 달래는 데는 산행이 제일이라는 친구의 권고로 나의 등산은 시작됐다. 그전에도 등산을 아주 안 한 것은 아니지만 이때부터 본격적으로 등산에 나섰다.

　등산을 하면서 뛰는 가슴도 점차 가라앉았다. 몸이 허약하지는 않다는 자신감이 붙기 시작했다. 땀을 흘리며 힘들게 올라선 정상의 멋과 아름다운 풍경은 모든 것을 잊게 했다. 높은 산에 오르면 넓은 시야에 높고 낮은 산들이 골고루 들어온다. 국가보안법이 어떻고 정치인이 어떻고 하는 그들에 대한 울분도 식어갔다. 그 후 등산은 40년간이나 이어졌다. 40년간 이어간 등산은 나의 가장 행복한 때로 인생의 즐거운 맛을 찾은 순간들이었다.

24파동으로 고통받으며 시작했던 산행이 40년간 이어졌다.

24파동 후 국회의원이 너무나 쩨쩨하게 보였다. 때로는 불쌍하게 여겨 지기도 했다. 국회의원이라고 유세(有勢)하기는 하지만 300명 중의 한 사람이 아닌가? 언제나 정당에서 지시를 받고 움직이는 사람, 기계에 비유할 수도 있다. 여당이니까 찬성하고 야당이니까 반대하고. 그래서 정치에 대한 욕망도 어느덧 사라졌다.

그러나 남북문제, 대북관계는 한시라도 잊은 일이 없으며 이렇게도 저렇게도 사색은 깊어갔다. 대북관계에 대해서는 여야가 있어서도 안 되고, 국민 모두가 일체가 되어야 한다고 생각하게 된 것은 24파동이 준 교훈이다. 다른 것은 몰라도 대북문제나 통일문제는 자유민주주의와 시장경제의 원리를 받들고 사는 한국인이면 여야가 따로 있을 수 없지 않겠는가?

남북의 통일을 논하려면 먼저 여야의 대북인식이나 협상방향부터 통일해야 한다. 나는 만나는 사람마다 나의 이런 생각을 전하고 있다. 한번은 어느 국무총리에게도 진지하게 말한 적이 있다. 으리으리한 공관에서 저녁 대접을 받고 저녁 값은 해야 한다는 농담으로 운을 뗐다. 국가보안법 개정 때의 경험을 말하고 대북관계에서는 여야가 따로 가서는 안 된다고 말했다. 모처럼 총리라는 중책을 맡고 있으니 대통령과 의논하여 남북문제를 담당하는 여야협의회를 만들어라, 그것 하나만 해내도 총리로서는 나라를 위하여 큰일을 하는 것이라고 건의했다. 하지만 이 건의가 실현되지는 않았다.

어느 대통령도 어느 정당도 대북문제를 단독으로 처리할 수 있다는 오만에 빠져서는 안 된다. 남북문제의 해결은 국민 전체의 몫이며 정권이 바뀔 때마다 그 방향이 달라져서는 안 된다.

여경과 행운

국가보안법 개정문제를 놓고 골치만 아팠던 것은 아니다. 좋은 일도 있었다. 내가 30대 중반의 젊은 검사 시절, 여야를 가릴 것 없이 연만(年滿)하고 경험 많은 국회의원들로부터 사랑을 받으면서 그들과 친하게 사귈수 있었던 것은 공청회와 간담회에 나간 덕분이었다. 공청회에서 나의 말을 들은 어느 야당 의원은 야당으로서는 반대지만 개인으로서는 찬성이라고 말해주기까지 했다. 나에게 소위 독소조항에 대하여 말을 해달라고 부탁하던 그분은 다른 말 없이 감사하다는 말만 했다. 국가보안법 개정의 필요성 여부에 대하여 확신이 서지 않던 여당 의원 중에도 이때 나의 말을 듣고 난 뒤에 자신을 얻었다는 말을 해준 사람도 있다.

정부와 여당은 공청회 후 비로소 국가보안법안에 대하여 자신을 얻었는지 나에게 국방대학원, 감사원, 방송국 등 공공기관에 나가 국가보안법 개정의 의의와 필요성을 강연하라고 했다. 그때도 나는 일선 실무자들의 고충만 말했지 그 이상은 아무 말도 하지 않았다. 그렇지 않아도 신문, 방송에 보도될 만한 큼직큼직한 사건들을 많이 다루어, 당시로서는 비교적 이름이 널리 알려져 있던 나는 갑자기 유명인사라도 된 듯싶었다. 거리에 나가면 알지도 못하는 사람으로부터 인사를 받느라 자주 걸음을 멈추어야만 했다.

앞서 말한 것처럼 나는 자유당 때에 법무부 검찰과장이 됐는데, 민주당이 정권을 잡은 후에 전폭적인 인사개편에도 불구하고 계속 검찰과장으로 남아 있다가 서울지검의 부장검사로 영전했다. 나를 24파동의 한 원인을 제공한 일선 검사라고 볼 수 있었는데도 용케 그 자리를 유지하다가 영전까지 했다는 평을 들었다. 당시 민주투사로 잘 알려진 조재천 법무부장관 입장에서는 내가 미웠을 것인데도 말이다.

나는 자유당 시절에 검사를 하면서도 여당의 거물 정치인들을 기소한 일은 있어도 야당 정치인을 기소한 일은 한 건도 없었다. 왜 그랬는지 나도 모른다. 야당 의원이라고 다 잘한다고 느낀 것은 아니었지만 나라를 바로잡겠다는 열정만은 권력 주변에서 얼쩡거리고 아첨만 일삼는 여당 의원보다는 크다고는 생각했기 때문인지 모를 일이다.

그러다가 1963년 검찰청이라는 좁은 세상을 떠났다. 그 후 변호사 생활을 시작하면서 여야 정치인들은 물론 각계의 많은 인사들과 교류의 폭을 넓히면서 '삶'의 즐거움을 맛보게 된 것은 원칙과 합리를 신조로 젊은 시절을 보낸 때문이라고 믿는다. 그런 원칙과 합리는 변호사 생활에서도 그대로 실천했다. 그래서인지 언론계와 학계에 많은 친지들이 생겨 나의 인생을 살찌게 했다.

이것을 제대로 살려고 노력하는 사람의 '여경(餘慶)'이라고 해야 하지 않을까? 여경이라는 말이 적절치 않다면 행운이라고 말해도 좋다. 훌륭한 사람들과 폭넓게 교분을 갖고 하고 싶은 말을 다 하고 사는 일만큼 즐거운 일도 없다.

4장

대한변협과 함께
시대의 격랑을
넘다

변호사 개업

　내가 변호사 개업을 한 것은 1963년 9월의 일이지만 실제로 변호사 사무실을 연 것은 10월 하순쯤이다. 검사를 그만두었다는 이야기와 함께 변호사 개업 이야기가 신문에 보도되자 바로 중형(中型) 사건 하나를 수임(受任)하였다. 착수금도 많이 받아 횡재한 기분이었다. 의뢰인은 어느 증권회사의 사장이었다. 아직 사무실도 정해지지 않았고 간판도 걸지 않았는데 집으로 연락을 해와 만나서 사건을 맡게 된 것이다. 배임 사건이 아니었던가 싶다.

　형사 사건의 경우 구속 피의자는 언제나 보석(保釋)을 앞세운다. 당연한 일이다. 그 사장도 보석부터 해달라고 조르면서 여기가 아프고 저기가 결린다고 호소했다. 그대로 믿을 수밖에. 뜻밖에 보석은 빨리 허가되어 병원으로 주거가 제한되었다. 그런데 어느 날 그 사장은 야구 경기를 보러 야구장에 가서 마음 놓고 소리를 지르다가 아는 사람에게 들켜버리고 말았다. 그 사실을 알게 된 고소인이 법원에 진정서를 내자 그는 도망쳤다. 어처구니없는 일이었지만 변호사에게는 큰 고역이었다. 법원을 속인 셈이니 변명의 여지도 없었다. 그는 잘 피해다니다가 그해 12월 1일자로 발표된 대사령으로 사건이 종결되었다.

이 사건에 관한 한 수임료는 거저 생긴 거나 다름없었다. 그러나 대사령으로 이 사건뿐만 아니라 형사 사건이 송두리째 없어져 사건 수임은 뚝 끊어지고 말았다. 그때까지 미제(未濟) 사건과 확정되지 아니한 형사 사건은 모두 사면되고 말았으니 변호사를 필요로 하는 일이 사라진 것이다. 내가 검사 출신이어서 적어도 개업 초에는 형사 사건이 주가 된다는 것은 세상이 다 아는 일이었다.

그래도 민사 사건이 얼마간 있어서 그것으로 연명할 수 있었는데, 이를 계기로 민사 사건에 전력투구하였다. 민사 책도 많이 읽고 판례도 거의 외다시피 하여 그런대로 변호사로서의 기초를 닦아나갔다. 이듬해부터는 형사 사건이 다시 들어오기 시작하였고 꽤 큰 사건을 다루기도 하였다.

1964년부터는 현대건설주식회사의 고문변호사가 되어 회사 일로 꽤 분주한 나날을 보냈다. 현재와 달라서 당시는 영어를 조금이라도 하는 변호사가 별로 없는 시대여서 낮은 수준의 내 영어로도 이리저리 뛸 수밖에 없었다. 일본, 영국, 미국, 중동을 자주 드나들었는데 그러다보니 나에게 사건을 맡기려고 찾아온 사람들을 실망시키는 일이 적지 않았다. 사무실에 찾아온 사람들은 변호사가 외국에 나갔다는 말을 자주 들어야 했기 때문이다. 그렇기는 했어도 7~10일 정도의 외국여행에서 돌아오면 공항에 의뢰인이 직접 나와서 마중하고 바로 사무실로 따라와 사건을 의뢰해 놀라기도 하고 기쁘기도 하였다.

변호사 초기에는 검사 시절에 법률 하나만을 내걸고 사정(私情) 없이 일을 하는 사람으로 보였을 것이니 나에게 사건을 맡기는 사람은 없을 것이라는 초조감이 앞서곤 하였다. 그러나 변호사를 하는 동안 오히려 검사로서 맡은 일에 충실한 사람에게 사건이 따라온다는 사실을 알게 되었다.

검사로든 판사로든 자기 직분에 충실한 사람, 그런 사람은 국민의 신임을 얻는다. 대한변협 협회장이 되어 사실상 변호사업을 그만두다시피 한 1987년 2월까지 20여 년간을 되돌아보아도 수임 사건의 양과 질에서 나는 변호사로서 충족된 나날을 보냈다고 자부한다.

서울제일변호사회

인권위원회 위원장

나는 1971년 4월부터 2년간 서울제일변호사회의 인권위원장을, 73년 5월에는 1년간 부회장을, 74년에는 교육위원장을 맡았다. 변호사회는 크게 나누면 각 지방법원이 있는 도청 소재지별로 지방변호사회가 있고 이 지방변호사회들을 전체적으로 관할하는 대한변협이 있다. 다만 당시에는 서울에는 서울변호사회와 서울변호사회에서 나눠진 서울제일변호사회 그리고 소수의 변호사들로 구성된 수도변호사회와 서울제이변호사회가 있었다.

내가 서울제일변호사회에서 인권위원장을 맡았던 1971년이면 박정희 정권이 한참인 때여서 국민의 인권 따위는 별것 아니었다. 그러나 법률가, 특히 변호사에게 국민의 인권옹호만큼 중요한 일도 없었다. 그래서 변호사법 제1조는 "변호사는 기본적 인권을 옹호하고 사회정의를 실현한다"고 규정하고 있다. 그러나 독재자에게 편리하도록 제멋대로 만들어진 법률과 권위적 색채가 짙은 헌법 아래서 인권은 아무리 외쳐대도 지켜질 까닭이 없었다. 국민의 인권의식도 미흡한데다 군사정변까지 겹쳐서

인권은 간 곳이 없었다. 안보라는 미명하에 국가보안법이 남용되고 국가
보안법 위반이란 이유로 많은 사람들이 옥고를 치른 것도 이 시대의 일이
다. 국가의 안전을 위하여 국가보안법이 이루어낸 일은 무척이나 컸는데
도 불구하고 악법이 되고 원성의 대상이 된 것은 모두 이때에 연유한다.

월례 시민인권강좌

서울제일변호사회의 인권위원장을 맡은 나는 국민의 인권사상을 고취
하기 위하여 월례 시민인권강좌를 개최하기로 하였다. 1969년 제6차 개
헌으로 대통령의 3선을 허용하고 1972년 제7차 개헌으로 대통령 선출을
간선제로 바꾸고 긴급조치적 국회해산권을 부여하는 등 당시는 인권은
간 곳이 없는 엄혹한 정국이었다. 그러나 나는 우리가 안 하면 누가 하냐
는 기백으로 강행하였다.

시민인권강좌는 매월 셋째 주 목요일 오후 6시부터 개최하기로 하였
다. 김남이(金南珥) 회장 이하 서울제일변호사회 집행부의 열기도 대단하
여 포스터를 만들어 시내 요소요소에 붙였다. 소중영(蘇重永) 변호사는 매
월 지원금을 내 경비의 일부를 부담하겠다고 약속하였다.

1회 강좌는 1971년 6월 17일에 일반인을 대상으로 '인신구속'을 주제
로 열렸는데, 나와 한상범(韓相範) 동국대 교수가 강연을 한 후 무료 법률
상담을 했다. 2회 강좌는 1971년 7월 20일 남흥우(南興祐) 고려대 교수와
김동환(金東煥) 서울제일변호사회 총무가 '즉결심판의 이론과 실제'라는
주제로, 3회 강좌는 1971년 9월 16일 김용한(金容漢) 동국대 교수와 권순
영(權純永) 서울제일변호사회 감사가 '남성의 인권과 비교해 본 여성의
인권'이란 주제로 강연을 했다.

집행부와 회원 변호사들이 이 긴박한 상황에서 과연 해낼 수 있을까 걱

정하며 시작한 일은 대성공을 거두었다. 강연회가 열렸던 신문회관(현재 프레스센터)의 좁은 실내는 언제나 많은 사람들로 꽉 찼다. 만나도 말도 제대로 못하고 낯선 사람은 무서워서 인사조차 나누기 어렵고 친구까지도 의심하게 되던 암흑시대에 연사의 열변과 방청자의 열띤 토론은 참가자들을 흥분시키기에 충분했다. 서울제일변호사회가 다방면에서 연사를 모신 일은 인권강좌의 권위를 높일 뿐만 아니라, 인권문제에 대한 연사들의 역량과 사회적 지위를 고스란히 변호사회의 힘으로 보태는 결과를 가져다주었다. 하지만 위원장이 교체되면서 월례 시민인권강좌를 오랫동안 지속하지 못한 것은 유감스러운 일이었다.

이렇듯 변호사들이 단체로 행동하면 막강한 힘을 발휘할 수 있다.

무료법률상담소

1972년 7월 1일 신세계 백화점에 무료법률상담소를 개설하였다. 백화점은 어려운 사람들이 쉽게 찾아올 수 있는 장소라고 믿었기 때문이다. 백화점도 고객의 증가를 기대할 수 있어서 무료로 방 하나를 내주었다. 그러나 얼마 안 가서 장소를 다른 곳으로 옮길 수밖에 없었다. 백화점 측은 상품이 많아져 방이 더 필요하다고 설명했지만, 모여드는 사람들의 모습이나 행태로 보아 영업에 별 도움이 안 된다고 판단했던 것 같다. 모처럼 서울의 중심지에 무료법률상담소를 설치하여 사람들이 모이기 시작했는데 서운하기 이를 데 없었지만 어쩔 수 없는 일이었다. 그 후 무료법률상담소의 설치를 위하여 많은 회원들이 기금을 희사하였다. 변호사들에 대한 사회적 평가는 낮았지만 변호사들의 봉사활동은 계속 이어졌다.

신년교례회

서울제일변호사회의 부회장이 되고 나서 나는 회원 간 신년교례회를 열기로 했다. 변호사업을 시작하고 5, 6년 변호사들과 사귀면서 신년에 법조계의 대선배 격인 연만한 변호사들이 법원과 검찰의 간부들을 찾아가 신년하례를 하는 것을 보고 이것은 잘못됐다는 생각이 들었다. 신년을 맞이하면 후배가 선배에게 인사를 드리는 것이 당연한 일이다.

신년교례회를 열기 시작하고 얼마 동안은 법원이나 검찰의 간부들이 나오지 않아 교례회를 마치고도 법원과 검찰을 찾아가는 변호사들이 있었다. 하지만 점차 법원과 검찰의 간부들이 변호사회의 교례회에 참석하게 되었고, 같이 술잔을 들고 담소를 나누는 모습은 나를 만족시켰다. 그로부터 지금까지 매년 연초에 열리는 신년교례회는 완전히 자리를 잡아 법원, 검찰의 간부들이 대거 참석하여 선후배 간의 우의를 다지고 대성황을 이루곤 한다. 참으로 보람되고 기쁜 일이다.

합동경로잔치

선배 회원을 위한 경로모임을 연 것도 부회장 때의 일이었다. 나는 아직 젊었지만 변호사를 하다보니 변호사는 나이가 들수록 외로운 존재가 된다는 것을 알게 되었다. 부회장으로서 변호사회를 대표하여 회원의 사망 소식에 문상을 가보면 초라한 집에서 쓸쓸히 장례식을 치르는 일이 비일비재했다. 변호사는 업무의 성격상 '일인성주'라는 말을 듣는데, 나이가 들어 수임사건이 줄고 수입이 없어지면 거느리는 직원도 없이 아주 초라한 존재가 될 수밖에 없다. 누구나 나이가 드는 것을 막을 수 없는 일이지만 선후배가 우의를 다지고 서로 아끼는 풍토가 되면 적어도 외로움에서 벗어날 수 있지 않을까.

경희대학교에서 열었던 합동경로잔치, 맨 왼쪽에 서 있는 사람이 필자

그래서 나는 당시 출강하던 경희대학교의 숲 속 교실을 하루 빌려 후배들이 선배들을 모시는 합동경로잔치를 열었다. 비용을 찬조한 젊은 회원들이 있어서 가족들도 참석하고, 푸짐한 상품이 뒤따랐다. 2, 3회로 끝난 것으로 기억하지만 지금 생각해도 흐뭇한 일이다. 만년의 쓸쓸함을 같이 나누려던 젊은 회원들도 이제 노경에 접어들고 보니 변호사회에서 이런 모임이라도 가져주었으면 하는 희망을 갖는다. 선후배 간의 경애와 사랑은 변호사가 변호사다운 일을 하기 위한 조건이다. 내가 대한변협 총무가 되었을 때 윤리강령을 새로 제정하면서 "변호사는 우애와 신의를 존중하며 상부상조 협동정신을 발휘한다"는 말을 넣은 것도 바로 이 때문이다. 그럼에도 불구하고 변호사들의 선후배 관계는 싸늘하기만 하다.

시사교양강좌와 재일동포의 도서 기증 운동

내가 교육위원장을 맡았을 때 1974년 10월 15일~19일까지 5일간 교육지도위원회의 주관으로 시사교양강좌를 열었다. 주로 중소(中蘇)문제를 중심으로 한 국내외 정세와 경제문제, 시사문제를 다루었다. 강사와 주제는 다음과 같다.

첫째 날 손제석(孫製錫, 서울대 교수) '중소문제를 중심으로 한 국제정세 분석'
둘째 날 김점곤(金點坤, 경희대 교수) '남북한문제에 대한 전망'
셋째 날 이창렬(李昌烈, 고려대 교수) '국제경제 사정 격변과 한국경제의 전망'
넷째 날 천관우(千寬宇, 전 언론인 사학자) '한국 문화가 일본 문화에 미친 영향'
다섯째 날 조경철(趙慶哲, 연세대 교수) '우주과학과 에너지 발견'

나는 또한 특설도서위원회를 설치하여 회원들을 대상으로 도서기증운동을 벌여 빈약한 도서관을 개선하는 데 큰 성과를 거두었다.

변호사를 시작한 지 얼마 되지 않아서 수임 사건도 많은 때였지만 체제가 빈약했던 변호사회를 위하여 그런대로 많은 일을 했다는 생각이 든다. 변호사 단체의 단체 활동 없이 변호사 개인의 발전은 없다는 소신 때문이었다. 이런 일들이 인정을 받았던 것인지 1974년 정기총회에서는 표창을 받았다.

주한미군 철수 반대 결의

군사정변으로 정권을 잡은 후 미국과 자유민주주의 논쟁으로 대립하는 모습을 보여오던 박정희는 1970년대 어느 해인가에는 미군 철수도 불사한다는 강경 자세를 보여 미국과의 대립이 격화해 국민을 불안하게 만들었다. 국민의 여론 형성이나 반대의사 표출도 봉쇄하여 언론도 움츠리고 있는 상황이었다. 그해에 서울제일변호사회는 시내에서, 서울변호사회는 우이동 어느 호텔에서 정기총회를 개최하였다. 이때 나는 서울변호사회 소속이었던 박승서(朴承緖) 변호사와 의논하여 양 회의 정기총회에서 일제히 미군 철수 반대를 결의하기로 작정하였다. 이렇게 해서 두 변호사회는 같은 시간에 긴급동의 형식으로 미군 철수 반대 결의를 했다.

다음날 변호사회를 감독하는 법무부 책임자로부터 전화가 왔지만 이미 결의문은 발표된 뒤였다. 민주주의 국가에서 국민은 나라의 주인이다. 국가의 안전보장에 관한 한 언제나 자유롭게 의사를 표시할 수 있어야 한다.

대한변협_총무

변호사 윤리강령과 회기의 제정

서울제일변호사회의 인권위원회 위원장으로 일하고 있던 중에 김윤근 대한변협 협회장의 요청에 따라 나는 1972년 대한변협의 총무에 취임해 대한변협의 일도 함께 챙기게 되었다. 나는 우선 대한변협 구석구석에 박혀 있는 일제의 잔재를 하나라도 제거해야겠다고 다짐했다. 그것이 비민주적인 것일 때에는 말할 것도 없지만 그렇지 않다고 할 때에도 한국의 법률과 사법제도를 갖추어나가는 데 힘써야 한다고 생각했다. 그래서 먼저 일본 사람들이 쓰던 것을 그대로 쓰고 있던 윤리강령을 개정할 필요를 느끼고 특별위원회를 편성하여 새로운 윤리강령을 만들었다. 새 윤리강령이란 당시로서는 생각하지 못하던 일이었는데, 만들어놓고 보니 쓸 만한 것인지 현재에도 사용되고 있다. 회기(會旗)도 너무나 낡은 것이어서 특별위원회에서 골격을 구상한 후 홍익대학교 미대 교수에 부탁하여 새롭게 만들었다. 우리가 지금 쓰고 있는 대한변협 회기가 바로 그 회기이다.

창립 20주년 기념식과 선언문

1972년 9월 1일 대한변협은 한국일보 대강당에서 창립 20주년 기념식을 가졌다. 새로운 회기가 대강당을 꽉 메운 회원들의 환호 속에 등장하였다. 기념행사를 준비할 때 박정희 대통령의 참석을 기대하면서 법무부와 협의하였지만 마지막 순간까지 참석 여부를 놓고 줄다리기를 하다가 불참 쪽으로 결론이 났다. 당시 우리는 이른바 유신체제하에서 국민의 기본적인 인권이 함부로 침해되고 자유민주주의가 흔들리고 있는 데 대하여 대통령을 앞에 놓고 선언문을 발표할 준비를 하고 있었는데 법무부가 그런 눈치를 챘는지 대통령의 참석은 불발로 그쳤다. 그 대신 느닷없이 박정희 대통령의 휘호(揮毫) '유비무환(有備無患)'이 전달되었는데, 대한변협은 이것을 내내 걸지 않았다.

1969년 10월 대통령 3선 허용을 골격으로 하는 6차 개헌이 있고 얼마 안 있다가 대통령의 사전사후적 긴급조치권, 국회해산권, 임기연장 등의 7차 개헌으로 이어지는 시기여서 유신체제 지지성명이 신문을 도배하고 있었을 뿐 아니라 정치, 사회 분위기도 경색되어서 국민이 자유롭게 말도 하지 못하는 때였다. 이런 시국에 아무리 변호사 단체라도 강경한 선언문을 낸다는 것은 대단한 모험이 될 수밖에 없었다. 하지만 여러 사람들이 찬성하는 쪽으로 결론을 내자 김윤근 회장도 결심을 했다. 그런데 막상 내 손으로 몇 사람과 의논하면서 선언문을 만들다보니 당국에서는 좋아하지 않는 문구만 들어가게 되었다. 나는 고민하는 김 회장님께 잘 결심하셨다고 말하면서 책임은 내가 지겠다고 하여 결국 정부당국을 공격하는 시국선언문을 발표하게 되었다.

선언문은 원로 회원인 고재호(高在鎬) 상무위원장이 낭독하였는데, 그 어려운 상황 속에서 "우리는 이 나라에서 국민의 기본권이 소홀히 다루어지는 그릇된 풍조를 엄중히 경계하고 민주사회의 방패로서 대중과 호흡을 같이하며 헌법이 변호사에게 부여한 숭고한 사명을 완수할 것을 굳게 다짐한다"고 외쳤다. 이 정도의 선언문을 낼 수 있었던 것은 대한변협만이 할 수 있는 일이었다고 생각한다.

창립 행사들

경희대학교 중앙도서관에서는 기념세미나가 개최되었다. 큰 주제는 '민주사회와 변호사'였는데, 이항녕 홍익대 총장이 '변호사의 사명과 윤리'에 대해서, 최석채(崔錫采) 문화방송 사장은 '민주시민이 기대하는 변호사상'에 대해 주제 발표를 하고 열띤 토론을 벌였다.

회원 가족을 대상으로 문예작품을 공모하고 시상하는 행사도 열었다. 변호사들의 의연한 자세를 과시하고 가족 간의 친목을 도모하며 법조 가족으로서의 긍지와 보람을 찾게 하기 위해서였다. 변호사인 아버지, 할아버지에 대한 기대와 존경심이 잘 나타난 문예작품들이 많이 보였다.

그날 저녁 조선호텔에서는 가족 동반으로 대대적인 축하행사가 열렸는데, 자녀들의 장기자랑도 있어서 축하 분위기가 고조되었다.

기념행사 후에는 1972년 9월 1일 ~ 7일까지 일주일간 체신부의 협조를 얻어 전국 주요 도시의 우체국에서 대한변협 창립 20주년 기념 날짜도장을 사용케 하였다.

이렇듯 대한변협 20주년 기념행사에 관하여 자세히 적은 것은 현재 법조계가 판사, 검사, 변호사가 따로따로 행동하고, 변호사는 또 변호사대로 개인적인 이익 추구에만 매달려 서로 간의 교류와 친목이 끊긴 아쉬움 때문이다.

강연과 회의

1973년 3월 29일 당시의 김영선(金永善) 국토통일원 장관을 초청하여 남북통일문제에 관한 강연을 듣고 진지한 질의와 토론을 벌였다.

또 그해 5월 19일 대한의사협회와 협의회를 만들어 '변호사와 의사의 사회적 기능'이라는 주제로 공동 세미나를 가졌다. 변호사로 활동한 이항 녕 홍익대 총장은 '변호사의 사회적 기능'에 대해, 권이혁(權彛赫) 서울의 대 학장은 '의사의 사회적 기능과 사명'에 대해 주제 발표를 했다. 변호사 도, 의사도 사회봉사자로서의 사명감을 높여 사회의 신임과 국민의 존경 을 받도록 노력하여야 한다는 내용이었다.

내가 이러한 공동 세미나의 개최를 구상한 데는 정치의 일방통행으로 국민은 끌려만 가고 인권이 무시되는 시대에 언젠가는 변호사 단체와 의 사 단체가 공동으로 국민의 권익을 옹호하고 사회정의를 실현할 것이라

대한변협과 대한의사협회의 공동 세미나

는 엉뚱한 생각이 숨어 있었다. 지식인은 언제나 외롭고 고독하지만 때가 되면 일어설 줄 알아야 한다. 그래서 이대로 나가다가는 언젠가는 국민의 궐기가 필요할지 모르고 그때 앞장설 사람은 변호사와 의사라고 생각했다. 지식인, 전문인이란 지식을 체득하고 그것을 이용하여 돈만 벌면 되는 것이 아니고, 사회와 국가가 필요로 할 때 행동에 나설 줄 알아야 한다는 것이 나의 신념이었다.

이 공동 세미나는 현재까지도 이어지고 있어서 참으로 다행이지만 너무 학술적인 주제에 집착하는 듯 보여 당시의 내 뜻과는 상당히 거리가 있어 보인다. 좀더 서로를 이해하고 돕는 동지애를 북돋고 젊은이들에게 애국심, 안보의식을 키우는 데 지식인의 힘을 기울이기를 희망한다.

대한변협_부회장

원래 부회장이란 회장을 보좌한다거나 그를 대신한다기보다 구색을 갖추기 위하여 마련된 직책이니 조용히 지내면 될 일이지만 나는 성격상 가만히 있지 못한다. 그런 자리라도 맡으면 무엇인가 일을 꾸며 움직여야 한다. 1977년 5월 대한변협 부회장이 되어 벌인 일이 변호사연수회였다.

1970년대 후반으로 접어들면서 기업들이 100억 달러의 수출 고지를 달성하는 등 경제, 사회, 문화가 많이 달라지고 있었다. 하지만 그 무렵만 해도 변호사들은 일찍이 우국지사(憂國之士), 억강부약(抑强扶弱)의 투사들이 존경받던 시대의 여운에 잠겨 있어서 시대의 변화에는 아주 둔감했다. 경제가 발전하고 사회 변화도 빨라지는데 변호사들은 아무런 대비 없이 오직 법정에 나가서 승부를 가리는 것만을 일상 업무로 삼고 있는 이런 현실이 나는 안타까웠다. 이제부터는 변호사들이 새로운 사회에 적응하기 위한 지식을 습득하는 데 민감해야 한다고 생각했다. 이런 생각은 그때나 지금이나 같다. 그래서 변호사연수회를 구상하게 되었던 것이다.

변호사들 간의 화목도 절실하다고 느꼈다. 변호사들에게는 전문 과목 강의를 듣는 것도 중요하지만, 연수를 통해 서로의 우정과 친분을 다지는

1978년 제1회 변호사연수회에 참석한 변호사들과 함께

일도 그에 못지않게 중요하다. 그래야만 변호사 단체의 활성화를 기대할 수 있기 때문이다. 변호사 윤리강령 6조에도 "변호사는 우애와 신의를 존중하면서 상호부조, 협동정신을 발휘한다"고 되어 있는데, 이것은 변호사 단체의 목적 달성을 위한 기본 요청인 것이다.

1977년 가을쯤 이듬해 연초에 연수회를 하겠다고 김태청(金泰淸) 회장께 보고를 하니 잘되겠느냐고 의문을 표시했지만 힘은 들겠으나 해보겠다고 대답하고 승낙을 받았다. 전국의 변호사회에 통지를 한 결과 모인 30여 명의 회원들의 참가 속에 1978년 1월 4일부터 7일까지 4일간 강릉비치 호텔에서 제1회 변호사연수회가 열렸다. 4일의 일정은 장소도 너무 멀고 비용도 많이 드는 일이었다. 하지만 나에게는 정주영(鄭周永) 회장에게 취지를 설명하면 협조를 받을 수 있을 것이라는 계산이 있었다. 정주영 회장

변호사연수회에서 변호사시험에 떨어졌던 일을 이야기하고 있는 정주영 회장

은 내가 부탁하면 무엇이든지 들어주기도 하였지만 변호사에 대해서 비교적 호감을 갖고 있기도 하였다. 그렇지 않으면 한겨울에 교통도 나쁜 강원도 강릉까지 가서 연수를 한다는 것은 생각할 수 없는 일이었다.

연수의 내용과 과목도 과목이지만 변호사들의 친목이라는 데 역점을 두고 시간도 넉넉하게 잡아 매일 저녁에 여흥으로 즐거운 시간을 보냈다. 부인들도 열 분 정도 참석하여 재미있는 시간을 보낼 수 있었다. 여흥 시간에는 이재운(李在運) 변호사가 사회를 재치 있고 유머 있게 잘해서 아무도 가만히 앉아 있을 수 없게 만들었다. 그래서 우리는 그를 '오무'〔娛務, 오락담당총무(娛樂擔當總務)의 약자〕라고 불렀는데, 그 말만 나오면 모든 사람들이 웃고는 하였다. '오무'의 오 자가 오(汚) 자와 발음이 같아서 지저분한 일을 담당한다는 의미로도 해석되었기 때문이다. 최영도(崔永道) 변호사는 1월 3일 밤 호텔로 오던 중 저녁부터 쏟아진 폭설로 자동차가 눈

속에 갇히는 바람에 다른 자동차를 보내서 데리고 오기도 했다.

이 연수회에서는 이홍구(李洪九) 교수 등 외부강사도 6명이나 강의를 했다. 당시 전국경제인연합회 회장을 맡고 있던 정주영 회장도 참석해 '한국경제의 현황과 전망'이라는 연설을 하며 재미있는 일화를 들려주었다. 그는 젊어서 당시 〈동아일보〉에 연재되던 방인근(方仁根)의 『마도(魔都)의 향불』을 읽은 적이 있었는데, 거기에 등장하는 변호사가 무척 멋지게 행동해서 그 사람과 같은 변호사가 되고 싶다는 생각을 갖게 되었다. 그래서 변호사 예비시험을 본 일이 있는데 낙제를 하였다. 진부(眞否)는 모를 일이지만 나는 벌떡 일어나서 "떨어지기를 잘하셨습니다, 합격했으면 우리 꼴밖에는 안 되었을 테니까요"라고 소리쳤더니 홍소(哄笑)와 박수가 터졌다. 연수회 중에 강릉에 있는 공군 비행단과 교도소에 위문품을 들고 방문하기도 했다.

이 연수의 내용은 대한변협 회지 〈인권과 정의〉 1978년 2월 자에 자세히 실려 있다. 그때 부산지방변호사회에서 유일하게 참석한 이흥록(李興祿) 변호사는 변호사를 하다보니 외로워서 살 수가 없었는데 이제는 모든 외로움이 다 사라졌다는 말을 했다. 그의 말은 내 머릿속에 지금까지도 남아 있다.

변호사의 개업 체제도 로펌(Law Firm)으로 변하고 있는 요즘에도 연수가 변호사의 의무로 규정되어 오늘날까지 계속되고 있다는 점은 참으로 다행한 일이다. 하지만 연수가 실제로는 너무 형식에 흐르는 듯한 인상을 받는다. 글로벌 시대에 대응하기 위해 실무상 필요로 하는 법률 지식과 전문 과목의 연수는 물론 회원 간의 우애, 화목이 같이 도모될 수 있도록 실질적인 연수 내용의 개선이 절실하다.

한국경제법학회

한국경제법학회가 창립된 것은 1978년 9월의 일이다. 그 무렵만 해도 학회가 몇 군데 있기는 했지만 활동 면에서 보면 그리 활발하지 않았다. 사무실도 없고 운영자금도 없었으니 그럴 수밖에 없었다.

경제법학은 학문으로서 초창기였다. 관심이 있는 교수들이 경제법학의 특정 분야를 연구하고 교과서를 써서 학생들을 가르치기는 했지만 그것도 미약하기 짝이 없었다. 그러다가 시간이 흐르면서 관련 교수들 사이에 경제법학도 학회가 있어야 하지 않겠느냐는 논의가 시작되었다. 그런데 학회장을 맡을 사람이 누군가 있어야 하는데 학자 중에서는 마땅한 사람을 찾지 못했던 듯 의논 끝에 결국 나에게 제의가 왔다.

나는 경제법학에 관한 논문이나 책을 쓴 일도 없고 특별히 경제법학에 관심을 갖고 있지도 않았다. 수임 사건에 따라 필요하면 한국 책이나 일본 책 중에서 해석을 찾아서 알아보는 정도였다. 그런 나에게 변호사와 교수 몇 분이 찾아왔다. 그들은 나에게 학회 설립의 필요성과 취지를 설명하면서 회장을 맡아달라고 했다. 얼토당토않은 이야기라고 몇 번을 사양했지만 잠시 동안만 맡았다가 정 어려우면 사퇴하면 된다는 말로 달래서 나는 어쩔 수 없이 승낙하고 말았다.

회장 자리를 맡고보니 최소한 2년에 한 번은 총회를 열고 임원을 선임하고 형식적이기는 하지만 사업계획서와 예산서도 만들어야 했다. 그렇게 해서 한국경제법학회 명의로 연구서적을 몇 권 발행했고 세미나도 몇 번 개최해서 그 결과를 학회지로 발간했다. 그 책들은 후임자에게 인계한 것으로 기억한다. 잠시 맡으라고 해서 맡았던 회장직을 실제로 그만둔 것은 2000년 들어서다. 잠시가 20년을 넘겼던 것이다.

내가 본격적으로 회장을 사임해야겠다고 생각한 것은 1987년 대한변협 협회장이 된 직후다. 경제법학회에는 대학교수, 변호사 들뿐 아니라 큰 기업 간부들도 몇 사람 참가하고 있는데, 내가 혼자 너무 오랫동안 회장을 맡고 있다고 생각했다. 당시 나는 대한변협 협회장으로서 전두환 대통령의 호헌조치에 반대하는 반박성명서를 비롯하여 인권 침해를 힐난하는 성명서를 내면서 대통령·정부와 성명전(聲明戰)을 벌이고 있었다. 이런 내가 경제법학회 회장을 맡고 있다는 것은 적절하지 못하다고 생각한 것도 이유의 하나였다.

그래서 이사회를 소집하고는 이사들에게, 그전에도 사의를 표시한 일이 있지만 이제는 단연코 사임할 것이라는 결심을 통고하고 이제부터는 아무 일도 하지 않을 것이니 후임자를 선임하라고 강력하게 요청하였다. 특히 학자들 중에는 회장을 할 만한 분들이 많았다. 부회장을 맡고 있는 연세대학의 손주찬(孫珠瓚) 교수, 고려대학의 김진웅(金振雄) 교수는 초창기부터 부회장으로서 경제법학회를 이끌었을 뿐만 아니라 훌륭한 학자들이었기 때문에 적임자가 없다는 말은 핑계에 불과했다.

그럼에도 불구하고 후임자가 정해지지 않아 1990년에는 한국법학원장을 맡게 된 것을 계기로 나는 또다시 후임 회장을 선임하라고 요청했다.

그러나 1996년 2월, 6년간 세 번의 임기를 마치고 한국법학원장 자리를 떠나게 되었을 때 다시 한국경제법학회 회장으로서 활동해 달라는 요청이 왔다. 이제는 도저히 안 되겠다고 생각한 나는 끝내 이를 사양했다. 그후 한 10년쯤 지나도 후임 회장이 선출되지 않았지만 나는 나대로 움직이지 않았다.

그런데 한번은 황적인(黃迪仁) 교수가 찾아와서 서울대학 법대를 정년 퇴임 했는데 학술원 회원으로 추천해 달라는 요청을 했다. 나는 한국경제법학회 회장도 아닌데 어떻게 추천하느냐고 하였더니 왜 회장이 아니냐고 따지면서 자기는 생활이 몹시 곤란하니 학술원에서 지급하는 회원 보조금이라도 꼭 받을 수 있게 해달라고 사정을 했다. 이렇게 훌륭한 대학 교수가 정년퇴임 후 생활이 어렵다는데, 내가 회장이 아니라고 그 청을 거절만 하기도 어려웠다.

그래서 참으로 오랜만에 내 명의로 한국경제법학회 이사회를 소집했다. 거기서 그간의 경과 이야기를 하고 이사회를 소집한 이유를 설명한 다음 이것이 진정 회장으로서의 마지막 일이라 인정해 준다면 나도 추천 결의를 제안하겠지만 그렇지 않으면 이 일도 할 수가 없다고 강경하게 말했다. 나의 결심이 워낙 단호하고 10년 이상을 버티고 아무 일도 안 하는 것을 본 이사들은 나의 결심을 양해하고 그 자리에서 황 교수를 학술원 회원으로 추천하기로 결의하였고, 학술원도 우리의 추천을 받아들여 그분을 회원으로 맞이했다. 그때는 나도 회장 한번 잘했다는 생각이 들었다. 그것이 계기가 되어 1998년 6월 후임 회장에 김동환 변호사가 선임되었다.

내가 학자도 아니고 경제법 연구 실적도 없으면서 회장이 된 것은 얼마 안되는 비용이지만 연구에 매달리는 학자보다는 자금 조달을 잘할 것이

제1회 경제법 세미나에 참석한(왼쪽에서 두 번째부터) 황적인 교수, 필자, 손주찬 교수

라고 다들 생각했기 때문이었을 것이다. 거기에 회의를 할 만한 큰 방을 갖고 있었던 것도 한 이유였을 거라 믿는다. 독일과 일본에서 경제법학자들을 초대할 때에도 경비의 일부는 내가 부담할 수밖에 없었는데, 저녁 대접을 할 때에는 정주영 회장에게 부탁해서 영빈관에서 성대히 만찬을 열 기회도 만들곤 했다.

이런저런 활동 덕분에 나는 회갑 때 『현대경제법학(現代經濟法學)의 과제(課題)』라는 46편의 논문을 엮은 1000페이지가 넘는 두꺼운 논문집을 증정받는 영광을 누리기도 했다. 현재 한국경제법학회는 2대 회장 김동환 변호사, 3대 회장 박길준(朴吉俊) 교수를 거쳐 홍복기(洪復基) 교수가 회장을 맡아 활발하게 활동하고 있는데, 보행이 불편한 탓으로 회의나 세미나에는 참여하지 못해도 활발한 학회 활동을 보는 것은 기쁘기만 하다.

이런 일들로 인해 나는 많은 훌륭한 학자들을 알게 됐다. 원래 나는 학자를 존중하는 사람이고 학자가 많고 선량한 사람이 많은 나라가 좋은 나라라는 생각을 갖고 있었다. 20여 년간 아산재단의 일을 도맡아서 했을 때도 많은 학자들로부터 자문을 받았고 매년 대규모 심포지엄을 개최했기 때문에 나는 학자가 아닌 사람치고는 학자들과의 교류가 많은 편이다. 이것은 나에게 여러 가지 의미에서 교훈을 주었고 행복한 삶을 갖게 했다.

내가 회장으로 있을 때에 한국경제법학회에서 개최했던 세미나와 발간했던 서적들을 기억나는 대로 정리해 보면 다음과 같다.

학술 세미나

1회 1978. 12. 9 '경제법의 이론과 실제, 공정거래법의 이념 문제점'

2회 1979. 5. 19 '소비자보호법 제정 문제'

3회 1980. 6. 27 '중소기업 육성을 위한 제도적 장치 및 정책 지원'

4회 1981. 5. 16 '국제경제 거래와 법체제 정비'

5회 1982. 5. 8 '공정거래법의 실천적 효율화 방안'

6회 1982. 11. 3 '경제활동과 행정규칙'

7회 1983. 5. 14 '과점규제법(寡占規制法)의 적용 대상 확대'

8회 1983. 11. 5 '무역관계법(貿易關係法)의 문제점과 개정 방안'

9회 1984. 3. 9 '일본 독금법(獨禁法) 시행의 공(功)과 과(過)'

10회 1984. 10. 6 '독일과 다른 유럽 국가 간의 경쟁제한법(競爭制限法) 비교'

11회 1985. 5. 18 '하도급거래법(下都給去來法) 공정화의 제(諸) 문제점'

12회 1985. 10. 12 '공정거래법 제15조와 일반지정(一般指定)과의 관계, 심결례(審決例)를 통해서 본 제 문제점'

13회 1986. 5. 3 '공업발전법'

14회 1986. 9. 13 '과점규제 및 공정거래법'

15회 1987. 6. 20 '한미 통상 문제의 문제점 분석과 그 대안'

서적 발간

『과점규제법연구』(寡占規制法研究, 삼영사, 1982)

『기업규제법연구』(企業規制法研究, 삼영사, 1984)

『한국중소기업법연구』(韓國中小企業法研究, 삼영사, 1986)

회지 발행

〈경제법연구〉(經濟法研究 창간호, 삼영사, 1982. 10)

〈경제법연구〉(經濟法研究 제2호, 삼영사, 1986. 12)

또다시 헌법 개정 공청회에 서다

-제8차 개헌, 1980년 10월 27일

헌법 개정에 관한 국회 공청회

1979년 박정희 대통령이 시해되는 10·26사태로 헌법은 다시 수정되어야 할 운명을 맞는다. 그래서 1979년 11월 26일 국회에 여야 동수로 된 헌법개정심의특별위원회 구성이 의결되고, 행정부도 1980년 3월 14일 헌법개정심의위원회를 설치했다. 그러나 1979년 전두환, 노태우 등이 중심이 된 신군부 세력이 대통령의 승인 없이 정승화(鄭昇和) 계엄사령관 등을 체포·연행·구속한 12·12사태가 일어나고, 1980년 5월 17일에는 비상계엄이 전국에 확대되고, 국가보위 비상대책위원회의가 구성되는 등 정국은 큰 파란을 겪었다.

나는 1980년 1월 29일 국회 헌법개정특별위원회의 서울 지역 개헌 공청회에 대한변협의 요청으로 변호사회 대표로 나가게 되었다. 어느덧 헌법학자가 된 셈이다. 지금 생각해도 이상한 일이다. 어떻게 두 번씩이나 헌법 개정에 관여하게 됐는지 알다가도 모를 일이다. 공청회에서는 이런 말을 했다.

"대통령의 임기는 4년으로 하고 중임을 불허하는 것이 타당하다고 봅니다. 이와 같은 본인의 의견은 우연한 것이 아니고 1962년 8월 23일 바로 이 자리에 있던 시민회관에서 열렸던 헌법 개정 공청회에서 한 말을 그대로 옮긴 것입니다. 지금도 이 소신에는 변함이 없습니다.

우리가 지금 새로이 민주주의 국가 건설을 지향하면서 요새와 같이 대화, 신뢰, 합리성을 바탕으로 헌법을 만드는 이상, 새 대통령에게는 '한번 잘해보라'고 중임도 허용하고 전폭적인 신뢰와 적극적 지지를 보내는 것이 당연한 일이라고 생각은 하면서도, 지난 30년간 우리가 겪은 쓰라린 헌정사가 이를 부정하고 있으므로 누가 무슨 얘기를 해도 무슨 이상론을 내걸어도 믿지 않으려는 국민의 불신을 회복하는 유일한 방법으로서 이렇게 대통령의 단임제를 주장할 수밖에 없는 것입니다.

만일 그렇지 않고 중임을 허용한다면 피선 후 3년이 지나면 대통령의 올바른 정치행위까지도 재선을 위한 위선적 행위로 비치게 되고 재선 후 몇 년이 지나면 헌법을 개정할지도 모른다는 의구심을 자아낼 것입니다. 지난 30년 동안 항상 국민적 문제가 된 것은 전부 재선, 삼선과 관련된 일들입니다. 이제 씻을 길 없는 국민의 불신을 회복하는 길은 국민에게 믿으라고 하지 말고 대통령이 스스로 의심받을 일을 일절 하지 않는 데 있다고 생각합니다."

국회에 제9차 헌법 개정에 관한 의견서 제출

국회는 1987년 전두환 대통령의 임기가 만료되는 것을 계기로 1986년 6월경부터 헌법을 개정하여 새로운 헌법에 따라 대통령선거를 실시하기로 공론화하기 시작했다. 논의가 시작되자 여당인 민정당에서는 내각책임제를, 야당인 신민당과 국민당에서는 대통령직선제를 주장하는 안을 제출했는데, 이것을 놓고 단일안을 만들기 위하여 국회에 헌법개정특별위원회를 설치하기로 여야가 합의하였다.

1986년 9월 10일에 헌법개정특별위원회에서 헌법 개정이 논의되자 나는 각 위원에게 '헌법 개정에 관한 의견서'를 보냈다. 이 의견서는 너무 장문이어서 여기에는 마무리 부분만 옮겨본다.

"나는 이 글을 쓰면서 '네가 무엇인데 건방지구나' '아직도 나이가 어리지 않느냐' 하는 자책도 해보았다. 그러나 개헌문제를 둘러싸고 반전 또 반전, 시국이 돌아가는 방향을 내다보면서 나라의 장래가 염려스럽고 시기가 중대하다고 느껴 졸장부라고 주저만 하고 있을 때가 아니라고 스스로 매질을 하면서 끝까지 이를 써나갔다. 지금은 국민의 한 사람 한 사람이 삼당의 대타협을 유도하기 위하여 어느 안의 어느 것은 지지하고 어느 것은 반대한다는 것을 가능하면 이유를 붙여 분명하게 밝힐 때라고 믿는다. 그러면서 이 글을 쓰는 10여 일 동안 '한 국민'의 입장을 견지하여 민족의 장래만을 위하고 공정한 자세를 유지하려고 나 나름대로는 노력하였다."

의견서 내용 전체는 졸저 『대결(對決)과 희망(希望)의 시대(時代)』의 부록에 게재되어 필요한 사람들은 참고할 수 있을 것이다. 그 의견서를 받고 당시 위원장을 맡고 있던 김수한(金守漢) 국회의장이 정중한 인사장을 보내왔다.

그러나 1987년 4월 중순까지도 단일안을 만들 수 없자 전두환 대통령은 그 유명한 '호헌성명'을 발표한다. 이 때문에 격한 시위가 전개되었고 현행 헌법이 제정되었다.

서울통합변호사회

서울변호사회와 서울제일변호사회의 통합

수도변호사회와 서울제이변호사회가 1974년 해산된 후 1980년 5월 당시 서울에는 서울변호사회와 서울제일변호사회라는 2개의 변호사 단체가 있었는데, 나는 서울제일변호사회 소속이었다. 얼마 되지 않은 변호사들이 2개의 변호사회(서울변호사회 271명, 서울제일변호사회 302명)로 갈려 있다는 것은 선의의 경쟁이 이뤄질 수 있는 구도라는 장점도 있었지만, 군사 정권하에서는 대외적인 결속력을 약화해 변호사회 활동을 어렵게 만들고 있는 단점이 더 컸다. 1961년 5월 군사정변이 발발하고 유신독재 정부까지 18년간 은연중에 그러나 때로는 노골적으로 전개되던 양 변호사회에 대한 압력과 간섭은 변호사들의 반발을 불러일으키기에 충분하였다. 이에 회원들 사이에서 자연스럽게 통합 논의가 일기 시작하여 양 회 통합의 필요성이 인식되기 시작하였다.

이 논의가 공식화된 것은 1979년 4월 6일 대한변협 자문위원회가 서울의 양 변호사회 회원에 대하여 양 회 통합의 찬부를 묻는 설문서를 보낸 때였다. 그때 회답자 283명 중 통합 찬성이 247명 통합 반대가 36명이었다. 이에 따라 양 회는 통합의 기운이 성숙되었다고 판단하고 1979년 4월 21일 서울변호사회 정기총회는 양 회 통합원칙과 통합추진위원회의 구성을 결의하고 그해 5월에 통합추진위원회를 구성하였다.

1979년 6월 25일 서울제일변호사회도 상임위원과 자문위원 및 창립회원 연석회의를 열고 통합문제를 의논한 결과 통합문제연구위원회를 구성하기로 결의하였다. 1979년 10월 6일 서울변호사회 통합추진위원회와 서울제일변호사회 통합문제연구위원회는 위원장·간사 연석회의를 개최하고 양 회 통합의 목적, 원칙, 절차와 그 일정에 관하여 협의하고 1980년 4월 30일 전에 통합회의 창립총회를 갖는다는 결의를 하였다. 1979년 10월 22일 서울제일변호사회는 소속 회원 총수 271명 중 212명으로부터 통합에 찬동하는 취지의 서명을 받아 이를 소속 회장에게 제출하였다.

1980년 1월 10일 양 회는 전 회원에게 통합의 찬부를 묻는 설문서를 발송하였다. 1980년 1월 22일까지 서울변호사회는 재적회원 302명 중 205명이 답을 보내왔는데, 192명이 통합에 찬성했다. 서울제일변호사회는 재적회원 269명 중 169명이 답을 보내왔는데, 138명이 통합에 찬성했다. 1980년 4월 26일 서울의 양 변호사회 정기총회에서는 양 회의 통합을 결의하고 1980년 5월 24일에 발기 총회를 열기로 하였다. 그리하여 서울변호사회 재적 303명 중 298명이, 서울제일변호사회 재적 282명 중 274명이 발기인으로 참가하였다.

초대회장 당선

어느 단체나 두 개 단체를 하나로 묶는다는 것은 그렇게 쉬운 일이 아니다. 두 변호사회를 하나로 통합하여야 하는 대의도 필요하지만, 두 변호사회가 하나의 변호사회가 되는 데 따른 현실문제가 보통이 아니기 때문이다. 그중 하나가 두 변호사회의 회장을 비롯한 집행부 임원의 숫자가 반으로 줄어든다는 점이다. 좀더 분명히 말하면 회장에 취임하여 오랜 경륜을 펴고 싶은 변호사들이 꽤 많은데 그 기회가 반감하는 셈이다.

그러므로 서울통합변호사회(지금의 서울지방변호사회)가 성립이 되었을 때 어느 쪽의 어떤 사람이 회장이 될 것인가도 많은 사람들의 관심사가 되었는데, 나도 그 물망에 올라 있었다. 전년도 서울제일변호사회 정기총회에서 회장에 입후보하였다가 1표 차로 낙선한 경험이 있던 나로서는 재기의 기회를 엿보고 있었는데, 사정이 달라진 것이다. 더욱이 서울변호사회 소속이던 박승서 변호사가 창립총회 일정에 맞추어 회장에 입후보했다는 소식이 들려와 나는 이번 해는 조용히 보내기로 작심하였다.

그러던 어느 날 양 회의 통합을 추진한 중견 세력들이 여러 사람 모여서 젊은 세대 대표로 나를 후보자로 밀기로 결정하였다고 한다. 느닷없이 불려나간 나는 여러 차례 사양하였지만 결국 박승서 변호사와의 격돌을 피할 수 없게 되었다. 그러나 중간에 그분이 사퇴하고 1980년 5월 24일 다른 한 사람과 경합하여 무난히 당선되었다.

하지만 9개월밖에 안되는 임기로는 '무슨 일'을 하기가 어려웠다. 통합변호사회의 새로운 회칙에는 초대 회장의 임기를 다음해 2월 말로 정하고 있었기 때문이다. 통합 전의 예와 같이 1년으로 정해도 되지만 양쪽의 회장 후보가 줄줄이 대기하고 있다는 점도 고려하여 초대회장의 임기를 단축한 것이다. 초대회장에 당선된 것은 영광이었으니 힘껏 뛰긴 하였다.

통합 기념 세미나 개최

그동안 서울제일변호사회의 인권위원회 위원장, 부회장을 역임하면서 대한변협의 일도 챙겨나가다 보니 어느덧 변호사 단체의 업무가 나의 일로서 체질화되기 시작하였다. 그간 내가 해온 일을 보면 변호사 단체에 미친 사람이나 다름이 없었음을 알 것이다.

나는, 변호사가 법률에 매달리고 법정에 나가는 것은 당연한 일이고 그 것만으로 충분한 시대라고는 하지만 언젠가는 우리나라도 선진국이 될 것이고 그때에는 변호사들이 미국과 같이 정치, 경제, 사회 모든 분야에 서 활동할 때가 올 것이라고 전망했다. 그러려면 법률 이외의 분야, 특히 국내외 정세에 대해 어느 정도 소양을 가질 필요가 있다고 판단했다. 특 히 우리의 경우는 북한과 대치하여 긴장감이 감돌고 있어 언제나 그것을 구실로 독재 정권이 나타났다. 따라서 변호사가 국민의 기본적 인권을 옹 호하고 사회정의를 실현하려면 폭넓은 교양과 지식을 쌓아야만 한다는 것이 나의 신념이었다. 이에 서울통합변호사회는 많은 준비를 거쳐 12월 13일 '사회발전과 법률가의 역할'이라는 주제로 통합 기념 세미나를 개 최하였다. 이를 시작으로 범죄피해자 보상제도에 관한 세미나, 독점규제와 공정거래에 관한 세미나, 법률사무소의 운영 개선에 관한 세미나 등을 개 최하며 9개월이라는 짧은 재임 기간 동안 나는 회원 연수에 힘을 쏟았다.

회관 대지 구입

서울통합변호사회가 통합되기 전부터의 일이라고 생각된다. 두 변호 사회에서는 통합 후 새로운 회관이 필요함에 따라 그에 대한 활발한 논의 가 진행되고 있었다. 그러던 중 1980년 서울통합변호사회 발족을 계기로 이 일은 급속도로 진전되었다. 지금은 강남의 한 호텔의 일부가 되었지만 그 호텔이 확장되기 전에는 옆에 800여 평이 되는 네모반듯한 땅이 남아 있었다. 4면 중 2면이 도로를 끼고 있어서 자동차의 출입도 아주 편리해 보였다. 나는 해당 위원회가 결정해 주는 대로 따라간 것이지만 소유자가 부도 위기에 직면하고 있어서 일시불이라면 평당 105만 원에 매도한다 하므로 이 기회를 놓치면 안 된다고 생각했다. 11월 24일 나는 위원들과 함께 은행에 가서 대금 전액을 지불하고 필요한 서류를 바로 받아 등기이전도 완료하였다.

당시 덕수궁 옆에 있던 대법원이 강남에 새로운 건물을 지어 이전한다는 것이 확정되었다. 때문에 가장 적절한 위치의 땅을 싼값에 살 수 있었던 것을 기뻐했다. 위원들의 수고가 결실을 맺은 것이다. 그러나 회관 건립까지는 상당한 시일이 걸렸다. 나는 마음속으로 지하는 3층으로 해서 상점, 다방, 대중식당 들이 들어서고, 지상은 15층으로 해서 아래 5층은 임대수익이 높은 일반 사무실을, 그 위의 5층은 임대수익이 낮은 변호사 사무실을, 다시 그 위의 4층에는 각각 2개 층을 할당하여 변호사 전용 식당과 모임의 장소와 지방의 변호사들이 서울로 출장 오면 이용할 수 있는 비즈니스호텔을 두는 것을 생각해 보았다. 나는 언제나 신사로서의 변호사들을 위한 모임과 편의시설을 잊지 않고 있었다. 변호사 전용 식당은 변호사들의 품위를 높이고 친목을 꾀하는 데 꼭 필요하다고 생각했다. 제일 꼭대기층에 서울통합변호사회와 대한변협을 두려고 생각했다. 그러나 이듬해에 개최된 정기총회에서 어째서 이 땅을 비싸게, 그것도 일시불로 지급하였느냐는 의문이 제기되었다. 어처구니없는 일이었다. 그것은 일파만파가 되어 결국 새로 선출된 회장이 그 토지를 헐값에 매각하고 당주동에 있는 변호사회관을 만들게 되었다. 새 회관이 완성되었지만 얼마 안 가서 당주동에 있는 변호사회관은 이용도가 낮다는 결론이 내려져 새로이 회관 대지를 물색하게 되었다. 우여곡절 끝에 지금 변호사회관이 있는 곳에 대지를 확보하고 건물도 지었지만 우리가 구입했던 땅에 비하면 약체임을 면할 길이 없었다. 재정적으로도 엄청난 손해를 보았다.

변호사회관이란 변호사 단체의 업무를 보기 위한 사무실이기는 하지만 변호사들이나 변호사 가족들이 훈훈한 분위기 속에서 서로 교류하고 품위를 높이는 장소도 되어야 한다. 또한 변호사회관은 편익 시설일 뿐 아니라, 법률가로서 존대와 평가를 받는 것을 출발점으로 삼아야 하는 변호사의 직무 수행에 꼭 필요한 곳이라는 것이 나의 판단이다.

신규회원 환영회

어느 지방변호사회나 매년 상당수의 새로운 회원들이 가입을 한다. 그러나 당시는 요새와 달라서 연간 7, 8명씩 2, 3회 신규회원이 가입하면 많이 가입하는 편이었다. 변호사회는 구회원들과 함께 신규회원들의 개업을 환영하는 모임을 갖는다. 모임이라고 해봤자 조촐한 다과회에 불과하다. 하지만 새로 개업하는 전직 판사, 검사, 바로 개업하는 변호사들이 마치 큰 바다에 쪽배를 타고 나가는 뱃사공과 같은 기분이어서 먹고살 수 있는지 불안하기만 한 때에 그들을 따뜻한 동료애로 환영하는 것은 개인의 발전을 격려하는 차원을 넘어서 서로의 우의를 바탕으로 변호사회의 활동을 북돋우는 길이 된다. 이것이 신규회원 환영회를 마련한 나의 바람이었다.

도서실 확충

변호사회 도서실의 확충은 늘 나의 큰 관심사였다. 그래서 서울제일변호사회 부회장으로 있을 때에도 도서 모집 운동을 벌였지만 빈약하긴 마찬가지였다. 더러 찾아오는 손님에게 그 도서실을 변호사회의 도서실이라고 말할 수는 없었다. 그렇다고 가난한 변호사회의 재정으로 도서를 제대로 갖출 수도 없는 일, 그래서 한번은 알고 지내던 재일동포 이희건(李

熙健) 오사카홍은 이사장, 곽유지(郭裕之) 한신관광 사장, 두 분에게 부탁하여 상당한 액수의 도서를 구입할 수 있었다. 두 분 다 일본에 거주하는 유력한 재력가여서 그 정도의 비용 부담은 어렵지 않은 일이었다. 게다가 그분들은 한국 변호사들에게 거는 기대가 커서 즐거운 마음으로 도서 기금을 거출하였다.

당시는 일본 도서가 주를 이룰 때여서 아예 일본에서 저렴한 가격으로 신간 도서를 구입·발송토록 하였는데 지금도 이 책들은 서울지방변호사회 도서실에 남아 있다. 도서실에는 한참 동안 두 분에게 감사한다는 취지의 작은 현판이 걸려 있었는데 지금은 없어진 것 같다. 오랫동안 그분들의 고마운 일을 기억해야 하는데 서운한 일이다. 나는 다시 회원들의 도서 기증 운동을 펼쳤는데 많은 회원들의 호응을 얻어 국내 서적도 상당수 모을 수 있었다.

국가보위위원회 방문

1979년 10월 26일 박정희 대통령이 암살되자 신군부 세력이 합동수사본부를 내세워 실권을 장악하였고, 12월 12일에는 육군 참모총장을 불법으로 체포하는 등 군사적인 비상사태가 발생하였다. 이듬해인 1980년 5월 18일에는 광주에서 엄청난 비극이 벌어지고 있었지만 서울을 비롯한 다른 지역의 사람들은 그곳에서 무슨 일이 벌어지고 있는지 알지 못하였다. 그런 와중에, 그러니까 5월 24일에 서울통합변호사 회장이 된 나는 일이 손에 잡히지 않았다. 대한변협은 정기총회조차 열지 못하고 회장이 그대로 유임되었다.

그해 8월 초에 김태청 대한변협 협회장과 같이 국보위로 전두환 위원장을 방문하였다. 김태청 회장은 육군 법무감을 지낸 분이어서 전두환 위원장과는 아는 사이라 서로 무슨 이야기가 있었는지도 모른다. 지금 그 자리에서 무슨 말을 하였는지는 잘 기억이 나지 않는다. 당시 긴박한 정국에 비추어 전두환 위원장의 설명과 협조 요청 같은 것이 있었을 것이고, 우리는 법원, 검찰, 변협의 업무나 법치국가의 정신 같은 것을 설명했을 것이다.

다만 기억에 남는 것이 하나 있다. 당시 국보위는 과외 금지령을 내리고 있었는데, 그것은 주로 일선에서 근무하는 대대장급의 자녀들을 고려한 때문이라는 것이 전두환 위원장의 설명이었다. 중년이 되어 일선에 근무하는 대대장들은 대개 대령으로서 고등학교에 다니는 자녀들을 두고 있는 경우가 많은데 그들은 자녀들의 과외비를 댈 여유가 없다, 일선에서 고생하는 것만으로 족한데 돈이 없어서 차별을 받는 것은 불공평하다는 취지였다. 우리 국민이 일선에서 근무하는 군인들을 너무 배려하지 않는 것이 사실이다. 그들 덕분에 평화를 누리고 마음 놓고 사업을 하며 자유민주주의를 만끽하면서도 일선의 군인들에 대한 고마움을 잊고 지낸다. 그것은 지금 이 책을 쓰고 있는 시점에서도 마찬가지다. 과외 금지가 어떻게 해서 헌법에 위반되는지를 나는 알 수 없지만 과외 공부가, 아니 과외 공부에 필요한 학비가 없는 것이 일선의 군인은 말할 것도 없고 있는 사람과 없는 사람을 갈라놓아 그로부터 여러 가지 사회적 갈등을 유발하고 있는 것이 아닐까? 헌법 이론에 앞서서 사회적 갈등을 최소화하는 정부의 조절 기능이 아쉽다.

그 후 얼마 되지 않아 법무부는 국보위로부터 지시가 있었다는 이유로 변호사 10여 명에 대하여 징계조치를 내렸다. 그런데 이것이 우리가 국보위 위원장을 만나 이야기를 한 것이 원인이 된 것처럼 와전이 되어 한때 곤혹감을 느끼기도 하였다. 변호사 단체의 장이 국보위 위원장을 만난 것

자체가 죄라면 죄다. 우리는 그런 시대를 살아왔다. 그래도 징계를 받은 변호사 중에 나와 동창도 끼어 있어서 내가 국보위 위원장을 만난 것과는 무관한 일이라고 해석될 만한데도 오히려 유관한 쪽으로 해석이 되는 것 같았다. 친구들조차 믿어주지 않았던 그때의 일을 생각하면 지금도 허탈해지곤 한다.

인권 변호사들의 충정과 고통

지금도 기억이 나는 것은 홍성우(洪性宇) 변호사의 휴직계 사건이다. 당시에는 다 아는 대로 변호사가 국가보안법 사건을 다루려면 용기가 필요했다. 홍성우 변호사는 1980년 한 국가보안법 사건을 담당했는데, 그 때문에 정보부에 끌려갔다가 그 사건을 사임하고 휴직계를 내는 것을 조건으로 풀려났다. 변호사의 휴직계는 변호사회를 거쳐서 법무부에 제출되어야 효력이 발생하는 것이라서 홍성우 변호사는 휴직계를 써서 서울통합변호사회 회장이었던 나에게 가져왔다. 나는 이것은 강요된 휴직계니 내가 보관(폐기)하고 제출하지 않겠다면서 홍성우 변호사를 격려했다.

이돈명(李敦明) 변호사도 인권변호사들의 대부 역할을 하던 분이었는데 1986년 10월에 안기부에 구속되었다. 나는 이 일을 모르고 있다가 유현석 변호사로부터 이돈명 변호사가 범인은닉죄로 재판을 받는다고 같이 법정에 가자는 이야기를 듣고 동행했다. 가는 도중 사건 내용을 들으니 실제로 범인을 은닉한 후배 변호사를 대신해 이돈명 변호사가 재판을 받는다는 것이다. 자신을 죽이고 후배를 살리려는 이돈명 변호사의 살신성인에 놀라지 않을 수 없었다. 내가 후일 한국법학원 원장으로 있을 때에 광주 지원을 의논하는 모임에 이돈명 변호사를 초대한 것도 이에 대해 경의를 표하기 위함이었다.

대한변협_협회장

나는 1987년 2월 말에 대한변협 협회장에 취임하였다. 그런데 이번에
도 어려운 때에 회장을 맡았다. 대한변협 협회장에 취임한 1987년과 88
년은 전두환 정권으로부터 노태우 정권으로 넘어가는 격동기였는데, 대
통령직선제 등 권력구조를 중심으로 한 헌법 개정과 독재타도 운동의 절
정기였다. 학생과 시민의 시위가 그칠 날이 없었다.

그래서 그런지 당시의 신문에서는 대한변협 협회장의 당선 기사를 크
게 취급했다. 〈주간조선〉의 경우 나를 표지에 실어놓고 '대한변협 문인
구 회장은 어디로?'라는 큰 제목을 달았다. 내가 여 편을 들 것인지 야 편
을 들 것인지에 대한 관심에서 이런 제목을 뽑았던 듯하다. 기사에서는
나를 "면도날 검사" "학자 변호사"라고 소개한 후 "고문 근절을 비롯한
인권 신장, 사법권의 독립과 검찰의 정치적 중립, 민주화 개헌, 변호사 업
무의 직역 확대 등 하나같이 험준한 산을, 모든 재야 법조인들을 선봉에
서서 이끌며 타고 넘어야 할 문인구 신임 대한변협 협회장. 그는 등정의
발걸음을 멈추지 않되, 결코 서두르지도 않을 것이다"라고 평했다. 지금
생각하면 2년간 협회장으로서 어려운 때를 무사히 넘기고 대한변협의 위

〈주간조선〉 1987년 3월 8일 호 대한변협 협회장 당선 기사

상도 높일 수 있었지만 나 개인은 고민의 나날이었다.

그런 속에서도 먼저 번 선거에서 낙선한 것은 나에게 이 난국을 헤쳐나가는 데 일꾼이 되라고 하늘이 준 선물이라고 생각할 정도로 사명감에 충만하였다. 그간 쌓아올린 교양과 지식이 시대를 어느 정도 내다볼 수 있게 해주었다. 다양한 사회활동과 풍부한 법조계의 경험이 나의 시각을 넓혀주었다. 많은 젊은이들이 피 흘리게 한 4·19혁명으로 얻어진 자유민주주의와 민주 정권이 5·16군사정변으로 어이없게 무너진 것도 늘 머릿속에서 떠나지 않았다. 군사 정권, 독재 정권과 투쟁하다가 희생된 많은 사람들에 대해서도 방관자로서의 가책과 수치심을 느꼈다. 다른 변호사들의 투쟁을 볼 때도 무의식중에 그들의 투쟁방법은 나의 그것과 다르다고 변명하고 있었다. 그들의 행동 중에는 정치적 목적으로 보이는 것도 있어서 반드시 동감할 수만은 없었지 않느냐고 자문자답하기도 했다. 아무리 그래 봤자 입으로만 자유민주주의를 외쳐대는 지식인들 속에서 몸을 사리고 있다는 양심의 가책을 벗어날 길은 없었다. 이런 자책감도 이 기회에 속죄하고 털어내라고 나는 스스로를 앞으로 앞으로 밀어댔다. 날이 갈수록 긴장은 더해갔지만 누구나 다 때가 있는 법, 이때를 놓쳐서는 안 된다는 속삭임은 내게 용기를 주었다.

세칭 4·13 호헌성명에 대한 대한변협의 반박성명을 발표한 후 시국성명을 낼 때마다 친구나 주변으로부터 격려의 말을 들었고 국민의 지지도 받고 있다는 자신과 뿌듯함에 지칠 줄을 몰랐다. 오직 국민의 주권행사를 가능하게 하고 하늘이 내려준 국민의 인권을 신장하고 자유민주주의를 회복한다는 일념뿐이었다. 그것이 대한변협의 참된 사명이고 나의 역할이라는 신념에 불타고 있었으니 힘은 들고 몸이 지쳐도 보람찬 하루하루였다.

헌정연구위원회

대한변협 협회장이 되면 먼저 각종 위원회를 구성하는 것이 관례였지만 1987년 3월 9일 나는 당시의 시국상황과 헌법 개정에 대한 국민의 여론에 비추어 대통령직선제를 기본으로 한 헌법 개정 문제가 최대의 정치적, 사회적 과제가 되리라 예상했다. 그래서 회장에 취임하자마자 헌정연구위원회를 설치하였고 그 연구 결과를 토대로 대한변협의 헌법 개정안을 내놓았다.

변호사직역위원회

또한 같은 날, 법조인의 양적 팽창과 사회변천에 부응하고 변호사 직무의 중요성에 비추어 변호사 직역(職域)을 확충하기 위한 조사·연구·대책을 강구하는 동시에 변호사 직역에 따른 분쟁을 예방하기 위하여 변호사직역위원회를 신설하였다. 나는 서울제일변호사회 부회장을 비롯하여 변호사 단체의 임원이 될 때마다 변호사의 직역 확대에 노력하였는데, 대한변협을 맡게 되자 가장 우선적으로 변호사직역위원회를 만들었던 것이다. 변호사의 직역이 축소되고 변호사의 생활이 안정되지 않으면 변호사 단체의 인권옹호 활동도, 사회정의의 실현이라는 사회활동도 불가능하다. 변호사가 살아남고 법률이 부여한 제 기능을 다하기 위하여서는 직역의 확대가 뒷받침되어야 한다. 이렇게 말하면 변호사의 직역 확대가 변호사의 밥벌이문제로 오해받을 염려가 있는데 그것은 부득이한 일이다. 하지만 변호사의 직역 확대는 그 자체가 법치국가의 요건이자 본질임을 잊어서는 안 된다. 이외에도 다양한 위원회들이 모두 활발히 활동했다.

시국성명

4·13 대통령 특별담화에 대한 반박성명

1987년 4월 13일 월요일은 내가 대한변협 협회장이 된 지 한 달 반 정도 된 때였다. 비록 그동안 서울통합변호사회 회장 등 변호사 단체의 업무 경험이 많았지만, 각 지방변호사 단체의 업무를 비롯하여 전국적인 변호사 단체의 동향을 파악하기에는 아직 시간이 부족했다. 정식 이사회를 열고 각종 위원회를 구성하고 운영의 터전을 닦는 데만 1개월 이상이 필요하였다.

그런데 4월 13일 아침, 전두환 대통령은 "개헌 논의를 금지하고 당시의 헌법에 따라 정권을 이양하겠다"는 취지의 특별담화를 발표했다. 나는 그날 아침 특별방송이 있다는 예고에 따라 집에서 아침 9시에 TV를 보았는데, 전두환 대통령의 담화를 듣고 있노라니 분통이 치밀었다. 이제 와서 개헌 논의를 금지한다는 것은 있을 수 없는 일이었다. TV를 보며 대통령의 담화를 받아쓰기가 어려워 간간이 메모만 하고 있는데 중앙정보부에서 담화 내용을 집으로 보내왔다. 호의로 사전에 담화 내용을 나에게 알려준 것이었다. 나는 담화 내용을 정확히 파악할 수 있어서 잘됐다 싶어 자세히 읽었다. 보고 나니 더욱 화가 치밀었다. 내가 대한변협 협회장이 된 후 대한변협은 시국성명을 낸 일이 없었지만 좋은 때다 싶어 책상머리에 앉았으나 흥분한 탓인지 글이 제대로 써지지 않았다.

그래도 억지로 원고를 써서 12시로 예정된 상임이사회의에 들고 나갔다. 원래 매주 월요일은 집행부회의가 있는 날이다. 모두 대통령의 특별담화를 들은 탓인지 긴장하고 있는 상태였는데 나는 미리 준비된 안건들은 제쳐놓고 성명서 안건을 내놓으면서 이 이야기부터 하자고 말했다. 사무국 직원에게는 정보부나 법무부에서 나온 직원이 있으면 모두 적당한 구실을 붙여 밖에 나가도록 유도하라고 지시하였다. 내가 내놓은 성명서 문안을 본 임원들은 잠시 아무 말도 하지 아니하였다. 누구나 순간적으로 보통 일이 아니라는 것을 느낀 것이다. 그러다가 누군가가 합시다는 말을 꺼내자 여기저기서 찬성이라는 말이 튀어나왔다. 만장일치로 가결되었다. 당시 집행부 임원들은 다음과 같다. 단, 최선호, 노병인 부회장과 정영 감사는 지방에 있었기에 참석하지 못했다.

부회장, 김동정(金東正)

부회장, 최선호(崔瑄鎬)

부회장, 노병인(盧秉仁)

총무이사, 오석락(吳錫洛)

재무이사, 윤종수(尹鍾洙)

법제이사, 김윤행(金允行)

인권이사, 유현석(柳鉉錫)

교육이사, 김동환(金東換)

회원이사, 민병훈(閔丙薰)

공보이사, 안동일(安東壹)

섭외이사, 최덕빈(崔德彬)

감사, 이주식(李柱植)

감사, 정영(鄭煐)

이때 비로소 나는 모든 책임을 내가 질 것이고 그래서 내가 기초를 했다고 말했다. 그러나 성명서 문안은 내가 흥분 속에서 쓴 것이어서 과격

대한변협 상임이사회 모습, (맨 왼쪽부터) 오성락, 필자, 안동일, (맨 오른쪽에서부터) 윤종수, 유현석, 민병훈, 최덕빈(엔터프라이즈, 1988년 8월호)

한 말이 들어 있을 수도 있으므로 유현석, 안동일 두 상임이사에게 큰 가시가 있으면 떼어내라고 하였다. 그리하여 대통령 특별담화에 대한 대한변협의 반박성명은 그 후 3시간 만에 터져나갔다. 직원에게 신문사, 방송국에 개별적으로 배달을 시키고 난 뒤에 법무부에 알리라고 하였다.

곧 신문사, 방송국, 법무부 등에서 사실 여부를 묻는 전화가 쇄도하였다. 그런데 얼마 안 가서 "대한변협이 낸 성명은 취소되었다는데 사실이냐"는 문의 전화가 오기 시작했다. 어처구니없는 일이었다. 아마도 중앙정보부나 어딘가에서 꾸며낸 말이겠지만 취소하여 달라는 부탁도 뒤따랐다. 나는 일일이 대답하기가 귀찮아서 직원들에게 취소란 있을 수 없는 일이니 어디서 전화가 오든 그런 일 없다고 일관성 있게 대답하라는 말을 남기고 근처 다방에 자리 잡고 앉아 사무실로 가끔 전화를 걸어 동태를 살폈다.

한 다방에 너무 오래 앉아 있는 것도 힘든 일이어서 다방을 옮겨다녔는데, 한 다방에서 동아일보 편집국장과 마주쳤다. 그는 "대한변협에서 반박성명을 낸 것이 사실이냐, 취소한 것도 사실이냐" 는 말로 나에게 다가왔다. 반박성명을 낸 것은 사실이지만 취소한 일은 없다고 잘라 말했다. 그때다. 그 다방에 법무부의 한 간부가 들어와서 마주쳤는데 나를 찾고 있던 중이었다고 한다. 그는 자기의 입장을 설명하면서 성명을 취소하여 달라고 간청했다. 하필이면 대한변협이 제일 먼저 성명을 내어 불을 지를 필요는 없지 않느냐, 며칠 후에 내면 어떠냐고 사뭇 사정을 한다. 그러나 나는 웃는 낯으로 성명서를 취소한 일을 본 일이 있느냐고 대꾸하면서 더 이상 말하지 아니하였다. 그 간부는 나와 특별한 친분이 있어 나에게 아무 말이고 할 수 있는 사이였는데, 오히려 내 쪽에서 그의 입장을 어렵게 만들고 있다는 생각 때문에 개인적으로는 부담스럽고 미안한 느낌을 지울 길이 없었다. 그러나 대한변협의 반박성명은 헌법 개정을 통한 자유민주주의의 회복이라고 하는, 민주적 대의에 기초한 것이어서 한 발도 물러설 수 없었다.

신문사들도 성명서를 받고 나서, 취소되었다는 말에 혼선도 있었겠지만, 조금은 정부의 눈치를 보는 듯했다. 당시의 신문은 그런 평을 듣고 있었다. 그러나 저녁에 지방으로 나가는 신문에 반박성명의 내용이 작게나마 실리자 성명은 기정사실로 되었다.

다음날 출근하니 중앙정보부장과의 저녁 약속은 취소한다는 연락이 왔다. 중앙정보부장과의 저녁 약속은 그쪽의 희망으로 이루어진 것인데, 대한변협의 반박성명은 그들을 자극한 모양이었다.

4월 13일에는 어디에서도 대통령의 특별담화에 대하여 반대성명서가 발표된 일이 없더니 14일에 정당과 종교단체에서 나오기 시작하였다. 대한변협의 성명서가 자극을 줬을 것이다. 원래 4월 11일 나는 일본에 갈 예정이었다. 그런데 10일 오후부터인가 13일에 대통령의 특별담화가 있을 것이라는 신문기사가 있어서 일본행을 늦추기로 결정하였다. 그런 관계로 16일에는 일본으로 갔다가 3일 후쯤 돌아왔는데 그동안 내가 중앙정보부에 끌려갔다는 소문이 돌았다고 한다. 궁금하게 여기던 몇몇 친구가 그 사이 어디 가 있었느냐고 묻기에 일본에 갔다 왔다는 말을 하니까 피식 웃으면서 "잡혀갔었지?" 하는 대답이 돌아오는 웃지 못할 일도 있었다. 그때만 해도 아무 말도 자유롭게 할 수 없는 시기였다.

대한변협의 반박성명이 민주화운동에 어떠한 영향을 미쳤는지 나는 잘 모른다. 그렇지만 그 후 전국 각지의 이 집회 저 집회에서 대한변협의 성명서가 전문 그대로 낭독되고 있다는 말은 들었다. 어쨌든 그 후 헌법 개정 논의는 더욱 활발해지기 시작하였고 정국도 긴장을 더해갔다. 언제 무슨 일이 터져도 당연한 일로 여겨질 정도로 뒤숭숭하였다.

그럼에도 불구하고 민정당이 노태우 대표를 당시의 헌법에 따라 차기 대통령 후보로 지명하자 반대집회는 전국 각지에서 더욱 거세졌다. 6월 10일과 26일경에는 전국에서 100만 명이 넘는 시민들의 항의 집회와 시위가 이어졌다. 나는 안동일 변호사와 가끔 시위에 나갔다. 그러자 결국 노태우 대표는 대통령직선제의 내용을 골자로 하는 6·29선언을 발표하였는데, 그 선언에는 "변호사협회 등 인권 단체와의 정기적 회합을 통하여…인권침해 사례를 즉각 시정하겠다"는 이색적인 인권조항이 담겨 있었다. 이 선언에 변호사협회라는 말이 어떻게 담겨졌는지 궁금했다. 이 성명을 계기로 대한변협의 위상은 결정적으로 높아졌다.

당시 대한변협의 호헌 반대 성명서 전문은 다음과 같다.

"1. 오늘 정부는 그간의 개헌작업을 중지하겠다는 의향을 밝혔다. 신민당(新民黨)의 분당(分黨) 사태는 불행한 일이고 국민들로부터 비난을 받을 만한 사태이기는 하지만, 그렇다고 그것이 정부가 민정당(民正黨)으로 하여금 국민적 합의가 된 개헌을 유보하거나 연기시키는 이유는 될 수 없다. 권력구조를 비롯한 개헌의 골격은 몰라도 개헌 그 자체는 이미 국민적인 합의가 이루어진 것이어서 어느 누구도 이를 중지할 수 없는 것이다.

작년 5월경 민정당이 호헌(護憲)에서 개헌으로 돌아섰을 때, 그것은 당연히 3당 간의 호양(互讓)과 타협을 전제로 한 것이다.

호양과 타협 없이 어떻게 개헌과 같은 국가대업을 완수할 수 있다고 생각하였는가. 당과 당 간의 호양과 타협은 실질적으로는 국민과 국민 간의 호양과 화합을 의미하며 이는 자유민주주의의 기틀이다.

만일 집권당인 민정당이 의원내각제가 아닌 개헌은 절대로 받아들일 수 없다는 철칙이었고 끝까지 그것을 고집하려 하였다면 신민당에게 대통령중심직선제를 고집하는 것이 잘못된 것이라고 비난할 자격은 없다.

합의개헌도 민주정치도 상대방의 굴복이 아니라 호양과 타협을 전제로 하고 있기 때문이다.

그러므로 신민당으로부터 떨어져나간 신당(新黨)이 그 체제조차 갖추기 전에 대통령중심직선제를 양보할 기세가 보이지 않는다는 것을 이유로 하는 개헌 유보나 개헌 연기는 시기적으로도 국민을 설득하는 이유가 될 수 없다고 본다.

2. 신민당은 1985년 2월 12일의 총선거에서 대통령중심직선제를 공약하였고 이것이 시발점이 되어 민정당은 호헌으로부터 개헌으로 돌아서기는 하였지만, 오히려 개헌 논의는 국민 사이에 자연발생적으로 생겨난 것이다.

민정당이 호헌으로부터 개헌으로 돌아서기까지 개헌을 주장하였다는 이유로 얼마나 많은 사람들이 옥고(獄苦)를 치러야만 했고 국민은 얼마나 많은 불안을 겪어야만 했던가.

이제 다시 호헌으로 돌아가고 서울올림픽 후에 가서 충분한 시간을 두고 개헌을 하겠다고 하면서 그 책임을 야당에게 돌리려고 한다면 우리 사회는 과거와 똑같은 소란과 불안을 반복하여야 할 것이 아닌가.

민정당이 호헌으로부터 개헌으로 돌아설 때만 해도 민정당의 태도는 논리적으로는 맞지 않는 데가 있었지만, 야당의 주장을 전면으로 받아들였다는 점에서 타협이라고 하는 귀중한 것을 국민에게 보여주었다.

지금 여야는 권력구조를 놓고 싸우고 있지만, 어느 당도 대통령중심제와 의원내각제라는 학문적인 용어에 집착, 두 가지 제도의 기능이나 실질적인 타협 가능성에 대하여서는 깊이 검토한 바가 없는 것이다.

대통령의 권한은 권한대로 확보하면서, 국회의 기능을 강화하고 대통령의 독재를 견제할 수 있다면 그것이 대통령중심제와 의원내각제를 하나로 묶은 제도가 될 수 있을 것이 아닌가.

원래, 양보와 타협은 이해관계를 달리하는 당사자의 체면을 세우면서 실질적인 이익을 확보하는 일인데 지금 우리 국민이 지혜를 모아야 할 일은 바로 이 점이라고 믿는다.

그간 신민당, 국민당(國民黨), 민정당은 대통령중심직선제와 의원내각제에 각기 장단점이 있다는 것을 알면서도 각자의 단점을 보완하여 두 제도를 하나로 묶어 합리적인 정부형태를 구성할 생각은 아니하고 오히려 자기주장만을 고집하였다.

어느 정당도 아집에서 벗어나지 못하고 상대방을 비난하는 데 급급하였을 뿐 국리민복(國利民福)을 위하여 권력구조는 물론 사법제도와 인권조항 등과 같은 중요사항에 관하여 진지한 연구와 협력을 시도하지 아니하였다.

3. 우리는 국제정세의 급변 속에서 이 어려운 시국을 슬기롭게 극복하고 사회를 안정시켜 경제성장을 추구하며 지속적으로 국력을 신장시키는 길은 오직 개헌만이라고 믿는다.

정부는 개헌을 연기하는 대가로 지방자치제를 실시하는 등 민주화를 추구할 것을 고려하고 있다고 하지만, 민주화조치는 헌법사항의 실천으로서 그 자체에 가치가 있고 목적이 있는 것이지 그것이 개헌 작업을 중지하는 이유가 될 수는 없다.

국민적 합의가 된 개헌의 중지를 민주화조치 등으로 달래고, 그럴싸한 말로 호도하려 한다는 것은 국민을 우롱하는 일이다.

그간 민정당은 개헌을 위하여 모든 노력을 다하였지만 신당의 출현으로 개헌을 할 수 없게 되었다든가, 또 이제는 도저히 대화와 타협으로 개헌 논의를 할 수 없는 막바지 상황에 이르렀다든가, 또한 신민당이 같은 논법으로 민정당을 비난한다고 하여도 어느 누구도 이를 믿지 않을 것이다.

개헌이라고 하는 국민적 합의는 철회할 방법이 없으며 이제부터 개헌 작업이 중지된다면 앞으로 닥칠지도 모르는 모든 사태에 대하여 여야 정치인은 전적으로 책임을 져야 할 것이다.

특히 집권당인 민정당에 속하는 정치인의 책임은 더 크다고 아니할 수 없다.

우리나라의 정치 상황은 정부 수립 후 40년간 진정한 의미의 여야의 교체가 한 번도 없었다고 하는 정치적·역사적 연유 때문인지 여의 생리와 야의 생리에는 공영공존(共榮共存)이라고 하는 공통기반이 없다.

권력구조에 대하여 여야가 서로 상대방만을 의식하고 자기주장만을 고집하는 것도 '주권재민'이라는 민권의식이 약하기 때문이다.

그러나 이제라도 늦지 않았으니 모든 정치인은 국민의 이 답답하고 허무한 심정을 헤아려 허심탄회하게 개헌 작업을 위하여 최종적인 노력을 기울여줄 것을 간곡히 희구(希求)한다.

호헌의 길만이 우리가 선택할 수 있는 마지막 수단이 아닐진대, 3당의 고위층회담도, 여야의 실력자회담도, 각 중간 단체에의 자문도, 헌특(憲特)의 정상화도, 원로정치인의 개입도, 선택적 국민투표도 모두 하나의 방법이 아닌가.

정권교체 등 정치일정이 시급한 것도 사실이어서 정부의 고충도 이해할 수 있지만, 그러면 그럴수록 여야 정치인은 최종 순간까지 인내와 성의를 다하여 개헌 작업을 완수하여 국민의 기대에 부응하면서 자유민주주의의 기틀을 다져주기 바란다."

나의 기본자세

내가 당시나 지금이나 유지하고 있는 기본적인 자세는 국제적인 시야를 잃지 않으면서 언제나 대한민국의 미래상을 그려보는 것이다. 동서의 역사책을 탐독하고 과거의 역사적 사건에서 교훈을 얻으려고 노력하면서 외형이나 성과 중심의 역사적 사실보다는 그 배경과 이면사에 더욱 관심을 가졌다. 그러나 언제나 머릿속은 현재를 직시하고 미래를 설계하는 데 꽉 차 있었다.

나는 국내외 정세에 관한 책도 꽤 읽고 신문기사와 잡지의 논설에도 주의를 기울였지만, 학문적 분석이나 정치한 논리에 치우쳐 이상에 도취하는 일은 없었다. 때가 때인지라 대한변협은 많은 성명서를 냈는데 성명서가 언제나 균형을 유지하도록 유의했다. 성명서가 목적으로 하는 특정 문제에는 적합할지 몰라도 다른 문제에는 부적합할 수도 있으니 말이다. 그런 일은 가급적 피하여야 했다.

그때도 그렇게 느끼지 않은 것은 아니지만 지금 회고해 보아도 나에게는 언제나 뚜렷한 기본자세가 있었던 것으로 느껴진다. 첫째로 꼽을 수 있는 것은 1955년 젊은 검사 때에 미국 국무성 초청으로 약 10개월 체재하는 동안 미국의 재판, 수사상황을 직접 체험하면서 얻은 인권 중심의 감각은 나의 모든 사고와 행동에 큰 영향을 미쳤다. 따지고 보면 국민주권, 자유민주주의는 국민의 기본권을 확고히 지키는 일이라고 요약할 수 있다. 그런 인권 감각이 대한변협의 성명서에 어느 정도 스며들어 있을 것이다. 국민의 인권 신장과 국가의 민주질서 수호를 통한 사회 안정과 평화는 나와 대한변협의 최고 목표였다.

이렇듯 나는 일개 범인으로서, 오랜 세월에 걸쳐 얻은 지식과 경험을 기초로 상식적인 바탕과 현실적인 토대 위에서 정치적으로 어느 한 쪽에 기울지 않고 공정 중립적인 태도를 유지하면서도, 남보다는 얼마만큼이라도 멀리 내다보고 몇 발자국이라도 앞서서 걸어갈 수 있기를 바랐다. 건방지다고 할지 모르지만 나는 그렇게 생각하였다는 것뿐이니 너무 나무라지 말라. 그래서인지 나는 말만 앞세우고 보수다 진보다 해서 사람에게 색깔을 입히는 사람보다 자유민주주의의 이념을 잃지 않고, 오늘보다 나은 내일의 삶을 위하여 이론과 상식의 중간 지점에서 일에 매달리는 사람들을 좋아한다. 그들만이 남에게 상처를 주지 않고 인권을 침해하지 않고 느리기는 하지만 사회를 한 걸음 한 걸음 전진시킬 수 있다.

그래서 성명서의 내용이 수년 후에도 그 방향이 잘못이 없고 타당성을 잃는 것이 아니기를 빌었다. 그러나 그것은 아주 어려운 일이었다. 능력도 모자라고 정치를 보는 눈은 더욱 없었다. 그렇지만 정국의 전개를 예의 주시하면서 내일 무슨 일이 벌어질 것인가를 예상하는 데 있는 힘을 다 쏟았다. 시험에 앞서 예상문제를 읽고 정답을 준비하듯이 미리 관련 자료를 읽고 검토하여 정리하고 필요에 따라서는 집행부 임원과 개별적으로 의논했다. 비밀도 보전되고 결속력도 커졌다. 공식회의에서 성명서가 안건으로 상정되고 발표될 때는 이미 임원 사이에 공감대가 형성되어 있었다. 길게 논의할 것도 방향을 따질 것도 없었다.

이렇듯 대한변협은 시국의 전개와 변화에 따라 자주 성명서를 내기는 하였지만, 시국을 보는 사람의 눈은 모두 다르다는 것을 알고 있는 나로서는 그때마다 국민의 반응을 살피지 않을 수 없었다. 그런 나의 불안을 알고 있기라도 한 것처럼 1988년 8월 14일자 〈한국일보〉 사설은 다음과 같이 썼는데, 나의 생각과 대한변협의 판단이 국민의 정상적인 사고에서 궤(軌)를 같이 하고 있다는 데 대하여 안도감을 갖게 하였다.

"우리 사회에서 건전한 상식과 합리성을 대변해 온 대한변협의 성명은 역시 진지하다. (…) 많은 국민의 심경을 그대로 밝혀준 성명 내용이다."

변호사 모체론

우리는 광복 후부터 그 어원이 일본어라는 것을 알면서, '법조일원화(法曹一元化)'라는 말을 잘 쓰고 있다. 법조일원화가 무엇을 의미하는지 잘 알지 못하면서도 그것을 자명한 것으로 보아왔다. 판사나 검사, 특히 판사를 변호사 경험이 있는 사람 중에서 선임하여야 한다는 의미로 법조일원화를 사용하는 것이 대체적인 경향인 것 같다. 그런 의미라면 이는 옳은 말이다. 법률은 판사, 검사, 변호사의 자격을 동일한 것으로 규정하고 있기 때문이다. 일본에서도 1920년대에 이미 사법관은 모두 변호사로서의 경력을 가진 사람으로부터 뽑는 제도를 두어야 한다는, 일본변호사연합회(이하 일변련)의 임시사법제도 조사위원회의 결의가 있었다. 그러면서 그것을 법조일원화라고 불렀다. 그렇다면 나는 법조일원화를 '변호사 모체론(母體論)'이라고 부르고 싶다. 이에 대해서는 〈인권과 정의〉 1986 년 8월 호에 기고한 일이 있고, 대한변협 협회장에 취임한 후 변호사는 물론 판검사에게 인사장을 보낼 때에도 변호사가 중심이 되어서 법조계를 운영하여야 한다는 취지를 강조한 바 있다.

4·13호헌조치에 대한 반박성명 후 2년간 대한변협은 5·16군사정변 후 타락할 대로 타락한 법원의 재판과 인권을 유린하는 검찰의 수사에 대해서도 강경한 성명을 냈다. 경색된 시국에 비추어 부득이 낸 성명들이지만 일종의 구국운동이라고 말할 수 있다. 이 성명들에서 가장 진가를 발휘한 것이 바로 변호사 모체론이었다.

변호사 모체론은 법학계의 미래에 대해 충분히 배려한다. 후일 로스쿨 문제로 법조계, 특히 대한변협이 법학계와 충돌하는 것을 보고 상대방에 대한 배려가 너무나 부족한 것 같다는 생각이 들어 2005년 8월 〈인권과 정의〉에 「사법개혁에서 생각나는 일들」이라는 수상을 기고한 일이 있었다. 거기서 나는 대한변협은 로스쿨의 수와 그 정원수를 줄이는 것이 기존 법학대학의 존립 여부와 로스쿨에 어떤 영향을 미칠 것인가를 함께 연구·검토하는 아량을 보여야 한다고 했다. 그렇지 않으면 대한변협도 보통 이익단체의 단면만 보이게 된다. 어떻게 국민의 신뢰를 얻을 것인가. 변호사 모체론에서는 그만큼 애국적인 책임이 따른다는 것을 강조하고 싶었다.

컴퓨터의 입문과 활용

당시 대한변협이 그 많은 일들을 일사천리로 신속하게 처리할 수 있었던 것은 컴퓨터라는 신무기를 활용하였기 때문이다. 나는 1980년대 초반

『대결과 희망의 시대』(1990)

부터 컴퓨터에 관심을 갖고 많은 책을 읽었다. 책이라고 해야 컴퓨터, 워드프로세서에 관한 초보적인 해설서에 불과했지만 그런 책을 읽으면서 앞으로 컴퓨터 시대가 열린다는 확신을 갖게 되었다.

나는 협회장이 되자마자 컴퓨터를 사서 직원들을 훈련시켰다. 그렇지 않았더라면 그 많은 시국성명과 건의서가 발표될 수 없었을 것이다. 나는 더러는 머릿속에 아이디어를 갖고도 문장력이 약해 볼펜으로 초고를 만든 후 몇 번이고 손질을 하고, 첨삭하고, 찢었다가 다시 쓰는 버릇이 있다. 이런 구식 사람은 시간을 다투는 시국성명을 낼 수 없다. 당시 제대로 보급되지도 않은 컴퓨터의 워드프로세서 기능을 최대한 이용한 덕분에 제때제때 성명서를 낼 수 있었던 것이다. 이제 생각하니 컴퓨터의 혜택을 톡톡히 본 사람은 나라는 생각이 든다.

이런 컴퓨터의 유용성을 알게 된 집행부 임원들도 회의를 마치고 시간만 나면 이미 그때 컴퓨터를 익히고 있던 윤종수 재무이사의 지도로 컴퓨터 강습을 받았다.

대결과 희망의 시대가 낳은 것

협회장에 취임한 후 제일 먼저 4 · 13호헌조치에 대한 반박성명서를 낸 것을 비롯하여 각종 사법, 검찰과 관련된 성명서, 1988년 모처럼 개최하게 된 올림픽을 반대하는 일부 과격한 학생들과 정치 세력을 질타하는 성명서 등 2년간 많은 성명서를 냈다. 후일 성명서 모두를 엮어서 『대결과 희망의 시대: 고뇌(苦惱)의 나날 1987. 2~1989. 2』라는 책으로 출판했다. 대한변협 사상 일찍이 없었던 일이었지만 나로서도 표제 그대로 고뇌의 나날이었기 때문에 대외적으로 알리고 기록에도 남기고 싶었다.

영국 귀족원장, 프랑스 파기원장과의 면담

　나는 영국, 프랑스, 독일의 법조계를 시찰하고 직접 사법부의 수장을 만나 평소 갖고 있는 몇 가지 의문을 풀고 대한변협의 존재도 알려 장차 법조 교류의 터전을 마련할 생각을 갖고 있었다. 그 길로 가능하면 미국까지 건너가서 세계한인변호사협회의 창립총회에 참석할 계획도 세우고 있었다.

　적당한 기회가 있어 1988년 6월 13일, 박승서 변호사, 이세중(李世中) 변호사, 이재후(李載厚) 변호사, 윤종수 변호사 등 일행과 같이 영국 런던으로 출발하였다. 6월 14일 런던에서 귀족원 의장을 만나고 6월 15일 오전에는 파리로 건너가 프랑스 파기원(破棄院, Cour de Cassation. 하급심 판결에 파기 권한을 가진 프랑스 민사 및 형사상의 최고 상고법원) 원장을 만나 그 나라 사법 사정을 들었다. 원래 두 곳과는 사전에 일정 조정을 한 것이 아니고 나의 사정에 맞추어 만날 수 있도록 외무부를 통하여 교섭하였다. 다행히 그쪽이 나의 사정을 이해하고 시간을 내주었다.

　그러다보니 그쪽도 바쁜 업무를 보면서 짬짬이 나를 만날 수밖에 없었다. 영국의 귀족원 의장은 귀족원의 의사일정을 무시하고 우리와의 면담을 위해 시간을 내주었다. 틈틈이 옆방에서 진행되고 있는 귀족원회의에 나가서 한마디 하기도 하면서 한 시간이 넘도록 우리 일행과 환담하였다. 이런저런 이야기 중에 영국의 귀족원 의장이 사법부의 장, 입법부의 장, 행정부의 법무 책임자를 겸하고 있는데 삼권분립이 절대적인 민주제도하에서 그것이 어떻게 가능하느냐는 질문을 하였다. 그는 그때 그때 담당한 위치에서 관행에 따라 업무에 충실하면 안 될 것이 없다고 가볍게 받았다. 관행이 더 중요하다는 인상을 받았다. 법률이 없으면 꼼짝 못 하는 우리와는 아주 달랐다.

프랑스 파기원 원장과는 한 시간 정도 서로 의견을 나누었다. 프랑스혁명에 관심이 많았던 나는 원장에게 프랑스혁명에 관해 몇 마디 질문을 했는데, 담담하게 대답하던 모습이 지금도 강한 인상으로 남는다. 긴 시간의 면담을 마치고 나서 마침 연중 몇 번 없는 재판이 있는 날인데 구경을 하겠느냐고 묻기에 기꺼이 하고 싶다고 대답을 하였더니 직접 구불구불한 긴 복도를 우리 일행과 같이 걸어서 법정 안 방청석까지 안내해 주었다. 방청석 입구에 외국인과 같이 나타난 파기원장을 보고 놀란 것은 법정 수위였다.

나는 두 분의 소탈한 행동에 감명을 받았다. 우리가 배울 것은 영국과 프랑스 법조계의 내용이라기보다는 최고책임자들의 소탈하고 인간적이고 자연스러운 행동이라는 데 일행과 의견을 같이했다.

당초 내가 영국, 프랑스, 독일, 미국의 방문 계획을 세운 것은 영어도 시원치 않고 프랑스어나 독일어는 더욱 말할 것도 없었지만, 통역이 있으면 영미법, 프랑스법, 독일법의 윤곽 정도는 화제에 올라도 대화가 될 것이라는 자신이 있었기 때문이다. 게다가 잘하든 못하든 2년의 회장 임기를 연장할 순 없었다. 그러므로 대한변협이 두고두고 발전하고 국민의 지지 속에서 국민들의 고충을 대변하고 사명을 완수하려면 대한변협을 이어받을 사람들이 더 훌륭해야만 한다는 생각을 했다. 당시 박승서, 이세중 변호사와 같이 간 것은 장차 두 분은 대한변협 책임자가 될 것이라는 판단이었고, 그러려면 국제적 시야를 넓혀야 한다는 나의 개인적인 기대가 작용한 것이다. 그 후 두 분 다 각각 대한변협 협회장과 한국법학원장이 되어 큰 업적을 남겼고 지금도 활발한 활동을 하고 있다. 세계화 길목에 서있는 한국의 법조계에도 우리와 접촉이 많은 중요 국가의 법률체계와 법조계의 사정을 아는 사람이 지도자의 위치에 오르기를 기대한다.

두 나라에서는 현지 주재 우리 대사의 정중한 영접을 받았다. 우리 일행이 런던과 파리에 도착했을 때 두 나라 주재 대사가 공항에 출영(出迎)을 나왔을 뿐만 아니라, 귀족원 의장과 파기원장을 방문하였을 때에도 동행했다. 떠날 때에도 마찬가지였다. 독재 정권에 대하여 언제나 비판의 칼날을 세우고 있는 재야 법조계 인사들에 대하여 최고의 의전으로 접대해 준 것은 당시의 정부가 대한변협을 어떻게 평가하였는가를 보여주는 대목이다.

나는 파리에서 6월 15일 황급히 서울로 되돌아왔기 때문에 독일 헌법재판소장을 방문할 기회를 놓쳤지만, 후일 윤종수 변호사로부터 들은 이야기다. 그는 6월 16일 다른 일행과 같이 독일 헌법재판소를 방문하였는데 이런 말을 들었다고 한다. 어느 아프리카인이 독일에서 추방을 당하게되어 공항까지 끌려가서 비행기에 오르기 직전 밤중에 따라 나온 변호사를 통하여 헌법재판소에 FAX로 추방금지 가처분 신청서를 보낸 일이 있었다. 이를 접수한 헌법재판소는 밤중에 재판관회의를 소집하여 가처분 결정을 내렸다는 것이다. FAX로! 밤중에! 우리로서는 상상도 못할 일이 아닌가. 가처분의 옳고 그름을 떠나 독일 사법부의 최고 자리를 차지하는 독일 헌법재판소 재판관들의 몸에 밴 인권의식과 인간적인 자세가 우리를 한없이 흔든다.

노태우 대통령과의 단독면담

법원과 검찰의 새로운 출발

6공의 출범과 더불어 나와 대한변협의 직접적인 관심사는 대법원장을 비롯한 대법관의 새로운 선임과 헌법재판소를 새로 구성하는 일이었다. 나는 1988년 5월 18일 노태우 대통령과 만나 대법원의 새로운 구성과 법무·검찰 쇄신에 관한 나의 구상을 전달하고 의견을 교환하였다. 나는 대법관 중 상당수는 변호사 중에서 임명하여야 한다고 강조하였다.

또한 나는 대법관에 변호사 경험자가 많이 포함되어야 하듯 법무부 장관도 검찰총장을 바로 임명하는 관례를 바꾸어 조금이라도 변호사 경험을 가진 사람을 임명하여야 한다고 말했다. 그랬더니 노 대통령은 자기도 이 자리에 와보니 법무부 장관을 국방부 장관을 육군 참모총장 등에서 바로 기용하듯 대검찰청 검사에서 기용하고 있더라고 의아한 듯이 물었다. 이에 국방부 장관은 그래도 군인을 주로 상대하지만 법무부 장관은 국민을 직접 상대하는 일이 많은데다가 사건을 통하여 국민을 직접 대하는 검찰을 통솔하는 사람이므로 국민의 생활과 사회 실정을 충분히 아는 사람이 법무부 장관이 되어야 한다고 강조하였다. 그 결과인지는 잘 모르겠지만 그 후 법무부 장관이 경질되었을 때에는 변호사 경험이 있는 허형구(許亨九) 씨가 법무부 장관에 임명되었다. 나는 헤어질 무렵 노태우 대통령에게 후일 대법원장과 대법관이 될 만한 사람의 명단을 보내기로 했다.

이와 같은 일은 대한변협 사상 일찍이 없었던 일이다. 미국 대통령이 법관 임명에 앞서서 미국변호사협회의 서면의견을 듣는 관행보다 오히려 앞선 선례를 남긴 것이다. 노태우 대통령은 처음 만난 분이었지만 대화 자세는 참으로 진지하였다. 둥글고 작은 테이블에 마주 앉아서 얘기를 나누었는데, 어떤 때는 바싹 다가와 귀를 기울이고 메모를 하는 모습은 그의 성실성을 보는 것 같았다.

대법원장과 헌법재판소장

이 면담 후 6월엔 앞서 말한 대로 유럽을 방문 중이었는데, 6월 15일 프랑스 파기원장을 만난 후 독일 헌법재판소장을 만나기 위해 독일로 가기 전 파리에서 하룻밤을 묵었다. 그러나 6월 16일 아침 서울서 보내온 팩스 한 장을 받았다. 전국 법관들이 대법원의 전면 개편을 요구하는 서명운동을 벌이고 있다는 소식이었다(2차 사법파동). 나는 혼자 급히 귀국 길에 올랐다. 다른 일행은 예정대로 독일 헌법재판소를 방문하고 미국 뉴욕으로 가 내가 설립을 주선한 세계한인변호사협회의 창립총회에 참석하였다. 되돌아오는 비행기 안에서 극심한 피로를 느끼면서도 시국에 관한 착잡한 마음과 회장 자리의 어려움을 새삼 느꼈다.

6월 17일에는 김용철(金容喆) 대법원장이 사의를 표명하고 7월 2일에는 정기승(鄭起勝) 씨가 후임 대법원장으로 지명되지만, 국회에서 인준을 받지 못하였다. 7월 5일에 새로 지명된 이일규(李一珪) 씨가 국회의 인준을 받았다. 김용철 대법원장과는 서울대 법대와 변호사시험 동기여서 대법원에 대해 비판하고 견제하는 것은 개인적으로는 몹시 괴로웠다. 신생 대법원을 탄생시키기 위한 진통과 시대의 아픔으로 이해해 주었으리라고 믿고 있다.

이렇듯 대한변협이 바라던 대로 국회에서 새 대법원장의 임명동의안이 절대 다수로 가결되자 나는 이를 환영하는 성명서를 냈다. 새 대법원장이 대법관을 제청함에 있어 법원 내부에서만 기용한 것이 법원이 관료화되고 약체화되게 만들었고 사법권의 독립을 상실한 일인(一因)이었다는 사실에 유념하여 다양한 재야 경험을 쌓은 60대를 기간으로 새로운 지성과 활동력이 왕성한 50대를 고루 섞어 인간적으로 사회적으로 신뢰할 수 있는 성숙된 대법원이 되기를 기대한다고 밝혔다.

7월 6일 이일규 씨는 대통령의 임명을 받기 위해 청와대에 가기 전 대한변협을 방문하였다. 그는 나와 새로운 대법원의 구성에 관하여도 의견을 나누었고 나는 대한변협이 바라는 대법관 후보 명단을 주었다. 내가 노태우 대통령과 이일규 대법원장에게 전달한 후보자 명단은 사전에 시간을 갖고 집행부 임원 및 원로 몇 분과 각각 개별적인 협의를 거쳐 작성된 것이었다. 인사에 관한 것이니만큼 비밀로 했다. 대법원장이 대통령으로부터 임명을 받기 전에 대한변협을 방문하는 일은 우리 법조계 사상 처음 있는 일이었다. 이는 민주 사법의 서곡이었다. 하지만 그 후 중단되어 아쉬움을 남겼다.

대법원의 개편에 따른 진통도 국정만큼이나 컸지만, 대법원장 말고도 변호사 4명이 한꺼번에 대법관으로 임명되는 등 사법부는 새로운 면모를 갖추고 출발하였다.

이러한 경위 때문인지 새로 임명된 대부분의 대법관이 대한변협에 인사를 왔다. 일찍이 없던 일이다. 새로 임명된 법무부 장관도 다녀갔다. 나는 나대로 대법관실을 골고루 방문하여, 축하 인사로 답례를 하였다. 어느 대법관은 그간 대한변협이 내놓은 사법부 비난의 성명을 보고 불만도 많았지만 이 개편기에 대법원이 국민으로부터 더 이상 욕을 먹지 않고 조용히 새 출발을 할 수 있게 된 것은 모두 대한변협의 덕분이라는 말도 하여 그간에 쌓였던 피로가 풀리는 듯하였다. 이렇듯 대법원의 개편을 전후로 대한변협이 법조계의 모체로서 자리를 잡았지만 그 후 시간이 흐르면서 모든 것이 옛날 그 자리로 되돌아간 것 같아 못내 아쉽다.

9월 19일에는 헌법재판소가 개소식을 갖고 초대 소장에는 조규광(曺圭光) 씨가 임명되었다. 대한변협은 헌법재판소의 구성과 소장을 포함한 재판관 선임에 관하여서도 적절한 경로를 통하여 청와대에 의견을 전달하였는데, 그중 두 사람이 재판관에 임명되었다.

이렇듯 새 대법원이 구성되고 헌법재판소가 발족하였지만 그것만으로는 사법부에 대한 국민의 기대가 되살아나고 신뢰가 회복된 것은 아니었다. 장구한 세월 독재정치의 시녀라는 비난을 받아왔던 사법부 앞에는 넘어야 할 높은 산이 막고 있었다. 시국사건을 다루는 법정마다 소란은 계속되어 재판이 중단되는 사태가 속출하였다. 대한변협은 그때마다 성명서를 내고, 법정 질서의 유지가 민주주의 발전의 기반이라는 것을 강조하고 국민의 자제를 호소하였다.

대법관임명제청에 관한 의견 제시

나는 새 시대가 열리는 시점에서 법원, 검찰이 과거의 오욕을 청산하기 위하여서는 전국 법원과 검찰의 개편이 긴요하다고 생각했다. 그래서 먼저 법관·검찰관 인사제도 연구위원회를 설치하여 법관·검찰관 인사제도 전반에 걸쳐 연구·검토하게 하였다. 그 결과 사법부의 중추라고 할 수 있는 대법원의 구성에 전체 법조인의 총의가 반영되어야 하고, 아울러 재야 법조인의 참여폭을 넓혀 사법부에 민주적 정통성을 부여하는 것이 국민적 신뢰를 확고히 다질 수 있는 길이라고 판단하였다. 이에 전국 회원의 의견을 수렴하기 위하여 설문조사를 실시하고 대법원장의 적격 기준을 다음과 같이 정하고 대통령과 국회에 의견서로 제출하였다.

- 사법의 독립에 대한 확고한 신념을 가진 사람
- 법조 경력이 30년 이상, 재조(在朝)·재야(在野) 법조인의 존경을 받는 사람
- 60세 이상으로서 민주화 시대를 이끌어갈 사람
- 정당에 참여한 경력이 없거나 정당적 색채가 없는 사람

또한 신임 이일규 대법원장에게 헌법이 부여한 대법관임명제청권을 명실상부하게 행사할 것을 요청하고 대법관의 적격기준으로 다음과 같은 사항들을 강조하였다.

- 인권의식이 투철하고 민주 발전에 기여할 사람
- 청렴한 생활과 겸허한 행동으로 법조계의 존경을 받는 사람
- 소신과 용기로써 사법권 독립에 헌신한 사람
- 사회 발전에 적응할 지식과 교양을 갖춘 사람

동시에 적어도 대법관의 반수 이상을 변호사 경험이 풍부한 사람 중에서 선임해 줄 것을 바라는 '대법관제청에 관한 요망서'를 전달하였다. 그 결과 새 대법원에는 이일규 대법원장 말고도 4명의 변호사가 대법관으로 임명되었다.

남북 교류와 학생운동

1988년 7월 7일에는 노태우 대통령이 남북 교류에 관하여 획기적인 내용과 제안을 담은 7·7선언을 발표하였지만, 북한은 여전히 이를 거부하였고 국내의 혼란만 조장하는 결과가 되었다. 이를 계기로 학생들의 통일운동은 더욱 활발히 전개되었다. 6월 10일로 예정된 판문점 남북한학생회담은 경찰의 제지로 무산되기는 하였지만, 이날 11시경 연세대학교 운동장에서 대학생 약 1만 2천 명이 모여 '민주화 투쟁 1주년 기념식 및 100만 학도 출정식'을 가졌다. 이 집회에는 평민당 부총재 등 일부 정치인들도 참석하여 '이제 통일 논의가 관(官) 주도에서 민(民) 주도로 넘어 가야할 때'라고 주장하기도 하였다.

그 후에도 학생들은 8·15 남북학생회담을 가지려고 시도하여 9월 17일로 임박한 세계적인 축제인 올림픽 개최를 위태롭게 만들었다. 8·15 남북학생회담은 현실적으로 불가능하고, 학생들이 다룰 내용이 아니라는 것은 국민 누구의 눈에도 명백하였지만 국회와 정당은 갈팡질팡 아무런 대안도 내놓지 못하고 있었다. 이때에도 대한변협은 학생들과 정치인들을 질타하는 성명을 냈는데, 오직 대한변협만이 홀로 목청을 높이고 있었으니 자유민주주의의 장래가 염려되었다. 이 무렵 나는 집을 나서면서 화염병이 날아올지 모르니 조심하라는 말도 남기곤 하였다.

1989년 초에는 광주 미국 문화원에 화염병이 투척되는 불상사들이 발생하였지만, 학생들을 정면으로 나무라거나 반미 감정의 선동이 그릇된 것임을 꾸짖는 정당도 사회단체도 없었다. 오히려 일부 정치인은 그들의 행동을 부추기는 듯한 인상을 주기도 하였다. 그러나 이때에도 대한변협은 그것이 비록 일부 학생의 소행이라고 할지라도 광주 학생들의 잘못임을 정면으로 지적하고, 미국이야말로 대한민국의 독립과 안전을 돕는 동맹국가이며 6·25전쟁 때에는 15만여 명의 사상자를 내면서 우리의 자유, 민주주의를 지켜준 고마운 나라라는 성명서를 발표했다.

4·19, 6·10 당시 학생운동을 하던 학생들이 이제는 중장년층이 되었을 것이니 당시의 경험을 기회 있을 때마다 자녀들에게 전하면 좋을 것 같다. 요즘 20대가 괴담에 잘 넘어간다는 기사가 보도되는 일이 있는데, 그런 기사를 접할 때마다 '그럴 리가 있겠는가' 하는 생각이 든다. 20대면 이미 이성적으로 움직이기 시작할 때이다. 앞으로도 무슨 일이 터질지 모르지만 국가 수호와 국가 경쟁력 강화의 일꾼으로서 학생들의 지성과 용기에 기대를 걸어본다.

외국 법률가, 정치인 내방

일본변호사연합회 회장 초청

나는 1987년 9월 6일부터 11일까지 서울힐튼호텔에서 개최된 한국법학원 주관의 제13차 세계법률가대회를 계기로 미국 및 일본의 변호사연합회장들을 초청하였다. 5일에는 유진 토마스(Eugene C. Thomas) 미국변호사협회장이, 6일에는 키타야마 로쿠로〔北山六郎〕 일변련 회장이 대한변협을 내방하였다. 이 초청에는 일변련 회장의 방문에 대한 답방 형식으로 일변련을 공식 방문하여 교류를 트려는 나의 의도가 담겨 있었다. 키타야마 로쿠로 회장도 당시 일변련의 사정에 비추어 세계법률가대회에 참석하는 기회에 대한변협을 방문하는 것이 자연스러울 것이라 판단했던 듯하다. 그들은 행사에 참석하는 한편으로 대한변협이 마련한 일정에 따라 대법원장, 법무부 장관, 검찰총장을 예방하고 서울대 법대와 민속촌을 방문하였다.

미국과 브라질 법조인들의 내방

1988년 7월 29일 미국 인권 단체인 '아시아 워치(ASIA WATCH)' 소속

줄리 브릴(Julie Brill) 변호사가 대한변협을 다녀간 후 8월 12일에는 미 국무성 인권담당 차관보 로버트 새런드(Robert W. Sarrand)가 내방하여 한국의 인권 상황을 협의하였다. 그에 앞서 1987년 3월 26일에는 미국변호사협회 소속 해럴드 매켈리니(Harold J. McElhinny) 변호사가 찾아왔고, 그해 5월 25일에는 국제사면위원회의 이안 마틴(Ian Martin) 사무총장과 아시아지역조사위원 크리스토퍼 애브리(Christopher Avery)가 내방하였으며, 1987년 7월 7일에는 국제인권법협회의 조너선 엉거(Jonathan Ungar) 변호사가 찾아왔다. 1987년 8월 25일에는 전임 집행부의 초청으로 내한한 미국 연방대법원 샌드라 데이 오코너(Sandra Day O' Connor) 판사의 '자유의 수호, 미국 헌법과 사법부의 역할' 강연회가 대법원 강당에서 열렸는데, 300명이 넘는 법률가들이 모여 대성황을 이루었다.

1988월 9월 8일에는 프라자호텔에서 내한한 브라질 변호사들을 초청해 오찬을 같이했고, 9월 10일에는 제13차 세계법률가대회 참석차 서울에 온 해외동포 변호사 19명을 초청하여 간담회를 가졌다.

일본사회당 위원장의 내방

1988년 10월 14일 나는 김영삼 민주당 총재 초청으로 내한한 이시바시 마사시〔石橋政嗣〕전 사회당 위원장을 비롯한 10명의 일본사회당 대표단 일행의 방문을 받았다. 대한변협으로서는 놀랄 일이었다. 당시 대한민국을 공식으로 인정하지 않고 있던 일본사회당 소속 국회의원을 포함한 대표단이 대한변협을 방문한 것은 기이한 느낌이 없지 않았지만 한일관계의 개선이라는 관점에서 보면 자연스러운 일이었다. 나는 사회당 대표 일행을 맞아 대략 다음과 같이 말했다.

"어느 나라나 변호사 단체는 국민의 인권을 옹호하고 사회정의를 실현

대한변협을 방문한 일본사회당 대표단(왼쪽)과 필자(중앙)

하는 막중한 사명을 짊어지고 있는데, 오늘날의 인권문제는 세계인권규약에서 보는 바와 같이 국경을 초월한 인류보편의 개념이므로 인권을 옹호하는 일은 국내외를 막론하고 정치 단체나 변호사 단체의 공통된 사명이라고 믿습니다. 우리나라의 정치적 상황은 변호사 단체인 대한변협으로 하여금 인권옹호, 사회정의 실현은 물론 민주화운동에서 일익을 담당하지 않을 수 없게 만들었는데, 그 운동의 성격상 우리는 종래의 사고방식에서 보면 정치운동이라고 해석될 수 있는 분야에까지도 주저 없이 뛰어들었습니다.

대한변협은 일변련과 손잡고 소련 영토 사할린에 살고 있는 한국인의 본국 송환 운동을 벌이고 있는데, 우리는 이 운동 과정에서 일본사회당 의원을 중심으로 한 사할린 잔류 한국·조선인문제 의원간담회의 활동에 크게 격려를 받고 있을 뿐만 아니라 점차 그 성과도 나타나고 있어서 이

시바시 전 위원장의 방문을 받고 오히려 미안하다는 생각이 듭니다. 일본 국회의원의 초당파적 모임인 의원간담회가 중심이 된 사할린 한국인 송환 운동을 보면서 우리 한국인은, 그것이 어느 정치가의 말처럼 인권문제이건, 법률가의 논리대로 일본의 전후 처리 책임이건, 일본인의 선의와 인간적인 친근감을 느끼며 일본도 분명히 달라지고 있다는 것을 실감합니다. 인간으로서의 성실과 정직 그리고 그에 바탕을 둔 인간적 행동은 다른 사람에게 감동을 주며 원념(怨念)을 녹입니다. 평범하고 상식적인 행동, 이것이야말로 우리가 지난날의 역사적 부담에서 벗어나 서로를 돕는 길입니다.

한일친선에서 가장 긴요한 것은 서로의 단점이나 결함을 들추지 말고 장점을 찾는 것입니다. 일본인과 한국인이 서로 정상적인 인간관계를 회복하기 위하여 중요한 것은 사할린 거주 한국인 송환 운동에서 보여준 바와 같이 물건이 아닌 사람들이 겪고 있는 인간적 수난, 문화적 갈등을 풀어주어 자기가 선택하는 곳에서, 자기의 생활방식을 좇아 살게 하는 일이라고 믿습니다."

8월 17일에는 사할린에 다녀온 이가라시 코조[五十嵐廣三] 사회당 사무국장, 쿠사카와 쇼조[草川昭三] 공명당 의원, 타카기 켄이치[高木健一] 변호사, 하라고 산지[原後山治] 변호사의 방문이 있었는데, 두 변호사는 그 후에도 자주 내방했다. 당시 대한변협의 활동은 이런 분들이 대한변협 방문을 생각하게끔 만들 정도로 높은 평가를 받고 있었다.

전문법 연구기관 설립

중국법연구회 발족

대한변협에서 나는 중국과의 경제 교류가 확대됨에 따라 중국법, 그중에서도 경제법 분야 연구의 필요성을 느끼고 1988년 11월 23일 뜻있는 회원 42명으로 중국법연구회를 발족했다.

당시는 중국과 수교가 없을 때였지만 중국 정부의 사법부 장관에 해당하는 고위층 인사를 초청하여 '중국법 개론 및 주요 경제법'을 주제로 창립기념 강연회를 갖기를 희망하였다. 교섭 결과 그는 여러 가지 사정으로 방한이 어렵지만, 베이징대학교의 교수 두 분을 보내겠다는 서신을 받았다. 그래서 그들을 초청하고 1989년 1월 12일 변호사회관 12층에서 강연회를 개최하기로 만반의 준비를 갖추었다. 그러나 1989년 1월 6일 두 교수는 중국 정부로부터 방한 허가를 받지 못하였다는 이유로 불참을 통보해 옴에 따라 강연회는 무산되었다. 당시 한중관계의 어려움을 말해주는 한 단면이다.

노동법연수소

노사문제가 경제발전에 미치는 영향과 그 사회성, 정치성을 고려하여,

변호사의 노동 관계 법규 및 관련 학문 등의 연수를 담당하고 각 기업체와 노동단체에서 요구하는 전문변호사를 양성하기 위하여 1988년 10월 10일 노동법연수소를 개설했다. 회원 68명이 참가한 가운데 같은 해 11월 25일까지 45일간 총 75시간에 걸쳐 노동법 및 관계 법규에 대한 연수를 실시하였고 전원에게 수료증을 교부하였다. 내용을 보면 연수 강좌이나 대외적인 무게를 고려하여 대한변협 노동법연수소라고 명하였다. 그후 노동부 장관을 비롯한 한국노총, 전경련 등 관계 기관에 소정의 과정을 이수한 회원 68명의 명단을 송부하고 노동법 전문변호사 및 고문으로 위촉하여 노사관계의 건전한 발전에 공헌할 수 있는 기회를 마련하여 줄 것을 요청하였다. 내가 노동법연수소를 개설할 때에는 노사문제가 경제발전과 사회변동에 큰 변수가 되리라는 것을 예상했다. 걸핏하면 폭력에 호소하는 노사쟁의에 변호사가 참여하고 노사 쌍방의 법치(法治) 활용 증진을 위해 대한변협에 노사중재위원회를 5개 정도 설치하려 했으나 임기가 끝나 실현하지 못하였다.

세법연수소

세무문제는 법인, 개인을 막론하고 국가경제와 개인생활에 미치는 영향이 크고 자칫하면 정치성을 띠기 쉽다. 그러므로 변호사는 세무 관계 법규 및 관련 학문 등에 정통하여 개인생활은 물론 각 기업체에서 요구하는 세법 고문변호사의 직분을 다하여야 한다. 따라서 나는 1989년 1월 15일 세법연수소를 개설하였다. 회원 122명이 참여한 가운데 2월 15일까지 30일간 총 32시간에 걸쳐 세법 및 관계 법규에 대한 연수를 실시하고 수료증을 교부하였다. 이는 변호사의 직역 확대라는 차원에서도 큰 의미가 있었다. 나의 대한변협 협회장 임기 만료 직전이었다.

법의 날 행사

외국 대사 초청 강연과 기념 엽서 발행

1988년 5월 1일(2003년부터는 4월 25일로 바뀌었다; 편집자) 제25회 '법의 날'을 맞아 대한변협은 제임스 릴리(James Lilley) 주한 미국 대사를 초청하여 미국 헌법 제정 당시의 경위와 운영 상황에 관한 강연회를 열었다. 미국이 200년간 사회변화에 따라 수정조항을 추가하는 형식으로 시대 발전에 부응하면서 헌법을 제정 당시의 골격 그대로 유지하고 있는 비결을 알고 싶었기 때문이다. 4·13 호헌조치 이후 권력구조를 중심으로 한 개헌 논의가 심화되며 혼란스러웠던 국내 상황에 비추어, 미국의 경험과 비결을 듣는다는 것은 그 자체로서 큰 의미가 있었다. 또한 미국 대사의 등장을 통해 개헌을 통한 자유민주주의 회생을 촉구하려는 나의 숨은 의도도 있었다. 그것은 동시에 대한변협의 위상을 높이는 길이기도 하였다.

5월 2일에는 위르겐 클라이너(Jürgen Kleiner) 주한 서독 대사를 초청하여 서독 헌법재판소의 이념과 운영에 관한 강연회를 마련하였다. 우리의 헌법재판소가 곧 개소를 앞두고 있던 당시 모법(母法)이라고 할 수 있는 서독 헌법재판소의 경험을 듣는 것은 시대적 요구라고 할 수 있었다. 2차

대한변협이 발행한 법의 날 기념엽서, (위쪽 왼쪽부터 시계방향으로) 대한민국 임시정부 헌법 및 대한민국 헌법 개정 경과, 정의의 여신상과 법의 본질, 경국대전, 영국의 마그나카르타, 프랑스의 인권선언, 1787년 미합중국 헌법

세계대전 후 서독이 민주주의 국가로 새 출발을 하였고 EU의 중심 국가로서 자리를 잡게 된 것은 헌법재판소의 운영과 깊은 관계가 있다고 믿었기 때문이다.

두 번에 걸친 외국 대사의 초청은 대한변협의 활동상을 국제적으로 알리는 데도 얼마간 공헌하였으리라고 믿는다. 그 외에 대한민국 임시정부 헌법 및 대한민국 헌법의 개정 경과, 정의의 여신상과 법의 본질, 경국대전, 영국의 마그나카르타, 1787년 미합중국 헌법, 프랑스의 인권선언을 담은 6종의 예쁜 그림엽서를 발행하였다. 법무부 중심의 법의 날 기념식만으로는 법률가 외의 국민들에게도 법의 날의 취지를 널리 알리기 어렵다고 생각해서 서울대 법대 최종고(崔鍾庫) 교수와 함께 역사적인 기념 문서들을 엽서로 만든 것이다.

어찌 된 셈인지 요새 와서는 '법의 날'은 있는지 없는지 알 수 없을 정
도로 퇴색하고 말았는데, 이것은 법치주의의 장래를 위하여 참으로 유감
스러운 일이다.

변호사 직역 확대에 관한 세미나

변호사법 제3조는 변호사의 직역을 "소송에 관한 행위 및 행정처분의
청구에 관한 대리 행위와 일반 법률사무를 행함을 그 직무로 한다"고 규
정한다. 그러나 변호사는 건국 후 1988년까지 줄곧 소송에 관한 행위에만
매달려 변호사법이 기대하고 있는 광범위한 일반 법률사무는 사실상 포
기 상태에 있었다. 그 점은 지금도 큰 차이가 없다. 일반 법률사무에는 부
동산등기, 회사등기와 같은 사법서사(지금의 법무사) 소관 업무, 조세 업무,
관세 업무, 부동산 매매계약 등이 모두 포함돼 있지만 변호사는 "변호사
면 점잖게 법정에나 나갈 일이지 어디 그런 사소한 일을 하느냐"는 식의
자만으로 그런 직무를 모두 잠식당하고 말았다. 그러면서 수임사건이 적
다고 한탄만 한다. 그러나 김흥한(金興漢) 변호사 같은 분은 30여 년 전에
이미 시대의 변화를 내다보고 로펌을 만들어 오늘의 기초를 닦아놓으셨
다. 당시 대한변협은 변호사들의 각성을 촉구하기 위해 법의 날을 기념하
여 변호사 직역의 확대 방안에 관한 세미나도 가졌다.

한일21세기위원회

한일 양국은 1986년 12월 도쿄에서 열린 각료회담에서 한일의 친선을 촉진하기 위하여 두 나라 간의 현안을 중·장기적인 관점에서 협의하는 한일21세기위원회를 그 이듬해 8월 중에 발족한다는 방침을 세웠다. 먼저 일본 정부는 전 주한 일본 대사를 위원장으로 한 일본 측 위원 8명을 선정하고 1987년 6월 28일 각의에서 승인을 받아 공식 확정했다. 일본 측 위원들의 명단은 다음과 같다.

스노베 료조〔須之部量三〕　전 주한 일본 대사

사에키 키이치〔佐伯喜一〕　노무라〔野村〕 종합연구소 고문,
　　　　　　　　　　　　　전 방위연수소 소장

오가타 사다코〔緩方貞子〕　조지〔上智〕대 교수, 전 UN 공사

미야자키 이사무〔宮崎勇〕　다이와〔大和〕 증권연구소 이사장,
　　　　　　　　　　　　　전 경제기획청 사무차관

스기우라 빈스케〔杉浦敏介〕　일본장기신용은행회장,
　　　　　　　　　　　　　한일경제협력위원회 위원장

하가 토루〔芳賀徹〕　　　도쿄대 비교문학 교수

오시마 케이이치〔大島惠一〕 도쿄대 원자력공학 명예교수

야마모토 마사시〔山本正〕　국제교류센터 이사장

개인적으로는 모두 초면의 인사들이었지만 인상만으로도 유능한 분들 같았다.

한국 측은 같은 해 6월 7일에 고병익 전 서울대 총장을 위원장으로 한 위원들을 선정했다. 그 명단은 다음과 같다.

고병익(高炳翊) 전 서울대 총장

한승주(韓昇洲) 고려대 교수

최석채(崔錫采) 대구매일신문 명예회장

정수창(鄭壽昌) 동양목재 회장

최형섭(崔亨燮) 포철 상임고문

문인구(文仁龜) 대한변협 협회장

강영규(姜永奎) 한국외교협회 이사

김영정(金榮禎) 민정당 여성정책특별위 위원장,

조석래(趙錫來) 효성그룹 회장

이때 일본 정부는 한일 양국 관계의 중요성을 감안하여 '한일21세기위원회'를 양국 정부에 건의하는 기관으로 설치, 다른 나라와 구성한 같은 성격의 기관보다도 더 권위 있는 기관으로 발전시켜 나갈 계획을 세우고 있다고 설명했다.

그 후 제1차 위원회를 1988년 8월 12일 이틀간 예정으로 서울 신라호

1988년 8월 신라호텔에서 열린 제1차 한일21세기위원회

텔에서 열었다. 이 자리에서 고병익 한국 측 위원장은, 위원회는 2~3년간 예정으로 운영되면서 양국 간 현안을 검토할 것이라고 말하였다. 그 후 위원회는 양국을 오가면서 여러 차례 본 회의를 열었는데 중간 중간 사안에 따라 서로 다른 특별전문가회의를 두고 공동으로 회의를 진행하면서 보고서를 작성, 양국 정부에 건의했다. 나는 당시 양국의 가장 큰 현안이었던 재일조선인을 포함한, 재일한국인문제를 담당했는데, 양국의 권위 있는 인사들과 전문가들 사이에서 많은 고민을 하면서 재일한국인문제에 대해서 의견을 진술하고 보고서를 만들어냈다. 나는 전문가도 아니면서 1993년까지 위원으로 있으면서 양국의 양식 있는 인사들 틈에 끼어 좋은 공부를 했다. 한일문제만큼 두고두고 어려운 문제도 없을 것 같다.

한국법학원 원장 취임

앞서 말한 바와 같이 1989년 2월 나는 대한변협 협회장 임기를 무사히 마치고 물러났다. 그런데 뜻밖에도 〈동아일보〉가 이임하는 나를 인터뷰하고 신문에 실을 정도로 치하해 주었는데, 떠나는 사람을 치하하니 드문 일이었다. 그 자리에서도 말했듯이, 그간 너무 힘들었으니 이제는 쉬면서 책이나 읽겠다는 생각이었다. 마음대로 하지 못했던 등산도 열심히 해볼 생각이었다.

1985년에 펴낸 『한국법의 실상과 허상』을 보완할 생각도 했다. 그 책에 담겨진 사법개혁, 법조개혁에 대한 나의 의견은 그 후 많은 것이 법제화되고 현실화되기는 하였지만 시간을 갖고 좀더 보충하면 좋은 책이 될 것 같은 생각이 들었다. 그래서 6개월쯤 덤벙덤벙 지내다가 그 채비를 하기 시작하여 그간 달라진 영미법과 독·불법의 주요 골격만이라도 파악하려고 해보았다. 그러나 1985년으로부터 4년이나 지났고 그만큼 나이를 먹어 체력과 기억력이 줄어든데다가 그간 제대로 책을 읽지 않아서 주요 골격은커녕 윤곽조차도 잡을 수 없었다. 어학 실력은 더욱 말이 아니었다. 그래도 무엇인가 찾아내려고 이 책 저 책을 살피다보니 겨우 실마리가 보이기 시작했다.

그러던 1990년 어느 날 한국 법학원장 자리를 맡아달라는 요청을 받았다. 한국법학원에 대하여서는 설명이 조금 필요하다. 한국법학원은 법원 행정처 처장, 법무부 차관, 서울지방변호사회 회장, 한국법학교수협의회 회장이 부원장을 맡고, 대법원을 비롯한 각급 법원의 판사, 법무부 장관, 검찰총장을 비롯한 모든 검사, 대한변협 협회장 이하 모든 변호사,

〈동아일보〉 1989년 2월 23일 자의 협회장 이임 기사

서울대학교 법과대학장을 비롯한 전국의 법학 교수 들을 회원으로 둔 한국의 법률가 대표기관이다.

한국은 일제 강점기를 겪으면서 일본과 마찬가지로 대륙법을 채택하여, 예외는 있지만 한국의 전통법을 없애고 대륙법을 이식하고 있었다. 그러나 1945년 광복 후 미군정을 거치면서 점차 영미법이 한국의 법제도와 사고에 많은 영향을 미치게 되고, 이로 인해 대륙법과 영미법의 병립과 통일을 시도할 수밖에 없는 상황에 빠지게 되었다. 이런 문제를 해결하기 위해 로버트 스토리(Robert G. Storey) 미국 남감리교대학교 학장을 중심으로 한 영미법 학자들의 주선하에 1956년 7월 16일 대법원장, 법무부 장관을 비롯한 한국의 법률가 단체의 장들이 한국법학원을 설립하게 된 것이다.

원장의 임기는 2년, 자리나 지키고 있자 들면 숙제였던 책 보완 작업이나 하며 보낼 수도 있었다. 하지만 판사, 검사, 변호사, 법학 교수, 심지어는 사법연수생, 군 법무관까지를 하나로 묶어놓은 국내 유일한 법률가 단체인 한국법학원에서는 원장이 일을 하기에 따라서는 4개 기관의 협조를 받아 법률가 단체로서의 일을 해낼 수 있을 것 같았다. 무슨 일이고 찾아서 하는 나는 무슨 일을 할 것인가는 깊이 생각하지 않고 전임 김두현(金斗鉉) 변호사의 자리를 맡았다. 물론 내 개인적인 계획은 무너지고 말았다.

법학원은 대한변협과 같이 일주일에 한 번 월요일에 집행부 임원회의를 가졌다. 법학원장이 된 나는 먼저 그 회의를 월요일 아침 일찍 사무실에서 열기로 하였다. 집에 있는 토스터기와 커피포트를 내놓고 여직원에게 아침식사는 여기서 빵을 구워서 양식으로 먹자고 하였다. 계란프라이를 하고 감자도 몇 조각 보태놓으면 훌륭한 양식이다. 캔주스와 커피, 과일을 곁들이니 500원짜리 훌륭한 조반을 제공할 수 있었다. 법학원에는 5, 6명의 임원이 조반을 사서 먹을 예산도 없었다.

한국법학원은 예산이 부족했을 뿐 아니라 인적 기구도 빈약했다. 부원장들이나 이사들이나 명목뿐이었고 사실상 하는 일은 없었다.

한국법학원 지부와 미국법 도서관

한국법학원 지부 설치 노력

한국법학원은 비록 자랑할 만한 업적은 없다고 하더라도 무슨 사업이든 쉬지 않고 벌이고 있어서 관심이 있는 사람들은 그 존재를 알고 있었다. 하지만 그것은 서울의 이야기이고 지방에서는 전혀 알지 못했다.

그래서 나는 한국법학원의 존재를 널리 알리고 각 지방에서도 법조계와 법학계가 손을 잡고 법학, 법조의 공조·발전을 위해서는 지부의 설치가 필요하다는 것을 절감하였다. 법학계와 법조계는 중앙과 지방이 따로 없기 때문이다.

그러므로 나는 우선 광주와 부산의 고등법원 소재지에 지부를 설치할 계획으로 대법원과 법무부 등 4개의 기관과 사전협의를 거친 후 협조를 얻어 광주고등법원과 부산고등법원을 방문하였다. 먼저 광주부터 방문하였는데 광주고등법원장실에 4개 기관의 대표자가 2명씩 모였다. 앞서 말한 것처럼 나는 이 자리에 이돈명 변호사를 초청하였다. 이돈명 변호사는 당시 조선대학교의 총장을 맡고 있었는데, 학교 일로 어려움을 겪고 있었다. 천경송(千慶松) 법원장은 넓지 않은 자기 집무실을 회의를 할 수 있도록 준비해 주었다. 한 참석자의 말대로 고등법원장실에서 이런 회의가 소집됐다는 것은 처음 있는 일이었다. 천경송 고등법원장의 성실성과 적극성을 느낄 수 있어 기뻤다. 나의 취지 설명에 전원이 찬성하여 조속한 시일 안에 한국법학원 광주지부를 결성하고, 창설 업무는 광주지방변호사회에서 맡기로 하였다. 나는 그날로 부산으로 출발하였다.

부산에서도 고등법원장실에 4개 기관의 대표자가 모였다. 하지만 지부 결성은 성공하지 못했다. 아무리 작은 모임이라도 하나의 단체가 되기 위하여서는 많은 까다로운 절차를 거쳐야 한다. 더욱이 서로 다른 3개 기관의 법조인들과 소속 대학교가 다른 법학 교수들 간의 상호협의는 하루 이틀에 되는 일이 아니다. 이런 번거로운 일을 마다않고 계속 밀고 나갈 적임자를 찾지 못했던 것이다. 참으로 아쉬운 일이지만 앞으로 언젠가는 성사되어야 할 일이다.

미국법 도서관 설치

한국법학원은 시설이 너무 빈약해 도서실 하나 변변한 것이 없었다. 도서실이라고 해야 1957년 법학원 설립을 적극적으로 지원한 스토리 박사가 기증한 약 2천 권의 미국법서가 있었을 뿐이다. 그 책도 수십 년 동안 방치되다 보니 시사성도 없고 낡아서 보는 사람이 없었다.

그러다가 내가 원장으로 있던 1990년에 우연히도 아시아재단(Asia Foundation)에서 미국 도서의 기증을 제안해 왔다. 미국 연방과 주의 법과 판례집 9천여 권이 기증할 도서들이었는데, 이는 미국의 판례집을 포함한 법서를 갖출 수 있는 좋은 기회였다. 아시아재단 책임자의 말에 의하면 이 대학 저 대학을 생각해 보았으나 한 대학에 기증을 하면 다른 대학이 불평을 할 것이고, 대법원도 생각해 보았으나 주로 판사들이 이용할 텐데 별 도움이 안 될 거라고 판단했다는 것이다. 그래서 법학 교수를 포함한 전 법률가를 대표하는 한국법학원을 생각하게 됐다고 했다. 미국법을 아는 내가 원장이라는 것도 고려했다고 한다. 마음속으로는 얼씨구나 했지만 그 많은 도서를 어디다가 보관하느냐가 문제였다. 도서관은 도서의 단순한 보관소가 아니다. 서가를 갖추고 열람실도 만들어 이용자들이 편리하게 이용할 수 있을 때만 제 역할을 할 수 있는 곳이다. 사무실 하나 제대로 없는 상황이라 대답하기는 어려웠지만 선뜻 받아들이겠다고 대답하였다.

다행히도 법원행정처에 이 실정을 얘기하고 법정 하나를 비워달라고 부탁한 결과 쾌락을 얻어서 당시 제2신관 1층 법정에 그런대로 모양을 갖추고 도서관을 개관했다. 1990년 12월의 일이다. 이때는 참으로 기뻤다. 한국법학원이 때를 만난 듯싶었다.

그 후 아시아재단의 호의를 위해서도 이 도서관은 이용자가 많아야 하겠기에 없는 예산을 짜서 새 판례와 개정법의 추록을 매년 보충해 나갔지만 이용자가 없는 데는 무책이었다. 법학원 회지에 광고도 내고 대한변협 회지에 공고도 하였지만 별로 이용하는 사람이 없어서 도서관은 쓸쓸하기만 했다. 결과적으로 보면 이 도서관은 법률 개방에 대한 준비였으니 아시아재단은 법조계에 많은 도움을 주었는데 미안한 마음이 크다. 그래서 더욱 아쉽다.

법조계와 법학계

대법원, 법무부, 대한변협은 같은 법조계인데도 같이 뭉치지 못하고 있는 것이 현실이다. 법원에서 일하다보면 평생 변호사는 안 할 것만 같이 행동하지만 나이가 들어 법원을 떠날 때쯤이면 변호사를 하겠다고 다투어 나서는 판사들, 막강한 권력을 휘두를 때는 변호사를 불필요한 존재로 보다가도 변호사를 할 때쯤이면 그간 잘못한 일이나 없나 하고 대한변협을 쳐다보는 검사들의 이런저런 태도 때문에 대한변협은 법조계의 중심이 되지 못한다. 판사와 검사는 법률가의 일원으로서 변호사와 같은 존재라는 의식이 아주 약하다. 그들은 변호사와 달리 재판이나 수사·기소처럼 국가를 위한 존귀한 업무를 맡고 있다고 생각하기 때문일 것이다. 이것이 얼마 전까지 법조계의 모습이다.

그래도 법학계와의 관계보다는 나은 편이다. 법학 없이 법조계에서 재판과 수사에서 법률을 해석하고 적용할 수는 없다. 법률을 떠받쳐주고 있는 것은 법학이다. 이렇듯 법학이론이야말로 법률의 존재 가치를 확인해주는 것인데도 불구하고 우리나라 법조계는 법학 교수의 위상을 인정해주지 않는다. 심한 경우 법학계와 법조계는 서로 적대적이라고 말하는 사람도 있다. 실무를 통하여 수준 높은 이론도 갖게 되는 부분이 있는 것이 사실이지만 그것은 한낱 단편적인 지식에 불과하다. 법학계와 법조계는 한집안 식구가 되어 서로 소통해야만 양쪽이 같이 발전할 수 있다.

이처럼 실무를 다루는 법조계와 이론을 다루는 법학계가 따로 논다는 사실은 한국 법률계(法律界, 법조계와 법학계의 총칭)의 치명적 결함이다. 과거에 많은 선배들이 양자의 제휴를 외쳤지만 큰 성과는 없었다. 나도 서울통합변호사회 회장, 대한변협 협회장으로 있을 때에 같은 노력을 하였지만 별로 호응을 받지 못했다. 법률계가 하나로 뭉치지 못하는 이유 중의 하나는 법학 교수 중에 사법시험 합격자가 거의 없다는 사실이다. 이것도 쉽게 해결할 방안이 있건만, 예컨대 소정의 조건을 충족하는 법학 교수에게는 변호사 자격을 수여할 수 있을 법하지만, 법조계에서는 아주 소극적이다.

법학회들을 위한 공간 제공

이런 현실을 타개하고 바로잡아 주는 것도 한국법학원의 설립 목표이다. 이 때문에 한국법학원은 다른 법조 기관과 달리 법학 교수와의 협력과 유대가 절대적으로 필요하다. 그래서 나는 1990년 초에 한국법학원장이 되자마자 회의실을 없애고 법학회들의 공용 사무실을 만들었다. 그래봤자 테이블을 깨끗이 치우고 지저분하게 깔려 있는 잡동사니를 정리하는 정도였지만 많게는 30명 정도의 세미나도 가능한 공간이었다. 그것도 무료로 제공되는 공간이었다. 전화를 따로 달아 연락을 주고받기도 편리하게 했다. 당시 모든 학회가 그렇듯이 사무실은커녕 작은 세미나실이라도 하나 있는 법학회는 거의 없다는 것을 알고 있어서 양자가 같은 사무실을 쓴다는 분위기부터 조성할 필요가 있다고 느꼈다. 그러나 아쉽게도 이 사무실을 이용하는 학회는 별로 없었다.

법조계와 법학계 유대강화를 위한 세미나

나는 법조 실무자들과 법학 교수들과의 유대강화를 제일 큰 목표로 삼았다. 그래서 구체적인 방안을 찾기 위하여 1990년 11월 2일 사법연수원 강의실에서 '법조계와 법학계의 유대강화 방안'이라는 큰 주제로 세미나를 개최했다. 제1주제는 '각국의 법조계와 법학계의 협력제도'였는데, 프랑스(김동희), 독일(이영준), 일본(이동기), 미국(이정훈), 영국(채이식)의 사례가 발표되었다. 제2주제는 '법조계와 법학계의 협력방안'이었는데, '법조계와 법학계의 협력 방안'(양승규), '법학계와 실무계의 교류·협력 문제'(최광률)가 논의되었다.

법원, 검찰, 변협, 법학 교수회 간부 간담회

한번은 코리아나호텔 22층 회의실에서 4기관의 대표 간부들이 모여서 간담회를 가진 적이 있다. 그때 법원의 책임자로 나온 분은 법원은 잘하고 있는데 무엇을 누구와 협조하라는 뜻이냐 하는 비아냥 비슷한 반응을 보였던 것으로 기억한다. 그럴수록 나는 이런 모임을 계속 이어나가려고 했다. 그 후 세월이 흘러 사정이 많이 달라진 것으로 안다.

법률가를 위한 강좌

컴퓨터 강좌

컴퓨터가 사회생활과 불가분의 관계가 있고 개인생활에도 긴요하다는 것은 널리 알려진 사실이다. 하지만 1991년만 해도 법조계에는 컴퓨터에 대한 인식이 거의 없던 때였다. 이에 한국법학원은 매년 법률가를 위한 컴퓨터강좌를 마련했다. 회원들은 개인적으로 컴퓨터를 배울 생각이 있어도 학원에 나가기에는 시간과 교육 내용이 적당치 않아 법률가만을 위한 요령 있는 강의가 필요했다. 또한 이는 법조계와 사법부의 전산업무 발전에 계기를 마련하고 자극을 주는 일이라고 믿었다. 나는 한국법학원장을 맡으면서 대한변협의 재무이사를 맡았던 윤종수 변호사를 다시 총무이사로 모실 수 있어서 그분이 모든 것을 주관하였다.

법률가, 특히 변호사는 법정이 열리는 낮에만 바쁜 것이 아니라 저녁에도 의뢰인을 만나고 변론 준비를 하기에 여유가 없다. 그런데도 1991년 6월 처음 강의를 열자 정원 30명을 넘는 신청자가 몰렸다. 하지만 일인당 컴퓨터 1대를 놓고 개인지도가 가능하려면 더 많은 인원을 받을 수는 없었다. 컴퓨터를 전혀 모르는 초보자와 기초적인 MS-DOS 명령어를 알고 워드프로세서를 사용해 본 경험자로 나누어 3개의 반으로 꾸렸다.

경제, 금융, 과학, 정보를 위한 특별 교양강좌

1992년 11월 미국과 EU가 '블레어하우스 협정'을 맺으며 사실상 우루과이라운드가 타결되자 나는 국제적·경제적 환경의 변화에 대비해서 법률가가 갖추어야 할 경제, 금융, 과학, 정보의 교양을 위한 특별강좌를 설치하였다. 이 강좌는 1994년 6월 1일부터 30일까지 1개월간, 매주 월·화·수요일 저녁 6시 30분부터 9시까지 서울 서초동 변호사회관 대회의실에서 개최되었는데 100명이 넘는 회원들이 참석하였다. 만석의 장관이었다. 판사, 검사, 변호사 들은 마음대로 시간을 내기가 어려운데도 매일 저녁 그 많은 사람들이 강의실을 꽉 채우고 강의를 듣고 있는 장면은 참으로 감동적이었다.

금융·외환 강좌

1995년 6월 19일~7월 7일까지 3주간 매주 월, 화, 수 저녁에 변호사회관 6층 대회의실에서 '법률가를 위한 금융외환 강좌'를 열었다. 판사, 검사, 법학 교수 들에게는 수강료 10만 원씩을 받고 변호사들에게는 20만원씩을 받았는데도 이 강좌에는 124명이나 되는 회원들이 등록하였다. 일찍이 없었던 일로 회원들의 열기를 짐작할 수 있었다. 모두 공부를 해야만 한다는 생각으로 머리가 꽉 차 있었던 모양이다. 개강 첫날 나의 인사말이 그대로 남아 있어서 여기 인용해 본다.

"국민은 돈, 돈 하면서 살아가고 있는 것이 숨김없는 현실입니다. 나같이 나이 든 세대는 돈을 장사꾼이나 생각하는 천한 것이며 돈을 생각하면 공부도 할 수 없고 인격도 쌓을 수 없다는 것이 어렸을 때부터 받은 교육입니다. 그러나 사회가 경제 중심으로 발전하면서 돈을 무시하기는커녕 사회도 사람도 돈의 지배를 받는 세상이 되었습니다. 그러므로 돈에 관한 분쟁은 그것이 민사사건으로 발전하든 형사사건으로 치닫든 시민생활의 일부이며 새삼스러운 것이 아닙니다. 피고는 원고에게 얼마를 지급하라는 사건 말고 무슨 사건이 또 있겠습니까? 건물이나 토지에 관한 부동산 관계 소송도 모두 돈에 관한 것입니다. 행정사건도 마찬가지입니다. 그런데도 재판을 담당하는 판사도, 사건을 수사하는 검사도, 이를 변론하는 변호사도, 민법, 형법을 가르치는 법학 교수도 돈의 정체와 생태에 관해서 제대로 배운 것이 없으며 가르친 것도 없습니다. 따지고 보면 법률가가 되기 위하여 대학에서 배운 민법, 형법 등 기본법은 모두 돈과 무관한 시대에 만들어진 법률들입니다. 아니 어느 때고 역사상 돈과 무관한 시대는 없었지만, 돈, 돈 하면서 돈에 매달리지 않고도 살 수 있는 착한 사람들이 많은 순박한 시대에 만들어진 법률들입니다. 우리는 이런 법률을 배우고 그것을 기초로 살고 있지만, 이제 사회는 변화하여 법률의 본질조차 바꾸어놓고 있습니다. 그러므로 법률가가 돈과 직접적으로 관련된 법률이나 돈의 유통 시스템을 알지 못하고서는 그 기능을 다할 수 없습니다. 그것이 내가 금융외환 강좌를 마련한 동기이지만 정직하게 말하면 하나 더 있습니다. 법률가도 외환문제, 금융문제를 알기 위하여 공부하고 연구하고 있다는 것을 강의를 담당한 권위자를 통하여 외환·금융계 사람들에게 알리고 싶었습니다. 그들의 법률가에 대한 인식을 새롭게 하면 법조계와 사법부에 대한 국민의 불신을 해소하는 데도 얼마간 도움이 될 것이라 믿습니다."

다음은 초빙한 강사와 강의 제목이다.

김명호(金明浩) '자유화·개방화 시대의 통화금융정책'

김병주(金秉柱) '우리나라 금융산업의 개편 과제'

이재웅(李在雄) '우리나라 금리가 높은 이유와 대응 방향'

윤병철(尹炳哲) '금융의 세계화 추세에 따른 은행업의 대응 자세'

이강환(李康煥) '경쟁 심화에 따른 생명보험사업의 전략적 과제'

이천표(李天杓) '엔고(高) 및 원고(高)의 배경과 한국경제'

이만기(李滿基) '증권시장의 선진화 추세와 증권업의 대응 과제'

이근영(李瑾榮) '증권투자 신탁'

민상기(閔相基) '금융선물시대의 개막과 대응 자세'

김중웅(金重雄) '우리나라 금융 부문의 구조적 문제점과 경쟁력 강화 과제'

정운찬(鄭雲燦) '한국은행의 독립성'

박상은(朴相銀) '호경기하 리스업의 경쟁 기반 확충 방안'

금융 강좌

이듬해에는 금융 강좌를 따로 개최하였는데, 전년과 마찬가지로 6월 19일~7월 5일까지 6시 30분~9시까지 강의가 이어졌다. 강의 중간에 30분의 저녁식사 시간을 두어 회원들은 강의실 부근에서 저녁식사를 하면서까지 금융강의를 들었다. 그만큼 열성적이었고 화기애애했다. 김명호 한국은행 총재를 비롯한 12명의 대가들이 강의에 나섰다.

법조 근대화 100주년 기념사업

국민의 사법 참여 문제

한국 법률계의 근대화는 1895년 법학교육과 법관 양성을 목적으로 한 법관양성소의 설치를 기원으로 한다는 것이 일반적 견해이므로, 1995년은 한국법 근대화 100주년에 해당하는 해였다. 그간 한국 법률계는 1910년 국권피탈이라는 민족적 비운 때문에 한국의 법학·법조·법률·재판은 주권재민의 원칙에서 벗어나 모든 면에서 왜곡·파행의 길을 걸을 수밖에 없었다. 1945년 광복이 되고 48년 대한민국 정부가 수립되었지만 우리는 일본식 법률을 그대로 이어받았으니, 한국의 법학 교육방법, 법조 실무의 내용, 법률의 성격 및 체계, 법률가의 의식구조에 미친 악영향은 이루 헤아릴 수 없었다.

1995년을 기점으로 20년 정도는 법률과 사법제도에 많은 개혁과 민주화가 이룩되어 전반적으로 근대화의 길을 걷고 있기는 하지만 근본적으로는 일본의 영향에서 벗어나지 못하고 있었다. 그러므로 우리는 한국 법조 근대화의 의미와 100년간의 좌절·발전의 과정을 회고·검토하면서 모든 분야에서 주권재민의 헌법정신을 바탕으로 자유민주주의적 법치국가답게 법률체계와 사법제도의 근대화를 이룩하는 계기로 삼기 위하여 1993년에 법조 근대화 100주년 기념사업 준비위원회를 구성하였다.

법원, 검찰, 변호사, 법학자, 기타 각 분야마다 100주년 기념사업이 전개되리라고 생각했지만 이는 성격상 분야별로 전문적인 회고·분석이 될 수밖에 없으므로 법률체계와 사법제도의 종합적인 관찰과 전체적인 발전 기획을 위하여서는 한국법학원에 한국 법조 근대화 100주년 기념사업 추진위원회를 설치하는 것이 바람직하다고 생각하였다.

이때에 나는 국민의 사법 참여가 절대적인 과제로 등장하고 있다는 생각에 짓눌려 재판의 참심제·배심제, 민간인의 검찰 수사 참여 등을 당면 연구과제로 올리려고 하였다. 법률이나 재판은 특별한 것이어서 민간인이 끼어들기에는 너무 전문적이라든가 시기상조라는 말은 이제 통하지 않는다고 생각했다. 이와 같은 생각은 내가 1985년에 펴낸『한국법의 실상과 허상』에도 잘 나타나 있다.

그 후 준비위원회는 여러 차례 회의를 갖고 구체적인 행사 내용과 연구 방향을 논의하여 거의 확정 단계를 맞이하였다. 대법원이 자체의 안과 한국법학원이 마련한 안을 합쳐 사업을 단일화하였다. 내가 대법원이 만든 위원회의 위원장을 맡아서 기념사업을 치렀으나 국제적인 시야에서 법조계, 법학계를 망라하여 대규모로 이 사업을 추진하려던 나의 당초 안보다는 훨씬 축소된 것이었다. 따라서 국민의 사법 참여 문제와 재판의 민주적 진행 방식에 관한 연구는 하지 못하고 말았다. 이럴 때에 회원이 자진하여 구성한 임의 단체인 한국법학원이 기념사업의 주동이 됐으면 법률계의 민주적인 발전을 위하여 얼마나 좋았을까? 법조계만이라도 변호사, 법학 교수와 같은 민간인이 주동이 되는 행사가 관(官)을 이끄는 날을 손꼽아 기다린다.

러시아 법조계 시찰

한국법학원은 1993년 9월 26일부터 10월 3일까지 러시아 연방공화국 과학아카데미 산하 IMEMO(국제관계 및 세계경제 연구소)의 초청으로 14명으로 된 법조시찰단을 보냈다. 러시아 법조시찰단은 아주 어수선한 러시아 정국에서도 한·러 법률문화 교류의 첫장을 마련하며 알맹이 있는 성과를 거두었다. 그때까지 외국에 법조시찰단을 보낼 때에는 상대 국가의 계획에 따라 초청을 받는 경우뿐이었는데, 러시아 법조시찰단은 한국법학원이 주동적으로 계획하고 주선한 결과였다.

IMEMO 관계자가 서울에 와 있는데 한번 만나보지 않겠느냐는 김동환 변호사의 권유로 그를 만난 것이 열매를 맺은 것이다. 나는 북한법을 연구하기 위하여서는 사회주의 국가의 원조인 러시아와 중국의 법률을 연구하고 그쪽 법조계를 시찰할 필요가 있다고 생각하고 있었기 때문에 하루 저녁 그를 만나 러시아와의 법률문화 교류를 강조하고 그 주선을 부탁했다. 대담은 무척 고무적이었다.

법조시찰단은 9월 26일 서울을 떠났는데, 그때는 옐친(Boris Yeltsin) 대통령이 의회 해산 포고령을 선포하여 러시아는 일촉즉발의 위기감이 느껴지는 비상사태 정국이었다. 나는 일행의 안전까지 고려하는 책임자로서 출발 여부를 놓고 몹시 망설였다. 출발 2일 전에 그 문제로 일행이 모임을 가졌지만 회원들의 의견은 갈라질 수밖에 없었다.

어느 해인가 내가 대한변협 협회장을 맡고 있을 때 모스크바에서 개최된 세계법률가대회에 많은 변호사들이 참가를 희망하였지만 비자(당시는 소련)를 받지 못하여 불발로 그친 일이 떠올랐다. 그래서 러시아와는 인연이 없나 싶기도 하였지만 모처럼의 기회를 놓칠 수 없어서 출발을 결정했다. 러시아의 법조계를 시찰하는 것이 우리 일행의 주된 목적이기는 하였지만, 말로만 듣던 공산주의 국가 러시아를 한번 보고 싶다는 흥미도 출발 강행의 유인이 되었다.

법무부, 고등법원 방문

모스크바에서는 법무부, 모스크바고등법원, 국제비정부법률가협회, 모스크바변호사협회, 모스크바대학교 법과대학, 러시아과학아카데미 산하 국가와법연구소, IMEMO 등을 방문했다. 나는 러시아에 갈 때 러시아어 몇 마디를 익혀 그쪽 사람들을 만날 때마다 이상한 발음의 러시아어로 인사말을 했다. 듣는 쪽은 이상한 러시아어에 웃으니 서로의 긴장을 푸는 좋은 방법이다. 이런 식으로 언제나 화제를 이끌어가면서 의견을 교환했다. 우리의 질문은 상식의 선에서 이루어지기는 하였지만, 러시아 정국에 관한 아슬아슬한 정치적 질문도 있었다. 그러나 그들은 낯선 한국 변호사들을 반겨주었고 서슴없이 개인의 의견을 곁들여 성의 있는 답변을 해주었다.

모스크바고등법원장은 여성이었다. 러시아에서 판사는 여자가 대부분이었는데, 한국에서는 할 일이 많은 남자들이 판사까지 하느냐는 말에 놀

한국 법률가들을 초청해 준 러시아의 IMEMO 방문

라기도 하고 웃기도 하였다. 러시아의 법원에 대한 사고방식을 읽을 수
있었다. 모스크바고등법원에서는 법정에서 실제 진행되고 있던 재판을
참관했다. 법정 방청석에 들어서니 재판관과 검사가 높은 단상에 앉아 있
는 것은 보이는데 피고인이 안 보였다. 잘 살펴보니 피고인은 철사로 만
든 닭장처럼 생긴 우리 안에 선 채로 재판관의 신문을 받고 대답을 했다.
전혀 예상을 못했던 참으로 놀라운 일이었다. 중국 법정에서도 못 보던
광경이었다. 바로 밖에는 군인인지 경비원인지가 사납게 생긴 경찰견을
잡고 서 있었다. 두려움이 느껴질 정도였다. 북한의 형사재판도 이와 별
반 다르지 않을까 싶었다.

　모스크바대학교 법과대학을 방문해서 학장에게는 정평 있는 한국의
헌법, 상법 등 교과서 몇 권과 법전 한 권을 한국법학원의 이름으로 기증
하였는데, 한국 법률 책은 이것이 처음이라고 학장은 고마워했다.

모스크바에서는 저녁 때 인형극장, 민속 공연, 오페라, 연주회 등을 관람했다. 나는 민속 공연을 보고 나오다가 소매치기를 당했다. 일찍이 러시아의 여행담을 들었던 나는 그럴 때를 대비하기 위하여 미리 뒷주머니에 1달러짜리로만 13달러를 넣어놓고 있었다. 한 놈이 느닷없이 다가와 말을 걸면서 내 옷을 여기저기 만지작거렸는데, 입고 있는 옷까지도 훔쳐간다는 여행담을 순간 떠올렸다. 내가 밀어제치니까 나중에는 구두라도 벗어달라는 뜻인지 허리를 구부리고 구두를 만지작거렸다. "이놈이 왜 이래?" 하면서 나도 허리를 구부리고 그놈의 손을 쳤더니 그 사이에 뒤쪽에서 다른 놈이 덤벼들어 뒷주머니의 돈을 꺼내갔다. 체격이 큰 황계룡(黃桂龍) 변호사가 바로 옆에 붙어 있었고 다른 일행도 버스 안에서 그 광경을 지켜보고 있었지만 순식간에 일어난 일이어서 속수무책이었다. 두 놈은 옆에 세워놓고 있던 자동차를 타고 달아났다.

의사당을 겨냥한 대포

우리는 모스크바에서 일정을 마치고 야간열차로 상트페테르부르크(레닌그라드)에 가서 관광을 하고 다시 모스크바로 돌아왔다. 10월 3일 서울로 오는 비행기는 저녁이어서 오전에는 시내 관광을 하면서 최고인민회의 의사당 옆까지 가보았다. 의사당 앞을 흐르는 강 건너편에는 의사당을 겨냥한 대포 몇 문이 놓여 있었다. 의사당은 군인이 포위하고 있어서 구경거리다 싶어 다가갔지만 너무 가까이 갈 수는 없어서 조금 떨어진 곳에서 구경을 하는 데 그쳤다.

우리 일행은 그날 저녁 서울로 돌아왔는데 다음날 아침에 김포공항에 내리니 TV에 러시아 정부군이 대포로 의사당을 쏘아대는 무시무시한 장면이 나와 우리를 놀라게 하였다. 러시아 여행은 처음부터 끝까지 스릴이 넘치는 여행이었다.

누구나 아는 대로 1917년 10월 러시아혁명으로 공산 정권이 생겼고 그 영향으로 세계 각국의 3분의 1이라고 말할 수 있을 정도로 넓은 지역에 공산주의가 전파되었다. 그 후 70여 년간 세계는 동서냉전의 도가니 속에서 불안에 떨어야 했다. 1989년 11월 베를린 장벽의 붕괴로 러시아를 중추로 한 소련 및 동유럽 공산체제는 송두리째 무너졌다. 러시아혁명으로 탄생한 러시아 공산 정권은 70여 년이라는 긴 세월을 가난한 사람들을 살려준다는 미명 아래 많은 사람들을 탄압하고 살상하면서 군사 강대국이 되었다.

자유민주주의 국가들이 번영을 구가하던 1970, 80년대에 러시아는 국민의 식량조차 모자라 어쩌다가 육류라도 배급하면 정육점 앞은 시민들로 장사진을 이룬다는 보도로 세계의 관심사가 되었다. 이런 보도는 반공에 투철한 한국 사람들까지도 70년이 넘도록 공산정치를 펴면서 천국이라고 하였는데 그럴리가 있는가, 반공국가의 과장보도가 아닌가 하는 의문을 갖게 하기도 하였다. 이런 의문들도 우리 일행이 정국 불안에 긴장하면서도 러시아에 꼭 가고 싶었던 일인(一因)이었을 것이다. 10일 정도의 짧은 여행이었지만 일행은 공산주의의 모순된 정치·경제체제로는 군사대국이 되어도 국민의 생활을 해결할 수 없다는 사실을 각자의 눈으로 확인하게 되었다.

러시아 방문에 관하여는 안동일 변호사의 재미있는 여행기가 〈법률신문〉(1993년 11월 5일 자)과 〈저스티스〉(1993년 12월 호)에 실렸다.

이렇게 어려운 형국을 뚫고 러시아와 법률 교류의 문을 열었지만, 우리의 모든 것이 다 그렇듯이 계속 이어지지 못하고 있는 것이 못내 아쉽다.

EU 방문

    한국법학원은 1994년 7월 EU에 시찰단을 보냈다. 그런데 EU에 시찰단이 출발한 직후, 그러니까 7월 8일에 북한의 김일성이 사망하였다는 소식을 접했다. 그의 사망으로 북한에 무슨 큰 변이 일어나지 않나 모두들 긴장하였지만, 예정대로 EU를 방문하여 일행은 유럽과 북유럽으로 나누어 돌아본 후에 돌아왔다.

    내가 법률가들의 EU 방문을 계획한 것은 EU라는 새로운 연방이 등장하고 있다는 놀라움과 기대 속에서 우리 법률가들도 관심을 가져야 한다는 생각 때문이었다. 법조시찰단을 보내서 며칠간 견학하고 연수한다고 하여 무엇이 크게 달라지지는 않을 것이다. 하지만 우리는 매일 미국이나 영국에 대해서만 이야기할 뿐 EU를 너무나 모른다. 그래서 나는 제대로 알지도 못하고 보지도 못한 EU이기는 하지만 EU 방문은 그 자체로서 큰 자극이 될 수 있다고 믿고 EU 시찰을 추진한 것이다.

    EU 방문은 수박 겉핥기라는 말로도 부족할 정도로 얄팍한 시찰이었지만 일행이 12개의 별로 상징되는 EU 깃발이 나부끼는 본부 앞에 섰을 때 EU는 국가를 초월하는 하나의 실체로서 우리 앞에 다가왔다. EU의 각 기

EU를 방문한 한국법학원 시찰단 일행, 중앙이 필자

관을 둘러보고 관계자들의 설명도 들었는데, 그들은 EU에 대한 우리의 관심의 깊이를 알고 어떻게 이런 시찰단을 만들 수 있었느냐고 묻기도 하였다. 우리가 이런 정도나마 시찰을 할 수 있었던 것은 당시 한국법학원 연구이사 이기수(李基秀) 고려대 교수(후일 고려대 총장)의 열정적인 주선과 통역 덕분이었다. 우리 일행은 각 기관 담당자들로부터 설명을 들으며 견학했다. 그곳에서 근무하는 법무관이라고 할까 변호사들에게는 각국의 이해관계를 조절하여 EU를 설립하고 EU의 독자적인 운영기구를 설립한 것은 각국의 정치인이라기보다는 실무적(법률 관계) 작업으로 이를 뒷받침하고 때로는 장애물을 제거하는 데 노력하는 자기들의 공이라는 자부심이 넘치고 있었다. 우리 일행이 EU를 방문한 데서 얻은 성과는 바로여기에 있는 것 같다. 과연 이해관계가 깊고 이질적인 요소가 많은 각국의 정책을 하나로 묶고 조정하는 일을 하는 데는 법률가만 한 이들이 없다.

1991년 EU조약이 맺어질 때까지만 해도 가맹국들 간의 이해관계 때문에 EU에 이르지 못할 것이라는 견해도 많았고 통화 단일화도 시행될 수 없을 것이라는 의견도 강했다. 그러나 그들은 모든 난관을 극복하고 EU의 독자적 존재를 과시하고 있었다. 우리나라는 이런 변화에 아주 약한 편이다. 무엇보다도 남북한의 통일이 가장 절실한 과제인데다 최근에 이르러서는 동북아 또는 동남아를 포함한 자유무역체제 구축에 대한 제안도 있어서 법률가들은 일반 국민에 앞서서 세계적 변화의 물결을 읽고 연구·검토하는 일을 게을리하여서는 안 될 것이다.

EU 연혁

1950년 5월 프랑스의 로베르 쉬망(Robert Schuman) 외무장관은 언제나 전쟁과 분쟁의 원인을 제공해 온 프랑스와 독일 국경지대에 널리 파묻혀 있는 양국의 석탄과 철강 자원을 다른 유럽국가에게도 개방하기 위하여 하나의 공동기관이 관리한다는 '쉬망플랜'을 발표했다. 과거 분쟁사에 비추어 프랑스와 독일이 어떠한 경우에도 전쟁을 생각할 수 없게 만들고 물리적으로도 불가능하게 한다는 것이 그의 발상이었다. 말하자면 부전공동체(不戰共同體)를 구축한다는 정치적 목표를 세운 것이다. 이 구상은 EU로 가기 위한 첫걸음으로 각국에 각인되었다. 이에 벨기에, 서독, 프랑스, 이탈리아, 룩셈부르크, 네덜란드 등 6개국이 호응하여 나라의 명운을 같이한다는 확고한 결의하에 1951년 파리조약을 맺어 유럽석탄철강공동체(ECSC)를 창설하는 데 성공했다. 파리조약은 최고 기관으로 이사회, 공동총회, 사법재판소까지 두어 유럽 통합에 대한 강력한 의지를 보였다.

1950년 6월 6·25전쟁이 일어나자 미국은 서독의 재군비를 요청했다. 이 때문에 유럽석탄철강공동체와 동시에 진행되고 있던 유럽방위공동체

(EDC) 및 유럽정치공동체(EPC)의 구상은 후퇴할 수밖에 없었다. 유럽석탄철강공동체 6개국은 이런 좌절을 교훈으로 1956년 4월 유럽경제공동체(EEC)의 필요성을 강조한 '스파크 보고서'를 채택한다. 예전에는 제조공업을 독점하고 해외 식민지 영토로부터 중요한 자원을 확보하였지만, 거의 모든 분야에서 세계 총생산액의 절반을 차지하는 미국과 3분의 1을 차지하고 연 10~15%의 속도로 생산력을 확대해 나가고 있던 공산주의 국가들 가운데에 끼어 있던 유럽은 대외적 지위는 물론 세력이 약해져 발전력을 잃었다. 그 일례로 당시 유럽에는 자동차 메이커 하나도 없었다. 외국에서 원조를 받지 않고서는 대형 수송기를 만들 수 있는 나라도 없었다.

이 보고서는 유럽에 경종을 울렸다. 이에 따라 6개국은 1958년 1월 유럽경제공동체와 핵에너지의 평화적 사용을 위한 유럽원자력공동체(Euratom)를 발족했다. 이때 유럽석탄철강공동체의 기관인 총회(후에 '유럽의회'라고 불린다)와 법원이 유럽석탄철강공동체, 유럽경제공동체, 유럽원자력공동체의 공동 기관으로서 기능하게 되었다. 입법·행정기관은 세 공동체가 따로 두는 형식이 되어 실제로는 중복 운영을 면할 수 없었으므로 이들 기관을 단일 이사회와 단일 위원회로 통일하였다. 이것을 기회로 세 공동체는 총칭으로서 유럽공동체(EC)라고 불리게 된다. 1973년에는 영국, 아일랜드, 덴마크, 1981년에는 그리스, 1986년에는 스페인과 포르투갈이 가입하여 가맹국은 12개국으로 늘어났다.

유럽경제공동체가 중심인 EC의 목적은, 공동시장 구축, 경제활동의 조화와 발전, 생활수준의 향상 및 각국 간의 관계를 긴밀하게 하는 데 있었다. EC는 이러한 목적을 실현하기 위하여 역내의 관세 및 수량 제한의 폐지, 역외에 대한 공통관세의 설정 등 이른바 관세동맹을 기초로 한 사람·재화·자본·서비스의 자유화와 사회·통상·운수·경쟁 등 각 분야에서 공통된 정책을 마련하여 실시하였다. EC의 이러한 공통 정책은 바로 가맹국의 주권을 조금씩 공동체에 위임하는 형태로 EC법을 정비·통합하는 것을 의미했다. 그러나 1970년에서 80년까지 10년간, 유럽은 이른바 어두운 시대를 맞이하여 통합을 향한 움직임은 거의 정체되었다. 이에 EC 통합의 지연에 불만을 가진 유럽의회의 일부 의원들이 EC의 발본적 개혁을 주장하여 의회 안에 기구문제위원회를 설치했다. 위원회는 EC 통합이 제대로 되지 않는 하나의 원인으로서 가맹국의 자기 주권에 대한 과도한 집착을 지적했다. 결국 유럽의회는 1984년 2월 이 위원회가 제의한 새로운 그리고 진정한 EU 설립 조약안을 채택하게 된다.

EC부터 EU까지 우리에게 주는 의미

기구문제위원회는 1985년 6월 역내 시장 완성을 위한 백서를 발표했는데, 이 백서는 시장 통합을 막는 비관세 장벽으로서 물리적 장벽, 기술적 장벽, 재정적 장벽의 세 가지를 지적하였다. 그 후 여러 과정을 거쳐서 EC 가맹국들은 단일유럽의정서(SEA)에 서명하였다. 의정서의 주된 내용은 '1992년 말까지 유럽 단일 시장을 완성한다, EC 각료이사회는 다수결제도를 도입한다, 유럽의회의 기능을 강화한다, 유럽 정치 협력을 제도화한다, EC 정상회의를 정기적으로 개최한다, EC법원에 부설하는 제1심 법원을 설치한다' 등이었다.

EC법(이후 EU법이 된다)은 공동체창설조약, 공동체 입법, EC법원판례, 가맹국에 공통적인 법의 일반원칙이라는 4가지 법원(法源)을 갖고 있다. EC법은 이사회 또는 위원회가 정립하며, 규제(Regulation), 명령(Direction), 결정(Decision), 권고(Recommendation) 및 의견(Opinion) 등이 있다. 규제는 일반적으로 적용하며 전체적인 구속력을 갖고 모든 가맹국에 직접적으로 적용된다. 명령은 그 목적하는 바가 각 가맹국을 구속한다. 결정은 해당자를 모든 점에서 구속한다. 권고 및 의견은 구속력을 갖지 않는다. EC법원은 EC의 모든 조약 및 EC법을 적용하는 것 외에 유사한 사건에서 종종자기 판결례를 적용하는데, 그런 의미에서 법원의 판단은 판례법으로서 EC법의 중요한 부분을 차지한다. 이러한 EC법은 EC의 독자적인 기관에 의하여 정립되고, 원칙적으로 가맹국뿐 아니라 법인 또는 자연인에게 직접 적용된다. EC법 적용에 관하여는 최종적으로 EC법의 사법적 통제에 승복한다. 이와 같이 EC는 독특한 법질서를 갖고 있었다. EC법이 국제법과 국내법의 성격을 겸비한 법이며 초국가법이라고 불리던 이유가 여기에 있다.

그리하여 EC 가맹국들은 1991년 12월 마스트리흐트 조약을 체결하는데, 이것이 바로 EU조약이다. 이에 따라 1993년 11월 1일 설립된 EU는그 목적을 실현하기 위하여 기본적으로 유럽이사회, 유럽의회, 유럽각료이사회, 유럽집행위원회, 유럽사법재판소, 기타 몇 개의 보조기구를 두고 있다.

그러나 유럽 국가들의 정치, 경제, 문화, 역사, 언어, 지역, 국가 이익 등의 다양성 때문에 일시에 모든 정책을 이행할 수는 없었다. 그리하여 유럽 단일통화 실시는 1999년까지 유보되었던 것이다. 하지만 EU의 최대 난관이었던 유럽 단일통화도 실현되어 유럽은 사실상 하나의 경제사회를 이룩하고 있다.

아시아에서도 ASEAN을 중심으로 해서 태평양 지역까지 범위를 넓히면서 EU와 비슷한 통합기구를 이루기 위한 노력이 진행되고 있다. EU의 역사적 발전을 목도한 나의 감회가 깊어지는 대목이다.

북한법 강좌

남과 북은 체제가 너무나 다르다. 한쪽은 자유와 민주주의를 누리는 국민주권국가이고 다른 하나는 공산주의를 신봉하는 프롤레타리아의 독재국가이다. 6·25전쟁으로 인해 남과 북은 결정적으로 갈라졌고, 상호 불신의 골은 너무도 깊어졌다. 6·25전쟁이라는 비참한 전쟁만 없었어도 두 체제는 평화롭게 공존할 수 있었을지도 모를 일이다. 어쨌든 남북 간의 군사적인 긴장을 완화하고 평화롭게 교류하며 민족의 화해를 도모할 길은 없는가? 그것이 역대 정권의 고민이었고 우리 국민이 겪고 있는 괴로움이다.

그러나 국민 누구나 남북통일에 대한 관심은 크지만 정작 그에 관한 법률 문제는 별로 아는 것이 없었다. 언제나 정치적 구호가 앞설 뿐이었다. 그것은 나를 포함한 법률가들도 마찬가지였다. 법률가들은 모여 앉으면 남북통일 이야기를 하고 북한법도 법이냐 하는 식의 이야기를 주고받았지만, 정작 북한법에 관심을 갖고 연구하는 사람은 많지 않았다. 다만 오래전부터 뜻있는 교수 몇 분이 모여 북한법연구회를 만들어 착실한 연구를 거듭하고 있어서 그것이 유일한 북한법 연구라고 할 수 있었다.

그러나 적어도 대한민국 헌법을 잘 아는 법률가라면 좀더 북한 사정을 깊이 알아야 하고, 특히 북한법에 있어서는 일반 국민보다 앞서가야 한다. 그러기 위해서는 사회주의법, 그중에서도 북한에 많은 영향을 주고 있는 소련과 중국의 법률체계를 연구하는 것이 꼭 필요했다. 게다가 남북한 교류도 활발해지기 시작해 북한법의 연구는 절실했다. 그래서 나는 한국법학원에서 북한법 강좌를 열고 그 결과물로 남북관계법률연구위원회를 구성했다.

북한법 강좌는 1992년 4월부터 코리아나호텔의 작은 방에서 시작하여 3년간 계속하였다. 북한법 강좌라고는 하지만 연구 대상이 될 만한 북한법을 고르기가 힘들었을 뿐만 아니라 자료도 마땅치 않았다. 그래도 북한법 강좌답게 법률 과목을 구성하고 그때그때 강사도 초빙할 수 있었으니 비록 규모는 크지 않았지만 북한법 연구의 뿌리는 꽤 깊다는 생각을 하게 되었다. 그러나 법률 과목은 극히 한정적인데다가 북한법이라고 해봤자 우리 법률가들로서는 출발점부터 달라 이해하기가 어려워 그 배경과 북한의 정치, 경제, 사회 사정을 이해하지 않고서는 이해할 방법이 없었다.

그래서 정치, 경제, 사회 각 분야의 전문가들을 총동원하다시피 하여 초청 강좌를 마련했다. 한 달에 한 번 정도 아침 일찍 개최되는 강좌였지만 언제나 30명 내외의 인원이 참석하여 이 일을 주관한 사람들을 기쁘게 하였다. 북한법 강좌에서는 조식비 명목으로 회비도 받았다. 그냥 초청하여도 모이지 않기로 유명한 법조계에서 법률 강의를 한다고 회비를 받는 것은 한국법학원이 처음이었을 것이다.

북한법 강좌 내용은 다음과 같다.

1992년 4월 14일　이동복(李東馥) '남북대화의 현황과 전망'

1992년 5월 7일	최달곤(崔達坤) '북한법의 이해와 접근'
1992년 5월 28일	최종고(崔鍾庫) '북한법의 이해와 접근'
1992년 6월 24일	공로명(孔魯明) '남북대화와 핵 사찰'
1992년 7월 16일	장명봉(張明奉) '북한 사회주의 헌법의 구조와 특색'
1992년 11월 10일	임동원(林東源) '제8차 남북고위급회담과 부속합의서의 발효'
1992년 12월 7일	이명영(李命英) '정부 및 3당의 통일 방안'
1993년 3월 4일	이순우(李淳雨) '남북한 상사중재 해결 방안'
1993년 4월 22일	고영환(高永煥) '북한의 입법·정책 결정 과정'
1993년 6월 4일	신창민(申昌珉) '북한 경제와 외국인 투자관련법'
1993년 7월 1일	김찬규(金燦奎) '북한과 국제법'
1993년 9월 3일	신동원(申東元) '현장에서 본 독일 통일'
1993년 10월 13일	신웅식(申雄湜) 'UNDP 두만강 개발계획과 법적 문제'
1993년 11월 26일	이기탁(李基鐸) '북한의 핵문제와 한반도의 장래'
1994년 2월 25일	주광일(朱光逸) '동서독 법률·사법 통합 현황 및 남북관계 진전에 따른 법적 문제'
1994년 3월 24일	유지호(柳志鎬) '남북예멘의 평화적 통일'
1994년 3월 24일	성영훈(成永薰) '통일예멘의 법률·사법 통합 현황'
1994년 4월 28일	송영대(宋榮大) '북한 핵문제와 남북관계의 현황 및 전망'
1994년 5월 26일	정동윤(鄭東潤) '북한의 사법제도'
1994년 6월 24일	김점곤(金點坤) '6·25와 전후 반세기'
1994년 9월 16일	이창건(李昌健) '한국형 표준경수로와 이의 대북 지원 방안'

1994년 10월 25일	민병용(閔丙用)	'오늘, 한국을 어떻게 보아야 하는가'
1994년 11월 29일	김삼훈(金三勳)	'북핵문제 타결의 배경과 전망, 그리고 4강 과제'
1994년 11월 29일	김명기(金明基)	'핵문제에 관한 북미 기본합의서의 국제법적 검토'
1995년 4월 8일	김학준(金學俊)	'대북 경수로문제, 어떻게 할 것인가?'
1995년 5월 23일	정용석(鄭鏞碩)	'정전협정과 북한의 전략'
1995년 7월 7일	한승주(韓昇洲)	'경수로 타결과 한반도를 둘러싼 국제 역학관계'
1995년 9월 19일	나웅배(羅雄培)	'최근 북한 정세와 통일정책 추진 방향'
1995년 11월 2일	김상균(金庠均)	'북한의 새로운 변호사제도'
1996년 6월 11일	김홍규(金洪奎)	'북한 민사소송법의 특징'
1996년 9월 19일	제성호(諸成鎬)	'통일독일의 구동독 내 재산권 처리 현황'
1996년 11월 26일	권영설(權寧卨)	'독일 통일과 헌법적 대응'
1997년 4월 28일	정세현(丁世鉉)	'북한 정세의 현황과 전망'
1997년 7월 4일	이덕선(李德善)	'남북한 법률 통합'
1997년 10월 27일	김영환(金永煥)	'독일 통일 후 형법을 통한 과거 청산의 문제'

남북관계법률연구위원회

위원회 구성

1991년 9월 대한민국과 북한이 UN에 동시 가입함으로써 남북관계는 형식적으로 두 국가 간의 관계로 변질하였다. 같은 해 12월 13일 남북회담에서는 '남북 사이의 화해와 불가침 및 교류·협력에 관한 합의서'가 조인되었다. 합의서에서는 쌍방 사이의 관계가 나라와 나라 사이의 관계가 아닌 통일을 지향하는 과정에서 잠정적으로 형성되는 특수 관계라는 것을 인정하고 있지만, 이것은 앞으로 대한민국 헌법에도 많은 영향을 주리라고 생각되었다. 대한민국이 북한과 동등한 위치에 서서 남북회담을 열고 이러한 합의서를 체결한다는 것은 남북 간의 긴장 관계를 완화하여 평화적인 통일로 가기 위한 부득이한 일로 이해되기는 하지만, 대한민국 헌법 위반, 즉 위헌이라는 논란을 불러일으키기에 충분했다.

이 합의서를 계기로 남북관계는 더 활발해지고 많은 변화와 진전이 있으리라 예상되었다. 물론 남북통일이 언제 이룩될지는 아무도 예측할 수 없는 일이지만 지난날의 경과에 비추어 앞날에 있을 우여곡절은 충분히 예상할 수 있고, 그때마다 헌법 또는 법률 위반이라는 지적도 생겨날 것이 명백하여 헌법과 관계 법률의 연구는 초미의 급선무가 되었다. 그러나 그것은 몇몇 학자나 실무가가 연구할 수 있는 주제가 아니었다. 이론과 실무가 합쳐진 문제라 이론으로 해결할 수 있는 것이 아니고 그때그때 벌어지는 사례를 중심으로 하나하나 공동으로 합리적인 해석을 해나갈 수밖에 없는 참으로 거대하고 어려운 작업의 연속이었다.

이 연구야말로 마땅히 판사 · 검사 · 변호사 · 법학 교수로 구성된 한국법학원이 할 일이었다. 한국법학원은 이 연구를 위한 가장 적절한 기관이었다. 그래서 나는 북한법 강좌와 병행하여 1992년 4월, 1995년 9월에 회원의 신청을 받아 남북관계법률연구위원회를 구성하였다.

위원회의 확대 · 개편

나는 북한법 강좌가 어느 정도 성과를 얻었다고 판단하고 남북관계법률연구위원회를 확대 · 개편하였다. 다양한 전개를 보이고 있는 남북관계로 인해 발생하는 쌀 지원 문제, 경제시찰단, 우성호 피랍 사건 등과 같은 사안들에 대한 법적 연구가 절실하다고 느꼈기 때문이다. 이런 사례들을 법률적으로 검토 · 연구하기 위하여 남북관계법계법률연구위원회(위원장 유현석)에 운영위원회(장명봉, 박철우, 김동환, 이만희, 신응식, 최종고, 안동일, 양승두, 한상호)와 6개 분과위원회를 설치하였다. 6개 분과위원회 구성은 다음과 같다.

제1분과(헌법 부분): 장명봉(위원장), 정종섭(간사) 외 29명

제2분과(통일 방안 부문): 박철우(위원장), 박영립(간사) 외 30명

제3분과(남북회담 부문): 김동환(위원장), 심규철(간사) 외 25명

제4분과(인적 교류 부문): 이만희(위원장), 윤제영(간사) 외 33명

제5분과(물적 교류 부문): 신웅식(위원장), 김현(간사) 외 37명

제6분과(북한법 부문): 최종고(위원장), 김상균(간사) 외 43명

사례연구: 쌀 지원 문제

1995년 5월 26일 북한의 국제무역촉진 위원장은 일본을 방문하여 북한의 식량난을 설명하고 쌀의 원조를 요청하였다. 북한과 국교도 트지 아니한 일본에 그런 요청을 하게끔 됐다는 사실은 북한이 얼마나 식량난에 허덕이고 있는가를 말해주는 것이었다. 그는 전제 조건만 없다면 한국 쌀노 받아들일 용의가 있다는 말을 넌지시 흘렸다. 그러나 일본이 한국에 앞서서 북한에 식량 원조를 하는 것을 막으려고 하였는지 정부는 북한이 직접적으로는 아무 말도 하지 않고 있는데도 불구하고 통일부 부총리가 나서서 북한에 무조건 식량을 지원해 주겠다는 말을 하면서 그를 위해 남북대표회담 개최를 제의했다. 북한의 사정이 아무리 심각해도 북한과의 관계는 너무나 복잡하고 다기(多岐)하여 법과 절도를 지켜야 하는 일이다.

정부는 이어서 일본은 대북 쌀 지원에 신중하게 대처하라는 성명서를 내놓으면서 만일 일본이 한국에 앞서서 북한에 쌀을 지원할 때에는 한일 관계에 악영향을 줄 것이라는 경고도 잊지 않았다. 그런가 하면 무역공사의 담당자가 베이징에서 북한 측과 비밀리에 만나서 쌀 지원과 관련한 문제를 논의하였고 그 결과 6월 17일에는 재정경제원 차관과 북한의 아태평화위원회 부위원장이 만나 쌀 지원 문제를 공식으로 협의하기에 이르렀다. 드디어 6월 20일에는 한국이 북한에 쌀 15만 톤을 무상 지원하는 것으로 결론이 났다. 그 무렵 김영삼 대통령은 "정부는 이번에 북한에 무상 지원키로 한 15만 톤 외에 더 줄 예정이며 우리가 가진 쌀이 없으면 외국에서 사서라도 주겠다"고 호언했다. 비정상적인 일이 눈 깜짝할 사이

에 일어났다. 참으로 놀라운 일이다.

드디어 6월 25일 오후 5시에는 비가 쏟아지는 동해항에서 국무총리가 참석한 가운데 쌀 2천 톤을 적재한 씨아팩스호가 청진을 향해 출항하였다. 왜 하필이면 국민의 한이 맺힌 6·25 날을 선택했는가? 게다가 대한민국 국기를 달고 입항하던 씨아팩스호는 국기를 내리고 인공기를 달아야 하는 수모를 겪었다. 왜 이렇게 됐을까? 왜 큰 선물을 하고도 뺨을 맞았을까? 이 모든 것은 공은 내가 세워야 한다는 공명심과 선거에서 이겨야 한다는 정치적 판단이 작용했기 때문이다. 쌀이 북한에 전해지고 이틀 뒤인 6월 27일은 지방자치단체 선거가 있는 날이었다. 당연히 정치적인 논쟁 거리가 되었다.

여당은 그 공을 앞세워 한 표라도 더 얻으려고 노력했다. 한 야당 지도자는 이렇게 많은 쌀을 보내면서 국민과 국회에 사전 양해를 구하지 아니했다고 시비를 걸었고, 또 다른 지도자는 북한은 한국에서 쌀이 온다는 말도 하지 않고 원산지도 표시 못하게 하는데 쌀을 제공하는 것이 남북한 화해에 무슨 도움이 되느냐고 따졌다. 그렇게 따진 분은 대통령이 된 후 북한에 쌀을 지원하지 못해 안달이었다. 우리는 여기서 한국 정치의 이중성과 불법성을 본다. 이런 일에는 법과 그 절차 그리고 정치사회가 같이 묶여 있다는 것을 잊어서는 안 된다.

1995년 12월 8일에는 변호사회관에서 제5분과위원회 서정찬 변호사가 '쌀 수송 관련 문제점'을 놓고 연구 발표회를 가졌다.

헌법과 통일방안의 법적·사회적 기초

1995년 9월 14일 전체 위원회 첫 모임에서 행한 나의 인사말은 당시 나의 구상을 잘 나타내고 있다고 믿어져 여기에 그대로 옮긴다.

"오늘 남북관계법률위원회를 확대·개편하기 위한 첫번째 전체 모임에 이렇게 많은 회원들이 참석해 주서서 감사합니다.

이 위원회는 우리가 북한법과 북한에 관한 각종 연구를 하기 위하여 3년 전에 설치했는데, 그간 25회에 걸쳐 북한법 강좌를 열었으며 북한을 보는 우리의 시야를 넓혀주었고 미처 모르던 일들도 많이 알게 되었습니다. 북한법 강좌를 개최하여 북한에 관한 지식을 얻고 특정 과제에 대한 연구를 거듭하는 것은 큰 의미가 있다고 생각합니다. 그러나 최근 북한에 대한 우리 정부의 쌀 지원 정책을 보면서 법률적으로도 많은 문제가 있다는 것을 알게 되어 지금까지의 연구 범위를 확대해 나갈 필요가 있다고 느끼게 되었습니다.

그간 남북관계에 기복이 있기는 하였습니다만, 북한과는 많은 공식·비공식 접촉이 있었는데, 이번 쌀 지원 문제만큼 국민의 관심을 불러일으키면서 적지 않은 문제를 노출한 일은 없었던 것으로 압니다. 북한에 대한 쌀 지원과 이에 따른 여러 가지 문제들이 노출되면서 이를 비난하는 여론이 비등하였고 분개하는 국민도 적지 아니하였습니다만, 그것은 주로 정치적, 경제적, 사회적 관점에서의 비난이었고 법률적으로 평가하는 일은 적었습니다. 그러나 이제부터는 남북 접촉이나 남북 거래에는 법률적인 준비와 판단이 앞서야 한다고 믿습니다.

내가 여기서 법률적이라고 말하는 것은 남북관계 발전에는 통일에 관한 기본정책을 규정한 헌법과 남북 교류 협력에 관한 법률 등 관계법은 물론 자유민주주의체제하에서 형성된 법률가들의 경험과 지성이 기준이 되어야 한다는 것을 의미합니다. 그간 남북관계에서 터져나온 사례들을 골라 법률적으로 검토·연구하기 위하여 이 모임을 갖게 되었습니다만, 그런 사례에는 쌀 지원 문제만 있는 것이 아니며, 얼마 전의 동성호 납북 사건을 비롯한 많은 어선들의 납북 사건, 안 목사 납치 사건 등이 포함되어 있습니다. 어선·목사의 납북 사건은 물건에 대한 문제가 아니라 사람에 대한 문제입니다. 그러나 정부가 그들의 송환 교섭을 벌이고 있다는 보도는 별반 없고, 안 목사의 납치 사건도 중국 공안당국의 발표를 기다린다는 말이 있었을 뿐 그 이상의 보도는 없습니다.

쌀 지원 문제가 남북관계 발전에서 적지 않은 의미를 갖고 있는 것은 사실입니다만, 많은 선원들과 목사의 납북 문제는 그들과 그들의 가족에 관한, 자유와 생명에 관한 문제로서 쌀 지원과 비교할 수 없는 비중을 갖고 있으며 중요한 인권문제라는 것을 잊어서는 안 됩니다.

광복 후 50년, 우리 사회가 경제 중심으로 발전하면서 맛있는 음식을 찾아 먹고 좋은 자동차를 타고 다니는 것이 인간의 삶의 목표가 되다시피 하였습니다만, 인간의 자유와 인권이 소홀히 된다면 그와 같은 물질 중심의 삶은 언젠가는 거품이 되고 말 것입니다. 남북관계 발전과 통일정책 추진에서 우리가 북한에게 보여주어야 할 참된 일은 쌀이나 원자력발전소의 지원이 아니라 인간의 자유와 자국민의 보호가 모든 일에 선행된다는 정부의 단호한 자세입니다.

지금 우리와 북한의 관계는 정부와 정부 간의 관계인지 개인과 개인 간의 관계인지 알 수가 없습니다. '남북 사이의 화해와 불가침 및 교류·협력에 관한 합의서'는 '남과 북은…'이라고 시작하여 '남과 북…' '남과 북…'으로 일관하고 있습니다. 이 합의서는 당사자 스스로 지켜야 하고 상대방을 구속하는 법률적 문서인데도 합의의 주체가 누구인지 불분명하게 만듭니다. 원래 정치학적으로 남북문제는 발전도상국과 선진국의 사회적, 경제적 발전과 선진국의 그에 대한 책임 내지 공헌이라는 측면에서 발생하는 제 문제를 의미하는 것으로서, 이것을 영문으로 번역하면

'South and North'가 되어 더욱 우스꽝스럽습니다. 남북은 UN에 동시 가입하였고, 그간의 고위협상 경과를 보면 국가와 국가 간의 관계라고 보여지기도 하는데, 우리 헌법은 분명 북한을 대한민국 영토를 불법으로 점유하고 있는 반국가 단체로 규정하고 있어서 국가의 최고 규범이라고 하는 헌법의 관점에서 보면 북한과 1대1의 국가 관계를 갖는다는 것은 적어도 위헌이며 있을 수 없는 일입니다.

그러나 정부 수립 후 50년이 넘는 긴 세월에 걸쳐 정치적 현실 앞에 언제나 머리를 숙이는 헌법과 경제적 논리에 따라 헌법 조항이 하나둘 유린되는 비참한 일들을 너무나 많이 보아왔을 뿐만 아니라 정부의 일관성 없는 통일정책과 원칙 없는 자기 비하 때문에 우리 국민은 위헌이라는 말에서 아무런 충격도 받지 않는 것 같습니다.

정부는 북한과 기본합의서에 도달할 때 헌법을 정면으로 위반하면서까지 대한민국을 '남'으로 표시함으로써 스스로 국가의 격을 격하했지만, 그 합의서는 발효된 1992년 2월 19일로부터 3년 반이 지나도록 한낱 사료(史料)의 구실만 하고 있을 따름입니다. 북한이 지킬지 안 지킬지 판단이 서지 않는 상태에서 합의서를 만들면서 외형적인 성과만을 위하여 대한민국의 국호를 버린 것입니다. 이 표현은 북이라는 협상 상대가 있는 이상 부득이한 측면이 없지 않다고 볼 수도 있지만, '남'이라는 표현이 장래에 두고두고 미칠 악영향과 그 파장을 생각할 때 우리 법률가는 이 문제에 본격적으로 매달려 대안을 찾아내야 한다고 믿습니다.

'위헌'이라는 말에는 대한민국의 존망과 자유민주주의체제의 유지는 물론 우리와 후손의 번영이 걸려 있다는 것을 잊어서는 안 되며, 우리는 이 점을 분명히 정리하여 남북관계 발전의 지표로 삼아야 합니다. 지금 우리가 겪고 있는 대북관계의 정신적 혼란은 바로 남북관계 발전의 지표가 확고하게 서 있지 않은 데 있습니다. 대한민국이 자유민주주의체제를 국가의 근본으로 삼고 있다는 것은 새삼 논의할 여지가 없고, 국민은 이 것만이 우리의 살길이라고 굳게 믿고 있습니다. 이제 정부나 각 정당, 사회 단체는 자유민주주의체제를 유지할 수 없어도 남북통일은 하여야 한다는 것인지, 자유민주주의체제를 유지할 수 없다면 당분간 남북통일은 기대하 지 않는 것이 좋다는 것인지 이 점을 분명히 하여야 할 때가 되었습니다.

다행히 정부는 늦게나마 김영삼 대통령 취임사 등에서 통일 후 국가의 정치체제는 자유민주주의체제가 되어야 한다고 밝힌 바 있지만, 이 점을 분명히 하지 않고 형식적인 통일로 그치면 통일이 되더라도 민족 간의 이 데올로기의 차이로 광복 직후와 같은 극단적인 혼란이 야기될 수도 있고, 심한 경우에는 예멘에서 보는 바와 같은 내전을 겪을지도 모른다는 것이 나의 걱정입니다. 같은 민족이, 더욱이 타의에 의하여 갈라진 우리 민족 이 다시 하나로 뭉쳐져야 한다는 것은 절대적인 당위라고 할지라도 우리 는 지난날 러시아와 중국에서 이데올로기의 싸움 때문에 수천만 명이 죽 어갔다는 사실을 잊어서는 안 됩니다.

그러므로 지금 우리 국가의 당면 목표는 자유민주주의체제의 통일국 가 건설을 위한 제반 여건을 조성하기 위하여 우선은 북한과의 평화공존 의 길을 모색하고, 북한 주민들이 지구상에 그렇게도 흔하던 사회주의 국 가가 모두 멸망하였고 자유민주주의체제에서 사는 것만이 행복하다는 생 각을 하게 될 때까지 국내적으로 자유민주주의를 더욱 굳건히 하고 국력 을 키우면서 통일 여건이 성숙할 때를 기다려야 한다는 것이 될 수밖에 없습니다. 남북통일의 목표는 통일 자체에 있는 것이 아니라 통일 후에도 자유와 권리가 공고하게 보장되고 국민 각자가 자기의 갈 길을 따라 행복 을 추구할 수 있는 사회여야 한다고 믿기 때문입니다.

지금 정부를 비롯하여 여기저기서 통일 방안이 마련되고 있고, 북한은 북한대로 '2체제 2정부'의 연방국가 통일 방안을 내놓고 있어서, 우리들끼리 통일 방안을 만들면 통일론 발전에는 도움이 될지 몰라도 그 방안대로 남북통일이 되는 것은 아닙니다. 남북통일에 이르는 과정에는 우리가 미처 예상치 못한 일들이 많이 터져나올 것입니다. 다만 이왕 통일 방안을 만드는 이상 여야가 따로따로 만드는 것은 이상한 일이며, 어떻게 해서든지 헌법이념과도 맞는 단일한 통일 방안이 마련되도록 서로 정치력을 발휘해야 합니다.

우리 법률가 입장에서는 북한법 및 통일관계법 연구가 우선되겠지만, 정부로서는 예상되는 모든 준비를 갖추고 제반 여건이 성숙하였다고 믿어질 때에 기회를 놓치지 말고 재빨리 통일을 추진한다는 자세를 갖추는 일이 중요합니다. 제반 여건이 성숙하지 못한 상황에서 정치적 이유를 내세워 대한민국의 존재조차 인정하지 않으려는 북한을 불러들여 협상 테이블만 요란하게 장식해 보았자 큰 도움이 되리라고 생각되지는 않습니다. 남북통일은 엄숙하고 신성한 국가적 대업이며 한 치의 시행착오도 허용되지 않는 일입니다.

나는 국력의 증대만이 남북통일로 가는 길이라고 생각합니다. 국력을 키우면 우리가 서두르지 않아도 통일은 된다는 것이 나의 신념입니다. 국력은 대내적으로는 정치·경제·사회·문화의 발전을 계속 추구하면서 국민이 화목하고 윤택한 생활을 하게 하며, 국제적으로는 신의가 있고 인류 번영에 공헌하는 자유민주주의 국가에서 비롯됩니다. 군사력은 더욱 확고하게 키워나가야 합니다. 지금도 국력은 북한에 비하면 비교가 안 될 정도로 월등하므로 이 시점에서는 느긋하게 여유를 가지고 북한과의 인적, 물적 교류를 확대해 나가면서 북한 주민에게 자유의 물결이 스며들 때를 기다려야 합니다. 그렇다고 남북 교류를 정부가 독점할 필요는 없습니다. 다양한 접촉 루트를 개척하여야 하며 북한과 외국과의 교류도 북한 주민에게 개방의 바람을 넣어준다는 점에서는 같기 때문입니다.

그러므로 우리는 자유민주적 기본질서에 입각한 통일정책을 기조로 삼고 있는 헌법과 그 정신에 따라 법치주의를 핵으로 하는 자유민주주의 국가답게 남북관계 발전을 위한 모든 교섭에는 법률적 사전 조정과 규제가 필요하다는 것을 강조하고 싶습니다. 북한에게 쌀을 지원하면서 쌀을 싣고 간 선박에서 대한민국 국기가 강제로 하강되는 수모를 당한 것도, 삼성 비너스호가 억류되는 비극도 모두 법률적 사전 조정과 규제가 없었기 때문입니다. 이제 우리 법률가들도 본격적으로 이 문제들과 씨름을 하고 적극적으로 남북관계에 참여해야 할 때가 왔습니다. 이 이상 방관하여서는 안 됩니다.

나는 내일을 전망할 능력이 없는 사람으로서 과거에 있었던 일들이 판단의 자료가 될 수밖에 없었는데, 그중에서도 1950년 6월 25일 남침을 하여 한반도를 초토로 만들고 많은 사람들의 생명을 앗아간 방대한 군사집단이 50년간이나 북한 주민을 지배하면서 현재도 건재하고 있다는 사실을 의식하지 않을 수 없습니다. 특히 분단 후 47년 만에 모처럼 그렇게도 어렵게 합의에 도달한 합의서, 비핵 선언 등을 파기하면서 서울을 불바다로 만들겠다고 위협하는 상대를 놓고 인도(人道) 운운만 하고 있을 수는 없습니다.

그러므로 남북통일을 하여야 한다는 이유 하나만으로 무조건 북한을 끌어안을 수는 없으며, 오히려 후손만대의 번영을 위한다는 긴 안목으로 돌다리도 두들겨보고 건넌다는 속담에 따라 소극적이고 법률적인 결론에 도달할 수밖에 없었습니다. 위원 여러분의 깊고 넓은 연구에 큰 기대를 겁니다."

한국법학원 원장 사임

나는 임기 2년씩 3번 6년을 채운 뒤에 한국법학원 원장을 사임하였다. 1996년 1월 정기총회가 가까워지자 한 번 더 맡아서 일을 해달라는 말이 나왔지만 이 이상할 수 없다고 잘라 말했다. 이번에는 반드시 그만둔다는 생각 때문에 전년도 가을부터 사임한다는 말을 공언하고 다녔다. 그래야만 각 기관에서 후임자를 생각해 볼 기회를 가질 뿐만 아니라 나 자신도 마음을 바꿀 수 없기 때문이었다.

내가 그렇게 굳게 결심한 것은 한국법학원이 하는 일이 어렵고 힘이 들어서라기보다는 각 기관의 협조를 충분히 얻을 수 없었기 때문이다. 대법원, 법무부, 대한변협은 그들을 대표하여 부원장을 내놓고 있어서 직간접적으로 많은 협조를 해주었지만 내가 기대한 만큼은 아니었다. 그들의 협조는 언제나 이쪽에서 요구하는 사안에 대한 동의의 선을 넘지 않았으며 적극적으로 법학원의 업무를 발전시켜 그 위상을 높이는 데는 아주 소극적이었다. 법조인은 언제나 육법전서에 매달려 살아서인지 법률에 근거가 없으면 꼼짝 못하는 체질로 굳어 있어 한국법학원은 법의 뒷받침이 없는 임의단체이니 존재할 필요가 없다는 식이었다. 우리가 필요하다고 판단하면 단체를 만들고 일을 하면 되는 것이고 일을 하다보면 습관이 되고 남도 인정하여 관행이 된다. 관행이 되면 법률에 규정이 있든 없든 무엇이든 할 수 있다. 그럼에도 불구하고 회원 중에는 내가 왜 회원이냐고 의문을 다는 사람들이 있고 회비도 낼 필요가 없다고 말하는 사람도 있다고 한다. 대법원과 법무부라도 적극적인 자세를 보이면 회원들의 분위기는 훨씬 달라질 것이다.

내가 이 자리를 꼭 떠나야겠다고 결심한 더 큰 이유는 한국법학원의 사무실에 관한 문제였다. 외국인들이 부러워할 정도로 경제적으로 잘사는 나라, 한국에 하나밖에 없는 전 법률가를 대표하는 단체이면서 어엿한 사무실 하나 제대로 갖지 못하고 있다는 것이 어처구니없었다. 1990년 내가 취임할 때만 해도 사무실은 민사지방법원 8층을 쓰고 있었는데, 대법원과 민사지방법원이 강남으로 이전할 계획을 세우고 그곳에 대지를 확보하기 위하여 기존 건물을 서울시청에 넘겨주기로 한 후부터 사무실을 어딘가로 옮겨야만 될 형편에 놓였다. 그러므로 사무실을 새로 구하는 문제는 한국법학원으로서는 아주 다급한 문제가 되었지만 빈약한 예산에 어찌할 도리가 없어 옛날 법원행정처 건물 5층의 일부를 얻을 수밖에 없었다.

형편이 이렇게 돌아가자 나는 대법원과 법무부를 방문하여 사무실 문제를 논의하였으나 아무 소득도 없었다. 대법원은 우리가 보기에는 너무 클 정도로 웅장한 새 건물을 마련해서 사무실 한둘쯤은 빌려줄 수 있건만 그런 요구는 묵살되었다. 같이 걱정하는 모습도 볼 수 없었다. 한국법학원이 무엇을 하는 단체인데 이렇게 홀대를 받는가 자탄도 했지만 대법원이 적극적인 협조 자세를 보이지 않는 한 속수무책이었다. 대법원에 한국법학원이 들어가면 실체에 관계없이 법률가 단체가 대법원 안에 있는 모양을 갖추게 되어 한국법학원은 저절로 격이 높아지고 대법원은 법률가

단체를 거느리는 모습을 보일 수 있게 된다, 자유민주주의 국가에서 민주적 사법기관의 보기 좋은 선례로 남을 것이다 하는 설득도 해보았지만 모두 소용이 없었다.

결국 한국법학원은 초라한 사무실로 옮길 수밖에 없었다. 외국 손님이라도 맞이하려면 사무실 밖을 빙빙 돌아야만 했다. 초라한 사무실을 보이면서 한국법학원이 어떻고, 한국 법률가 단체가 어떻고, 대법원이 어떻고 하는 말은 백번 해봤자 소용이 없으니 말이다. 번듯한 사무실은 원장을 위한 것이 아니다. 국내외에 비칠 법률가의 위신을 위한 것이다. 지금 시대가 어느 때인데 판사, 검사, 변호사, 법학 교수 들이 옛날 복덕방만도 못한 어둠침침한 곳에 쪼그리고 앉아 있어야만 하는가?

내가 이렇게까지 처참한 심정을 억누르면서 원장 자리를 지킬 필요는 없었고, 그래 봤자 제대로 일을 할 수 없는 것이 뻔했다. 이런 생각을 갖고 1996년 1월 후임자에 박승서 원장을 추천하면서도 나의 가슴은 답답하기 그지없었다. 그 후 2005년 1월 이재후 변호사가 원장을 맡아 한국법학원 50주년 심포지엄을 개최하고 『한국법학원 50년사』도 편찬하였으며, 재정 문제를 심각하게 생각하였다. 그간 서울지방변호사회가 거둬주던 회비를 회원 각자가 직접 내게 하는 일도 생겨 재정은 더욱 악화되고 있었기 때문이다. 그러자 이재후 변호사는 국회 법사위원회 국회의원들을 설득하여 전임 원장들의 숙원이었던 한국법학원육성법을 제정하는 데 성공했다. 그의 인품과 능력의 성과다. 그렇다고 살림이 넉넉해진 것은 아니지만 한국법학원이 한국 법률가 대표기관으로서 많은 활동이 있기를 바란다.

사회정의의 실현과 로펌

　변호사는 돈과는 무관한 직업이다. 다만 품위를 지키기 위하여, 가족의 부양을 위하여 적정선에서 돈을 받는 것은 사회가 인정하는 통념이다. 변호사는 기본적으로 변호사법 제1조의 규정대로 "기본적 인권을 옹호하고 사회정의를 실현"함을 사명으로 다하는 신성한 직업이다. 그럼에도 불구하고 현실의 변호사는 분에 넘치는 착수금을 받고 사건을 처리해 준 후 잘되면 사례금을 받는다. 변호사는 이것을 당연한 일로 여긴다. 그러나 나는 변호사가 사건을 맡으면서 착수금을 받는 것은 당연한 일이라고 할지라도 일이 잘됐다는 이유로 사례금을 받는다는 것에는 의문을 가질 때가 있다. 일을 잘 처리해 달라고 돈(착수금)을 준 이상 잘되는 것이 당연한 일이 아닐까?

　아마도 이런 괴벽(乖僻)한 생각은, 다시 말하지만, 변호사법 제1조의 조문이 머릿속에 꽉 박힌 탓인지 모른다. 그렇다고 내가 수임한 사건이 잘되었을 때 사례금을 안 받았느냐 하면 그렇지도 않다. 그래서 더 할 말이 없다면 없다. 그러나 변호사가 돈에 집착하고 많은 돈을 받으면 무리가 따르기 쉽다. 의뢰인 쪽에서는 큰돈의 행방을 어떻게 생각할까? 법원이

나 검찰의 불신은 이런 데서 생기는 것이 아닐까?

특히 최근에는 로펌이라는 제도가 유행하면서 큰 회사의 법률 관계 업무를 전담하다시피 맡고 형사적, 민사적 사고가 나면 그것도 담당하여 처리하는 일이 많아져 '돈을 경시하여야 할' 변호사가 큰돈을 예사로 만지게 되니 변호사법 제1조와는 거리가 멀어지고 있다는 생각이 든다. 물론 변호사업도 비즈니스의 측면이 없지 않고, 로펌 자체는 우리나라 경제가 발전하면서 경쟁력 강화를 위하여서도 필요한 제도이지만, 로펌의 유행으로 한편으로는 해마다 늘어나는 초임, 청년 변호사들의 수임사건이 줄고 있다는 이야기가 들린다. 로펌이라는 법인변호사제도에서 변호사는 로펌에서 일하는 일개 종업원이고, 법률서비스업의 일원일 뿐이다. 이런 로펌의 특성은 단독은 말할 것도 없고 2, 3인이 함께 개업하는 변호사들의 위상까지 떨어뜨리고 있다. 이렇게 변호사업계의 양극화는 심화되고 있다.

양극화 현상은 변호사업계의 일만은 아니다. 대기업과 중소기업은 물론 국민 모두의 생활 속에서 심화되고 있다. 이런 상황 속에서 변호사법 제1조에 규정된 대로 인권옹호와 사회정의의 실현이라는 막중한 사명을 다하려면 어떻게 하는 것이 좋을까? 변호사가 돈도 벌고 국민의 신뢰도 얻으며 그의 사명을 다한다는 것은 말이 쉽지 현실적으로 매우 어려운 이야기다. 그러나 어떻게든 그 방안을 찾아내야 한다.

5장

중국을 공부하다

문화대혁명

1990년 4월 22일부터 28일까지 베이징[北京]에서는 제14차 세계법률가대회가 개최되었다. 그간 각국에서 열린 세계법률가대회에도 많은 한국법학원 회원들이 참석하였지만, 이번에는 무려 79명이나 되는 회원들이 참석하였다. 물론 참가자들 중에는 변호사가 많기는 하였지만 판사, 검사, 법학 교수도 상당수가 참석하였다. 베이징대회에서는 우리 회원이 각 분과에서 주제를 발표하고 토론에 참여하여 한국 법률가의 위상을 과시함으로써 중국 율사(律師. 중국에서는 변호사를 '율사'라고 부른다)들을 놀라게 하였다.

세계법률가대회는 2년마다 세계 각국을 돌면서 개최되는데 다음 대회의 개최 장소는 전회(前回) 대회를 끝내면서 결정된다. 제14차 대회도 1987년 서울에서 열린 제13차 대회에서 2년 후에 베이징에서 개최된다는 것이 확정되었다. 하지만 1989년 6월의 톈안먼[天安門]사건으로 제때 열리지 못하고 1990년 4월로 연기되었던 것이다.

톈안먼사건은 1989년 4월 15일 사망한 개혁적인 정치인 후야오방[胡耀邦]을 추모하기 위해 시작된 학생, 시민 들의 시위가 민주화 요구로 확대

되며 점점 거세지자 6월 4일 톈안먼광장에 모인 시위대들을 군이 진압하면서 벌어진 참극이다. 톈안먼사건은 당시 중소 정상회담을 취재하기 위하여 베이징에 모였던 기자들에 의해서 대대적으로 보도되어 많은 중국인들이 민주화운동으로 희생되었다는 것이 전 세계에 알려졌다. 하지만 그 전모는 지금까지도 밝혀지지 않고 있다.

나는 원래 젊어서부터 외국에 갈 때에는 대충이나마 상대 국가에 관한 여러 가지 정보를 익히고 지식을 얻어두는 버릇이 있는데, 베이징에 가기 전에는 특히 신경이 쓰였다. 톈안먼사건과 같은 임청난 일이 일어난 시채 1년이 안된 때에 국교도 없는 중국에 가는 것이었다. 또한 중국의 고위급 인사와 만나더라도 내가 중국에 관해서 아무것도 모른다는 인상은 주지 말아야겠다는 생각도 있었다.

특히 1966년 5월에 시작되어 만 10년간 중국을 뒤흔들어놓은 문화대혁명에 관하여서는 꽤 깊이 공부했다. 북한과 중국은 모두 사회주의체제라는 점에서 같을 뿐만 아니라 서로 군사동맹을 맺고 있다. 그렇기 때문에 북한과의 통일문제를 눈앞에 놓고 있는 우리로서는 중국의 진로를 어느 정도 알지 못하고서는 북한의 사회주의체제를 관찰하는 눈을 키울 수 없다. 그러나 당시 우리는 중국에 관하여 너무나 아는 것이 없고 중국의 존재가 무겁다는 것을 의식하지도 못하고 있었다. 내가 문화대혁명 공부에 매달린 이유다.

문화대혁명의 시작

1966년 8월 18일 베이징에서 문화대혁명을 시작하는 집회가 열렸다. 톈안먼광장은 전국 각지에서 모여든 100만여 명의 혁명적 교사들과 학생들로 넘쳐났다. 그래서 이 집회는 '백만명집회'라고 불린다. 톈안먼 누각에는 군복 차림의 마오쩌둥이 새벽 5시부터 정오에 이르기까지 그들을 접견하였다. 이때 빨간 완장을 두른 마오 주석의 친위대인 홍위병(紅衛兵)이 처음으로 모습을 나타냈다. 각지에서 온 홍위병들의 식사·운임·숙박 등은 전부 무료였다.

홍위병이 위력을 발휘하기 시작한 것은 8월 20일 밤부터였다. 베이징에서 가장 번화한 거리 왕푸칭(王府井)에서는 파괴와 혼란의 광풍이 불기 시작하였다. 젊은 홍위병들은 봉건적, 부르주아적이라고 하면서 노포(老鋪)를 쇠망치로 부수고 도로명을 개명하였다. 예컨대 '동교민항(東交民巷)'을 '반제로(反帝路)'로, 왕푸칭을 '혁명대로(革命大路)'로, 록펠러재단이 건립한 '협화(協和)병원'을 '반제(反帝)병원'으로 바꾸고, 민중 앞에서 의사들을 부르주아 사상을 가지고 있으며 고급하고 사치스러운 생활을 한다고 힐난하였다. 많은 지식인들이 가택수색을 당하고 가구, 책 들을 몰수당하였다. 저명한 대학교수나 문학가는 '요괴변화(妖怪變化)'라는 명찰을 가슴에 달고 거리로 끌려 나와 모욕을 당했다.

많은 사람들이 이 가혹한 박해를 받으며 희생되었고, 많은 정기 출판물들의 발행이 정지되었다. 외국인 아이들이 다니는 가톨릭 계통의 성심학원은 홍위병에게 점거당했다. 외국인 수녀들은 감금되었다가 스파이라는 이유로 국외로 추방되었다. 소련 대사관은 반소집회 속에서 36시간이나 포위되었다.

〈렌민리바오〉〔人民日報〕는 8월 23일의 사설에서 홍위병의 이러한 행동을 칭찬·격려하면서 모든 기관과 당 조직은 대중의 비판을 받아들여야 하며 그들을 탄압하여서는 안 된다고 경고하였다. 베이징의 홍위병운동은 순식간에 상하이〔上海〕, 항저우〔杭州〕, 광저우〔廣州〕, 칭다오〔淸島〕, 톈진〔天津〕, 시안〔西安, 예전의 長安〕 등의 대도시로 파급되어 베이징과 똑같은 상황을 연출하였다.

문화대혁명에 대한 평가

문화대혁명을 전면적으로 발동한 것은 1966년 8월의 중국공산당 중앙위원회가 채택한 프롤레타리아 문화대혁명에 관한 결정이었다. 그 결정은 문화대혁명을 "사람들의 영혼에 와닿는 대혁명이며 우리나라 사회주의의 보다 깊고 보다 넓은 새로운 발전 단계"라고 하며 "당면한 우리들의 목적은 자본주의의 길로 나가고 있는 실권파를 투쟁으로 때려 부수고, 부르주아계급의 반동적 학술 '권위자'를 비판하고, 부르주아계급과 모든 착취계급의 이데올로기를 비판하며, 교육을 개혁하고, 문학예술을 개혁하고, 사회주의의 경제적 기초에 맞지 않은 모든 상부구조를 개혁하여 사회주의 제도의 강화와 발전에 공헌하기 위한 것"이라고 했다.

그로부터 만 10년 문화대혁명이라고 불리는 난동은 전 중국을 흔들어 놓았고 중소 관계를 비롯한 국제공산주의운동은 결정적으로 분열했다. 문화대혁명은 1976년 9월에 마오쩌둥이 사망하고 10월에 장칭〔江靑〕, 왕홍원〔王洪文〕, 장춘차오〔張春橋〕, 야오원위안〔姚文元〕의 소위 4인방(四人幇)이 체포됨으로써 끝났다. 1977년 공산당대회에서 당시의 화궈펑〔華國鋒〕 당 주석은 프롤레타리아 문화대혁명은 프롤레타리아계급 독재사상의 위대한 장거로서 역사에 기록될 것이며, 1차 프롤레타리아 문화대혁명은 4인방을 분쇄함으로써 승리로서 막을 내렸다고 문화대혁명의 승리를 찬양하고 그 종결을 선언하였다.

그러나 문화대혁명에 대한 평가는 시간이 흐르면서 달라진다. 1979년 10월 건국 30주년을 축하하는 대회에서 예젠잉〔葉劍英〕 당 부주석은 원래 문화대혁명을 일으킨 것은 수정주의에 반대하며 수정주의를 방지하기 위한 것이었다고 그 목적을 긍정적으로 인정하면서도 정세 판단을 잘못한 린뱌오〔林彪〕와 4인방의 파괴 행위에 이용되어 "인민은 일대 재앙을 만나게 되었으며 사회주의 사업은 건국 이래 최대의 좌절을 맛보았다" 면서 문화대혁명의 결과를 부정하기 시작한다. 다시 2년이 지난 1981년의 당 중앙위원회가 채택한 이른바 역사결의(歷史決議)는 "역사가 이미 밝히고 있는 바와 같이 문화대혁명은 지도자의 잘못으로 발생하였으며 그것이 반혁명 집단에 이용되어 당과 국가와 각 민족인민에게 커다란 재해를 가져온 내란이다" 라고 문화대혁명을 전면적으로 부정하였다. 이와 엇비슷한 시기에 현대화 정책과 대외개방정책이 전개되었다.

최근 중국공산당 중앙위원회는 문화대혁명에 대해 "내란" 이라는 역사적 판단을 내렸다. 문화대혁명은 그 정도로 중국에 심대한 영향을 끼쳤는데, 영화《마지막 황제》를 보면 그 실상을 간접적이나마 알 수 있다. 그러나 중국은 탄압이라는 국제적 비난을 받더라도 내란을 바로잡아 약진의 기회로 삼았다. 중국에 대해서는 그 장래를 비관하는 글도 많지만 나는 오히려 이런 장면에서 중국의 오랜 전통과 지혜를 느낀다.

중국의 사회주의 시장경제

점진적 개혁 방식

문화대혁명으로 철저히 파괴된 중국 경제를 재건한 첫째 요인은 점진적 개혁방식을 채택한 데 있다. 개혁기의 후진국에서 점진적이란 말은 많은 사람들을 답답하고 지루하게 만든다. 점진적인 개혁은 과도기를 길게 만들어 경제개혁의 효과를 거둘 수 없다는 지적도 있지만, 전환기에는 보수와 개혁 양측의 충격을 줄이고 사회 전체의 안정을 지키면서 개혁의 성과를 오래 보존할 수 있는 장점도 있다.

1993년 9월 UN 무역개발회의(UNCTAD)가 발표한 연차보고서에는 소련과 동구형 경제개혁의 실패와 중국형 개혁의 성공을 비교하는 글이 실렸다. 소련과 동유럽 국가들은 급격한 자유화, 규제 완화, 민영화 등을 통하여 일거에 경제개혁을 성공시키려는 충격요법을 도입하였지만 생산량은 오히려 대폭 하락하였다. 이에 반하여 중국은 충격요법을 피하고 서서히 개혁을 밀고나갔으며 계획경제와 시장경제, 국유기업과 사유경제 지향의 소기업을 잘 활용하였다고 지적했다. '만만디'〔慢慢的〕라는 중국인의 성격이 잘 드러나는 대목이다.

결국 중국의 점진적 개혁 방식을 세계가 인정한 셈이다. 좀더 구체적으로 보자. 덩샤오핑〔鄧小平〕이 1980년 선전〔深川〕 등 4개의 도시를 경제특구로 지정하였을 때 자본주의의 부활이 아니냐는 의심과 비판을 받았지만, 덩샤오핑은 이것은 실험에 불과하다, 실패하면 그만둔다는 식으로 사회주의 이론가들의 비판을 비켜갔다. 그 경험을 살려 1984년에는 14개의 연해도시(沿海都市)를 개방하고, 88년에는 3개의 델타지구를 개방하고 하이난〔海南〕성도 경제특구로 지정한다. 이것이 일부 지역에서의 시험을 거쳐 경험을 쌓은 후 점차 적용 대상 지역을 확대하는 시점(試點) 방식이다. 더욱 중요한 것은 일거에 대형 개혁사업을 끌어들이는 데서 오는 충격과 당·군·정·간부·민중의 저항 심리를 누그러뜨리는 효과가 컸다는 점이다.

덩샤오핑은 마오쩌둥 밑에서는 그렇게 유능한 사람으로 평가를 받지 않았던데다 문화대혁명에서 두 번이나 실각하는 쓰라린 경험을 바탕으로 수억 명이 이리 밀리고 저리 밀리는 중국의 국정을 잘 살폈다.

사회주의경제의 변천

마르크스가 '과학적 사회주의'를 수립하여 마르크스주의를 창시한 후 사회주의는 언제나 자본주의를 비판하고 대립하는 양상을 보였다. 특히 1917년 10월 러시아에 공산 정권이 탄생한 후 사회주의 계획경제는 자본주의 시장경제와 정반대되는 개념으로 자리를 잡아 20세기 역사의 태반은 상극하는 두 정치·경제체제 간의 대립과 경쟁으로 점철되었다. 러시아혁명 후 수십 년간은 사회주의경제학자들이 사회주의 계획경제의 우수성을 강조하고 초기 단계의 성장을 과장하여 사회주의경제체제의 승리를 찬양하는 많은 논문과 저서를 내놓았다. 이러한 문헌들은 현실에 불만을 품고 새로운 체제와 지식에 갈증을 느끼고 있던 많은 젊은이들을 현혹하였다. 하지만 20세기 말 소련·동유럽의 사회주의 계획경제체제가 무너지면서 서구의 자본주의 시장경제의 승리로 끝났다.

그러나 1949년 사회주의공화국으로 출발한 중국의 계획경제는 초기 단계에서부터 파탄의 징후를 나타냈다. 당초부터 철통같은 통제정치와 고도의 계획경제를 밀고 나간 중국은 정치의 혼란은 말할 것도 없고 1970년대 후반에 경제는 벌써 붕괴 직전이라는 인상을 주기 시작하였다. 중국 경제를 이런 상황으로 몰고 간 것은 마오쩌둥의 일인체제와 삼면홍기(三面紅旗)* 정책 때문이지만 그가 일으킨 문화대혁명도 큰 몫을 하였다. 문화대혁명은 사회주의에 내재하는 모순과 결함을 극단적으로 노출해 모든 사회주의 국가의 이미지는 땅에 떨어졌다. 그러나 역설적이게도 결과적으로 보면 문화대혁명은 중국이 스탈린형 사회주의체제를 거부하고 새로운 길을 모색하는 원동력이 되었다. 자오쯔양〔趙紫陽〕전 당 총서기가 "문화대혁명이 없었으면 중국의 개혁은 이렇게 빨리는 오지 않았을 것이다"라고 한 자조적인 평가는 역사의 유희(遊戱)일 수도 있다.

사유제 사회주의경제

1999년 3월 15일 제9기 전국인민대표회의(全國人民代表會議, 이하 전인대) 2차 회의는 헌법수정안을 채택하였다. 수정안의 핵심적 내용은 1997년 9월의 중국공산당 제15차 전인대에서 한 장쩌민〔江澤民〕보고에 기초

---

* 삼면홍기 1958년 제2차 5개년계획의 착수를 계기로 마오쩌둥은 소련의 도움 없이 경제의 모든 분야에 걸쳐서 발전으로 전환하고 중국인의 내면에서 봉건주의와 자본주의의 모순을 제거하고 사상개조, 인간개조를 앞당긴다는 목표 아래 대약진(大躍進), 사회주의 건설의 총노선(總路線), 인민공사(人民公社) 운동을 추진하였는데 이를 삼면홍기운동이라 한다; 편집자.

한 것으로, 서론의 지도자상에 덩샤오핑 이론을 실행하고 사회주의 법치국가를 건설하는 것이 국정의 기본방침임을 선명히 한 것이다. 그러면서 경제개혁에 관련하여서는 공유제(公有制)를 주(主)로 하면서도 다양한 소유제(所有制) 경제가 함께 발전하는 것이 기본이라고 명기했다. 종전에 사회주의 공유제 경제를 보충하는 것으로만 인정되던 비공유제 경제가 사회주의 시장경제의 중요한 구성 부분으로 격상된 것이다. 자본주의라는 말은 쓰고 있지 않지만 나는 여기서 중국의 자본주의화를 보았다.

사소룡(四小龍)과 대룡(大龍)

1980년대 초에 '사두(四頭)의 소룡'이라고 하던 한국, 대만, 홍콩, 싱가포르의 공업화가 진전되었을 때 세계는 유럽 문명권 이외에서도 새로운 공업국이 등장한다고 하여 박수로써 이를 환영하고, 개발도상국의 경제발전에 희망을 주는 것이라고 평가했다. 80년대 후반에 이르면 '삼두(三頭)의 새로운 용'이라고 하는 태국, 말레이시아, 인도네시아에서도 공업화가 시작되자 선진국은 약간 얼떨떨한 기분이었던 듯했다. 그러나 1990년대에 들어서서 정작 대룡이라고 부를 수 있는 중국이 공업화를 시작하자 각국은 환영과 더불어 어떤 의미에서는 위협을 느끼는 듯이 보였다. 거대한 인구, 즉 저임금의 방대한 노동력 예비군이 후방에 대기하고 있었기 때문이다.

중국의 공업화가 진전되자 선진국에서는 중국에 대한 대응책을 마련하기에 바빴다. 예컨대 영국에서 개최된 어느 국제회의는 '아시아형 경제발전'이라는 주제로 톈안먼사건을 포함해 중국 경제정책을 검토했는데, 중국에 대해 경제제재라는 북풍(北風)보다는 태양을 쪼이게 해주는 것이 중국의 민주화를 촉진하는 길이라는 의견을 내놓았다.

덩샤오핑과 고르바초프

상품경제

중국에서 본격적으로 경제개혁이 시작된 것은 1978년의 일로 그 주역은 덩샤오핑이었다. 그러나 그가 내세운 초기의 경제개혁은 계획경제를 그대로 두고 국부적인 '개선과 개량'을 통하여 사회주의경제를 활성화하려는 데 불과하였다. 그것이 4년간의 모색과 시험단계를 거쳐 1982년 제12기 당대회에서 계획경제를 주(主)로 하고 시장조절을 종(從)으로 한다는 개혁 목표가 제출되었지만, 여전히 계획경제의 틀에서 벗어날 수는 없었다. 2년 후인 1984년에는 이것이 "계획적인 상품경제"라는 표현으로 바뀌는데, 전자는 계획경제에 기초를 두고 있는 데 반해 후자는 상품경제에 중점을 두고 있었다. 사회주의 국가에서 시장경제라는 용어는 자본주의적 악마를 의미하므로 상품경제라는 말로 바꾼 것이다. 오늘날에는 사회주의 시장경제라는 말이 떳떳하게 쓰이고 있지만, 우리가 중국을 방문한 1990년 무렵에는 상품경제라는 말이 생소하여 그것이 무엇을 의미하는지 알 수 없었다.

국영상점

내가 집사람하고 자금성 구경을 간 것은 1990년 4월 베이징 세계법률가대회 기간 중 어느 늦은 낮 시간이었다. 다른 회원들은 단체관광을 하고 있었지만 책임자인 나는 그럴 수가 없어서 대회 일정을 채우다보니 그렇게 되었다. 구경하기 전에 점심으로 호빵 2개와 물 두 그릇을 사서 나누어 먹었다. 값은 아주 쌌는데, 호빵을 팔고 있던 판잣집 간판에는 '국영상점(國營商店)'이라는 네 글자가 뚜렷하였다. 1평도 안되는 판자집 호빵가게도 국가 소유이며 그 종업원도 국가의 직원인 것이다. 이래서야 경제가 발전하겠는가 싶었지만 그것이 중국의 실정이었다.

당시는 인민공사가 농촌을 지배하고 있을 때였다. 거의 대부분의 농민들이 토지와 농기구를 관리하고 있던 인민공사에서 일해야 했고 사유지, 자유시장, 가정 내 부업 같은 것은 완전히 금지되어 있었다. 이로 인하여 농촌은 완전히 무너졌으며 아사자가 속출하였다. 이에 사람들은 농촌을 버리고 대도시로 몰려들었는데, 중국에서는 이를 '망류'〔盲流〕라고 부른다.

덩샤오핑

덩샤오핑은 1962년에 일찍이 '백묘론흑묘론(白猫論黑猫論)'이라는 실용적인 이론을 내놓았고 바로 그러한 사고방식 때문에 문화대혁명 기간에도 타도의 대상이 되어 정권에서 쫓겨났다. 1976년 4월 톈안먼사건* 때에도 '죽어도 후회하지 않는 실권파'로 지목되어 다시 밀려났지만 마오

---

* 톈안먼사건(1976년) 1976년 1월 사망한 저우언라이〔周恩來〕총리 추모를 위해 4월 4일 청명절에 시민들이 바친 화환을 베이징시 당국이 철거하자 격노한 시민들이 5일 들고 일어났고 공안당국과 군이 이를 무력으로 진압한 일로 문화대혁명 말기 마오쩌둥 체제에 대한 민중들의 저항이 표출된 사건이다; 편집자.

1990년대 마오쩌둥의 초상화가 걸려 있던 자금성의 모습

쩌둥 사후 복권했다. 그는 문화대혁명을 겪으면서 중국의 국정이 불안전하고 나약한 체질이라서 모순과 대립으로 언제든 폭발할 수 있음을 뼈저리게 느꼈다.

그러나 1978년에 경제개혁이라는 말을 꺼낸다는 것은 건국 이래 지속된 경제체제를 부인하고 삼면홍기를 전면적으로 부정하는 일이었다. 현실적으로도 낡은 계획경제체제 위에서 안주하고 실권을 행사하는 정치인들과 이득을 챙기고 있는 국영기업들을 부인하는 충격적인 것이었다. 덩샤오핑은 사회주의 국가의 모순이 언제나 소모적인 이념 싸움에 있다는 것을 알고 있었다. 그래서 그는 내부 논쟁에 의한 정국의 혼란과 분열을 회피하기 위해서 비생산적인 이념 논쟁보다는 실천적인 시험을 통하여 무엇이 진리인가를 검증하는 이른바 "실천은 진리를 검증하는 유일한 기준"이라는 운동을 전개하였다. 이론과 토론을 좋아하는 사회주의 이론가들의 공격을 사전에 견제한 것이다.

덩샤오핑은 실사구시(實事求是)주의자임을 자처하며 "시장경제는 자본주의의 독점물이 아니다"라고 하고 '사회주의 시장경제'라는 신조어까지 만들면서 신중론자들을 설득했다. 그는 이대로 가다가는 중국은 망한다는 위기의식을 갖고, 마오쩌둥식 사회주의에 매달려 개혁에 반대하는 보수파와 차근차근 싸워 덩샤오핑 시대를 열었다.

그러나 덩샤오핑은 정치에서는 보수적이었다. 학생들의 민주화운동이 거세지자 1989년 5월 덩샤오핑은 계엄령을 포고하고 강압 태세를 굳히다가 결국 6월에는 톈안먼에 운집한 학생들을 무력으로 진압했다. 그와 동시에 상하이 당위원회 서기 장쩌민을 총서기로 전격 발탁하고 그를 중심으로 제3세대 지도그룹을 만든 후 그들이 자리를 잡으면 본인은 은퇴하겠다고 선언했다. 그는 톈안먼사건으로부터 3개월이 지난 후 약속대로 은퇴하였다.

덩샤오핑과 고르바초프

1985년 3월 11일 새로 서기장에 취임한 미하일 고르바초프(Mikhail Gorbachev)가 '페레스트로이카'(개혁)와 '글라스노스트'(개방)를 내걸고 민주화, 신사고(新思考)외교에 나섰을 때 세계 각국은 그를 찬양하는 데 바빴다. 한때 우리나라에서도 페레스트로이카라는 말이 유행했다. 그러나 페레스트로이카는 얼마 안 가서 실패하였다. 1991년 8월에 고르바초프는 보수파의 쿠데타로 숙적 옐친의 도움을 받아 모스크바에 귀환하는 수모를 겪었고, 옐친이 소련연방을 해체하여 연방대통령의 지위를 잃었다.

반면에 1989년 6월 4일 덩샤오핑이 톈안먼 민주화집회를 무력으로 진압했을 때 세계는 인권 유린이라는 이유로 덩샤오핑에게 비난의 화살을 퍼부었다. 그러나 그는 고르바초프와 달리 정치와 경제를 분리하여 경제적으로는 개혁파의 선봉에 섰지만 정치적으로는 보수·강경의 자세를 굽히지 않았다. 그 결과 중국은 국내 질서를 바로잡고 경제발전을 이룩하였으니 각국은 중국을 경이의 눈으로 쳐다보았다.

소련의 정치인 안드레이 그로미코(Andrei Gromyko)는 고르바초프를 당서기장으로 추천할 때 "백과 흑 사이에서 회색의 해결"을 할 수 있는 인물이라고 말한 일이 있는데 그래서인지 민주화도 경제발전도 이루지 못했다. 반면 덩샤오핑은 백이든 흑이든 고양이만 잡으면 된다는 논리를 앞세워 분명한 자세를 취하였다. 우연하게도 같은 백흑론이지만 알맹이는 너무나 다르니 결과도 달라질 수밖에 없었다.

고르바초프와 덩샤오핑의 인연을 하나 더 살펴보자. 1989년 톈안먼사건이 일어나기 약 20일 전인 5월 16일 덩샤오핑은 방중(訪中)한 고르바초프를 베이징에서 만났다. 그때 학생들은 고르바초프를 환영하면서 정치개혁으로부터 경제개혁을 하여야 한다는 고르바초프의 전략을 지지하고 덩샤오핑식의 정치·경제 분리노선을 비판했다. 반면에 덩샤오핑은 공산주의의 본산인 소련에서도 개혁을 하고 있으니 개혁은 이미 사회주의 국가에서도 큰 조류이며 개혁을 하지 않으면 사회주의에 활로는 없다는 주장을 공공연히 내세울 수 있었으니 고르바초프는 덩샤오핑에게도 원군이 되어준 셈이다. 그러나 고르바초프는 정치·경제개혁에 실패했고 러시아는 지금까지도 경제 침체의 늪에서 벗어나지 못하고 있지만 덩샤오핑의 경제정책은 성공하여 중국은 사회주의체제를 유지하면서 경제번영을 누릴 뿐아니라 군사적으로도 거의 미국과 맞먹을 정도가 되어가고 있으니 역설적인 일이다.

베이징 세계법률가대회

　　1990년 4월 베이징 세계법률가대회에 참석하기 위해 한국법학원 대표
단은 서울을 출발했다. 당시는 서울에서 베이징이나 상하이로 가는 직항
이 없어서 대한항공 편으로 서울을 떠나 도쿄에서 일본항공으로 갈아타
고 상하이를 거쳐 오후에 베이징에 도착했다. 처음 보는 중국 땅이어서
신기했지만 모든 방면에서 우리보다는 훨씬 뒤처져 있다는 인상을 받았
다. 건물은 말할 것도 없고 사람들의 옷차림이나 행동에는 여유나 질서
같은 것을 찾을 수가 없었다. 거리는 자동차가 아닌 자전거로 넘쳐났다.

　　4월 22일 저녁에는 전야제 후에 베이징 종샨〔中山〕공원에서 중국 측의
리셉션이 열렸는데, 각국에서 참가한 많은 법률가들은 물론 중국 각 지역
에서만도 1천 명이 넘는 율사들이 참석하여 성황을 이루었다. 외국인과
의 접촉을 금지하고 여행 금지 구역을 남겨놓고 있던 중국이 자국의 율사
들을 이렇게 많이 참석시켰다는 것은 그들의 근대화에 대한 기백을 보여
주는 듯했다. 리셉션이 열린 종샨공원에는 한자, 영자로 된 '세계 법의
날'이라는 현수막이 걸려 있었다. 10개월 전에 톈안먼사건을 겪은 중국이
그날을 '법의 날'이라고 선포하는 의중은 무엇인지, 사회주의 국가의 법

이란 무엇인지 궁금해하면서 베이징의 첫날밤을 보냈다.

　다음날 오전 10시 정각 TV 화면을 통해서만 보던 인민대회당(人民大會堂)에서 세계법률가대회의 개회식이 있었다. 그날 저녁에는 그 넓은 대회당 대식당에서 양상쿤〔楊尙昆〕 국가주석의 환영만찬회가 있었는데, 수많은 각국 대표들을 비롯하여 2천 명이 넘는 손님들을 수백 명의 접대원들이 한 치의 착오 없이 대접하는 데는 놀라지 않을 수 없었다. 제공된 음식들도 이름은 알 수 없었지만 모두 미찬(美餐)이었다. 요새 서울의 큰 호텔에서 하는 것과 별 차이가 없었다.

　베이징대회에 참가한 나는 중국 율사들을 만날 때마다 명함을 교환하고 이야기를 나누려고 노력하였다. 같은 테이블에 한족(漢族) 율사들도 있었고 조선족 율사도 있었다. 한족 율사들과는 종이쪽지에 한문을 쓰기도 하고 조선족의 통역을 통하여 대화를 시도했지만 그들은 아주 세속적인 얘기 이외에는 대체로 묵묵부답이었다. 그쪽에서 말을 걸어오는 일은 아예 없었다. 될 수 있으면 외국인, 특히 한국인과는 대화를 기피한다는 인상을 씻을 수가 없었다.

　그래도 조선족 율사 대표들과는 초면이었지만 자유롭게 이야기할 수 있었다. 대화의 적극성은 없었지만 내가 묻는 질문에 대하여서는 서슴없는 대답이 돌아왔다. 당시 한국에서 방문한 변호사들 테이블에 조선족들을 같이 앉혀도 무방하다고 생각한 중국 정부의 자신 있는 행동에 오히려 놀랄 뿐이었다. 그만큼 중국이 개혁·개방 쪽으로 가고 있다는 것을 암시한 듯이 보였다. 이들과의 대화로 같은 해 여름 나와 몇 사람이 옌지〔延吉〕를 방문할 기회를 만들었다.

　나는 중화전국율사협회(中華全國律師協會) 간부와 만나기 위해 애를 썼다. 내가 만나고 싶었던 대상은 한국법학원장에 해당하는 중국법학회장

왕종팡〔王仲方〕이었는데, 그와의 만남은 당시 우리 대표단에게 호의를 갖고 통역을 하던 조선족 김정웅(金正雄)을 통해서 이루어졌다. 세계법률가대회가 끝나기 하루 전날 그러니까 4월 27일 저녁에 호텔의 내 방으로 어느 중국인이 찾아와 밤 9시경 호텔 어느 자리에 앉아 있으라고 전했다. 그리고 또 한 번 두 젊은이가 와서 확인을 하고 갔다. 전해 들은 그 자리는 조명이 없어 어두컴컴하였는데, 나와 만나는 것이 알려지지 않기를 원했던 것 같다. 그렇게 해서 중국법학회장을 만나서 한중 우호와 법조 교류에 관해 이야기할 기회를 얻었다. 나는 단도직입으로 비록 양국 간에는 국교가 없지만 법조계만이라도 교류를 하자고 제의했다. 아마도 그는 나의 제안을 당돌하다고 생각했겠지만 별 내색은 않고 충분히 연구해 보겠다고 대답했다. 그는 아주 온후한 사람이었고 그 후 친분을 쌓아나갔다.

중국 율사들과의 만남

나는 다른 한편으로 중화전국율사협회의 대외창구를 맡고 있는 우밍더〔吳明德〕와 만났다. 당시 그의 명함에는 '중국국제율사교류중심 주임(中國國際律師交流中心 主任)'이라고 적혀 있었는데, 몇 차례 만나자 별 이의 없이 한중 양국의 학술회의를 갖자는 데 의견을 같이하게 되었다. 아마도 왕종팡을 통하여 나의 제안이 미리 전달되었고 충분한 검토가 있었을 것이다.

수교 후의 일이다. 언젠가 왕종팡이 일본에 가는 길에 서울에 들르고 싶다고 하여 쾌히 승낙하였고 하루 저녁 환담할 기회를 가졌다. 다음날 그는 일본으로 떠나기 위하여 공항에 나갔는데 나도 전송차 공항에 나갔다. 탑승 수속을 하던 그는 비즈니스 표를 갖고 있었지만 무슨 탓인지 좌석이 없다는 대답을 듣고 몹시 당황하고 있었다. 그것을 보고 내가 나서서 몇 마디 조언을 한 결과 일등석을 타고 일본으로 떠날 수 있었다. 아마도 그는 한국법학원장이 무슨 대단한 자리로 알았을지도 모른다. 이런 일도 있어서 왕종팡은 한중 법률가 교류에 아주 적극적으로 나섰고 중화전국율사협회와 한중법률학술회의를 개최하는 데 일조를 했다.

앞서 일언했듯이 나는 대회 일정에 치중해야 했지만 잠깐씩 시간을 내어 베이징 주변에 있는 중국사의 현장을 찾았다. 정직하게 말하면 대회보다 관광 쪽이 더 관심이 컸다. 나는 어느 나라를 가도 역사성이 있거나 유적이 있는 장소들, 말하자면 역사의 현장을 즐겨 찾는다. 그래서 명13능(明十三陵), 만리장성은 물론 1937년 중일전쟁의 발단이 됐다는 다리 루거우차오(盧溝橋)를 찾아 당시의 상황을 사진으로 담은 전시장에도 들렀다. 복잡한 베이징역 안의 군중 속에 끼어들어 평양행 표시를 보고 혹시 서울행이라는 표시가 있을까 하는 환상에 젖기도 했다. 세계법률가대회가 끝난 후 일행은 A반과 B반으로 나누어져 각 지역으로 떠났다. 나는 B반을 따라 항저우, 쑤저우(蘇州), 시안, 구이린(桂林)을 보고 홍콩을 거쳐 서울로 돌아왔다.

베이징 세계법률가대회 참석 차 중국을 방문하고 돌아온 한국법학원 대표단은 귀국 후 30명이 넘는 회원들의 글을 모아 『1990. 4, 중국 ― 세계 법률가 중국에 모이다』라는 책을 내놓았다. 그간 중국에 많은 사람들이 다녀왔지만, 이러한 종류의 기행문집이 한 단체의 이름으로 나온 일은 일찍이 없었다고 한다.

시안사변과 장제스

앞서 말한 대로 나는 세계법률가대회가 끝난 후 집사람과 함께 B반의 일정대로 중국 각지를 돌았다. 시안에서는 진시황의 병마용갱(兵馬俑坑) 박물관의 웅장함에 놀랐다. 진시황이 중국의 대표적인 역사적 인물로 평가를 받고 있다는 것은 일찍이 알고 있었지만 지하군단의 병마토용(兵馬土俑)을 보았을 때에는 이것이 중국이로구나 하는 감탄밖에 나오지를 않았다.

시안에는 병마용갱 말고도 역사적 유물이 많은데 그중 산시〔陝西〕성 박물관이 또 하나의 명물이다. 이 박물관에는 '역사진열(歷史陳列)' '석각예술(石刻藝術)' '시안비림'〔西安碑林〕 세 개의 전시실이 있다. 그중 가장 유명한 것은 시안비림인데, 총 1,095기에 이르는 고비(古碑)의 숲은 토용을 볼 때만큼 사람을 놀라게 한다. 그 안에는 왕의지(王義之), 구양순(歐陽詢), 안진경(顔眞卿) 등 대서도가(大書道家)의 대작들도 즐비하다. 서도가 중에는 이것만을 보기 위해서 중국을 방문한다는 사람도 있을 정도다. 그중 고대 로마로부터 기독교가 전래하였다는 사실을 전하는 '대진경교류행중국비(大秦景教流行中國碑)'는 세계적으로 유명하다. 우리에게 대진경교

西安에서 圓測을 만나다.

鄭 順 玉
(文學士 夫人)

멀고 먼 나라로 여겨지던 中國을 간다는 것은 가슴 설레는 일이었다. 우리나라는 修交도 없고 화장실마저 제대로 갖추어지지 않았다는 얘기를 듣고는 얼마간 걱정도 되고 긴장도 되었다.

그러나 많은 남자분들 사이에 끼어 적은 수의 부인들과 함께 上海를 거쳐 北京에 가서 지내는 동안 걱정할만한 일은 별로 없었다. 가장 걱정되던 식사문제는 여러분이 가지고 간 고추장이나 밑반찬으로 해결되었다. 화장실도 돌내는 곳은 깨끗하였고, 대중화장실에는 좀 문제가 있었으나 10여년 전 우리나라 郊外 화장실을 생각하면 참을 수 있었다. 기근起 우리나라의 깊은 山寺에 가면 그런 화장실은 아직도 많다.

一行은 知性을 갖추신 분들이라 그런지 불편한 속에서도 언제나 웃는 얼굴로 서로 사진을 찍어가며 좋은 追憶을 남겼다. 건강을 해친 분이 한 분도 없이 무사히 귀국한 것을 진심으로 감사하게 생각한다.

北京에 도착하여 世界法律家大會 기간 중에도 우리들은 萬里長城, 紫金城을 찾아 그 웅대함에 놀랐다. 나는 단체 혹은 개별적으로 관광을 할 때마다 中國의 古代文化를 이해하려고 노력하였다.

여러분들과 사적을 하나라도 더 보려고 애쓰는 바람에 다리

베이징 세계법률가대회에 참석하고 돌아온 한국법학원 대표단이 펴낸 『1990. 4. 중국 — 세계 법률가 중국에 모이다』에는 집사람의 글도 실렸다.

류행중국비는 서도의 대작이라는 의미 말고도 그것이 담고 있는 역사적 사실 때문에 중요하다. 이 비석은 북송의 철종에 의해서 건립되었다고 하니까 고구려 후의 것이라 할 수 있는데, 중국의 동북공정(東北工程)과 연관이 있을 공산이 크다.

시안에는 현장(玄奘)법사가 인도에서 가져온 불경을 보관했다는 다옌〔大雁〕탑도 있다. 다옌탑은 당의 고종이 그의 어머니 문덕황후(文德皇后)를 위하여 지은 츠언〔慈恩〕사 경내에 있는 7층으로 된 64m 높이의 탑이다. 나는 집사람과 같이 그 탑의 꼭대기에 올라가서 시안 시내를 내려다보았다. 안내원 설명 중에 당시 신라에서 온 원측(圓測)법사는 현장법사에 버금가는 고승이었다는 말을 집사람은 무척 흥미 있게 들었다. 당시 집사람은 동국대학의 불교 강좌에 나가고 있었는데 그 강좌에서 원측법사의 명성을 익히 들어 알고 있었다. 집사람은 시안에서 원측법사를 만난 일을 글로 남겼는데, 그 글은 베이징 세계법률가대회에 참석하고 돌아온 한국법학원 대표단이 펴낸 『1990. 4, 중국 — 세계 법률가 중국에 모이다』에도 실렸다. 집사람은 담당 교수의 선물로 현장법사와 나란히 걸려 있는 원측의 탁본상을 1매 샀다.

시안은 1936년 12월 12일 국민군을 독려하기 위하여 시안을 방문한 장

제스를 직속부하인 장쉐량(張學良)이 감금한 시안사건으로 유명한 곳이기도 하다. 장쉐량은 시안 교외에 있는 온천장 화칭츠(華淸池)에 있는 작은 집 오간청(五間廳)에 장제스를 강금·억류하고 항일(抗日)을 위해 공산당과 손을 잡는 국공합작(國共合作)을 요구했다. 양귀비의 이야기로도 유명한 화칭츠 주변을 돌아보면서 그때 장쉐량이 장제스를 강금하지 않았더라면 장제스 개인의 운명은 말할 것도 없고 오늘날 중국은 어떻게 돼 있을까 하는 감회에 젖기도 했다.

옌지대 특강과 백두산 등정

세계법률가대회 만찬회에서 대화를 나눴던 조선족 율사들이 지린[吉林]성 옌볜[延邊]조선족자치주율사협회 회장의 이름으로 우리를 초청했다. 이 초청을 받아들여 같은 해 7월 30일 나는 유현석 변호사, 최덕빈 변호사, 신창동(申昌東) 변호사와 함께 옌볜조선족자치주의 주도인 옌지로 향했다. 7월 30일 서울을 떠나 도쿄에서 일본항공으로 갈아타고 베이징에 가서 1박 한 뒤 8월 1일 중국항공편으로 옌지로 가기 위해 비행장으로 갔다. 그런데 비행장에 도착해 보니 우리가 타고 갈 비행기가 한 20명쯤 탈 수 있는 프로펠러식의 작은 비행기라서 깜짝 놀랐다. 이거 옌지까지 못 가는 것 아니냐고 큰 걱정을 하고 있는데 시간이 되어도 떠나지를 않는다. 승무원이 조정실과 뒷문이 있는 곳을 허둥대면서 왕래하는 것을 보고 정말로 옌지까지 가기는 틀렸구나, 중간에 사고가 나는 건 아닐까 하는 공포심이 생기기도 하였다. 한참을 그러고 있다가 다 고쳤다는 안내방송이 나온 후 비행기는 이륙했다. 별로 고공을 나는 것은 아니었지만 불안한 항로임에는 틀림이 없었다. 요즘엔 신식 제트기로 바뀌었고 서울서도 직항 노선이 생겼다고 한다. 하지만 그때는 비행기를 타고 있는 동안 내가 왜 옌지를 가려고 했을까 하는 후회가 들었다. 이륙한 후 4시간이 지나서야 우리 일행은 옌지에 도착했다.

옌지에서는 옌볜대학교 법정대학 초청으로 특강을 했는데 나는 일반적인 인사말을 한 데 그쳤고 유현석 변호사가 한국 가족법에 대해 강의했다. 조선족 자치주여서 그런지 조선족 학생, 율사 들이 많이 모였다. 옌지에 간 기회에 조선족 율사 들이 모인 율사협회와 법률사무소를 둘러보고 투먼〔圖們〕까지 가서 두만강 다리도 건너보았다. 두만강 다리는 중국과 북한을 잇는 꽤 긴 다리로서 그 가운데 전주(電柱)가 서 있었는데 그것이 국경이라고 했다. 우리는 중국세관의 중국인 직원의 안내를 받아 국경 10m 전쯤 되는 지점까지 갔다가 되돌아왔다. 북한 아주 가까이까지 가서 눈앞에 있는 북한 군인을 보고, 이 다리를 건너서 자유롭게 북한까지 갈 수 있는 날은 언제일지 잠시 감상에 젖기도 하였다.

그런데 지린성율사협회 회장을 비롯한 7, 8명의 한(漢)족 율사 간부들이 창춘〔長春〕에서부터 우리를 찾아왔다. 당시 지린성의 성도인 창춘은 옌지에서 기차로 10시간쯤 걸리는 먼 곳이었다. 내가 초청도 하지 아니하였는데 7, 8명이나 되는 중국인 율사들이 왜 여기까지 왔을까 의아할 수밖에 없었다. 우리가 옌지에서 조선족을 만나고 다니는 것을 이상하게 생각하고 감시하러 온 것은 아닐까 하는 의문도 들었다. 하지만 그런 내색은 하지 않고 이렇게 환영해 주어서 고맙다는 식으로 즐겁게 사귀었다.

그 후 우리는 백두산〔중국 명은 장바이산(長白山)〕을 올랐다. 정상 바로 밑에까지는 지프차로 가서 조금 걸어 올라가니 그 유명한 천지가 멀리 아래로 내려다보였다. 날씨는 그런대로 좋은 편이어서 구름이 끼었다 개었다 하는 사이로 천지 전체를 볼 수 있었다. 한족 율사 일행도 동행하면서 이런저런 얘기를 하였다. 그들은 그날 종일 동행하였을 뿐만 아니라 산

걸어서 올라간 백두산 천지

밑에서 같이 1박을 하였다.

다음날 아침 나는 아침에 일어나면 등산 다니던 버릇이 있어서 천지까지 걸어서 올라가고 싶다고 안내인에게 말을 했더니 걸어서 올라가려면 2시간은 족히 걸릴 것이라면서 나를 말렸다. 천지는 장백폭포를 옆에 끼고 올라가는데 중간에 한 100m 정도는 양쪽 아래위가 모두 절벽이고 한 사람이 겨우 걸을 수 있는 좁은 외길뿐이다, 위에서는 언제나 잔돌들이 굴러떨어지고 아래는 낭떠러지니 아주 위험하다고 하며 나를 설득했다. 그래도 나는 기어코 올라가겠다고 우기면서 머리에 돌 맞을 경우를 대비하여 세숫대야 2개를 사오라고 일렀다. 2개의 대야 중간에 두툼한 수건 2장을 끼우면 돌이 떨어지더라도 머리는 다치지 않을 것이라는 생각이었다. 대야를 뒤집어 쓴 내 모습에 모두 웃음을 터뜨렸다.

결국 나는 안내인과 함께 출발했다. 한참 후 멀리서 보니 일행 중 한 명

단둥 강변에서 신의주 쪽을 보고 선(왼쪽부터) 신창동, 최덕빈, 유현석 변호사와 필자

이 따라왔다. 잔뜩 겁을 먹었던 외길도 마주치는 사람 없이 지나갔고 위에서 돌도 떨어지지 않아서 천지까지 무사히 올라갈 수 있었다. 천지에서 한참 손을 담그고 작은 화산암 돌 2개를 주워 넣어왔다. 이 돌들은 지금도 집에 보관되어 있어서 때로 보며 지난날을 생각하기도 한다. 산에서 내려온 후 일행과 같이 옌지로 돌아왔다. 중간에서 투먼율사회가 마련한 성찬을 먹었는데 모두 개고기여서 속으로는 즐겁지가 않았지만 그분들의 성의를 생각해서 담소를 나누면서 잘 먹었다.

옌지로 돌아오는 길에 한족 율사들에게는 백두산에서 좋은 날씨를 만나기 어렵다는데 이렇게 날씨가 좋은 것을 보니 창춘율사협회장이 하늘에 빌어준 덕분이라고 농담을 던지기도 하였다. 어쨌든 그들과 며칠을 지내는 사이 서로 친숙해졌고, 옌지의 조선족 율사들도 이를 흡족하게 생각하는 것 같았다.

새로운 철교 옆에 끊어진 모습 그대로 서 있는 옛 압록강 철교

엔지에서는 창춘 율사들과도 헤어져 우리 4명만 압록강변 단둥〔丹東〕
으로 가 하룻밤 잤다. 새벽에 눈을 뜨고보니 한방에 자던 최덕빈 변호사
가 보이질 않았다. 조반을 먹을 때 식당에서 만난 그에게 어디를 갔다
왔냐고 물었더니 자기는 신의주가 고향이어서 압록강변에 가서 신의주
의 부모님 쪽을 향해서 절을 드리고 왔다고 한다. 가슴이 찡했다. 이것
이 우리의 슬픈 삶이다.

단둥에서는 고등법원에서 판사를 한다는 조선족이 나와주었는데, 그
분이 배를 한 척 내주어서 우리 일행 중 세 사람은 배를 타고 압록강 중간
지점까지 왕복하는 스릴을 맛보았다. 나는 나라도 밖에 남아 있어야겠다
는 생각이 들어 동승을 하지 않았다. 강변에서 서성대면서 망원경으로 신
의주 쪽을 쳐다보니 굴뚝은 많은데 연기 나는 곳이 하나도 없었다.

그날 단둥에서 야간열차로 베이징으로 돌아왔는데, 우밍더 율사를 만
나니 우리의 행동 하나하나를 전부 알고 있었다. 그래서 나는 "중국식으

로는 우리가 요인(要人)이지"라고 해서 친구들을 웃기기도 했다. 옌지에서 만난 창춘율사협회의 한족 율사들은 후에 나의 초청으로 서울에 다녀갔고 지금도 서로 우의를 다지고 있다.

공자의 고향, 취푸와 도교의 본산, 타이산

　베이징으로 돌아와 조금 머물다가 공자의 탄생지인 취푸〔曲阜〕로 향했다. 취푸에 가려면 베이징에서 기차를 타고 지난〔濟南〕까지 가서 자동차로 갈아타야 했다. 지난까지는 급행으로 7시간쯤 걸리는데 이탈리아 관광단과 같은 칸에 탔다. 그들에게 어디를 가느냐고 물었더니 취푸에 간다고 했다. 취푸의 숙소에서도 미국인 일행을 만났는데 서구인들의 유교에 대한 관심이 얼마나 큰가를 알 수 있었다.

　공자는 무녀의 사생아라는 설이 있고 스스로도 비천한 출신이라는 것을 자인했지만 만년에는 사표(師表)로서 존경을 받았다. 그는 평생을 망명으로 보냈는데, 편안하게 지낸 날은 평생 5년도 안되었다고 한다.

　노(魯)나라 사람 공자가 제(齊)나라에 망명한 것을 두고 충절심이 없다고 비난하는 사람도 있다. 하지만 당시에 충(忠)은 성실하다라는 의미정도였지 오늘날과 같은 충성이라는 의미는 없었다. 공자에게 순절이 있다면 도(道)에 순(殉)하고 의(義)에 순하는 것이었다. 그러니 "나를 채용하는 사람이라면 상대가 누구든 상관이 없다"는 것이 공자의 입장이었던 듯하다.

우리는 지난에서 자동차 한 대를 빌려 타고 취푸에 갔다. 그때만 해도 취푸를 찾는 한국인은 많지 않았다. 취푸에서는 1박을 하면서 공묘(孔廟), 공부(孔府), 공림(孔林) 세 곳을 둘러봤다. 공자를 모시는 대성전(大成殿)은 거대한 건축물로 베이징의 고궁(故宮)과 더불어 중국 3대 건축의 하나이다. 대성전 안에는 '만세사표(萬歲師表)' '사문재자(斯文在玆)'라는 글이 쓰여진 두 개의 현판이 걸려 있었다. 중앙에는 공자의 소상(塑像)이 있었는데, 마치 도교의 신상(神像)과 같은 인상이었다. 앞에는 '지성선사공자신위(至聖先師孔子神位)'라는 패가 세워져 있었다. 양측에는 공자의 제자 안회(顔回), 증자(曾子), 자사(子思), 맹자(孟子) 등 우리에게도 친숙한 16 성인의 소상이 모셔져 있었다. 그 웅장함에 놀라기도 했지만 대성전 앞에 서있는 대성지성문선왕(大成至聖文宣王) 비석의 허리가 갈라진 것을 시멘트로 붙인 흔적을 보고 비림비공(批林批孔)을 내세운 1960년대의 문화대혁명의 전통 파괴가 얼마나 심했는가를 알 수 있었다. 대성전 내부도 그때 크게 파손됐다가 1980년대에 수리되었다고 한다.

공자의 묘는 공림 초입에 있었는데 '대성지성문선왕묘'라 적힌 묘석이 없었으면 알 수가 없을 정도로 작았다. 공묘 입구에는 당으로부터 청에 이르기까지 육조(六朝)의 황제들이 공자에게 바친 비문이 새겨진 높은 비석들이 여러 개 있었는데 부러진 허리를 시멘트로 이은 자리가 역력했다.

공자가 아들 공리(孔鯉)를 가르쳤다는 시례당(詩禮堂), 진시황이 분서갱유(焚書坑儒)로 모든 책을 태웠을 때에 공자의 자손이 『논어』 등의 죽통(竹筒)을 감추어두었다고 하는 노벽(爐壁), 공자가 생전에 물을 길어 먹었다는 오랜 우물 등을 보면서 내가 공자의 탄생지 취푸에 오다니 하는 감흥에 잠기기도 하였다.

취푸에서 베이징으로 돌아올 때에는 진시황이 등극의 예를 올렸다는

타이산 도교사원에 모셔져 있는 신상

타이산(泰山)에도 올랐다. 타이산에서는 중천문(中天門)까지 자동차로 올라간 다음 케이블카로 정상에 올라갔는데 남천문(南天門)이 정상이었다. 걸어서도 올라갈 수 있는데 직선으로 뻗은 7천 개의 계단을 올라야 한다. 나에게는 불가능한 일이었지만, 계단은 걸어서 올라가는 사람들로 빽빽했다. 그래도 진시황은 걸어서 올라갔을 것이다.

정상은 넓은 평야라고 할 정도로 평평해 넓은 길(천가(天街))이 있었고, 그 길 양쪽에는 각종의 사원(정확히는 '도관(道觀)')들이 늘어서 있어 보면서 놀랐다. 그중에서도 당나라 현종이 726년에 봉선(封禪)할 때에 만들었다고 하는 '기태산명(紀泰山銘)'이라는 제하의 웅장한 마애비(磨崖碑)를 보니 과연 대국이구나 싶었다. 당시 봉선의식은 천하대권을 잡았다는 것을 하늘에 고하는 절대적 의식이었다.

타이산은 중국 5대 명산의 하나인데 도교의 본산이라 한다. 유교가 인

타이산 정상에서 유현석 변호사(왼쪽)와 필자(오른쪽)

간관계의 질서를 존중하고 예절을 강조한다면, 도교는 자연과 무위(無爲)를 존중하고 선인(仙人)사상을 강조한다. 상극의 서로 다른 성지가 멀지 않은 곳에서 마주 보고 있는 셈이어서 중국 종교의 복잡한 단면을 보는 듯하였다.

여행하며 보니 유교사상이 중국의 통치이념이 돼가는 듯했다. 장차 중국이 증강된 국력과 더불어 인류의 타락상이 심화되면서 유교가 타 국민들에게도 예컨대 기독교와 같은 종교적 역할을 할지도 모른다는 생각이 들었다.

윈강석굴

1991년에는 정주영 회장이 100명이 넘는 일행과 비행기를 대절해서 베이징에 간 일이 있는데, 일행은 백두산으로 가고, 나는 혼자 윈강〔雲崗〕 석굴을 보기 위해 야간열차를 타고 다퉁〔大同〕으로 떠났다. 윈강석불은 중국에서는 우리나라의 석굴암 석가여래상만큼이나 유명하다.

윈강석굴은 뤄양〔洛陽〕의 룽먼〔龍門〕석굴, 둔황〔敦煌〕의 막고굴(莫高窟) 과 함께 중국의 3대 석굴로 불리는데, 지금으로부터 1550여 년 전인 460 년대에 만들어지기 시작한 것이라고 한다. 53개의 윈강석굴 중 가장 유명한 석굴을 몇 군데 골라 안으로 들어가서 구경하였는데, 아름다운 모습과 빛깔, 그 규모에 놀랐다. 제5굴의 좌불(坐佛)은 높이가 17m나 되는 대불이고, 석가모니의 생애가 순서대로 조각된 제6굴은 무척이나 아름다웠다. 석굴 안에 불상은 모두 5만 1천 개라고 하니 그 웅장함에 놀라지 않을 수 없었다.

다퉁에서는 윈강석굴 말고도 상하화암사(上下華嚴寺), 주룽비〔九龍壁〕, 쉬안쿵〔懸空〕사 등을 구경할 수 있어서 뜻밖에 소득이 컸다. 쉬엔콩츠는 다퉁에서 약 70km쯤 떨어진 곳에 있는데, 쑹산〔嵩山〕 깊은 계곡에 있는

원강석굴 앞에 선 필자

절벽 위에 다른 40동의 당우와 함께 하늘에 매달린 듯 서 있다. 주룽비에
서는 자금성에 더 큰 주룽비가 있으며 그게 훨씬 더 유명하다는 것을 알
게 되어 베이징에서 자금성을 다시 찾았다. 베이징에서는 루거우차오를
다시 보고, 세계 최고(最古)라 하는 50만 년 전의 베이징원인(猿人)이 발견
된 저우커우뎬[周口店]도 찾았다. 특이하고 규모가 큰 유적이 여기저기
산재한 것도 고도의 경제성장과 더불어 중국의 위용을 자랑할 원동력이
될 것이다.

필담 여행

다퉁은 베이징을 기준으로 보면 서북쪽, 내몽고 근처에 있는 도시이다. 1500년 전 삼국시대에는 정치, 군사 중심지였지만 지금은 윈강석불로 더 유명한 곳이다. 베이징에서 다퉁까지는 약 400km, 특급열차로 8시간 정도 걸린다. 나는 다퉁으로 갈 때에는 낮차로 가고 올 때에는 밤차를 이용할 생각이었다. 베이징에서 다퉁까지의 철도는 중간중간 만리장성을 끼고 돈다는 것을 알았기 때문이다. 그러나 낮에 다퉁으로 가는 차표를 구할 수가 없어서 내가 예정한 것과는 정반대로, 가는 쪽이 밤차 오는 쪽이 낮차가 되었다.

밤차를 타기 위하여 혼자 베이징 역에 나갔는데 베이징 역은 혼란의 도가니였다. 여름밤이어서 춥지는 않지만 수천 명이 큰 광장의 앞뒤를 꽉 메운 채 종이를 이불 삼고, 보따리를 베개 삼아 누워 있어서 개찰구까지 가기가 힘들었다. 그중에는 기차표를 살 수가 없어서 2~3일씩 그 자리를 지키고 있는 사람들도 있었다. 빽빽하게 누워 있는 사람들을 밟지 않으려고 요리조리 발을 옮겨놓는 일은 쉽지 않았다. 중국말도 할 줄 모르는 주제에 누구를 건드리거나 넘어지는 날이면 큰일이다. 얻어맞아도 할 말이 없을 것이다.

겨우 개찰구를 빠져나와 밤 11시 20분에 출발하는 다퉁 행 침대차에
오르는 순간 열기와 코를 찌르는 사람 냄새가 물씬 덮쳐왔다. 기차에 냉
방이 안 되고 있었던 것이다. 내가 탄 차실은 한 평 남짓한 작은 방이었는
데 양측 상하에 침대가 있는 것을 보니 4인용이었지만 승객은 나 혼자인
듯싶어 그런대로 다행으로 느꼈다.

부지런히 잠옷으로 갈아입고 차가 떠나기만 기다리고 있는데, 출발 2
분 전쯤일까, 40대 전후의 체격이 우람한 중국인 장정 세 사람이 쳐들어
오다시피 들어서더니 인사 한마디 없이 바지저고리를 벗어젖히고 팬티
하나만 입은 채 건너편 의자에 나란히 걸터앉는 것이 아닌가? 혼자 조용
히 잘 수 있을 것이라는 희망이 사라지면서 진짜 중국 여행을 하는구나
하는 생각이 들더니 답답해졌다.

그 사람들은 맞은편 침대 앉아 무엇인가 떠들어댔다. 몇 분쯤 그렇게
떠들더니 한 사람이 나에게 무엇이라고 말을 건네왔지만 알아들을 수가
없었다. 나는 중국어로 한국인이라 중국어를 못한다고 대답하고는 입을
다물었다. 그랬더니 그쪽도 더 이상 말을 건네지 않고 서로 우스갯소리를
하는지 깔깔 웃어대면서 자기들끼리 떠들었다. 무얼 하는 사람들일까, 중
국 사람은 일등객실에는 탈 수 없다던데 이 사람들은 어떻게 탄 걸까, 잠
을 자는 사이에 내 보따리를 들고 가지나 않을까 하는 걱정으로 나는 잠
을 이룰 수 없었다. 결국 잠자는 것은 체념하고 이럴 때는 되는 말, 안 되
는 말이라도 사귀는 수밖에 없다 싶어 용기를 내어 수첩을 꺼내 들고 필
담(筆談)을 시작하였다. 이런 경우에 대비하여 미리 준비한 수첩이었다.

나는 우선 한국인이라 쓰고 행선지를 알리기 위하여 '大同, 雲岡石佛,
恒山'〔다퉁, 윈강석불, 형산〕이라고 썼다. 형산은 다퉁에 있는 산으로 중국

오악의 하나다. 그랬더니 한 사람이 '我的就任在桅光的地方(아적취임재견 광적지방)'이라고 써넣었다. '취임(就任)'이 시찰이라는 뜻인지 우리가 쓰 듯 새 직무에 임하게 되었다는 뜻인지 분간할 수 없었지만 그저 어느 지 방으로 간다는 정도로만 이해할 수 있었다. 그러나 나는 그들이 다퉁보다 더 멀리 가는지 아니면 그 전 어딘가에서 내리는지, 그것이 제일 궁금하 였다. 다퉁보다 먼 곳을 가면 잠을 자도 상관없다고 느꼈기 때문이다. 그 래서 다퉁을 가운데에 쓴 다음 그 양쪽에 화살표를 써넣고 좌측에 '近方 (근방)' '遠方(원방)'이라고 쓴 뒤에 손으로 열심히 설명을 했다. 하지만 그 들은 나의 뜻을 알아차리지 못하고 근방, 원방 사이에 '382'라고 숫자를 써넣었다. 다퉁까지의 거리를 표시한 것 같았다.

결국 나는 궁금증을 풀지 못한 채 다른 말을 이어나갔다. 올해에는 백 두산에 갔고 작년에는 타이산을 관광했다는 뜻으로 '我一行去長白山, 昨 年觀光泰山'〔아일행거장바이산, 작년관광타이산〕이라고 썼더니 그는 '泰山' 자 밑에 '五岳之首(오악지수)'라고 써넣었다. 중국의 유명한 다섯 산 중에 타이산이 최고라는 그 말에 타이산은 아는구나 싶어 나는 '恒山'〔형산〕이 라고 써넣고는 그가 쓴 '之首' 자 위에 줄을 그어 '中一 好登山(중일 호등 산)'이라고 써서 '중국에서 일등 간다니 그 산을 오르고 싶다'라고 전하려 했으나 별로 반응이 없었다. 그래서 나는 계속하여 작년 7월 단둥에서 베 이징에 갈 때 탔던 기차는 냉방이 되었는데 이 차는 그렇지 않아 덥다고 말하려고 '昨年 七月 丹東 → 北京 火車 冷房車 北京 → 大同 不冷房車 暑'〔작년 7월 단둥 → 베이징 화차 냉방차 베이징 → 다퉁 불냉방차 서〕라고 썼더 니 '中國不富强(중국불부강)'이라고 써서 답한다. 중국은 부강하지 못하다 니 나는 공연히 쓸데없는 말을 했구나 싶어 순간 후회가 되었다. 그런 다 음 몇 마디를 더 나눈 뒤에 가방에서 파카 볼펜 3개를 꺼내어 1개씩 나누어주고 '同行留念(동행유념)'이라고 썼다.

'留念(유념)'은 기념이라는 말로서 백두산 천지에 올랐을 때에 사진 촬영용으로 세워놓은 '長白山留念〔장바이산유념〕'이라는 말패에서 보고 배운 중국어 표현이다. 볼펜은 베이징행 비행기 내에서 10개들이 한 상자를 사두었다가 다통으로 올 때 3개를 따로 챙겼던 것이다. 이럴 때에 이런 선물을 하는 것이 가장 좋다는 것은 중국 여행에서 경험으로 익히고 있었다. 그들은 볼펜을 살펴본 후 '謝謝您(사사니)'라고 감사를 표했다. 그러고 나서 나하고 필담을 하던 사람이 벌떡 일어나 걸어놓았던 양복 주머니에서 수첩 같은 것을 꺼내서 건네주기에 보았더니 빨간 표지에 '中華人民共和國, 人民解放軍, ○○軍官證(중화인민공화국, 인민해방군, ○○군관증)'이라고 적혀 있었다. 수첩 안까지 볼 것은 없어서 엄지손가락을 세워 제일이라는 표시를 하였더니 알아들은 듯 웃으면서 군관증을 도로 넣었다. 이것으로 그들의 신분은 확인한 셈이다.

이어서 나는 '漢子相通(한자상통)' '旅遊便利(여유편리)' '親交可能(친교가능)' '中國簡字使用(중국간자사용)' '韓國繁体使用(한국번체사용)' '相互不便(상호불편)'이라고 생각나는 대로 썼다. 한자가 서로 통하여 여행할 수도 있고 친교도 할 수 있지만, 너희들은 간자를 쓰고 우리는 옛날식 한자를 써서 불편하다는 뜻으로 쓴 것인데 그들이 알아들었는지 모르겠다.

필담은 이렇게 끝났다. 서로의 뜻은 잘 통하지 않았지만 마음은 통하였는지 그중 한 명이 나 보고 누우라고 손짓을 하여 바로 누웠더니 다른 두 사람이 상단으로 올라가자 자기도 누우면서 불을 꺼주었다. 이제 도둑질을 할 사람들이 아니라는 것을 확인해서 마음이 편하여졌는지 나는 곧 잠이 들었다.

선잠을 자다가 5시 30분쯤 눈을 떴는데, 그들은 어느 사이에 일어나 옷을 입고 앉아서 내릴 준비를 하고 있었다. 기차는 6시 40분에 다퉁역에 도착할 예정이었다. 필담으로 알아내지 못한 그들의 목적지도 다퉁이었다는 것을 그때 비로소 알게 되었다. 내가 다시 필담을 시작하자, 그들도 이제 친숙하여진 내가 혼자 여행하는 것이 딱하다고 느꼈는지 안내가 있느냐, 호텔은 잡았느냐, 언제 돌아갈 거냐 하고 글자로 물어왔다. 이렇게 필담을 나누는 동안 어느새 기차는 다퉁역에 도착하였다.

지하도를 통하여 역을 빠져나오니 계단 위에 영자로 내 이름이 쓰여진 종이를 든 젊은 청년이 보였다. 청년과 영어로 얘기를 나누면서 타고 살 차까지 가는데, 비가 너무 쏟아져 이리 뛰고 저리 뛰었다. 이역만리(異域萬里) 외로움과도 같은 여수(旅愁)가 스쳐가는 순간이었다. 겨우 타고 갈 차가 있는 곳에 와서 차에 오르려는데, 옆자리의 군용 지프차에 기차를 같이 타고 온 그 중국인들이 타고 있었다. 8시간을 같은 침대차에서 지낸 것도 인연인지라 서로 웃는 얼굴로 손을 흔들며 작별인사를 했다.

그들과 헤어진 후 청년에게 무엇 하는 사람들이냐고 물었더니 지프차 범퍼에 씌어 있는 표시로 보아서는 인민해방군의 특수기관원들인 것 같다고 했다. 단단한 호위를 받고 온 셈인데 그것도 모르고 공연히 걱정만 했구나 싶어 혼자 쓴웃음을 지었다.

도교사원과 중국

　　1990년대 초에는 중국 정부도 문화대혁명으로 부서진 사원을 미처 챙길 여유가 없었는지 어느 절을 가도 먼지가 뽀얗게 끼어 있고 낡았다는 인상이 강했다. 우리나라의 절과 같이 어느 절에나 있어야 할 스님들은 거의 찾아볼 수가 없었고 절을 지키는 사람인지 심부름꾼인지 분간하기 어려울 정도로 누추한 차림을 한 사람 한두 명이 왔다 갔다 하는 것을 볼 수 있을 뿐이었다. 그가 도사였을지도 모르겠지만, 종교가 풍기는 위엄이라고는 어디서도 찾을 수가 없었다. 불상이 있는 경우에도 석가모니불이나 비로자나불과 같은 본존불보다는 천수관음과 같은 불상이 많았다.

　　도교사원에는 복(福), 녹(祿), 수(壽), 즉 현실세계의 행복과 재산과 장수를 관장하는 신이 있어서 인간의 선악을 가린다는 옥황상제, 천계의 최상위에 있다는 만령(萬靈)의 신 구천응원뇌성보화천존(九天應元雷聲普化天尊) 등 신상은 각양각색이다. 내가 오른 타이산에는 타이산부군〔泰山府君〕이 있었다. 신상은 거의 면상(面相)이 검은데다가 조명이 제대로 설치되어 있지 않은 어둡고 침침하고 비좁은 자리에 놓여 있는 탓인지 우아한 맛은 없었다. 그래도 도교사원에는 유교와 도교가 섞여 있고, 전쟁과 가난에 쪼들린 민중의 냄새가 진하게 풍기나 기회만 닿으면 찾아다녔다.

중국에서 많은 도교사원들을 보고 나서 내가 도교에 관하여 너무나 아는 것이 없다는 것을 알게 되었다. 도교는 중국 고유의 종교이고, 중국 민중의 정신사이다. 그러므로 중국을 제대로 알고 익히려면 도교에 관해서도 어느 정도 지식을 갖추어야 한다. 동남아도 사정은 비슷하다.

그래서 귀국해서 몇 권의 책을 통해 알아보았다. 그 결과 우리나라에도 도교사원이 있었다는 사실을 알게 되었다. 소격동이라는 지명으로 남은 소격전(昭格殿), 삼청동의 지명을 낳게 한 삼청전(三淸殿)의 존재가 그렇다. 전자는 옥황상제를 모셨고, 후자는 삼청, 즉 원시천존(元始天尊), 영보천존(靈寶天尊), 도덕천존(道德天尊)을 모셨다. 『삼국지』로 유명한 관우(關羽)를 사당으로 모신 관왕묘(關王廟)도 여기저기 있었는데, 서울 도동에 남묘(南廟), 명륜동에 북묘(北廟)가 있었다. 그리고 조선 선조(宣祖) 때에는 명나라 신종의 도움으로 동묘(東廟)가 세워졌다. 그중 북묘는 명성황후를 가까이 모셨다고 하는 진령군(眞靈君)이 세운 곳이어서 유명하다. 모두 현재는 사라지고 동묘만이 남아 있고, 남산 중턱 길가에는 제갈공명(諸葛孔明)을 신으로 받드는 와룡묘(臥龍廟)가 도교의 흔적으로 남아 있다.

우리가 중국과 수교를 맺고 나서 짧은 시간 안에 중국과 활발히 교류하고 있고, 말이 거의 안 통하는 중국인과 쉽게 사귈 수 있는 것은 이런 공통된 문화가 바탕에 깔려 있기 때문이 아닐까?

중국을 보는 눈

팔면체(八面體)라고도 하는 중국을 입체적으로 관찰한다는 것은 거의 불가능하다. 중국은 한마디로 상상을 초월하는 대국이다. 길이가 동서로 약 5천 km에 이르는 중국은 구소련, 캐나다에 이어 세 번째로 국토가 크고 13억이 넘는 인구에 민족 구성도 한(漢)족을 비롯해 55개의 종족이 함께 살고 있는 거대 다민족국가다.

중국을 연구하는 학자들은 광대한 영토와 미국 인구의 5배가 넘는 인구를 거느린 중국을 연구한다는 것은 쉽지 않으며, 인치(人治)를 중시하는 동양적 특성이 강한 사회주의 국가라서 사고방식, 정책 결정방식 등 학문적으로 풀 수 없는 분야가 너무 많다고 입을 모은다. 경제적 관점만으로 중국에 접근했다가는 금방 한계에 부닥친다는 것이 중론이다.

중국에도 정치인을 보수 대 혁신, 온건 대 급진 등으로 분석하는 틀은 있다. 보수/혁신의 분석틀은 그 자체로서 잘못된 것은 아니지만 선진국에 적용되는 분류방법이 중국에 제대로 적용될 수 있을지는 의문이다. 오히려 중국인의 대부분은 보수와 혁신을 한 몸통에 같이 보유하고 있으며 중용(中庸)이라는 전통적 의식의 작동으로 둘 간의 균형을 유지하고 있는 것으로 보인다. 정치 정세를 봐도 때로는 보수를, 때로는 혁신을 편의적으로 적용하는 것 같다.

그러나 내가 중국을 접한 것은 이런 연구방법이 아니라, 몇 번 안되는 중국 여행과 한족, 조선족과의 만남을 통해서였다. 50년 이상 사회주의체제하에 살았어도 중국인도, 조선족도 우리와 비슷한 상식과 사고방식에서 살고 있다는 느낌을 받았다. 1970년대에 나는 현대건설의 고문을 하면서 사우디아라비아 등 중동지역을 여러 번 여행했지만 중동인들은 대화가 통하지 않는, 우리의 상식이 안 통하는 먼 이방인이라는 것을 실감했다.

그러나 중국 사람들은 정도의 차이는 있지만 자국의 역사와 전통의식을 기반으로 외국인의 상식을 반(半) 정도는 받아들이며 일상생활을 하는 것같이 보인다. 그것이 시대와 환경에 따라 이렇게도 나타나고 저렇게도 변한다. 역사적 변동기에는 양자 사이에 충돌이 일어나기 쉬우며 역사 전통에 기초한 상식이 튀어나오기도 한다. 양무운동(洋務運動)*, 무술변법(戊戌變法)**, 신해혁명(辛亥革命)***, 문화대혁명, 톈안먼사건(1989년) 등은 모두 역사적 전통양식이 행동으로 나온 경우가 아닌가 한다.

---

* 양무운동 19세기 후반에 중국 청나라에서 일어난 근대화 운동; 편집자.
** 무술변법 중국 청나라 덕종 때 캉유웨이(康有爲), 량치차오(梁啓超) 등 혁신과 중심으로 변법자강(變法自彊)을 목표로 일어난 개혁 운동. 변법자강은 시대에 맞지 않는 법과 제도를 고쳐 스스로 강하게 한다는 뜻으로, 정치체제와 교육제도를 통한 부국강병을 목표로 두었다; 편집자.
*** 신해혁명 1911년에 청나라를 무너뜨리고 중화민국을 세운 혁명. 1911년 10월에 우창(武昌)에서 봉기하여, 그 이듬해 1월에 쑨원(孫文)을 임시 대총통으로 하는 임시정부를 수립하였으나, 위안스카이(袁世凱)가 대총통에 취임하여 군벌정치를 폈다; 편집자.

최근의 중국

1990년 4월 베이징 세계법률가대회에 참석한 후 1994년까지 4번 더 중국을 여행하면서 중국은 앞으로 5, 6년이면 크게 달라질 것이라는 인상을 받았다. 그래서 같이 다니던 동료 회원들에게 앞으로 5, 6년이면 중국이 우리에게 매달릴 일은 없어진다, 지금 그들이 법률을 가르쳐달라고 하고 사법제도 및 법조계의 운용에 관하여 우리 것을 배우려고 매달릴 때에 힘껏 도와주어야 한다고 말하곤 하였다. 어려울 때의 우정은 오래가는 법이다. 특히 중국인은 의리에 강하다.

2000년대에는 어떠했는가? 중국은 여전히 우리에게 배울 일이 있긴 했지만 경제가 고도로 성장하면서 외국과의 교류도 활발해져 오히려 우리를 압박할 수 있는 대국으로 변모하고 있었다. 2000년 10월 중순, 난징(南京)에 다녀온 서울대 법대 최종고 교수가 이런 이야기를 전했다. 그는 난징에서 열린 법철학자대회에 참가해 논문을 발표했다. 그 대회에는 외국인 학자 이외에도 200명이 넘는 중국인 학자가 참가해 활발한 발표와 토론이 이루어졌는데, 그 열기에 놀랐다고 한다. 1994년 8월 광저우에서 열린 제4차 한중학술회의에서 우리 측을 대표하여 논문을 발표한 일이 있었는데, 그때만 해도 상상도 할 수 없는 일이었다고 한다. 난징에 있는 동안 5, 6년이 지나면 중국은 달라져 있을 것이라는 내 말이 자꾸 생각나더라고 했다.

주룽지의 발표

2000년 1월 7일 베이징에서는 인민대회당에서 중국공산당의 중앙선전부, 중앙국가기관 공작위원회, 해방군 총정치부, 베이징시의 공산해방군 총정치부가 공동 주최한 대규모 경제 강연회가 열렸다. 연사는 1998년 3월에 국무원 총리로 임명된 주룽지〔朱鎔基〕였다. 그는 다음과 같은 말을 하였다.

"1999년은 일련의 거시경제정책으로 인하여 연초에 확정된 경제발전 목표를 실현하였다. 국유기업의 개혁과 적자 탈출에도 큰 발전이 있었으며 수출은 대폭 늘었고 재정수입도 늘었다. 금융 정세도 안정되었다. 위안화의 환율도 안정되고 외화 보유고도 늘었다. 요컨대 전체적인 경제 정세는 바람직한 방향으로 발전하고 있다."

중국 경제의 위기 탈출 선언이었다. 우리나라의 경우만 보아도 이것을 알 수 있었다. 농산물은 말할 것도 없고 중국산 제품들이 시장에 넘쳐흐르고 있었다. 또 1999년 여름 캐나다 밴쿠버에 가서 한 달이 넘도록 묵은 일이 있는데, 어쩌다가 의복이나 물건을 사려고 이것저것 만지다보면 거의 다 중국 제품이었다. 비록 고급품은 아닐지 몰라도 일반 상품시장은 거의 중국 제품이 차지하고 있었다. 주룽지 총리가 중국 경제의 승리를 선언한 것도 과신의 일이 아니었다.

주룽지 총리가 경제성과에 대해 보고할 때 국가주석은 장쩌민이었다. 장쩌민은 제15회 당 대회에서 정치보고를 하면서 "중화민족은 1900년 8

개국 연합군에 의한 베이징 점령으로 크나큰 굴욕을 겪었으며 국가는 멸망의 위기를 맞았다"고 지난 20세기를 회고했다. 나는 장 주석의 이 글을 처음 읽었을 때 연합군에 의하여 철저히 파괴된 위안밍위안〔圓明園〕의 유적을 상기하면서 중국의 지도자는 누구를 막론하고 이 일을 잊을 수 없을 것이라는 생각이 들었다.

또한 장 주석은 사회주의라는 말은 사용하면서도 지난 100년 혁명의 목표는 '민족의 해방' '중화의 진흥' '국가의 번영'에 있었다는 것을 강조했다. 그 위에 지난 1세기 전진도상에서 세 번의 역사적 대변화를 체험하고 시대의 선두에 선 3인의 위대한 인물, 쑨원〔孫文〕, 마오쩌둥, 덩샤오핑을 지적하면서 그 시련을 이겨내는 데 공헌한 공산당체제의 건재도 찬양했다. 이 짧은 글에서 나는 중국공산당과 그 정치체제에 관하여 여러 가지 생각을 해보았다.

쑨원을 거론한 것은 1911년까지 270여 년간 지속된 청조를 타도한 신해혁명을 두고 하는 말이다. 또 덩샤오핑을 지칭함으로써 중국이 어떤 의미에서는 자본주의를 포용할 수 있음을 의미했다. 그러면서 중국 사회주의혁명의 시조이기는 하지만 공산주의의 조속한 실현을 위하여 너무 서두르는 바람에 정치적, 국민적 비극을 연출했던 마오쩌둥을 칭송함으로써 사회주의혁명의 시조도 공고히 옹호한 것이다.

이렇듯 장쩌민 주석의 3인의 중국 지도자론에서 중국공산당의 특색과 중국식 경제의 특색을 짐작할 수 있었다. 빨라지는 중국의 대국화, 지정학적 위치와 경제교류, 북한과의 특별한 관계, 과거의 한중사(韓中史) 그리고 최근 중국 우주과학의 비약적인 발전 등을 생각하면 중국의 장래와 한국의 미래를 함께 생각하지 않을 수 없다.

중국의 유교

반유운동

중국의 대란(大亂)이라고 할 수 있는 문화대혁명 때는 '비림비공'이라는 말로 공자를 비판하는 일이 성행하였다. 원래 '비림'은 린뱌오, '비공'은 저우언라이[周恩來]에 대한 비판으로 사용하기 시작했다. 저우언라이가 공(孔)에 비유된 것은 그가 '대유(大儒)'로 불려왔기 때문이라고 한다. 동시에 마오쩌둥이 직접 만들었다고 하는 '프롤레타리아 문화대혁명에 관한 결정' 16조에는 문화대혁명의 목적을 자본주의의 길로 가는 실권파를 때려 부수고, 부르주아계급의 반동적인 학술 권위와 모든 착취계급의 이데올로기를 비판하며, 교육과 문화 예술을 개혁하는 데 있다고 되어 있어서 유교 비판의 근거가 되었을 것으로 짐작한다.

문화대혁명을 끌고 간 4인방의 주도자 장칭이 중심이 되어서 편찬했다고 하는 『린뱌오와 공맹(孔孟)의 도(道)』가 당 중앙의 승인을 받고 린뱌오를 비판하고 공자를 비판하는 비림비공운동이 개시되었다는 설도 있지만 그 진부는 알 수 없다. 다만 이로 인하여 유교에 대한 격렬한 반대운동이 일어났다.

거의 100년 전의 일이지만 1919년에 일어난 '5·4운동'은 1차 세계대전에 참전한 일본이 독일이 차지하고 있던 칭다오[靑島]를 점령한 후 중국에게 산둥[山東]의 권익 계승 등을 담은 21개조의 요구사항을 제시한 것을 계기로 일어난 것이지만, 타도공가점(打倒孔家店)의 반유(反儒)운동으로 이어졌다. 유교에 대한 비판은 중국의 근대화 과정, 특히 서구의 침범을 받은 이후에 더욱 심해졌다.

1840년에 일어난 아편전쟁, 1899년 의화단운동, 1905년 중국혁명 동맹회 결성 등이 또 다른 대표적인 예이다. 이런 정치적 격류 속에서 중국은 외국의 압제와 침범 앞에 어떻게 하면 독립을 유지할 수 있을까 하고 몸부림치면서 당시 자기들의 잘못과 무력(無力)에서 눈을 돌리고 과거와 전통에 허물을 뒤집어씌웠다.

청말(淸末) 탄쓰퉁[譚嗣同] 같은 사람은 오륜(五倫)을 '참화열독(慘禍烈毒)'이라고까지 표현했다. 그는 오륜 중에서 쓸 만한 것은 붕우유신(朋友有信) 하나뿐이며, 나머지 군신(君臣), 부자(父子), 장유(長幼), 부부(夫婦)는 기본적으로 평등의 입장을 떠난 윤리로, 그것이 중국인 사이의 불평등을 고착시켰다고 했다. 유교의 가장 중요한 덕목인 인(仁)에 대하여서도 그 내용을 개혁하여야 한다고 할 정도였다. 그 정도로 유교에 대한 비판은 심했다. 탄쓰퉁은 중국이 잘못된 것은 유교적 사고로 피를 흘리는 혁명이 없었기 때문이라고 말했다. 무엇인가 잘못되면 모두 과거 탓이며 전통 때문이라고 힐난하는 것은 중국이나 한국이나 마찬가지다. 우리나라에서도 잘되면 제 탓, 못되면 조상 탓이라는 속담이 있지 않은가. 다만 그것은 다른 나라에서도 흔히 볼 수 있는 일이니 너무 탓할 일은 아니다.

『아Q정전(阿Q正傳)』으로 우리에게도 널리 알려진 루쉰[魯迅]은 그 소설에서 중국 농민이 무기력, 무자각하면서도 탐욕스러운 존재라는 것을 주제로 삼았는데 이것 또한 유교 탓으로 돌렸다. 또 다른 작품 『광인일기(狂人日記)』에서는 인의도덕(仁義道德)이 사람을 잡아먹는다는 충격적인 말도 했다. 수천 년에 걸친 중국의 난사(亂史)가 더 큰 원인이라는 생각이 들지만 그쪽 사정을 잘 모르는 나는 이해가 가지 않는다.

중국공산당 창설자의 한 사람인 베이징대학 교수 천두슈(陳獨秀)는 〈신청년(新靑年)〉 창간호에 쓴 「청년에게 주는 글」에서 노예적, 보수적, 퇴영적, 쇄국적, 허문적(虛文的), 공상적인 것을 배격하고 자주적, 진보적, 진취적, 세계적, 실리적, 과학적 태도를 취하라고 말한다. 중국인의 이런 특성이 유교의 탓이라고 생각하는 것은 지나치다고 생각한다. 유교의 부정적인 면만을 들춘 것 같은 인상이다.

그런가 하면 청이 청일전쟁에서 일본에 패한 후 정치개혁을 위하여 변법자강(變法自彊)운동을 펼친 캉유웨이(康有爲)는 공양학(公羊學)이라는 이름으로 유교의 정신은 시대의 변화에 따라 해석을 달리해 가며 현실사회에 적용하는 것이라고 하였다. 그러나 얼마 안 가서 그의 개혁운동도 서태후(西太后)의 반격으로 좌절되고 만다.

피를 흘리는 것이 좋은 것만은 아니다. 사람이 자진하여 할 일을, 또한 할 만한 일을 주저하고 행동을 취하지 아니하면 용기가 없다는 '견의불위, 무용야(見義不爲, 無勇也)'라든가, 어진 사람은 반드시 용감하다는 '인자필유용(仁者必有勇)'이라는 공자의 말은 현대에도 빛나는 유교의 격언이다.

분명한 것은 중국공산당이 설립(1921년)된 지 100년 가까이 되었고, 중화인민공화국이 선 지도 60년이 넘는 중국은 사회주의 국가이기는 하지만 실질적으로는 변함없는 유교 공동체라는 사실이다. 그래서 그런지는 몰라도 칭화(淸華)대학에서는 자연과학을 전공하는 학생에게까지 중국의 고전 70권과 서구의 고전 30권을 같이 읽히고 있다고 한다. 중국 정부의 기개를 알 만하다.

쾅야밍의 『공자평전』

이렇듯 유교는 본가인 중국에서도 신랄한 비판을 받았다. 그러나 내가 1990년 4월 베이징에서 열린 세계법률가대회에 참석했다가 어느 서점에서 우연히 발견한 『공자평전(孔子評傳)』은 유교가 공산주의 전성시대인 중국에서도 다시 살아나고 있다는 것을 느끼게 했다.

이 책은 1989년에 나온 책으로서 쾅야밍〔匡亞明〕이 저자이다. 쾅야밍은 1906년생으로서 1924년 쑤저우 제일사범학교 재학 중에 혁명운동에 참가한 후 1926년에는 중국공산당에 가입하여 오랫동안 당의 선전활동에 종사하고 지린대학과 난징대학의 학장을 역임하였는데, 이 책이 간행될 때에는 난징대학 명예학장이었다.

나는 이 책의 일본어판을 읽으며 당시 중국의 공자에 대한 평가가 대강 어떤 것인가를 짐작할 수 있었다. 이 책은 일본어뿐만 아니라 영어, 독일어, 프랑스어, 스페인어로 번역·발간됐다. 당시의 중국 사정으로 미루어 출판사 단독으로 5개국어로 번역·출판한다는 것은 불가능한 일이었으니 필시 중국 정부의 후원이 있었을 것이다.

그 책을 다시 꺼내어서 서문 몇 줄을 인용한다. 서문은 "세계 10대 사상가의 최고 자리에 서 있는 공자는 중국에서뿐만 아니라 인류사상의 위대한 사상가, 정치가, 교육자이며 중국의 전통적 사상문화를 집중적으로 반영하는 주요한 대표자의 일인으로서 중국 및 외국에서 과거에는 물론 현금에 이르러서도 정도의 차이는 있지만 깊은 영향을 미치고 있다"는 말로 시작한다.

또 공자의 사상을 3부로 나누어, 1부는 대체로 봉건지배를 유지하고 종법(宗法), 등급제(等級制) 군주지배의 이익을 유지하는 데 관계하는 부분들이므로 예컨대 충군존왕(忠君尊王), 3년간 부(父)의 도(道)를 바꾸지 말라는 등의 효(孝)는 관념 형태로서 비판하여야 하며 이와 결별하여야 한다고 말한다. 2부는 대체로 합리적 요소를 포함하지만 동시에 역사의 국한성(局限性)이 초래한 소극적 요소를 포함한 사상이므로 예컨대 인(仁), 대동(大同)세계 등과 같은 관념은 그 표현하는 사상에 대하여 과학적 분석을 가함으로써 소극적 요소를 비판하고 적극적인 요소를 흡수하여 비판·계승을 하여야 한다고 말한다. 3부는 대체로 현재까지 생명력을 유지하고 진리와 지혜의 요소를 갖고 있는 것이므로, 예컨대 학습을 중시하는 사상, 진리를 추구하여 헌신하는 정신, 곤란을 두려워하지 않고 전진하며 배우려는 사상, 평생 배우며 노경에 이르기까지 분투하는 정신, 지식을 구하는 혁신의 정신 등은 적극적으로 장려할 것이라고 말한다. 그가 대표적인 예로 들고 있는, '온고지신(溫故知新)' 특히 '구일신 일일신 우일신(苟日新 日日新 又日新)'은 이 정보과학 시대를 예견한 듯한 빛나는 말이다.

쾅야밍이 나눈 2부와 3부에는 우리가 늘 잊지 않는 대목들이 많다. 마르크스-레닌주의로 무장한 그도 몇 번씩 과격한 반유운동을 겪은 사회주의 국가 중국에 있어 유교는 긍정적인 요소가 많다는 것을 인정한 셈이다. 실질적으로 자본주의 국가가 된 현재의 중국이 때때로 한국의 학술재단이나 신문사와 공동으로 유교에 관한 학술대회를 여는 것을 보면 유교에 대한 그들의 생각과 장차 동양시대를 꿈꾸는 그들의 방향을 짐작하게 한다.

하기야 그 책이 나온 때는 5·4운동으로부터 70년, 문화대혁명으로부터도 20년쯤 흐른, 중국이 안정을 되찾아갈 때였다. 마침 그때는 한국을 포함한 동아시아의 4국은 4룡(四龍)이라고 하여 유교 때문에 경제를 성장시킬 수 있었다고 세계가 떠들썩하던 때였다. 일본이 세계경제를 주름잡고 있을 때이기도 했는데, 유교가 일본의 자본주의를 뒷받침하고 경제 발전을 촉진하였다는 것이 일본 학자들의 주창(主唱)이었다. 막스 베버(Max Weber)가 서구에서는 프로테스탄티즘이 자본주의를 성장시켰다고 말한 것을 받아 동양에서는 유교가 자본주의를 발전시켰다는 이론을 내놓았던 것이다.

유교적 인간

중국을 여행하면서 중국인이 한국인과 쉽게 어울릴 수 있는 것은 수천 년간 중국인의 심성에 자리잡고 있는 유교, 불교, 도교가 행동양식을 여전히 지배하고 있기 때문이라고 생각하게 되었다. 유교는 불교, 도교와 함께 중국에서 생생하게 숨쉬고 있다. 내가 유교를 좋아하는 것은 유교가 인간에 대한 신뢰를 갖고 있기 때문이다.

맹자는 「진심장구하(盡心章句下)」에서 '민위귀사직차지군위경(民爲貴社稷次之君爲輕)', 즉 정치에서는 국민이 첫째이고, 국가는 그 다음이며, 위정자인 군주는 그보다 낮다고 했다. 유교를 싫어하는 사람은 유교를 봉건윤리사상의 요체라고 비난하지만 봉건윤리사상에는 이와 같은 민본사상(民本思想)이 나타날 수 없다. 인간에 무한한 기대를 걸고 국민을 가장 귀한 존재로 여기는 현실적 합리주의가 유교에 있다. 맹자는 지금으로부터 2천여 년쯤 전 전국시대에 현재의 산둥성에서 태어난 사람이다. 전란이 한참이던 당시 이런 말을 하다니 이 얼마나 인간 중심적인 사고인가? 이런 발상은 시대가 시대이니만큼 이론적인 발상이라기보다는 인간의 본능적인 사고라고 하는 편이 좋을 것 같다.

그러기에 맹자는 왕도정치(王道政治)를 인정하면서도 민의(民意)에 반하는 악덕군주는 폐출(廢黜)하여도 좋다는 역성혁명(易姓革命) 사상을 펼쳤다. 이것이 유교의 진수가 아닌가? 현재 보편적 가치가 된 자유민주주의도 그가 제공한 사상과 철학에 근거했을지도 모른다.

'민위귀(民爲貴)' 사상은 중국이 사회주의 국가로 바뀌었어도 달라진 것이 없는 듯싶다. 중국이 경제적으로 많이 발전하였으니 두고 볼 일이다.

한중 법률가의 교류

제1회 한중학술회의의 개최

1990년 4월 세계법률가대회에 참석하면서 베이징에서 처음 만나 논의를 시작한 후 우밍더와 여러 차례 서신을 교환한 결과 1992년 8월 19일부터 3일간 중국 베이징에서 제1차 한중학술회의를 열게 되었다. 제1주제는 '동양사회에서의 법과 예와 도덕'으로 주제 발표자는 한국에서는 서울대 법대 박병호(朴秉濠) 교수, 중국은 정법대 장진판(張晉藩) 교수였다. 제2주제는 '상사중재의 역할과 기능'으로 주제 발표자는 한국에서는 대한상사 중재원의 이순우 사무총장, 중국에서는 베이징시 대외경제율사 장슈원(張秀文) 주임이었다. 제1주제를 동양사회에서의 법과 예와 도덕이라고 한 것은 과거 100년간 서구법 일변도의 사법제도와 법사상을 당연한 것으로 받아들이고 있는 데 대한 하나의 반성으로 동양법 사상과 사법제도를 연구하자는 데 그 목적이 있었다.

동양법 사상과 사법제도라고 하지만 나는 그것이 무엇인가를 잘 모른다. 그러나 서울대 법대에서 수학하고 법률가가 된 이후 수십 년이 흐르면서 동양법과 동양 고대의 사법제도에 관하여서도 이 책 저 책을 읽게 되었고 범죄수사와 민사, 형사 재판의 실제를 익히면서 서양법 사상과 사법제도가 완벽한 것만은 아니라는 인식이 싹텄다. 서양법과 사법제도에도 상당한 결함이 있으며 동양인이나 한국인에게는 어딘가 맞지 않는 측면이 있다는 것을 점차 느끼게 된 것이다. 그렇다고 당장 서양법과 사법제도를 대체하는 동양법이라든가 사법제도를 발견할 수는 없고 한 10년쯤 지속적으로 이 문제를 다루다보면 무엇인가 시사점을 얻을 수도 있지 않겠느냐라는 막연한 내 생각을 중국 측이 받아준 것이다.

제2주제는 시사성이 있고 중국이 근대화 과정에서 한국으로부터 배우고자 하는 내용을 선택하기로 하였기 때문에 그와 같이 선택된 것이다.

제1차 학술회의를 끝내고 중국 측의 환영만찬이 있었는데, 그 자리에서 한중수교가 공식으로 성사됐다는 소식을 듣고 모두 기뻐했다. 그렇게 시작한 한중학술회의는 계속 개최되었는데, 제2주제는 그때그때 내용이 달라졌지만 제1주제만은 꼭 '동양사회에서의 법과 예와 도덕'으로 했다.

그러나 1996년 내가 한국법학원을 떠나면서 한국 측 주관자는 대한변협으로 이관되었는데, 제1주제에 대한 나의 생각이 그대로 이어지지 않고 있어서 나의 희망은 무너진 것만 같다.

중국 율사들의 한국 여행

한중 법률가들의 교류를 활발하게 만들기 위하여서는 회의 참가자를 늘리는 것이 중요하지만, 모든 참가자들이 간담회를 갖고 주최국을 여행함으로써 상호이해를 키우는 것도 중요한 일이었다. 나는 한국 회의에 참가하는 중국 율사들이 한국 측의 초청이 없이는 한국에 쉽게 올 수 없는 처지에 있다는 것과 당시 중국의 경제사정을 감안해 한국 내의 여행에서는 거의 전액을 우리가 부담하는 등 최대한 편의를 제공하였다.

중국 측은 회의 때마다 각 성에서 대표급 율사들을 모아 30명 내외의 인원을 보내왔고 율사들은 회의가 끝나면 빠짐없이 한국을 여행했다. 내가 이 정도로 그들의 한국 여행에 열정을 바친 것은 중국과 우리는 서로 친하게 지낼 수밖에 없는 역사·문화적인 인연을 갖고 있는데도 현대에 들어와서는 서로 간에 앙금이 많은 사이이기 때문이다. 나는 중국은 북한과 같은 공산주의체제이고 우리 한국과는 국교도 없어서 아주 소원한 관계라는 것을 깊이 인식하고 있었다. 나는 대담하게도 제1차 한중학술회의에서 이에 대해 언급하였다. 그러나 중국도 건국 후 숱한 시행착오와 대혼란을 겪은데다가 사회주의 종주국인 소련이 해체되고 동구의 사회주의체제가 송두리째 무너지는 것을 보고 자본주의, 민주주의 쪽으로 점차 변화하는 과정이므로 당장은 우리의 발전사 속에서 무엇인가 얻어내려고 애쓰는 모습이 눈에 띄었다.

중국이 그들보다 앞서가는 우리를 유심히 관찰하고 무엇인가 배우려 하고, 특히 법률과 사법제도에서 소득을 올리려고 할 때에 성심성의껏 도와주는 것이 국익에 도움이 된다고 판단했다. 국익은 반드시 정치나 경제의 이익만을 말하는 것이 아니다. 남북통일문제에 있어서도 북한과 친근한 중국인들이 한국과 우리 자유민주주의체제가 우수하다는 것을 이해해주기를 바라는 마음도 간절하였다. 언젠가 중국은 우리의 편이 되리라는 기대감도 있었다.

그러나 나로 하여금 중국 율사들의 화려한 국내 여행 일정을 만들어 실행할 수 있게 한 것은 각 단체의 호의 덕분이었다. 그중에서도 정주영 회장의 절대적인 협조 덕분이었다. 울산에 있는 현대자동차, 현대중공업의 시찰은 말할 것도 없고 호텔의 숙식도 모두 후원해 주었다. 부산지방변호사회와 제주지방변호사회에서도 현지에서 늘 저녁 대접을 해주었는

중국 율사들을 후하게 대접할 수 있도록 후원해 준 정주영 회장

데, 나는 이를 통해 한국의 변호사들이 중국인 율사들과 교류하기를 기대했다.

창춘 한족 율사협회장 초청

1991년 12월 12일에는 중국 지린성율사협회의 자오더콴〔趙德寬〕 회장을 비롯한 7명의 율사가 한국법학원의 초청으로 한국을 다녀갔다. 그들은 내가 1990년 8월에 중국 지린성 옌볜을 방문하였을 때에 창춘에서 10시간 기차를 타고 왔던 사람들이다. 나중에 알게 된 일이지만 그들은 나의 초청으로 한국에 오고 싶어서 그랬다고 한다. 한국에 오기 위해서 그렇게까지 공을 들였던 것이다. 나는 한국법학원장 명의로 그들을 초대해서 일주일 동안 한국 구경을 시켰다. 서울에만 머물지 않고 부산, 경주 등의 지방과 자동차공장, 조선소와 같은 공장도 구경하였다. 서울에서는 체제 비용을 내가 부담했다. 부산에 갈 때에는 변호사회장에게 부탁해서 저

녘 대접을 하도록 했다. 그렇게 해서 그들은 한국을 방문하고 여행하는 숙원을 풀 수 있었다.

광저우 한중법률학술회의

1994년 8월에는 광저우에서 제3회 한중학술회의가 열렸다. 광저우에서는 1840년 아편전쟁의 유적을 몇 군데 보면서, 특히 광저우박물관 앞에서 아편전쟁 때 사용된 구식 대포를 보면서 린쩌쉬〔林則徐〕의 비운을 떠올리기도 했다. 린쩌쉬는 다른 부패한 청리(淸吏)와 달리 영국 상인이 갖고 있는 아편 2만 상자를 몰수하여 소각했는데 이것이 아편전쟁의 원인이 되었다. 그러나 린쩌쉬는 패전의 책임을 지고 5천 km가 넘는 실크로드의 끝동네 이리(伊犁)로 추방됐으니 비록 역사는 역사로되 우리는 여기서 무엇을 배워야 할까?

이 한중학술회의에는 최종고 교수와 박길준 교수, 정동윤 교수를 동반했는데 최 교수는 기행문에서 나에 관해서 다음과 같이 언급했다.

"10일 아침식사를 하러 내려갔다가 뜻밖에 문인구 원장을 다시 만났다. 문 원장님은 혼자 한두 군데를 둘러보고 오신 길이었다. 셋이서 아침식사를 나누며 이번 광저우에서의 심포지엄도 성공적이었고, 구이린 관광도 좋았다고 함께 흐뭇해하였다. 이번 기회에 나에게 가장 돋보이는 것은 문인구 원장의 유머와 위트에 찬 연설과 추진력이었다. 린유탕〔林語堂〕이 중국인들은 유머감각이 높다고 했는데, 이번 심포지엄과 만찬석상에서 문 원장은 중국인들을 단연 압도하였다. 비록 이데올로기와 체제는 다르지만 이러한 훈훈한 인간관계로 한중 법학 심포지엄을 이끌어간다고 생각하니 그 점이 더욱 중요하고 존경스럽게 느껴졌다."

우리 법률가 30명과 중국 율사 30명 정도가 모인 만찬에서 내가 광둥

〔廣東〕성 율사회장으로부터 모형 범선을 선물로 받았는데, 이것을 받고나서 중국어로 감사하다고 말한 뒤에 통역을 시켜 이렇게 말했다. 나도 율사이기는 하지만 나는 율사를 싫어한다. 지금 회장이 나한테 준 기념품을 서울에 가지고 가면 율사들이 범선을 쪼개서 나눠 갖자고 할 것이다. 그래서 나는 율사가 싫다. 회장한테 묻겠는데 이것은 여기서 나한테 주는 것이라고 확답을 해달라고 했더니 한국인 중국인 가릴 것 없이 폭소가 터졌다. 웃음이 가라앉자 회장은 그것은 문 원장님께 드리는 기념품이라고 하기에 확인서를 써달라 그렇지 않으면 서울재판소에서 증인으로 부를지 모른다고 했더니 다시 폭소가 터졌다. 최 교수는 이 일을 두고 이런 말을 한 것이다.

당시 중국에서는 내외인을 막론하고 하고 싶은 말을 제대로 하지 못하고 긴장된 모습으로 대화를 나누던 시대였다. 그러나 나는 어느 곳에 가든 상대방이 공산당의 무슨 직책을 맡고 있든 마음 내키는 대로 솔직하고 대담하게 행동하고 다녔다.

한중법률학술회의는 이듬해인 1995년에 11회가 서울에서 개최된 후부터는 대한변협과 공동으로 열렸다. 참석하는 사람들이 주로 중화전국율사협회 회원들이어서 우리 쪽에서 그에 맞추는 게 좋을 듯해서였다. 현재까지도 매년 열리고 있다는 것은 참으로 다행이다.

중국인과 친교하자

중국을 여행하면서 충격을 받은 것은 한국 여행객들의 교만한 태도였다. 식당에서 큰 소리를 치며 어딘가 상대를 낮추어 보는 듯한 무례한 행동을 보면서 이러다간 언젠가 복수를 당할지도 모른다는 생각을 한 적이 있었다. 중국은 굉장한 저력을 지닌 나라다. 언젠가 중국의 힘에 기댈 날이 반드시 올 것이라고 나는 생각한다.

실용과 창의

중국 공산당은 '상품경제' '사회주의 시장경제'라는, 우리에게는 아주 낯선 말을 만들어내더니 '소유제 경제'라는 것도 만들어냈다. 이제까지 중국에서 모든 것이 국가 소유였지만 이제는 개인의 소유, 민간의 경영을 인정한다는 말이다. 중국인이 탁상에서 만들어낸 이론에만 매달리지 않고 현실과 실용을 중심으로 국가를 운영하고 있다는 사실을 보여주는 대목이다.

또 '사회주의 정신문명'이라는 구호를 만들어 국민의 문명화를 촉구하고, 2008년의 북경올림픽을 앞두고 해외로부터 관광객이 몰려들 것에 대비해서 예절 교과서라고도 할 수 있는 「쟁주 문명북경인(爭做 文明北京人)」이라는 소책자를 배포하는 등 문명화 운동을 전개하였다. 문명이라는 용어는 개혁과 개방 이후 경제가 활성화되면서 등장한 말이다. 일상적인 언어나 행동이 문명적이어야 한다는 말은 1980년대에 들어서면서 등장하기 시작했다. 1986년 9월에는 '사회주의 정신문명' 건설이 공산당 결의문에도 나왔다. 사회주의 정신문명이 무엇을 의미하는지는 잘 알 수 없으나 중국에서 문명을 논하는 데는 유교적인 전통문화도 상당 부분 내포돼 있을 것이다.

한마디로 중국은 하이브리드(hybrid)와 퓨전(fusion)에 익숙한 듯싶다. 다만 공산당 독재를 고수하고 있어서 정치적 민주화는 아직 갈 길이 먼 것 같다. 그러나 중국의 정치도 개혁의 길을 가고 있다. 경제적으로 미국과 1, 2등을 겨루고 군사력을 강화하면서 전방위 외교에 나선 중국에게 정치의 민주화는 언젠가는 해결하여야 할 문제라고 본다.

동북공정과 백두산

그러나 중국과의 친교는 그리 쉬운 일이 아니다. 당당히 주장할 일은 주장하되 협의로 될 일까지 문제를 일으키고 분규화하는 일은 삼가야 한다고 생각한다.

우리는 중국의 동북공정이라는 말이 나올 때마다 흥분하지만, 중국과 조선·한국 간의 공통적인 역사학이 성립된 지가 얼마 되지 않았다는 점에서 좀더 차분히 대응해야 되지 않을까 생각해 본다. 고구려 전후의 역사적 사료는 아무래도 중국에 더 많을 것이다. 그러므로 동북공정 자체를 무조건 부정만 할 것이 아니라 중국의 현장 구석구석을 찾아 깊이 있는 연구부터 해야 할 일이다. 또한 아직 우리 스스로 답하지 못하고 있는 역사 문제도 많지 않은가?

〈월간조선〉 2006년 2월 호에는 신형식(申瀅植) 교수가 쓴 「낙양(洛陽)에 묻힌 고구려 · 백제 유민(遺民)들」이라는 탐사기가 실렸다. 고구려 사람들은 한반도나 그 주변에 묻혀 있으리라고 짐작하는 우리들에게는 충격적인 것이지만 묘지석이 있다면 반론의 여지가 없다. 같은 해 11월 7일 자 〈조선일보〉는 중국이 의자왕, 연개소문 아들들의 묘를 본격 조사하고 있다며, 뤄양 망산에 무덤이 수십만 기에 이르는데 2012년까지 탐사를 진행할 것이라고 전했다. 이런 조사에도 우리 학자들을 보내 1년이고 2년이고 체류시키면서 제대로 조사하여야 할 일이다. 역사는 다양한 해석이 있을 수 있지만 국민이 이해할 정도로 알기 쉽게 가르쳐야 한다.

북한이 중국과 반분(半分)했다는 백두산과 천지 문제도 마찬가지다. 중국은 경제 · 군사 면에서 실질적인 세계적 대국으로서 도약했다. 외교란 국력을 의미한다고 전제한다면 우리에게는 이 대국과 어떻게 충돌을 피하고 친교를 유지할 수 있는가가 큰 과제가 될 수밖에 없다. 이 과제 중에서 가장 복잡하고 풀기 힘든 부분이 바로 역사문제와 영토문제가 아닐까 한다. 그러므로 우리의 생각과 다르고 국민적 감정에 반하는 주장이라 하더라도 깊이 연구하여 차분하고 치밀하게 대처해야 한다.

6장

국제 교류가
중요하다

한일변호사협의회 창립

재일동포 지원 운동

변호사의 임무는 수임사건을 성실하게 처리하는 것이다. 수임사건이 보통 이상만 되면 다른 일은 하려야 할 수도 없다. 이 때문에 대부분의 변호사들이 쉽게 사회적 활동을 하지 못한다. 또 얼마 전까지만 해도 사법연수원에서 연수를 마치고 판사나 검사로 채용되어 법조 생활을 하다가 고위직에 올라 퇴임한 후 변호사로 새 출발하여 사회활동을 하지 않고 점잖게 지내는 것이 옳다고 생각하는 사람들도 많다.

나는 고위직에 올라본 적도 없는 사람인데 국내 변호사 단체를 이끌고 돕는 데 힘썼다. 그 바쁜 변호사 생활을 하면서도 그렇게 한 것은 움직이지 않고서는 견딜 수 없는 성격 탓이 클 것이다. 변호사들의 국내 단체뿐 아니라 국제 교류에도 노력을 기울였는데, 먼저 착수한 것이 한일·일한 변호사협의회의 창립이었다.

1977년을 기준으로 할 때에 한국이 일본의 식민지로부터 해방되고 대한민국 정부가 수립된 지 30여 년이 지났는데도 불구하고 한일 간에는 해결돼야 할 현안이 많았을 뿐만 아니라, 양국 국민 간의 적대감도 쉽게 가라앉지 않고 있었다. 불행했던 과거사에 비추어볼 때 당연한 일이기도 하지만 과거에만 매달리는 것은 결코 두 나라의 국익을 위하여 도움이 되는 일이 아니다. 이런 인식이 확산된 때문인지 양국 간에 각 분야의 교류도 점차 늘어나고 있었지만 법조계만은 예외였다.

당시 일변련 변호사들을 비롯한 일본의 변호사들은 유신독재를 반대하여 좌경, 친북 성향이 강했다. 나는 이것을 바로잡아야겠다는 생각을 하고 있었다. 마침 김윤근 대한변협 협회장의 지시가 있어서 나는 일변련과 법률 문화의 교류를 시도하기 위하여 1973년 3월 상순에 김윤근 회장과 광복 전부터 친분이 있던 일변련 회장을 방문하여 상호교류 문제를 토의했다. 그러나 일변련에는 3월 31일로 임기가 만료되는 회장 및 집행부의 교체, 내부적인 이견 조정 등 난제가 적지 않았다. 우리는 일변련 회장으로부터 공식서한을 보내주면 진지하게 검토한 다음 후임 집행부에 인계하겠다는 약속을 받는 데 만족해야 했다.

그런데 1977년 4월 어느 날 오사카 민단본부의 홍정일(洪正一) 민생부장과 함께 소마 타츠오(相馬達雄) 변호사를 비롯한 5명의 일본 변호사들이 서울제일변호사회로 나를 찾아왔다. 당시는 내가 대한변협 부회장을 맡고 있을 때다. 그들은 오사카에서 개업하고 있는 변호사들이었는데, 오사카 민단본부의 일을 많이 맡아서 처리하고 있었다. 당시만 해도 일본의 반한 감정은 심각했다. 특히 북한에 대해서는 '지상의 낙원'으로 칭송하는 사람들이 남한에 대해서는 반한으로 일관하였다. 오사카도 마찬가지였다. 나를 방문한 변호사들은 한국민단법조협회라는 단체를 만들어 오사카 민단본부를 적극 지원하고 재일한국인을 돕고 있었는데, 그 결과 오사카변호사협회에서 친한파라고 따돌림을 받고 있다고 했다.

그들은 한국법을 잘 모르는 자기네들 일본 변호사의 힘만으로는 재일

서울제일변호사회를 방문한 일본 변호사들, 소마 타츠오 변호사(맨 왼쪽), 필자(중앙 좌석 중 오른쪽), 민복기 대법원장(필자의 맞은편 좌석)

한국인 법적지위문제를 제대로 다룰 수 없으니 이 문제를 다루는 데 함께 하자고 제안했다. 반대할 이유가 없었다. 재일한국인문제는 우리의 문제라는 생각에 적극 받아들였다. 또한 소마 타츠오 변호사는 대법원장께 인사를 할 수 있게 해달라고 나에게 부탁했다. 나는 소마 타츠오 변호사의 경력으로 보아서는 우리나라의 대법원장을 면담한다는 것이 격에 맞지 않는다고 생각하면서도 거절할 수 없었다. 당시 대법원장은 민복기 전 법무부 장관이 맡고 있었는데, 나의 생각을 전했더니 "대법원장은 직급이 없는 자리입니다. 누구도 만날 수 있습니다"라고 답을 주셨다. 그래서 민복기 대법원장과 일본 변호사 일행의 면담이 이루어졌다.

그 후 임갑인(任甲寅), 황계룡 변호사를 비롯해 처음부터 이 일에 관여한 변호사들은 일본 변호사들의 용기를 가상히 여겨 바로 한일변호사협의회를 만드는 쪽으로 의견을 모았다. 그래서 1977년 6월 3일에는 서울제일변호사회관에서 우리 변호사들과 다시 방한한 일본 변호사들이 모여 한일변호사협의회 창립준비위원회를 구성하고 창립총회를 9월 15일 오사카에서 열기로 하였다.

그러나 때는 바로 유신시대, 누구도 마음대로 외국에 나갈 수 없었다. 외무부에 변호사 13명의 여권발급을 신청하니 법무부 장관의 추천이 필요하다고 했다. 그런데 법무부에 낸 여권발급추천신청서가 장관실에서 걸리고 말았다. 부득이 장관을 찾아가 한일변호사협의회의 창립 목적과 취지를 설명하고 추천을 요망했지만 허사였다. 일본 측과 어려운 약속을 했는데 여권발급이 안 돼서 못 간다는 것은 너무나 창피한 일이었다. 더군다나 일본 측에서는 오사카공회당을 창립총회 장소로 정하고 개최준비를 하고 있었는데, 포스터도 거리에 나붙었다는 소식이 들려왔다.

그래서 9월 10일경 또다시 장관실을 방문하였지만 결과는 마찬가지였다. 일본에서 한국 변호사와 일본 변호사가 합작으로 유신체제 반대운동을 벌이면 어떻게 하느냐고 장관은 속내를 드러내기도 했다. 나는 한국에서 유신반대운동을 할 수 있어도 일본에 가서, 그것도 일본 변호사들과 손잡고 유신반대운동을 펼친다는 것은 상상도 할 수 없는 일이라고 맞섰다. 여러 가지 이야기가 오갔지만 장관은 자기주장을 굽히지 않으면서 당신은 이미 여권을 갖고 있으니 혼자라도 참석하는 것이 어떠냐고 했다. 이 말에 나는 자리를 박차고 나오고 말았다. 결국 여권발급은 좌절되고 말았다.

그동안 일본 측은 정부와 법조단체 등 각계에 한일변호사협의회의 창립총회 개최 안내장을 발송하고 있었다. 이에 일본 정부의 대신 3, 4명이 축전을 보내왔고 오사카 부지사 같은 이는 축의금을 5만 엔이나 보내는 등 여러 곳에서 축의금과 화환들을 보내왔으며, 신문에서도 관심을 보였다고 한다. 다 나중에 안 일이다. 한국과 일본의 변호사들이 한자리에 모여 단체를 꾸미고 재일한국인의 권익옹호와 한일친선을 위한 운동을 벌인다는 것은 그 자체가 큰 관심사였던 것이다.

그러나 창립총회인 이상 적어도 10명이 넘는 변호사가 참석하여야 마땅할 자리에 혼자 참석하여 다른 변호사들은 여권을 받지 못해서 참석할 수가 없었다는 말 같지 않은 말로 변명을 할 수는 없어서 나는 참석 자체를 포기하고 말았다. 이런 창피한 일이 또 어디에 있겠는가. 결국 한국 측의 사정으로 창립총회를 열 수 없게 되자 일본 측은 창립준비위원회 공식 출범으로 내용을 바꿔 그날의 행사를 치렀다. 참으로 비통한 일이었다. 무슨 낯으로 호의를 베푼 일본 변호사들을 만날 수 있을까 걱정이 태산 같았다. 아무리 유신시대라고 하지만 자국민의 권익을 옹호하겠다고 나선 변호사마저 여권을 발급받지 못했다는 이야기를 어디서 할 수 있겠는가. 나는 일본 변호사들을 대할 면목이 없어 오사카 민단본부를 통하여 간접적으로 불참을 알리고 일본에 가더라도 오사카 지역에는 얼씬도 하지 아니하였다.

불발로 끝난 창립총회

이렇게 1977년 9월 15일로 예정됐던 한일변호사협의회 창립은 좌절되었지만 일본 측에서 창립준비위원회가 공식으로 출범한 이상 적당한 때에 창립 절차를 재개하여야만 했다. 그러므로 직접 또는 간접적으로 일본 변호사들과 계속 연락을 하면서 적당한 때에 창립하기로 의견을 모았다. 당시는 한국에 대한 일본의 관심이 대단하였는데, 특히 유신독재와 인권 문제에 관한 기사들이 일본 신문에 넘칠 때여서 일본 변호사들도 한국 변호사들이 방일하지 못한 데 대한 이유를 어느 정도 짐작하고 있었다.

그러던 중 1979년 10월 26일 박정희 대통령이 시해되는 큰 사건이 터져 다시 국내 정국은 고도로 긴장되었다. 한일변호사협의회 창립은 한 1년쯤은 더 기다릴 수밖에 없다는 생각이 들었다. 이런 판국에 청와대나 군부를 쫓아다니며 한일변호사협의회를 만들겠다고 여권발급을 요청하는 것은 아무리 우리의 목적이 훌륭하다고 할지라도 너무나 한가한 일로 비칠 가능성이 있었다.

그러나 1980년 5월 18일에는 광주에서 더 큰일이 벌어졌다. 이 일은 최근에 와서야 5·18민주화운동으로 불리고 있지만 당시만 해도 진상은 알려지지 않았고 좋게 말해서 '광주사태'였고 나쁘게 말하면 폭동이었다. 그러나 나는 한일변호사협의회 창립이 긴급한 일은 아니라고 할지라도 쌍방이 창립총회 일자까지 잡았다가 우리 측 사정으로, 아니 우리 측의 잘못으로 좌절되었기 때문에 우리들의 체면을 세우고 대한민국의 명예를 회복하기 위하여서는 창립을 서둘러야 한다고 생각했다. 일본 변호사들도 반대 입장에 선 사람들로부터 조롱을 받았는지 모를 일이다. 한일변호사협의회 창립에 참여한 일본 변호사들이 아무리 한국 사정을 잘 이해하고 있다고 해도 속으로는 '한국인은 역시…' 하고 비웃을지도 모른다는 생각이 들면 초조해졌다.

그러다가 1980년 늦은 여름, 서로 협의한 끝에 1980년 12월 14일 오사카에서 한일변호사협의회 창립총회를 갖기로 하였다. 나는 사전에 법무부 당국자에게 설명을 해두었지만 또 어떻게 될지 마음을 놓을 수가 없었다. 과연 11월 중순쯤이 되자 법무부의 여권추천을 받을 수 있을지는 불투명해져 버렸다. 군부세력이 전권을 잡고 있어서 법무부도 마음 놓고 일할 수가 없었기 때문이다. 12월 들어서도 여권추천이 나올 기미가 안 보여 이번에는 청와대를 공략하기 시작하였다. 당시 청와대는 비서실의 '삼허'〔三許, 허화평(許和平), 허삼수(許三守), 허문도(許文道)〕가 실권을 쥐고 좌지우지한다는 말이 돌 때였는데 그중의 누구도 아는 사람이 없었다. 그러나 우연하게도 박철언(朴哲彦) 검사가 삼허 중 한 사람의 보좌관을 맡고 있다는 사실을 알게 되었다. 그래서 그를 만나 전후 사정을 설명하고 여권추천을 부탁했다. 물론 그로부터도 확답을 받을 수는 없었다. 그래서 두어 번 더 찾아갔는데, 그 결과 청와대에서 법무부로 여권추천을 해주라는 지시가 내려왔다. 참으로 어려운 일이었으며 피를 말리는 일이었다.

우리 변호사가 또 일본에 갈 수 없었더라면 한일변호사협의회의 창립은 물론 한국 변호사의 체면이 말이 아니었을 것이다. 나는 그때 서울제일변호사회와 서울변호사회를 하나로 묶은 서울통합변호사회의 초대회장을 맡고 있을 때여서 일본 변호사들에게 한국에서는 변호사회 회장도 군인들 앞에서는 꼼짝 못한다는 인상을 줄 수밖에 없지 않겠는가.

한일변호사협의회 창립

이런 과정을 거쳐서 1980년 12월 14일 오사카 국제호텔에서 한국 변호사 14명과 일본 변호사 55명이 참석한 가운데 한일변호사협의회 총회는 성대하게 개최되었다. 총회에서 한국 측 회장으로는 내가, 일본 측 회장으로는 소마 타츠오가 선임되었다. 또 일본 중의원 나카노 칸세이[中野寬成] 의원이 '재일한국인의 차별문제에 대하여'라는 제목으로 강연을 하였고, 재일한국인의 차별 철폐에 노력한다는 요지의 결의문도 채택하였다. 재일한국인의 권익을 옹호하고, 양국의 법령 및 판례를 소개하고, 한일친선을 목적으로 하는 정관도 만들었다. 재일한국인의 권익옹호에 대해서는 한일법적지위협정과 국제인권규약의 기본이념에 입각한다는 뚜렷한 목표를 내걸었다. 광복 전은 말할 것도 없고 광복 후에도 본국의 보호를 제대로 받지 못하던 재일한국인에게 본국 변호사들이 일본 변호사와 같이 대거 지원에 나선 것이다.

창립식 다음날에는 한일변호사협의회 회장단과 한국 변호사들이 오사카 부지사, 오사카 시장, 오사카 주재 한국 총영사, 재일거류민단 오사카 본부 단장, 오사카변호사협회 회장을 방문하여 간담을 나누었다. 그것은 비록 단순한 예방의 모양새였지만 한일 양국 변호사가 관계 기관을 찾아다니면서 재일한국인의 권익옹호운동에 나선 것을 알린 것이었다.

한일변호사협의회는 이렇듯 어렵게 탄생하였다. 1977년 9월 15일부터 1980년 12월 14일까지 쇄설의 3년, 그때까지만 해도 특별한 친분이 있는 것도 아니며 오히려 보기에 따라서는 서로 못 미더워하고 어딘가 껄끄러운 마음을 품고 있던 관계였지만, 일본 측 변호사들은 아무런 불만도 나타내지 않고 3년이나 믿고 조용히 기다려주었다. 선의에 가득 찬 넓은 아량의 일본 변호사들에게 고마운 마음을 금할 수 없다.

당시 〈동아일보〉가 국내에서 좋아하는 나라 싫어하는 나라에 관한 여론조사를 한 일이 있는데, 북한 다음으로 일본을 두 번째로 싫어한다는 조사결과가 나왔다. 우리의 생각 이상으로 한국인은 일본인을 싫어한다. 그보다는 시기적으로 앞서지만 일본의 어느 유력 신문도 여론조사를 한 일이 있는데, 역시 일본인도 한국인(조선인 포함)을 두 번째로 싫어한다는 조사결과가 나타났다. 이렇게 서로 싫어하는 양국의 분위기 속에서 한일변호사협의회는 창립되었다. 당시 협의회 창립의 주역들은 그러면 그럴수록 한일관계를 정상 궤도에 올려놓아야 한다는 사명의식에 불타고 있었다. 양국의 지성(知性)이라 할 수 있는 이런 변호사들이 있었기에 한일변호사협의회는 발족할 수 있었다.

한일변호사협의회의 활동

1981년 6월 29일에는 서울에서 한일변호사협의회 제2회 정기총회를 가졌다. 초창기에는 적어도 두 번은 서로 만나야 한다는 의미에서 6개월 만에 서울에서 정기총회를 가진 것이다. 양국 회원의 열의를 알 수 있는 대목이다. 일본 국회의원 나카노 칸세이, 나카무라 에이이치〔中村銳一〕, 니시무라 쇼소〔西村章三〕 세 분이 정기총회에 참석했다. 고마운 일이며 대단한 출발이었다. 이 총회에서는 재일교포인 한국사료연구소 김정주(金正柱) 소장이 '한일관계의 과거와 장래'라는 제목으로, 재일거류민단 권익옹호 위원장 전준(田駿) 소장이 '재일거류민단의 권익옹호운동에 관하여'라는 제목으로 강연을 하였다. 양국 변호사가 재일한국인문제를 놓고 이렇게 연구하고 토론한 것은 초유의 일이었다.

이와 같이 한일변호사협의회는 재일한국인의 권익옹호뿐만 아니라 양국의 법률문화 교환이라는 차원에서도 활동영역을 급속히 넓혀갔다. 한일의원연맹 와다 코사쿠〔和田耕作〕 사무총장과 사할린 억류 한국인 귀국소송실행위원회 미하라 레이〔三原令〕 사무국장이 사할린 억류 한국인 귀국소송에 관해서, 재일한국인의 국민연금을 구하는 회의의 아리요시 사

일본에서 무료법률상담을 마친 후 (맨 왼쪽부터) 최석봉 변호사, 필자, 안이준 변호사

스히코 사무국장이 재일한국인의 국민연금을 구하는 운동에 관해서 보고
했다. 한일변호사협의회에 대한 일본 정치인과 유관기관의 관심과 기대
가 얼마나 큰가를 보여주는 대목이다. 세미나도 시작하였다. 너무 일찍
작고한 안이준(安二濬) 변호사가 '물권변동에 관한 한일 법령의 비교연
구'라는 주제로, 마츠모토 히로시〔松本博〕 변호사가 '가족법에 관한 한일
법령의 비교연구'라는 주제로 발표했고, 유현석 변호사와 오다 히로키〔小
田光紀〕 변호사가 연구논문을 발표하였다.

재일교포에 대한 합동 무료법률상담

1983년 8월 2일부터 4일까지는 한일 양쪽에서 각 30명의 변호사가 나
서서 일본 전국을 8개 지구로 나누어 무료법률상담을 실시하였다. 상담

은 200건을 넘으며 성황을 이루었다. 민단 사무실의 방 하나를 빌려 큰 테이블을 가운데 놓고 한국 변호사와 일본 변호사가 두 명씩 앉아 재일한국인 한 사람 한 사람을 상대로 법전을 펼치면서 법률상담을 하는 광경은 실로 감동적이었다. 재일한국인은 비로소 독립된 국민의 떳떳함을 느꼈다고 한다. 그간 일본 변호사를 따로 만나 상담해도 무언가 불안했는데, 한국 변호사와 같이 만나니 마음이 놓인다는 참석자의

『재일한국인을 위한 법률상담』(1984)

말은 공동 법률상담의 의의를 잘 말하여준다. 재일한국인이라면 누구나 느낄 수밖에 없는 고충과 외로움이다. 이런 식으로 한일변호사협의회는 활발하게 출발하였고 지금까지도 이어지고 있다.

나는 1987년 2월 대한변협 협회장에 취임하게 되어 한일변호사협의회 회장 자리를 임갑인 변호사에게 넘겼다. 1984년 3월에는 법률상담에서 나타난 재일한국인들이 당면한 법률문제 중에서 공통된 사안이라고 믿어지는 상담사례를 정리하여 『재일한국인을 위한 법률상담』이라는 책으로 발간하였다. 임갑인, 황계룡 회장의 수고로 출간된 이 책은 작지만 재일한국인의 법률문제를 다루는 중요한 자료가 되고 있다.

한일변호사협의회의 역대 회장은 다음과 같다.

문인구(초대), 임갑인, 신창동, 전정구(全挺九), 황계룡, 이재후, 경수근(景洙謹), 변영훈(邊煐壎).

편견과 우월감을 버리자

한일 간의 미묘한 감정

한일 간의 감정은 참으로 미묘하다. 야마모토 코조〔山本浩三〕변호사는 교토에 있는 도시샤〔同志社〕대학의 총장을 지낸 헌법학 교수다. 변호사 자격을 얻으려고 일본 측 초대회장 소마 타츠오 변호사의 법률사무소에서 변호사수습을 하고 있던 중 한일변호사협의회의에 가입한 사람이었다. 그는 1980년 12월 14일 오사카의 한 한국식당에서 열린 한국 변호사 환영만찬에도 참석했는데 우연히 내 옆자리에 앉았다. 식사가 거의 끝나 가면서 취기 어린 양국 변호사들 간에 이어진 열띤 좌담 중 어느 변호사의 발언을 받아 야마모토 변호사는 자기 경험을 이야기해 주었다.

그는 몇 해 전에 하버드대학에 가서 1년쯤 연구를 하였다. 어느 날 저녁 자리에서 한국인 교수와 말을 주고받던 중 1923년에 있었던 간토〔關東〕대지진 때에 일본인들이 많은 조선인들을 학살했으므로 일본은 책임을 져야 하며 야마모토 변호사도 책임을 면할 수 없다는 이야기를 들었다. 야마모토 변호사가 "그때는 자기가 태어나지도 않았는데 어떻게 책임을 지면 좋겠느냐?"고 반문을 하니 그 한국인 교수는 더 이상 말하지 않았다고 한다. 그러나 야마모토 변호사는 일본인의 그런 행적에 대한 죄책감 때문에 늘 재일한국인에 대하여 무엇인가 도움이 될 만한 일을 하고 있다고 했다. 한일변호사협의회에 가입한 것도 바로 그 때문이라고 하며 말을 맺었다.

한국인이 일본의 책임을 따질 때에는 이런 식의 추궁이 많다. 일제강점기에 태어나지도 않은 사람에게 어떻게 책임을 물을 수 있을까? 그런 방식의 책임 추궁은 우리 법률가에게 어떤 의미를 갖는가? 그것은 현실적으로 가능한가? 그의 이야기는 우리에게 아주 어려운 문제를 던져준다. 그의 말은 모두의 공감을 얻었다. 나는 여러 해 동안 한일변호사협의회의 일을 맡아보면서 느낀 것이 있다. 일본 변호사들과 개인적인 친분을 쌓을수록 협의회에 가입한 일본 변호사들은 따로 말은 하지 않아도 야마모토 변호사와 비슷한 생각을 가진 사람이 많다는 것이다.

위험한 편견

한일관계를 바로잡고 한일친선을 더욱 촉진하려면 상대방에 대한 우월감을 버려야 한다. 지금 한국인은 일본인의 한국인에 대한 우월감을 문제 삼고 있지만, 일본인 입장에서 보면 오히려 한국인의 일본인에 대한 우월감을 지적한다. 일본인의 한국인에 대한 편견은 400여 년 전의 임진왜란에 뿌리를 두고 있지만, 메이지〔明治〕유신 시기 서양문명을 급속하게 받아들인 후 한국인을 더욱 멸시하게 되었다. 청일전쟁, 러일전쟁, 그 이후 조선의 국권을 빼앗은 후 일본인의 우월감이 고조되면서 한국인의 일본인에 대한 열등감과 우월감도 동시에 나타났다. 그렇다고 한국인의 일본인에 대한 편견이 그때 비로소 생겨난 것은 아니다.

어느 일본 학자는 한국에서 일본을 지칭하는 '왜(倭)'라는 말은 한문에서는 사람을 업신여길 때 쓰이는 말임을 지적한다. 그 예의 하나로 신유한(申維翰)이 저술한 『해유록(海游錄)』에 등장하는 '군왜(群倭)'라는 용어를 든다. 신유한은 1719년에 일본통신사로 간 정사 홍치중(洪致中)의 제술관으로 일본에 다녀온 사람이다. 당시 고도의 유교 문명사회를 자처한 조선의 입장에서 일본인은 야만인에 불과했던 것이다. 그래서인지, 아니면 식민지시대의 반감에서인지 지금도 한국인은 마음에 안 드는 일본인 이야기를 할 때에 '왜놈'(倭奴)이란 말을 곧잘 한다. 일본 문화는 거의가 다 한국에서 건너간 것이라는 주장도 거세다. 여럿이 앉아 있는 자리에서 이런 말이 나오면 어느 누구의 반론도 맥을 못 춘다. 이런 우월의식은 역사적 사실의 진실 여부에 관계없이 한국인이 아직도 열등의식에 사로잡혀 있다는 반증일 수도 있다.

일본인의 한국인에 대한 편견은 광복 후 재일한국인에 대한 차별로 노골화된다. 재일한국인에 대한 차별은 광복 후 수십 년간 일본 거주 한국인들을 괴롭혔다. 한일변호사협의회의 재일한국인에 대한 권익옹호도 그런 상황에서 출발하였다. 그러나 일본도 한국도 이제는 예전의 그런 나라가 아니고, 일본인도 한국인도 국제화의 물결 속에서 모두 세련되었다. 아직도 분쟁이 없는 것은 아니지만 양국인의 멸시나 우월감 같은 것과는 관계가 없는 일들이다. 그러므로 내가 강조하고 싶은 것은 상대방에 대한 편견을 버리자는 것이다. 먼저 우리부터 일본인에 대한 열등의식이나 우월감을 버리자. 서로 있는 그대로를 인정하고 맘에 들든 안 들든 서로 존중하면서 같은 이웃으로서 사귀어나가자.

옛날에 우리가 일본에 천자문을 전했다든지 불교를 전파했다든지 하는 이야기는 역사에 맡기자. 일본 간토지방을 흐르는 타마(多摩)강 유역에 고려인이 1,799명이나 이주했다는 기록이 『속일본기(續日本紀)』에 있다든가, 사이타마〔埼玉〕현에 코마진자〔高麗神社〕가 있고 그 분사(分社)가 130개가 된다는 이야기도 역사의 사실로 남겨놓자. '나라'〔奈良〕라는 지명이 한국어에서 온 것이라든가, 나라시대 말기에는 백제인와 고구려인이 대거 일본으로 귀화했다는 이야기도 그렇다. 이런 말을 일본인이 싫어하면 억지로 들려주려고 애쓰지 말자.

고조선시대에 북쪽에 한사군이 있었다든가, 조선시대의 삼전도의 치욕처럼 우리 역사 속에도 듣기 싫은 이야기가 얼마나 많은가. 100년 전의 일본의 침략과 합병은 너무나 비참한 일인데다 그렇게 오래전의 과거도 아니니 잊으려야 잊을 수가 없다. 그러나 이제는 그런 일들까지도 상대방의 잘못이라고 책망하기에 앞서 우리의 탓으로 돌리는 너그러운 생각을 할 때가 된 것 같다. 이렇게 보면 지금도 서울 한복판에 서 있는 삼전도비는 오히려 떳떳하다.

하지만 편견을 버린다는 것이 생각만큼 쉬운 일은 아니다. 같은 민족끼리도 서로 편견이 있지 않은가? 공부를 못했다거나, 가난하다거나, 어느 지역 출신이라고 얕보는 일은 모두 편견의 소산이다. 그러나 아무리 어려운 일이라도 노력하여야 한다. 상대방에 대한 편견을 버리는 것은 한일친선을 증진하기 위한 중요한 과제다.

일본인은 모두 똑같지 않다

우리는 흔히 일본인들을 모두 같은 족속이라고 몰아붙이는 습성이 있다. 일본인은 모두 믿을 존재가 못 된다는 식으로 말이다. 국내문제에 대해서도 흑백논리로 우리 자신을 괴롭히고 있어서 이것이 꼭 일본에 대해서만 가지고 있는 시각이라고 말할 수는 없지만, 다른 그 어떤 문제보다 한일관계에 대해서 이런 시각이 도드라지는 것은 부정할 수 없는 일이라고 본다.

하지만 일본인 중에는 훌륭한 사람도 많다. 앞서 말한 일본 변호사들이 그 대표적인 예다. 앞으로도 이런 사람들의 소리 없는 양심에 의지하고, 조용한 분발을 기뻐하면서 일본인과 한국인이 참된 친구가 되어 양국의 번영과 안정에 공헌할 것을 바라 마지않는다.

일본변호사연합회와의 교류

내가 일변련을 공식으로 방문한 것은 1988년 11월 2일의 일이었다. 나는 당시 대한변협의 오석락 총무이사, 최덕빈 섭외이사와 동행하였는데, 일본 측은 후지이 히데오〔藤井英男〕 회장 외 6명의 부회장, 오이시 타카히사〔大石隆久〕 사무총장 등 16명이 참석하였다. 먼저 후지이 회장의 환영사가 있은 다음에 내가 인사말을 했다. 나는 일본어로 인사말을 했는데, 다행이라고 할까 불행이라고 할까 일본말을 배울 수밖에 없는 시대에 태어나 성장한 사람으로서 서투르기는 하지만 일본어로 인사말을 하겠다고 서두를 꺼내 간접적으로 일본의 강권을 비난했다. 과민의 탓인지 몰라도 내가 그 말을 꺼내는 순간 일본 측 참석자들은 일제히 머리를 떨구는 듯한 인상을 받았다. 나의 인사말은 다음과 같다.

"오늘 본인이 귀회를 방문하여 한일 간에 변호사협회장 회의를 갖게 된 것을 기쁘게 생각합니다.

오늘 본인은 대한변협 협회장이라는 자격으로 귀회를 방문했는데, 이와 같은 공식 방문은 대한변협으로서는 처음 있는 일이라고 생각합니다. 작년 9월 서울에서 열렸던 세계법률가대회에는 일본에서 최고재판소 판사를 비롯하여 100명이 넘는 많은 법률가가 참석하였습니다. 그 일행 중의 한 분이었던 일변련 회장 키타야마 로쿠로 선생은 대한변협을 방문하였는데, 일변련 회장이 공식적으로 대한변협을 방문한 것도 그것이 처음이었습니다.

이와 같은 상호방문이 1987, 88년에 이르러서야 겨우 이루어졌다는 것은 한일 간의 다른 분야와 비교할 때 만시지탄(晩時之歎)이 없지 아니하나, 참으로 다행한 일이라고 생각합니다. 그러나 양 회의 업무 협력관계는 1983년부터 이루어지고 있었습니다. 귀회는 1982년 2월 1일 자 야마모토 타다요시(山本忠義) 회장 명의로 대한변협에 사할린 잔류 한국인의 본국 귀환 실현을 위한 협조 요청 공문을 보내왔습니다. 그 후 사할린 한국인의 본국 귀환 문제는 귀회 및 귀 회원의 적극적인 노력으로 많은 성과를 얻고 있습니다. 이 기회에 본인은 대한민국 변호사를 대표하여 귀회에 심심한 사의(謝意)를 표합니다.

본인은 1961년부터 63년까지 3년간 한일회담에 한국대표로 참여하였습니다. 1965년 한일기본조약의 체결은 새 시대의 개막을 선언한 데 불과하며 서로 존경하는 외국인으로서의 정상적인 인간관계가 수립되었을 때 한일관계는 비로소 정상화되었다고 할 것입니다. 그 후 20년간 양국의 관계는 호전되고 많은 발전이 있었습니다만, 아직도 해결되어야 할 많은 일들이 남아 있는 것도 사실입니다. 이런 관점에서 본인은 항상 일한친선·한일친선은 우리가 이룩하여야 할 시대적 사명이라는 것을 느끼고 있습니다.

그러므로 본인은 일한친선·한일친선의 실(實)을 얻기 위한 구체적인 방안으로서 1975년부터 일본의 뜻있는 변호사들과 손을 잡고, 한일변호사협의회의 창립을 서둘렀습니다. 다행히 1980년 12월에 정식으로 귀국의 오사카에서 한일변호사협의회 창립총회를 갖게 되었습니다.

1975년경만 해도 한일 간에는 많은 난제가 쌓여 있었고 난기류가 양국 민의 활발한 교류를 막고 있을 때였으나, 이 협의회에 참여한 일본 변호 사들은 대한민국의 발전과 한일 간의 다각적인 교류 확대가 일본의 발전 과 세계적인 진출을 원만하게 만들며 인류의 평화와 번영에도 직결된다 는 인식을 갖고 있습니다. 그간 동 협의회는 한일 변호사들의 협동으로 재일한국인의 권익옹호, 양국 간의 법률문화 교류를 실현하면서 한일친 선의 길을 착실하게 다져나갔습니다.

그 결과 지난 10월 22일에는 서울에서 제10회 정기총회를 가졌는데, 그 자리에는 일본에서 상당수의 신회원을 포함하여 많은 변호사들이 참 석하였고, 현재 일본 측 회원만도 수백 명에 달하는 것으로 알고 있습니 다. 이 총회에는 본인도 참석하였는데, 귀 회장께서 정중한 축사를 보내 주셨고 야나이 신이치로[梁井新一] 한국 주재 일본 대사도 참석하여 축사 를 해주어 양국 변호사 간의 친선 분위기는 더욱 고조되었습니다.

이제 우리나라의 사정을 간략하게 언급하면, 작년 연말부터 금년 초에 걸쳐서 자유, 평화를 바탕으로 한 새 민주헌법을 제정하였고, 그 헌법에 따른 대통령선거, 국회의원선거를 실시하는 등 많은 정치적 변화를 겪었 으며, 금년 9월 17일부터 10월 2일까지는 160개국이라고 하는, 역사상 그 유래가 없는 많은 나라의 선수들이 모인 대친선 올림픽을 성공리에 개최 하였습니다. 이제 우리나라는 민족의 숙원인 남북통일을 앞당기기 위하 여 적극적이고도 유연한 자세를 취하고 있고, 동서와 남북 간의 이데올로 기의 벽과 인종, 경제의 격차를 넘어 세계무대에 뛰어들고 있습니다.

한편 일본은 이미 세계적인 국가로 부상하여 선진국의 대열에 낀 지 오 래됩니다만, 일본이 세계적인 국가로서 계속 지도력을 발휘하기 위하여 그리고 동서진영의 벽을 뚫고 인류의 번영을 촉진하기 위하여서는 무엇보다도 먼저 한일 양국이 안고 있는 역사적 유산을 청산하고 가까운 이웃 한국과의 우호관계부터 공고히 구축해 나가야만 합니다.

일본과 한국은 과거에 불행한 시대를 겪었고, 그로 인하여 오늘을 살고 있는 양국 국민은 지난날의 역사적 부담을 짊어지고 있습니다. 우리의 뒤를 따르고 있는 젊은 세대와 후세의 역사적 부담을 덜어주기 위하여 그리고 한일친선이 한일문제 해결의 기초라는 공통된 인식하에 우리는 기본적 인권과 사회정의의 실현을 사명으로 하는 변호사로서 일한친선·한일친선을 위하여 필요하다고 생각하는 일이 무엇인가를 발견하여 하나하나 실천에 옮겨나가야 할 것이라고 믿습니다.

이와 같은 본인의 생각은 이론적인 것도 법률적인 것도 아니며, 오직 평범하고 상식적인 그리고 인간적인 성실에 그 바탕을 두고 있습니다. 본인은 그것만이 일본인과 한국인의 관계를 정상적인 신뢰관계로 회복하는 길이라고 생각합니다. 본인은 본인의 귀회 방문이 계기가 되어 귀회와 대한변협 간의 교류가 활발하게 되고 그것이 한일친선은 물론, 아시아의 번영과 세계평화로 이어지는 결실 있는 성과가 있기를 기대하여 마지않습니다."

그날 회의는 나의 방문을 계기로 한 한일 양국의 변호사협회 간 교류의 시작과 내가 미리 제안해 놓은 안건인 아시아변호사협회장회의(Presidents of Bar Associations in Asia, 이하 아변장회의)의 창립 문제를 주된 논의대상으로 하였다.

아시아변호사협회장회의 창립 제의

내가 아변장회의의 창립을 제창한 것은 다른 오대주(五大州)에 다 있는

UN의 지역인권기구가 아시아 지역에만 없다는 것을 아쉽게 생각하고 있었기 때문이다. 아시아의 상황이 아무리 특수하다 해도 인권기구의 설립이 필요하다는 것을 느끼면서 그 추진체로서 아변장회의의 조직을 생각하게 된 것이다. 그리고 내 마음 깊은 곳에는 이제 아시아 사람들도 후진이라는 멍에서 벗어나 아시아인으로서, 동양인으로서 자각을 갖고 세계를 향하여 발언권을 얻을 때가 되었다는 의식이 강하게 깔려 있었다.

그러나 처음부터 그런 명분을 내걸 수는 없었다. 오히려 같은 아시아에 살면서 서로 의사소통이 없는 우리들로서는 먼저 대화와 친선이 필요했다. 1988년 3월경 나는 당시 사할린 한국인 문제에 깊은 관심을 갖고 한국을 자주 왕래하던 하라고 산지, 타카기 켄이치 변호사에게 나의 뜻을 말하고 일변련에 전달하여 두 나라가 회의 창립에 선도적 역할을 하자고 제의하였다. 그때까지 일변련과 공식 교류는 없었지만 구체적인 행동목표가 있으면 교류가 빨라질 것이라는 계산도 깔려 있었다.

처음에는 별로 달갑지 않은 반응을 보였던 일변련도 수개월 지난 뒤에 관심을 보이기 시작했다. 그래서 나는 일변련에 회의 창립의 성취를 위하여서는 도쿄에서 이 회의의 창립총회를 갖는 것이 좋겠다는 나의 분명한 메시지를 일본 측에 전달하고 적극적인 역할을 부탁하였다. 그 후 일본에서는 아변장회의에 대한 나의 구상을 문서로 요구해 왔다. 나의 구상은 이미 구두로 전달한 바 있으니 그것으로 동의 여부를 결정하면 될 일인데 문서로 보내달라는 것은 구두로 전한 나의 제안이 이해할 수 없다는 것인지 혹은 싫다는 것인지 조금 이상한 생각이 들었다. 하지만 나는 「아시아 각국 변호사협회장 회의 설치 구상」이라는 긴 문서를 일변련에 보냈다. 이 문서에서 나는 사회현상, 특히 인권의 국제화, UN의 인권 활동, 아시아 지역 법률가회의, 한일 간의 법조 협력 관계를 배경으로 설명하고 그러한 배경하에서 각국 변호사회의의 공통 관심사, 특히 인접국 간의 협력을 통하여 각국에서 인권 신장과 인권 보장에 기여하고 궁극적으로는 아시아 지역 인권기구로서 유럽 지역처럼 인권회의, 인권위원회, 인권재판소의 설립을 단계적으로 실현하는 추진체(推進體)가 된다는 점을 아변장회의의 목적으로서 강조했다.

9월에는 최덕빈 섭외이사를 일본에 보내 오이시 타카히사 사무총장과 구체적인 실무협의를 하게 했는데, 이때 나의 일변련 공식 방문 일정도 같이 결정된 것이다.

11월 2일 회의에서는 첫 모임이기는 하지만 아변장회의 창립을 적극적으로 추진하기로 결정하였다. 그간 중국을 방문한 키타야마 로쿠로 전 회장이 중국 측의 의사를 타진한 결과 찬동한다는 말과 더불어 북한 측의 참석을 요망하는 우리의 희망도 전달하겠다는 호의적인 반응을 얻었다는 고무적인 보고가 있었다. 그간 일변련은 일변련대로 많은 노력을 하고 있었다는 사실에 고마움을 느꼈다.

서로 논의를 거듭한 결과 아변장회의는 처음 창립되는 만큼 우선은 상호친선에 중점을 두고 각국 변호사협회의 활동상황을 보고하는 비상설기구로 하자는 데 의견을 같이했다. 아시아의 실정과 각국의 이질적인 성격이 강한 점에 비추어 인권기구 설치문제는 얼마 동안 보류하자는 것이다. 그리하여 두 나라 변호사협회장의 명의로 각국 변호사협회에 공문을 보내서 협력을 요청한 후 12월 7일부터 11일간 최덕빈 섭외이사는 일변련 니노미야 타다시〔二宮忠〕 사무차장과 같이 인도네시아, 싱가포르, 말레이시아, 타이, 브루나이의 변호사협회들을 순방하면서 아변장회의의 창립 취지를 설명하고 협조를 구했다.

일변련 전국인권대회에서 축사

11월 2일 공식 방문 첫날 저녁에는 아주 융숭한 대접을 받았는데, 3일 후에 예정된 일변련 전국인권대회에서 축사를 하여 달라는 오이시 타카히사 사무총장의 비공식적이지만 간곡한 요청이 있었다. 외국 변호사협회장의 축사는 선례가 없는 일이므로 아직은 자기 개인의 생각에 불과하지만 방청 삼아 고베의 인권대회에 참석해 주면 그 기회를 만들어보겠다고 했다. 그러나 나는 이 기회를 확실하게 잡아야겠다고 다짐하면서 간단하게 축사의 원고를 만들기 시작했다.

11월 5일 고베에서 열린 인권대회에는 한국의 참가자 10여 명을 포함하여 1500명 정도의 변호사들이 회의장을 꽉 메우고 있었다. 정말로 성대한 인권대회라는 느낌이 들었다. 나는 변호사들과 같이 단하 앞자리에 앉아 있었는데 국회의원들도 내 옆자리에 몇 명 앉아 있었다. 고베 시장은 단상에 앉아 있었는데 국회의원은 단하에 앉아 있는 모습이 우리와는 다르다는 인상을 받았다. 일본최고재판소장관, 법무대신 등 5명의 짧은 축사가 끝난 뒤 사회를 하던 오이시 타카히사 사무총장이 지금부터 대한변협 협회장 문인구의 특별내빈축사가 있겠다고 소개하였다.

나는 일본어 원고를 들고 연단에 올랐다. 축사의 내용은 다음과 같다.

"오늘 일변련 제31회 인권대회에 참석하여, 존경하는 일본 동료 변호사 여러분 앞에서 축사를 드리게 된 것을 무한한 영광으로 생각합니다.

시간이 극히 제한되어 있어서 단적으로 소감을 말씀드린다고 한다면, 그 자체만으로 큰 의미가 있다고 말씀드리고 싶습니다. 일본에 정주하는 외국인이 한국인만을 의미하는 것은 아닙니다만, 한국인이 그 대중을 이루고 있다는 것을 부인할 수 없다고 한다면, 이 심포지엄을 일변련이 주관한다는 점만으로도 한국 변호사에게는 특별한 의미를 갖는다고 아니할 수 없습니다.

　재일외국인이라는 주제를 통하여 한국인의 인권에 관한 토론을 하다 보면, 지난날의 역사가, 좀더 확실하게 말씀드리면 일본 역사의 치부가 다시 노출될 수도 있는데, 여러분께서는 이를 잘 알면서도 심포지엄을 개최한다는 것은 여러분의 결의와 의욕의 정도를 알게 하는 것으로서 세계적인 국가로 부상하는 일본의 전진된 모습을 표시하는 것이라고 생각합니다.

　여러분들께서도 보신 분이 있으리라 믿지만, 미국의 TV는 《뿌리》라는 장편드라마를 만들어 방송하였고, 이것이 세계명작으로도 널리 방송되었습니다. 나는 이 작품을 보면서 비록 과거의 일이기는 하지만, 새삼 백인의 흑인에 대한 잔인함과 중세 기독교의 이면을 보는 듯한 느낌을 가졌습니다. 그렇다고 이 작품을 본 우리가 그로 인하며 백인을 멸시하거나 기독교를 낮춰보는 심정을 갖게 하지는 못하였습니다. 오히려 그 작품에 잔인한 장면이 많으면 많을수록, 기독교가 백인의 우월성을 과시하면 과시할수록 과감히 사실을 사실로서 인정하고 역사를 역사로 받아들여 이를 세계 인민 앞에 탁 털어놓음으로써 모든 사람으로 하여금 장래의 교훈을 얻게 하는 그 솔직함과 정직함에 미국인의 높은 인권감각과 위대함을 새삼 인식하였던 것입니다.

　우리 법률가들은 인권이라고 하면, 법정에 선 피고인의 경우에서 보는 바와 같이 구체적으로 피해받은 인권의 구제로만 받아들일 때가 많습니다. 그러나 인권은 우리가 사회생활을 하면서 만나는 한 사람 한 사람의 인간적인 대우와 호소할 곳 없이 오지에서 울고 있는 인간의 존중을 의미하는 것입니다. 일변련이, 그리고 여러분께서 아직도 사할린에 남아 있는 한국인과 가족과의 상봉과 송환을 위하여 노력을 기울이고 있는 것은 바

1988년 고베에서 열린 일변련의 인권옹호대회에서 필자가 축사를 하는 모습

로 그와 같은 인간존중의 의미로 저는 해석하고 싶습니다.

여러분의 오랜, 꾸준한 노력에도 불구하고 그 성과는 열 사람, 스무 사람으로 셀 수밖에 없는 미미한 성과로서 비록 그것이 전체로 보면 백분의 일, 천분의 일에 해당된다고 할지 모르지만, 그것이 인간의 문제라는 점에서 숫자의 적고 많음은 관계가 없으며, 오히려 1인이라는 인간 자체에 있습니다. 즉 그 1인의 웃는 얼굴은 일파만파, 많은 한국인에게 감동을 주고, 우리 모두가 안고 있는 역사적 부담을 그만큼 덜어준다는 점에서 무한한 힘을 갖는 것입니다. 여러분의 마음으로부터 우러나는 선의와 여러분의 구김 없는 인간적인 노력은 쌓이고 쌓인 역사의 매듭을 풀어주고 인간의 원념(怨念)을 녹여주는 위대한 힘을 갖고 있다는 것을 강조하고 싶습니다.

여러분의 이와 같은 결의와 그간의 노고는 한일 간에도 새 시대가 열리기 시작하였다는 것을 실감케 하는 것으로서 새삼 일본 동료 변호사 여러 분께 경의를 표하고 어제의 인권에 관한 심포지엄과 같이 이 대회가 소기 이상의 목적을 달성할 것을 기원하면서 축사에 갈음합니다."

짤막하게 한마디 해달라는 축사가 5, 6분쯤은 걸린 것으로 기억하는데 축사가 끝난 뒤 변호사들이 전원 기립박수로 환호하는 통에 바로 단상에서 내려올 수 없어 당황하기도 하고 기쁘기도 했다. 나중에 알고보니 나의 특별축사는 이미 오래전에 정하여진 인권대회의 순서를 바꿀 수가 없어서 사회자인 오이시 타카히사 사무총장이 후지이 히데오 회장의 암묵적인 양해하에 독단으로 결행한 것이라고 한다.

일변련 오이시 타카히사 사무총장

당시만 해도 반한감정이 적지 않던 일변련을 움직여 대한변협과 공식 교류를 트게 하고 나의 방문 중에 아변장회의의 창립 추진을 결정하고, 인권대회에서 축사의 기회까지 마련한 것은 오로지 후지이 히데오 회장과 오이시 타카히사 사무총장의 적극적인 자세와 강한 추진력 때문이라고 믿는다. 오이시 타카히사 변호사가 일변련 사무총장이 아니었던들 일변련과의 교류는 물론 아변장회의의 창립은 몇 년쯤 늦어졌을지도 모를 일이다.

오이시 타카히사 사무총장은 1988년 12월에 아변장회의의 마무리 실무작업을 위하여 대한변협을 찾아온 일이 있는데 참으로 중후한 느낌을 주는 신사이며 박력 있는 인물이었다. 일찍 작고하신 걸로 아는데, 애석하기 짝이 없다.

1988년 대한변협을 방문하여 필자(오른쪽)에게 기념품을 건네는 일변련의 오이시 타카
히사 사무총장(왼쪽)

키타야마 로쿠로 전 회장

일변련과의 교류에서 잊을 수 없는 또 한 분은 키타야마 로쿠로 전 회
장이다. 그는 1987년 9월 서울에서 열린 세계법률가대회에 일본 변호사
100여 명과 같이 참석하였는데 이때에 우리 대한변협을 예방한 일이 있
다. 나는 일변련의 분위기를 고려하여 그가 세계법률가대회에 참석한다
는 사실을 알고 편안한 마음으로 대한변협을 방문할 수 있도록 미리 초
청장을 보냈다.

다음날 저녁 우리는 어느 한식당으로 그를 초대하였는데 그는 인사말
을 통하여 지난날 일본이 한국을 식민지로 지배하고 참혹한 일을 저지른
데 대하여 사과의 말을 곁들었다. 10여 명이 모인 작은 방에서 그의 인사
말을 듣고 있던 나는 목소리의 변화를 느끼고 살짝 그의 얼굴을 훔쳐보았

더니 어느 사이에 눈물을 흘리고 있었다. 참으로 감격적인 순간이었다. 일변련의 회장이면 일본을 대표하는 사람이다. 그의 눈물과 인품이 우리를 감동케 했음은 물론이다. 이것이 그와의 첫 만남이었다.

그는 참으로 성실한 사람이며, 우리가 제안한 아변장회의의 성취를 위하여 크게 공헌하였다. 앞에서도 언급하였지만 1988년 10월 일중법률가 우호협회 회장으로서 중국을 방문하여 사법부장을 만나 타이완, 북한을 포함한 아변장회의 창립 취지를 역설하고 찬동을 얻어낸 것이다. 그는 행동으로 우리를 도왔다.

서울지방변호사회와 도쿄제2변호사협회의 교류

일변련과의 공식교류가 시작되고 바로 이듬해에는 도쿄제2변호사협회와 서울지방변호사회의 교류가 이루어졌다. 서울지방변호사회가 주최하는 일본 변호사 일행 환영만찬에 참석해 보니 많은 변호사들이 모여 있었다. 나는 회장을 그만둔 때여서 자연스럽게 일본 변호사들과 같은 테이블에 자리를 잡았다.

그때 서로 명함을 교환하였는데 도쿄제2변호사협회 회장이라는 명함을 건네준 사람이 내가 달고 있는 명찰을 보더니 안주머니에서 종이를 꺼내어 나에게 보여주었다. 받아보니 내가 일변련 인권대회에서 했던 연설문의 사본이었다. 다른 변호사 몇 사람도 주머니에서 그것을 꺼냈다. 도쿄제2변협회장은 내 연설이 하도 좋아서 한국을 방문하는 준비회의에서 나의 연설문을 나눠주어 읽게 하였다고 설명해 주었다. 나의 축사 내용을 좋게 받아들여 방한 준비를 하는 변호사들에게도 읽혔다고 하는 것은 그들의 성실과 겸허를 나타내는 것이다. 그들은 한국을 처음으로 공식 방문하면서 사전에 이처럼 충분히 준비해 온 것이다.

서로 양보하며 어려운 고비를 넘기다

이렇듯 한일 양국 변호사협회가 아변장회의 창립을 주관할 수 있을 정도로 급속도로 가까워질 수 있었던 것은 충분한 기초작업이 있었기 때문이다. 한일변호사협의회의 존재와 회원들의 활동이 바로 그것이다. 1980년 12월에 오사카에서 창립된 한일변호사협의회도 이제는 30년이 넘었다. 그들은 지금도 많은 활동을 계속하고 있지만 창립 초기에는 매년 수십 명의 양국 변호사들이 일본 각 지역을 누비면서 재일한국인을 위한 권익옹호 활동을 전개하였다. 일본의 지방변호사단체들은 한국 변호사가 일본 안에서 법률 활동을 하는 것을 보고도 모른 체하는 아량을 보였다. 다른 나라에서 어떻게 외국인 변호사가 공개적으로 법률상담을 할 수 있겠는가?

한국과 일본, 두 나라 변호사의 악수와 그들의 다양한 활동은 소외된 재일한국인들을 고무하였고, 주변 일본인들에게도 호감으로 받아들여졌다. 그들은 몸으로 한일친선을 실천한 것이다. 두 나라 변호사들에게는 같은 길을 걷고 있는 벗[友]이라는 신념이 있다. 현재 일변련과 대한변협은 상호방문 형식으로 매년 법률문화 교류에 힘쓰고 있다. 한마디로 한일친선운동을 벌이고 있다. 참으로 다행한 일이다.

지금 되돌아보면 한일관계는 만족스러운 것은 아니지만 장족의 진보를 하였다. 서로 양보하며 어려운 고비를 참고 견딘 때문이다. 그런 의미에서 나의 감회는 남다르다.

한일 칭찬 수필집 제안

2001년 11월 16일 도쿄에서 한일변호사협의회 총회가 열렸다. 총회의 순서에는 없었으나 예정된 심포지엄이 끝날 무렵 모처럼 도쿄에 왔으니 무엇인가 한마디 하라는 일본 측의 요청에 따라 나는 즉흥적으로 몇 마디 했는데 그것은 다음과 같다.

"내가 하고 싶은 말을 하기 전에, 오늘 배포된 회지(會誌)에 올라 있는 후지이 이쿠야[藤井郁也] 선생의 「제노아 묘지 감상」(ジェノア 墓地 感じ)을 읽었으므로 그에 대한 몇 마디 작은 독후감부터 말씀드립니다. 후지이 선생은 이탈리아어, 스페인어, 프랑스어, 영어에 능숙한 분입니다. 그분이 금년 초 제노바에서 시내 관광을 할 생각으로 택시 운전사에게 콜럼버스 관에 가고 싶다는 말을 하기 위해 "보레이 안다레 알라 카사 디 크리스토 포로 콜롬보(Vorrei andare alla casa di Cristoforo Colombo)"라고 했다고 합 니다. 운전사는 그 말을 어떻게 알아들었는지 그를 태우고 'Cimitero di Staglieno'(스탈리에노 묘지)라는 표시가 있는 묘지로 데리고 갔답니다. 후 지이 선생은 이 일을 두고 영국의 시인 바이런의 시 한 구절과 'Tutto scorre, Tutto passa'(이 세상에 영구불변한 것은 하나도 없다)라는 이탈리아

말을 인용하여 우리 인생의 허무함을 말한 후, '그렇다 치더라도 운전사는 왜 나를 묘지에 안내했을까?'라고 맺고 있습니다. 참으로 재미있고 시사적인 글로써 느끼는 바가 많은 글입니다. 생각했던 콜럼버스관이 묘지로 둔갑한 셈인데 이제부터 여러분께 내가 드리는 말씀도 어떻게 해석될지 모르겠습니다. (…)

한일변호사협의회 창립 당시는 한일 양국의 모든 사정이 지금과 달랐습니다. 그 무렵 한국 변호사 중에는 일본 변호사를 생각할 때에 일제강점기, 고답적인 제국군인상을 연상하는 사람이 많아 일본인 변호사와 만나서 무엇을 할 것이냐라는 회의가 있었고, 일본인 변호사 중에는 한국 변호사를 놓고 열등의식에 사로잡혀 저항만 하는 낮은 수준의 한국인상을 떠올리고 한국인 변호사와 만나서 무엇을 얻을 수 있느냐는 의문을 나타내는 사람도 있었습니다. 그러나 협의회는 오늘날 양국의 친선과 법률 교류에 한몫을 하고 있습니다. (…)

그로부터 20년의 세월이 흘러 한국도 일본도 많이 변하였습니다. 한일 양국인은 이제 서로 믿고 일할 수 있는 단계에 접어들었습니다. 한일을 둘러싼 국제정세도 많이 달라졌습니다. 2001년 9월 11일, 미국에서 일어난 전쟁과 다름없는 테러는 같은 자유민주주의체제를 바탕으로 비슷한 생활관습과 생활풍습을 공유하는 국민 간의 긴밀한 유대를 요구하고 있습니다. 그런 의미에서도 우리는 새 시대를 맞고 있습니다. 오늘 심포지엄에서 발표한 사람들의 말과 같이 세상은 현재도 앞으로도 많이 변할 것이지만, 디지털시대에서는 어떻게 변화할 것인지 전혀 예측할 수 없습니다. 그중에는 전쟁의 개념이 달라지고 국제법이 달라지는 것도 포함됩니다. 그것은 또한 국내법에도 영향을 미칩니다.

원래 우리 법률가는 과거에 제정된 법률과 누적된 판례를 토대로 현재와 미래에 일어나는 사건들을 해석하고 판단하는데, 미래를 예측할 수 없다는 말은 법률가가 옛날부터 이어받은 고정기반을 근본적으로 흔든다고 할 것입니다. 이에 관해 우리 한일변호사협의회와 관계가 깊은 두 가지 문제를 지적하고 싶습니다.

하나는, 한일이 공동으로 주최하는 2002년의 월드컵입니다. 세계 각국이 참여하는 이 경기가 한일친선을 강화하는 또 하나의 계기가 되기를 간절히 바랍니다. 하지만 축구뿐 아니라 사회, 풍습 등 모든 면에서 양국이 비교되고, 세계 각국에서 모인 사람들 앞에서 한국인과 일본인의 선악장단(善惡長短)을 가리고 행동양식을 비교하여 평하는 단면이 등장할지도 모른다는 생각을 하니 잘못하면 오히려 한일의 친선관계를 약화하거나 해치지 않을까 하는 불안한 마음도 금할 수가 없습니다. 아직은 한일친선의 기초가 약하다고 믿기 때문입니다. 얼마 전의 역사교과서 파동에서 본 바와 같이 무슨 일만 생기면 양국 정부의 잘못된 대처로 선의에 넘치는 민간인들이 수십 년간 쌓아올린 한일친선의 보탑(寶塔)이 순식간에 무너져 내리는 듯한 심한 충격을 받는 일이 없지 않은 탓입니다.

둘째로, 사법개혁에 관한 일입니다. 사법개혁은 한국에서도 논의되고 있지만, 일본은 미국의 로스쿨과 같은 법과대학원을 설립하고, 재판원(裁判員) 제도(시민이 비상임 법관으로 참여하는 참심제를 근간으로 해서 시민이 배심으로 참여하는 배심제 요소를 가미한 일본 특유의 시민 사법참가제도; 편집자)를 채택함으로써 거보(巨步)를 내디뎠습니다. 어떻게 보면 일본은 그 치밀한 사법구조와 정밀한 법률학으로 보아 새로운 사법제도와 교육제도를 채택하기가 어려우리라고 보았는데, 미국의 로스쿨과 같은 법과대학원과 프랑스와 독일의 참심제와 같은 재판원제도를 채택한 것은 혁명과도 같은 큰 변혁입니다. 이것은 일본 사법과 법조계의 저력을 과시하는 것으로서 역사적인 일입니다. 나는 참으로 잘했다고 생각합니다.

오늘 아침 〈제일도쿄변호사협회지〉에서 카지야 타카시〔梶谷 剛〕 선생 (후일 일변련 회장)이 쓴 「사법제도 개혁을 향하여」(司法制度 改革にむけて)라는 글을 읽었는데, 이 글에서 선생은 작년 여름에 한국에 왔을 때 저녁을 먹는 자리에서 내가 하였다는 말을 인용하고 있습니다. '양국이 거의 동시기에 사법개혁을 검토하고 있는데, 한국에 비하여 일본은 대개혁을 하려고 합니다. 나는 그전부터 세계와의 교류가 불가피한 시대인 이때에 변호사가 적극적으로 회사를 포함한 각 분야에 진출하여 세계에 웅비하여 국내외의 법률을 숙지하고 적극적인 역할을 하며 국가, 사회, 경제의 발전에 공헌하는 일이 필요하며, 그를 위해서는 변호사 인구를 증원해야 한다고 생각하고 있었는데, 일본에서 실현되고 있다니 훌륭한 일입니다.' 카지야 선생도 이에 전적으로 동감한다고 쓰고 있습니다.

내가 그러한 생각을 갖고 있고 그런 말을 한 것은 사실이지만 원래 그 말은 10여 년 전부터 일본 측 회원을 만나면 하던 말이었습니다. 즉 일본이 세계적인 경제대국으로서 아시아를 대표할 만큼 성장한 지금 세계 각지에 퍼져 있는 일본 회사 지점에 일본 변호사들이 나가서 근무하여야 하지 않겠는가, 그러기 위해서는 외국 변호사를 적극적으로 받아들여야 하며, 법과대학 입학자격을 고등학교 졸업자로 할 것이 아니라 미국의 로스쿨과 같이 대학 졸업자로 하여야 한다는 지론을 말했던 것입니다.

물론 한국은 사정이 달라서 그때만 해도 한국을 포함시켜서 말하지는 않았지만 이제는 한국의 경제도 크게 성장했고 좋든 싫든 세계화의 흐름을 타지 않을 수 없으니 한국도 일본과 같이 변해야 합니다. 다시 말하면 한국 법조계도 법률시장 개방과 사법개혁 문제에 관하여 지금과 같이 소극적으로 임하지 말고 적극적 자세로 임해야 합니다.

일본에서 재판원이란 참심제하의 민간인 재판관을 의미하는데, 참심제나 배심제나 재판에 법률을 전공하지 않은 일반시민이 참여해야 한다는 것으로서 시대는 이미 법률가만으로 사건을 다룰 수 없는 새로운 단계로 접어들었습니다.

이런 환경의 변화와 세계화의 새로운 물결 속에서 한일변호사협의회를 발전시키기 위해서는 좀더 회원 영입을 적극적으로 추진하여야 합니다. 20여 년 전 창립된 한일변호사협의회가 당시의 한일 양국 법조계의 어색한 분위기를 개선한 덕분에 대한변협과 일변련이 교류하게 되었고, 이어서 도쿄, 오사카 등 양국의 지방변호사협회가 교류하게 되었습니다. 이것만으로 한일변호사협의회는 큰일을 했다고 믿습니다.

이런 토대 위에서 회세를 확장하고 양국 변호사가 더욱 뭉치면 한일친선, 법률문화 교류는 물론 동북아의 평화와 안전에도 크게 공헌하리라고 믿습니다. 그러기 위해서는 좀더 많은 양국의 변호사들이 우리 협의회에 가입하여 서로 만날 기회를 갖는 것이 중요합니다. 오늘과 같이 심포지엄을 하고 짜임새 있는 총회를 갖는 것도 중요하지만 한국 변호사와 일본 변호사는 만나기만 하면 그것만으로 금방 친구가 될 수 있습니다. 동북아, 아니 세계에서 한국과 일본 양국의 변호사만큼 공통성을 갖고 친근할 수 있는 요건을 지닌 사람들도 없습니다.

그래서 여기서 하나의 제안을 하고 싶습니다. 서로 상대방을 칭찬하는 습관을 키우기 위하여 한국인은 일본인을 칭찬하고 일본인은 한국인을 칭찬합시다. 어쩌다가 한일 양국에서 출판되는 책을 보면 일본인은 한국인의 단점을 늘어놓고 한국인은 일본인의 약점을 들춥니다. 표현도 강하고 거칩니다. 이제 양국의 국민은 각자의 단점과 약점을 알고 스스로 시정할 정도로 성숙했고 그럴 능력도 충분히 있습니다. 그러므로 이제 서로 상대방을 비난하는 일은 없어졌으면 합니다.

　나는 일본의 문호 시바 료타로〔司馬遼太郎〕의 책을 두 권 읽은 적이 있습니다. 하나는 『고향을 잊을 수가 없다』(故鄕忘じ難く候)이고, 다른 하나는 『아메리카 소묘』(アメリカ素描)입니다. 전자는 임진왜란에 일본으로 끌려간 조선 도공(陶工)의 후손의 이야기이고, 후자는 그가 1986년에 미국을 방문한 여행기입니다. 그때만 해도 일본은 경제성장의 정점에 있어 미국으로부터 이래라 저래라 하고 얻어맞고 있을 때였습니다. 자연 일본인들의 불만이 많을 때였습니다. 그러므로 그의 방문 시점으로 보아 그제야 처음으로 미국을 방문한다는 것은 미국을 좋아하지 않기 때문이라는 해석도 가능했습니다. 그런 까닭에 그의 책에는 미국 문명의 비평과 같은 글이 많을 것이라고 예측했지만, 나의 예측은 완전히 빗나갔습니다. 그의 글은 미국을 이해하고 좋은 점을 칭찬하는 것으로 가득 차 있었습니다. 토크빌의 말도 인용하면서 미국의 법률과 사법제도에 대해 언급하고 있었습니다. 미국을 보는 그의 시각은 예리하고 신선했습니다. 나는 그의 책에서 많은 것을 배웠지만, 독후에 얻은 평안함은 그의 너그러운 글 덕분입니다. 미국은 거대한 다민족국가로서 우리 눈에도 더러는 이상하다고 느껴지는 것이 있는데도 일본은 물론 동양문명에 정통한 그가 미국을 거의 전적으로 이해하고 칭찬하고 있다는 것은 참으로 감동적이었습니다. 그는 역시 일본을 대표하는 문호였습니다.

　한국인은 가끔 외국인을 부를 때 곧잘 '놈'이라는 말을 씁니다. 일본놈, 미국놈, 중국놈 따위로 말입니다. 열등의식의 산물이겠지만 한국인이 반성할 일입니다. 이런 용어는 바로잡아야 합니다. 언젠가 이런 일이 있었습니다. 친구들 7, 8명이 모인 자리였는데, 내 곁에 앉아 있던 친구가 무슨 말끝에 '일본놈'이라고 말했습니다. 나는 대뜸 그의 팔을 가볍게 잡아 흔들면서 '일본 사람'이라고 살며시 말해주었습니다. 그는 바로 '일본 양반'으로 받았습니다. 다들 웃었지만 이런 의식적인 작은 노력이 필요할 때가 아닌가 싶습니다.

과거 수십 년간 한일 사이에서 이런 일 저런 일을 겪으면서, 시바 료타로의 책에서 시사를 받기도 하면서, 나는 한일관계를 한 단계 높이기 위하여 그리고 한일변호사협의회의 발전을 위하여 한일 양국의 양식을 대표하는 우리가 양국에서 한 20~30명씩 나서서 서로 상대방을 이해하고 칭찬하며 배울 것을 적절히 지적하는 수필집 같은 것을 내는 것이 어떨까 생각해 본 것입니다. 우스운 이야기지만 이 책이 잘 팔리면 돈도 벌 수 있지 않겠습니까?

이와 같은 시도는 분명 한일 국민에게 변호사의 새로운 모습으로 비칠 것입니다. 한일변호사협의회가 한일친선의 선구적 역할을 합시다. 여러분들의 충분한 검토가 있기를 바랍니다."

아쉽게도 이 제안은 제안으로만 끝나고 말았다. 그러나 이런 일은 다른 단체에서도 시도해 볼 만한 일이라고 믿는다.

아시아변호사협회장회의

제1회 창립회의

아변장회의 창립총회는 1990년 3월 8일부터 9일까지 일본 도쿄 뉴오타니 호텔에서 열렸다. 이 회의의 창립을 구상하고 추진한 나로서는 더없는 기쁨이었다. 타이완, 홍콩, 말레이시아, 필리핀, 싱가포르, 태국, 일본, 한국 등 8개국에서 참가하였으니 그만하면 대성공이었다. 처음에는 4, 5개국만 모여도 성공이라고 생각했으니 말이다.

중국은 일본을 통하여 사전에 충분히 협의하였는데도 타이완과 동등한 입장에서는 참석할 수 없다고 했으며, 북한도 중국을 통하여 참가를 권유하였는데도 불참하였다. 하지만 아변장회의는 비정치적 모임이니 그대로 강행하기로 했던 것이다. 유감이지만 그만큼 노력하였다는 사실로 자족할 수밖에 없었다. 이 자리에는 IBA(세계변호사협회) 부회장과 로아시아(LAWASIA) 사무총장이 방청자 자격으로 참석하였다.

첫날은 각국 대표 준비회의를 열어 이 회의의 목적 중 하나가 서로 소홀하게 지내던 아시아 각국 변호사협회의 상호 친선과 교류에 있는 만큼, 첫 회의에서는 각국 변호사 단체의 업무개요를 소개하는 정도로 하기로 결정한 후 특별한 의제 없이 진행하기로 하였다. 하지만 나는 8개국 대표가 참석한 이 회의에서 아변장회의의 창립 목적이 충분히 이해되지 못하고 있다고 생각하여 '아변장회의에 대한 나의 생각'이라는 제목으로 발언하였다.

이 발언은, 어떻게 보면 종전에 일본 측에 보낸 문서 「아시아 각국 변호사협회장 회의 설치 구상」과 중복되는 감이 없지 않았지만 이 회의에 대한 나의 신념, 즉 회의 창립에 대한 집념이 얼마나 강했는가를 알 수 있게 해준다. 이 발언을 통해 나는 아시아 각국의 상호 교류 현황, 아시아 각국의 법률, 사법제도 및 변호사제도, 아변장회의의 창립의 의미와 그 방향, 이렇게 3부분으로 나누어 긴 설명을 했다. 아시아도 빨리 미국이나 유럽과 같은 선진국이 되어야 한다는 열정이 담긴 연설이었다. 그때 내 가슴속에는 말로 꺼내지는 않았어도 아시아 지역도 이제 서구사회와 맞먹는 발언권과 행동권을 가져야 한다는 강한 욕망이 있었다.

제1회 회의에서는 기초 작업으로 이 회의의 목적과 성격에 대한 토론부터 시작했다. 그리하여 각국 대표들은 아변장회의가 기존 국제 법조단체의 목적과 다른, 각국 또는 각 지역 변호사협회장의 모임으로서 독자적인 존재 이유가 있다는 사실부터 확인하였다. 또한 아변장회의는 비정치적 성격의 모임으로 각국 변호사협회 상호 간에 정보를 교환하고 공통 관심사를 논의하는 장으로 하며 매년 1회 각국에서 돌아가며 개최하고, 회원국을 아시아 전 지역으로 확대하기로 하였다. 제2차 회의는 서울서 개최하기로 했다.

아변장회의가 나의 구상대로 창립될 수 있었던 것은 최덕빈 변호사 덕이다. 그와는 육군 법무관 시절부터 아는 사이였는데, 명랑하고 영어에 능통했다. 거기에 얼마간 중국어도 통달하여 내가 대한변협에 있을 때는 섭외이사로서, 한국법학원에 있을 때에는 중국 율사와 교류하는 데 특사로서 큰 역할을 해냈다. 아변장회의 창립에서도 그의 역할은 컸다. 자기 법률사무소 일은 제쳐두고 동남아를 돌면서 각국의 변협회장을 만나 나의 생각을 알리고 그들을 설득한 것이 그랬다. 그의 외교 솜씨라고나 할까 명랑한 성격과 성실한 자세가 금방 상대방을 휘어잡은 것이다. 중국이 쉽게 우리와 접촉하고 친숙하게 된 것도 오직 그의 덕분이다. 나는 그와 동갑내기인데 이제는 그도 나이가 들어 같이 뛰지 못하는 것이 섭섭할 따름이다.

제2회 서울회의

제2회 서울회의는 1991년 5월 9, 10일 이틀간 서울 롯데호텔에서 개최되었는데 제1회 회의에 참가한 8개국 이외에 방글라데시, 중국, 인도, 인도네시아, 몽골, 미얀마, 네팔, 파키스탄, 스리랑카의 9개국이 추가로 참가하여 아변장회의 참가국은 1년 만에 급속히 늘어났다. 모두 17개 단체의 변호사협회장들이 모였는데 아프가니스탄은 방청자 자격으로 참석하였다. 아시아 각국의 아변장회의에 대한 관심이 얼마나 높은가를 잘 보여주는 대목이다. 후진(後進) 지역의 인상을 주고 있는 아시아의 한 구성원으로서 서구인들에 대한 열등의식, 자국 문화나 전통에 대한 자부, 아시아인들도 할 말을 해야 한다는 자각, 이런 것들이 복합적으로 작용해 각국 변호사협회장들로 하여금 아변장회의 창립에 적극적으로 호응하게 한 것으로 보인다.

제2차 아변장회의에서는 개회 벽두 필리핀통합변호사협회장의 긴급 발언으로 술렁거렸다. 그는 필리핀 대법원으로부터 변호사협회의 독립성을 지나치게 강조하였다는 이유로 회장 집무 정지 처분을 받았는데 아

1991년 개최된 제2회 아변장회의 서울 회의

변장회의가 적절한 대응책을 마련해 달라는 발언을 한 것이다. 이에 각국 대표들은 많은 논의를 한 끝에 아변장회의가 출발한 지 얼마 되지도 않았을 뿐만 아니라 아직 서로가 서로를 잘 알지도 못하는데 한쪽의 말만 듣고 무슨 결의를 한다는 것은 어렵다는 쪽으로 의견이 모아져 구두로 적절한 표시를 하는 데 그치기로 하였다. 아변장회의의 험난한 앞날을 예고하는 듯하여 나는 긴장감을 풀 수가 없었다.

이 회의에서 예상보다 훨씬 빨리 아시아 지역 인권기구의 설치가 제기되어 그것이 바람직한가 아닌가, 바람직하다면 가능한가를 조사·검토하는 아시아인권기구검토소위원회를 만들기로 하였다. 그러나 제2차 회의에 처음으로 참석한 중화전국율사협회 회장은 아시아 지역의 인권조직준비위원회를 바로 만들기로 결의가 된 것으로 오인하여 제3회 주최국인 싱가포르변호사협회장 앞으로 공한을 보내 사실이 그렇다면 자기들은 이 회의에 참석할 수 없다는 취지의 강한 불만을 토로하기도 하였다.

제3회 싱가포르 회의

제3회 아변장회의는 1991년 5월 9일~10일 싱가포르에서 개최되었다. 이 자리에서는 인권기구검토소위원회의 보고서를 접수하고 각국의 토론이 있었는데 계속 활동하기로 하였다. 당초 목적한 대로 성공적인 출발이었다.

제4회 베이징 회의, 중국의 외교 방식

제4회 아변장회의는 1993년 5월 13, 14일, 2일간 베이징에서 개최되었다. 제1차 창립회의에 타이완과 동석할 수 없다는 이유로 참석을 거부하던 중국은 제2차 서울회의에 참가하였고, 제3차 싱가포르회의에서는 제4차 회의를 베이징에서 개최하겠다고 적극적으로 나섰다. 예상 못했던 일이었다.

1992년 우리나라가 중국과 국교를 맺었다고는 하지만 중국과 북한과의 관계도 있어서 모든 것이 조심스러울 때였지만 나는 그럴수록 적극적으로 중국과의 접촉을 시도했다. 그리고 무슨 계기만 있으면 언제나 북한을 참가하도록 유도해 달라는 부탁을 잊지 않았다.

그러므로 베이징 회의의 개최는 나에게는 큰 기쁨을 안겨주었다. 거기에 어딘가 꺼림칙하고 어색했던 베트남이 참석하였으니 내 기쁨은 이루 말할 수 없었다. 어디 외교가 정부의 전담 사항이던가? 아변장회의를 만들고 거기서 다른 나라 변호사 간부와 친숙하게 지내는 것도 훌륭한 국민외교다.

그때 나는 대한변협 협회장이 아니고 한국법학원장을 맡고 있었는데도 내가 그 회의의 창립자라는 것을 알고 있는 중국은 나에게 공식으로 축사를 요청하였다. 나도 이 회의가 자리를 잡을 때까지는 회의 창립의 목적을 설명할 필요가 있다는 느낌 때문에 승낙하였다.

그러나 막상 축사를 할 생각을 하니 무슨 얘기를 어떻게 해야 할지 망설였다. 일본의 키타야마 로쿠로 전 일변련 회장이 대한변협을 방문하였을 때 환영만찬에서 울면서 사죄하는 이야기를 듣고 일변련 회장은 자기가 일본을 대표한다는 자부가 있기에 저렇게 울면서 과거사를 사죄하는 것이로구나 하는 인상을 강하게 받은 일이 있었다. 그래서 나도 한국법학원장이라는 자격을 갖고 축사를 하는 이상 대한민국을 대표한다는 생각을 하고 6·25전쟁 때에 중국이 참전하지 아니하였으면 남북통일이 되었을 것이니 이 점을 지적하는 것이 당연하다는 생각을 하게 되었다. 보기에 따라서는 엉뚱한 생각이지만 나는 진정 고민에 빠졌다.

중국과 우리나라가 교류를 시작한 지 1년이 갓 넘은 때여서 자칫 말을 잘못했다가는 사회주의 국가에서 무슨 봉변을 당할지 모른다는 생각도 했다. 그러나 간단히라도 유감의 뜻을 표하는 것이 공익기관의 대표자로서 옳은 길이라는 생각을 지울 수가 없었다. 그래서 당시 서울대 총장을 지낸 고병익 선생과 한 외무부 간부와 의논을 했더니 찬성을 하지 않았다.

아시아 인권기구의 구상

개막식 당일이 되어 연단에 올라서서는 외워둔 중국어 몇 마디로 축사를 시작했다. 웃기려고 한 말인데 중국인 율사들은 아무런 반응이 없었다. 나는 중국어로 말을 한 것이지만 중국인에게는 중국어가 아니었기 때문이다. 그런데 한참 뒤에 중국인들이 웃기에 내 중국어는 상하이 중국어가 되어서 베이징 사람들은 알 수가 없다고 했더니 또한 한참 웃어댔다. 그 후 원고를 보면서 당당히 6·25전쟁에 대해 언급하면서 그때 중국이 참전해서 통일을 하지 못한 것을 유감으로 생각한다는 말을 한 후 본론으로 들어갔다. 말이 축사지 다른 데서 말한 바 있는 회의에 대한 나의 구상과 그 골격이 같았다. 그래서 중국은 싫어하지만 본래의 목적인 아시아 인권기구의 설립을 강조하는 쪽으로 이야기를 이어갔다.

"선진국이라고 하는 서양인에게 아시아인이 일반적으로 말하면 무언가 후진적인 인상을 주는 것은 국력의 차이 탓도 있지만, 세계적인 인권사조를 따라가지 못하고 있는 아시아인의 퇴영성과 정체성(停滯性)에 한 원인이 있다고 생각합니다. 그렇다고 나에게 당장 무슨 좋은 대책이 있는 것이 아닙니다. 아시아 지역의 특수 사정으로 인하여 당장 아시아 지역에는 인권기구를 만들 수 없다는 것도 잘 알고 있습니다.

그러므로 우리는 장기적으로는 아시아 지역 인권기구의 성립을 촉진한다는 뚜렷한 목표를 갖되, 우선은 각국에서 영향력이 있고, 사회정의 실현에 앞장서고 있으며, 국민의 권익을 옹호하는 변호사 단체의 장들이 서로 만나 법률체계, 사법제도, 변호사의 기능 등 자국의 실정을 설명하고, 서로의 의견을 나누다보면 좋은 결과가 나올 것이라는 막연한 생각으로 이 회의를 창립한 것입니다. 우리는 같은 아시아 지역에 살면서 너무나 서로를 모르고 지내고 있으며, 알려고 하지도 않습니다. 아시아인, 특히 그 기능과 사회적 위치에 비추어볼 때 우리 변호사들에게 더욱 큰 책임이 있다는 자책감이 나로 하여금 이 회의를 발기하게 하였다고 말씀드리는 것이 좀더 정직할 것 같습니다.

나는 중국어도 모르고, 인도네시아어도 모릅니다. 여러분은 자국어를 제외하고 아시아의 어느 나라 말을 하실 줄 아십니까? 그러면서 영어나 독일어를 하는 분은 많이 있는 것으로 알고 있습니다. 인사말 정도는 배워서 인근 나라 사람들과 친하게 사귀려는 노력조차도 그리 흔한 것 같지 않습니다. 나는 이런 시각에서 아변장회의를 결성하였습니다. 서로 정기적으로 만나 각자가 겪는 어려운 얘기들을 나누면서 얼굴을 익혀나가는 일이야말로 이 단계에서 우리가 하여야 할 일이며, 그것만으로도 이 회의는 큰 의의가 있는 일이라고 생각하였습니다.

(…) 이렇듯 서로의 법률적, 문화적, 역사적 공통 기반이 약한 아시아에서는 서구법과 대등한 입장에서 법적 논리를 펴고 지역 인권기구를 만드는 일은 적어도 이 단계에서는 어려운 일이라고 아니할 수 없습니다. 이 점은 아시아 지역 인권기구의 설치를 위한 아변장회의 준비위원회의 타당성 조사보고서 초안(Draft Report of the CPBA Preparatory Committee for an Asian Human Rights Organization, Feasibility Study)에도 잘 반영되어 있습니다. 우연한 일입니다만, 이 보고서의 상당 부분은 나의 견해와도 일치하며, 여러분 중에서도 공감하는 분이 많으시리라고 믿습니다. 창립 2년 만에 이런 훌륭한 보고서가 나왔다는 것은 이 회의의 놀라운 발전입니다. 그간 준비위원 여러분의 노고에 대하여 깊은 감사의 말씀을 드립니다.

'21세기는 아시아의 세기'라는 말을 하는 사람들이 많습니다. 과연 그런 세기가 다가올지 나로서는 잘 알 수 없습니다. 하지만 우리 법률가는 먼저 아시아 각국 간의 이질적 요소의 본질, 성격부터 규명하여 각국의 공통 기반을 넓혀나가면서, 타국의 실정을 파악하고 서로 이해도를 높이는 데 역점을 두어야 할 것 같습니다. 중국의 옛 고사에 '각주구검(刻舟求劍)'이라는 말이 있습니다. 환경이 달라진 것을 모르고 고정관념에 매달려 행동하는 사람을 비웃는 말입니다. 우리는 이러한 우(愚)를 범하여서는 안 됩니다. 이런 관점에서도 아변장회의의 의미와 역할은 크다고 생각합니다.

여러분께서는 역사의 풍취가 넘치는 아름다운 베이징에서 격의 없는 토론과 협의를 통하여 아시아의 법률문화 향상과 전반적인 발전에 큰 공헌을 하기를 바랍니다."

그러나 아시아 인권기구의 설립은 아직도 실현되지 못하고 있다.

최근의 아변장회의

1999년 10월에는 일본 도쿄에서 제10회 회의가 열렸는데, 아변장회의가 창립되고 10년이 되는 해여서 창립 10주년 기념식도 함께 치러졌다. 일본의 법무대신, 외무대신 등 많은 축하객도 참석하여 성황을 이루었다. 나는 일변련 회장으로부터 10주년 공로패를 받고 축사를 하는 영광을 얻었다.

제12회 아변장회의는 2001년 10월 9일 뉴질랜드의 남부에 있는 섬 크라이스트처치의 밀레니엄호텔에서 열렸다. 이 회의에서는 각국의 국가 상황 보고와 인권 신장에 있어서 변호사의 역할이 무엇인가가 토의되었다. 그 밖에 변호사윤리규정에 관한 각국의 상황 및 발전 방향 등에 관하여서도 발표와 토론이 있었다. 제12회 회의는 10월 4일부터 8일까지 열린 로아시아 회의와 같이 열렸기 때문에 마지막 날인 10월 9일 하루에 그친 것은 서운한 일이었다. 주최국에게도 사정은 있었겠지만 아변장회의는 로아시아와 다른 독특한 목적을 갖고 있다. 어쨌든 2011년 6월 13일부터 4일간 타이베이에서 열린 제22차 회의까지 아변장회의가 한 번도 거르지 않고 매년 지속적으로 열리고 있다는 것은 퍽 다행스러운 일이다.

세계한인변호사협회

　1987년 대한변협 협회장으로서 나는 해외동포에 대한 관심이 누구보다 큰 편이었다. 내가 해외교포문제연구소 소장, 이사장, 명예이사장을 지낸 것도 모두 그 때문이고 미국에 거주하는 한인 변호사들에 대한 관심도 그 일환이었다.

　1980년대만 해도 미국에서 한인 변호사들이 활약하고 있다는 사실은 그 자체로 나를 흡족하게 만들었다. 미국이 자유의 나라이고 기회의 천국이라고 하지만, 문화·풍습이 다르고 말이 통하지 않는 다른 나라에서 대학을 다니고 로스쿨에 진학하여 변호사시험에 합격한다는 것은 참으로 대견한 일이다. 더욱이 그들의 대부분은 어렵게 이민을 떠난 사람들의 자손이다. 미국 변호사시험의 자격과 정도를 놓고 우리와는 비교할 수 없을 정도로 낮은 수준이라고 비꼬는 사람도 더러 있기는 하지만 내가 보기에는 그렇지 않다. 오히려 기억력이 좋은 어린 나이에 모국어로 된 교과서만 열심히 읽고 외우기만 하면 되는 우리의 사법시험이 훨씬 쉽다고 생각한다. 게다가 미국은 다민족국가라서 복잡하고 다양한 생활양식과 문화를 하나의 법질서로 묶고 체제를 유지하는 일이 쉽지 않을 것이다. 여러

민족이 저마다 다른 문화적 배경을 갖고 경쟁하는 미국 사회에서 변호사 업무를 해내는 것도 어려운 일일 것이다. 젊어서 제대로 영어 공부를 하지 못한 나의 처지에서 보면 그들이 더더욱 부럽기만 하다.

나는 한국 법조계가 언젠가는 국제화될 것이므로 재래식 변호사업무에 종사하는 우리 변호사들이 세계의 중심 무대인 미국 법조계의 동향을 알고 변호사업무의 일부분이라도 배울 수 있다면 많은 도움을 받을 것이라고 믿고 있었다. 그래서 미국에 있는 한인 변호사들과 교류를 하면 얼마나 좋을까 생각했다. 그런 나의 생각을 알고 있는 미국의 한인 변호사들은 서울에 오기만 하면 대한변협으로 나를 찾아왔다. 한국 변호사들과 재미한인 변호사들의 교류나 친선활동이 화제에 오르면 누구나 환영의 뜻을 나타냈다. 어떻게 보면 그들은 외로운 사람들이라 본국의 변호사들을 부러워하기도 했다. 나는 누구나 같은 생각이라는 것을 알게 되었다.

그 자리에는 가끔 국내 변호사들도 동석하였는데, 어느덧 국내 변호사들과 각국에 흩어져 있는 한인 변호사들을 묶어 세계한인변호사협회를 창립하는 것은 서로에게 도움이 될 것이라는 쪽으로 공감대가 형성되어 갔다. 그중에는 브라질에 사는 김홍기(金弘基) 변호사가 있었다. 서울에 자주 오고 상파울루와 서울의 중간 지점에 있는 로스앤젤레스에도 자주 다니는 사람이었다. 영어가 능숙할 뿐만 아니라 추진력도 아주 강하다는 인상을 받았다. 그는 세계한인변호사협회를 조직하자는 나의 제의에 즉각 찬동하면서 자기가 미국 쪽에서 뛰겠다고 약속했다. 그가 없었다면 세계한인변호사협회는 조직하기 어려웠을 것이다. 그 결과 1988년 7월 뉴욕에서 세계한인변호사협회가 창설되었고 초대회장은 김창욱(金昌郁) 변호사가 맡았다.

수성(守成)은 창업(創業)보다 어렵다. 특히 한국의 변호사와 미국, 브라

세계한인변호사협회 창립의 주역들, 함정호 변호사(맨 왼쪽), 필자(왼쪽에서 두 번째), 이영욱 변호사(오른쪽에서 세 번째), 김홍기 변호사(오른쪽에서 두 번째)

질처럼 멀리 떨어진 나라에 사는 한인 변호사들을 하나의 단체로 모아 끌고가는 일은 쉬운 일이 아니다. 그러나 다행히도 국내와 해외에 함정호(咸正鎬), 신웅식, 김평우(金平祐) 변호사와 같은 유능하고 열성적인 분들을 회장으로 맞이할 수 있어서 세계한인변호사협회는 계속 발전하고 있다. 10여 개국에서 활동하고 있는 한인 변호사들이 한자리에 모여 학술, 실무 발표를 하고 토론을 벌이는 장면은 감동적이며 장관이었다. 창립자의 한 사람으로서 기쁠 따름이다.

　세계한인변호사협회의 한국 측 회장을 역임한 사람들은 다음과 같다.

　김창욱(초대회장), 함정호, 이영욱, 신웅식, 김평우, 강봉수, 우창록(禹昌錄), 조대연, 조문현(曺文鉉).

21세기의 세계한인변호사협회

2001년 10월 12일 세계한인변호사협회 총회에서 다음과 같은 축사를 했다.

"오늘 세계한인변호사협회 총회에 나와서 몇 마디 축사의 말씀을 드리게 된 것을 무척 기쁘게 생각합니다.

세계한인변호사협회는 1988년 제가 대한변협 협회장으로 재직하고 있었을 때에 창립된 단체입니다. 그때 같이 세계한인변호사협회 창립에 참여한 분들이 이 자리에 나와 계십니다만 이와 같은 성대한 총회와 알찬 연수계획을 보고 그분들도 같이 즐거운 마음으로 이 자리에 앉아 계시리라고 믿습니다.

제가 이 협회의 창립을 생각하게 된 것은 1961년부터 63년까지 한일회담 대표로서 재일한국인에 대한 법적지위문제를 담당하면서 해외교포에 대해서 깊은 관심과 애정을 갖게 된 것이 계기가 됐다고 말씀드릴 수 있습니다. 이때 대한민국은 일본과 아무런 협정도 없어서 재일한국인은 내국인도 아니고 외국인도 아닌 엉거주춤한 지위였습니다.

재일동포와 재미동포를 포함한 다른 해외동포는 서로 환경과 지위가 다릅니다만 그 무렵 저는 대한민국이 진정한 독립국가가 되려면 재외동포를 아낄 줄 아는 모국이 되어야 한다고 생각했습니다. 그래서 그 후 해외교포문제연구소 이사장도 한 10년쯤 했고 재일동포의 권익옹호를 위하여 한일변호사협의회를 만들기도 하였습니다.

이렇듯 저의 해외동포에 대한 깊은 관심이 세계 각국에 퍼져 있는 한인 변호사와 국내 변호사의 모임을 만들게 한 기본적인 동기입니다. 또 우리 해외이민 100년사에서 찬란히 빛나는 한인 변호사 여러분의 귀한 모습을 보고 존경하는 마음과 국제화로 내달리는 길목에서 국내 변호사들이 여러분들로부터 배울 것이 많다는 생각도 역시 동기가 되었습니다. 물론 동포 변호사 여러분은 국내 변호사로부터 본국의 법률과 사법제도에 관하여 배우고 본국 사정을 이해하는 데 도움을 얻을 것입니다. 내외 국민의 친근감과 일체감은 대한민국의 발전과 남북통일에도 큰 공헌을 하리라고 믿습니다.

이렇게 조직된 세계한인변호사협회는 창립 후 10여 년간 훌륭한 분들을 회장으로 모실 수 있었고 회원 여러분들의 적극적인 협조로 이렇게 발전한 것을 보고 정말 저는 남다른 감동에 젖어 있습니다. 이번 총회와 연수회가 유종의 미를 거두기를 기대합니다."

2011년 10월에는 서울역사박물관에서 총회가 개최되었다. 조문현 회장으로부터 참석을 요청받고 가보니 미국인 변호사들을 포함해 200명 정도의 변호사들이 참석해 성황을 이루고 있었다. 세계한인변호사협회도 많은 발전을 이루었고 외국에서 활동하는 한인 변호사들이 많이 늘었구나 하는 생각에 감회가 새로웠다.

7장

형사 사건의
재판과 변호

사람은 늘 선악의 중간쯤에 있다

형사사건이든 민사사건이든 그것은 사람과 사람 사이의 분쟁이다. 그런 분쟁은 특별히 선택된 사람을 제외하고는 늘 겪는 일이니 일상생활의 한 단면이라고 볼 수 있다. 따라서 큰 범죄를 저지른 사람에게도 개과천선의 길은 있고 또한 있어야 한다고 믿는다. 악행을 한 사람이 선행을 하고 선행을 한 사람이 악행을 한다. 사람은 늘 선악의 중간쯤에서 흔들리고 있다. 철학에서는 어떻게 해석하는지 몰라도 사람은 모두 선을 바탕으로 선과 악의 양면을 같이 지니고 있다고 나는 생각한다. 그래서 나는 악행을 한 사람에게서도 선의를 찾는다. 이것이 사건을 보는 나의 시각이다.

수십 년 동안 변호사를 하면서 형사사건, 민사사건 가리지 않고 많은 사건을 다루었다. 여기서는 내가 맡았던 사건들 중 다른 사건들과 좀 다르게 취급한 사건들을 골라 소개하려고 한다. 이 중에는 근본적으로 법원의 존재 이유를 묻는 사건도 있다.

동백림 사건

사건의 수임과 거부 사이

1967년에 세칭 '동백림(東伯林) 사건'이라는 것이 있었다. 유럽에 있던 유학생들과 교민들이 당시 동독의 수도인 동베를린을 거점으로 하는 북한 공작원의 포섭공작에 휘말려 평양에까지 가서 간첩교육을 받았다는 혐의로 당시 중앙정보부에 의해 강제 연행되었던 사건이다. 동백림은 동베를린을 한자로 음차해 표기한 것이다. 한국으로 강제 송환된 사람들은 대부분이 박사과정 이상의 학생들이거나 교수, 예술인 들이었는데, 중앙정보부는 그중에 몇몇은 평양까지 가서 간첩으로 훈련을 받고 돌아올 때는 암호지령을 푸는 난수표까지 받아왔다고 주장했다. 이에 따라 몇십 명이나 되는 사람들이 독일에서 붙잡혀와 조사를 받았고 그중 30명 정도가 기소되었다. 공소사실만도 각 피고인마다 30개 이상이 되었고, 그중에서 부부가 같이 기소된 사람도 10명 정도 있었다.

당시는 북한과 극심한 대치가 계속되고 있었고 며칠 사이에 한 번씩 무장공비가 출현할 때였다. 그해 초에도 해군 군함 당진호가 북한의 포격을 받고 침몰하여 39명의 장병이 전사했고, 이듬해인 1968년 초에는 김신조

일당 31명이 청와대 부근까지 침범하는 엄청난 사건이 터져 북한과는 일촉즉발의 위기가 느껴질 때였다. 피고인들에게는 아주 불리하게 돌아가는 시황(時況)이었다. 따라서 간첩으로 활동하며 난수표까지 받아서 평양방송을 통해 암호, 지령을 받고 공작을 했다는 혐의를 받을 정도였다면 다른 범죄사실이야 어떻든, 범죄사실이 더 있건 없건 사형이 선고되어도 당연하게 받아들여지는 분위기였다.

중앙정보부의 사건 발표가 있고 나서 얼마 후 동백림 사건 피고인 중한 사람의 변호를 맡아달라는 부탁을 받았다. 부탁을 해온 사람은 피고인의 아버지로 아주 점잖은 종교 지도자였는데, 아무리 사양해도 물러서지 않았다. 내가 사양한 것은 유죄가 확실할 뿐만 아니라 공소사실이 틀림이 없다면 사형선고가 불 보듯 뻔한 일이었기 때문이다. 이런 사건을 맡아서 어떻게 할 수 있을까, 형식적인 변론에 그칠 일이라면 안 맡는 게 좋지 않을까, 나중에 사형이 선고되고 집행된다면 내 마음도 몹시 상할 텐데, 이런 생각을 했다. 그러나 아버지는 자식이 사형이 될 때 되더라도 변호사를 대주고 최선을 다해야 한다는 절박한 심정이었을 것이다. 그래서 내가 자꾸 사양을 해도 말없이 머리를 숙이고 그저 숨을 몰아쉬기만 했다.

내가 끝내 사양의 뜻을 굽히지 않자 이번에는 나를 추천하였다는 대법관으로부터 전화가 왔다. 자기와 개인적으로 특별한 관계에 있는 분이어서 나를 추천하였으니 꼭 맡아달라는 것이다. 나는 나의 심정을 그대로 전했으나 최선만 다해달라고 하며 물러서지 않았다. 진퇴양난이었다. 결국 그저 최선만 다한다는 약속으로 사건을 맡았다.

사형선고가 흔한 시대

사건을 맡은 후 기소장 사본을 받아보니 예상외로 죄수(罪數)가 많았고 피고인 순번도 첫번째였다. 피고인이 많은 경우 검사는 기소를 할 때 죄질이 무겁다고 생각하는 피고인의 이름부터 쓴다. 그러니까 이 사건에서는 내가 변호를 맡은 피고인의 죄질이 가장 무겁다는 것을 의미했다.

공소장을 전부 훑어보아도 1번부터 8번까지는 사형선고가 거의 틀림없다고 생각되었다. 당시의 판단으로는 그랬다. 모든 피의자신문조서는 거의 자백으로 꽉 차 있었다. 난수표도 여러 장 압수가 되어 있었다. 고문을 받아서 할 수 없이 자백을 했다고 말하기에는 각 피고인에게 공통되는 범죄사실이 너무나 많았다. 이쯤 되면 유무죄를 따질 여유가 없었다. 또 범죄사실이 수십 개나 되어 그중 몇 개에 대하여 사실과 다르다는 주장을 해서 무죄가 되더라도 사형은 면할 수는 없다는 판단이 들었다. 사형만 면할 수 있다면 그것이 무기징역이더라도 성공이라고 할 수 있을 터였다.

범죄와 사회적 책임

이 사건은 전체적으로 보면 우리 국민 모두에게 책임이 있다는 생각이 들었다. 피고인들은 모두 유럽 각지에서 고학(苦學)을 하고 있던 사람들이었다. 하지만 우리 대사관이나 영사관은 그들을 거들떠보지도 않았다. 재계의 유력가들도 유럽을 여행하면서 파리나 베를린의 풍경이나 어느 곳 술맛이 좋더라는 말은 해도 젊은 학도들에게 저녁 한 끼 사주고 위로했다는 사람은 없었다.

북한 공작원은 이들의 곤경을 너무나 잘 알고 있었다. 그럴싸한 구실로 동포애를 내세우면서 젊은이들의 호기심을 자극하여 그들을 유혹했다. 요새는 안 그렇지만 그때만 해도 외국에서 한국인을 만나면 반가웠다. 따로 말하지 않으면 북한 사람인지 남한 사람인지 알 수도 없었다. 사정이 이러한데 어떻게 모든 일을 피고인들만의 책임으로 돌릴 수 있는가. 형사정책에서도 범죄원인으로서는 개인적인 것보다는 사회적 환경을 중시한다.

나는 이 사건 전체의 성격을 해명하는 것이 내가 변호를 맡은 피고인에 대한 동정이 일게 하고 다른 피고인들에게도 도움이 되리라고 믿었다. 그래서 나는 이 사건의 심리가 시작되자 한 유력 신문에 이 사건의 성격을 밝히면서 사회적 책임을 묻는 글을 썼다(부록 6의 56번 참조).

시대와 사건의 성격을 고려하면 대담한 시도였다. 변호사도 정부의 비위를 거스르면 구속되던 시대였으니 말이다. 지금 와서 생각하면 그 신문도 용케 그런 글을 받아 실어주었구나 싶다.

사형선고를 면한 묘안

나는 사건을 맡은 날로부터 사형선고를 면할 길을 찾아 마음속 깊이 헤매고 있었다. 그러다가 어느 날 그 피고인이 가슴속을 모두 털어놓고 때를 완전히 벗어 새사람이 된 뒤에 재판장과 국민에게 살려달라고 호소를 하면 어떨까라는 생각에 이르게 되었다. 이 정도의 큰 사건이면 재판장도 형량을 결정할 때에 국민을 의식할 것이다.

꼭 묘책이라고 생각할 수는 없었지만 그에게 나의 고충을 말하고 의논해 보기로 했다. 그래서 구치소에 가서 나의 뜻을 전했다. 공소사실 중 꼭 부인할 것이 있으면 부인해도 좋지만 공소사실이 수십 개인데 그중 몇 개 줄어든다고 해도 결과에는 영향을 주지 않을 것이라 생각한다. 죄질이 무거워 보통 방법으로는 살아날 길이 없다. 누구나 재판을 받게 되면 범죄사실을 부인하거나 줄이려고 하는데 이번에는 범죄사실을 늘리는 작전으로 가보자. 물론 없는 범죄사실을 만들어낼 수는 없지만 공소사실에 나타나지 아니한 사실, 수사당국도 몰랐던 사실이 하나라도 더 있다면 그것을 털어놓자. 원래 양형(量刑)은 피고인에게 개전(改悛)의 정이 있느냐 없느냐로 차이가 나게 마련인데 이 사건의 경우는 다시는 그런 짓을 안 하겠다는 말로 넘어갈 수는 없다. 그러므로 특단의 방법을 써서 재판장이나 국민 그리고 수사당국까지도 믿고 감동할 정도로 자세가 달라졌음을 보여줘야 한다. 그러면 재판장도 인간인 이상 감동하고 소신이 생겨 정상(情狀)을 깊이 살펴주리라고 생각한다. 나는 당신만큼 공부를 많이 한 사람을 본 일이 없으며 무슨 수를 써서라도 살리고 싶다. 일단 무기징역만 되면 시간이 가면서 주변 사정도 달라져 반드시 형은 경감되고 얼마 안 가서 가석방될 것이다.

이렇게 설득했지만 그는 새롭게 보탤 말은 없다고 간단히 대답했다. 예상한 대로였다. 옳은 말이다. 기소된 공소사실만도 이미 충분히 많은데 어떻게 보탤 수가 있겠는가? 그보다 내가 걱정한 것은 따로 있었다. 다른 사람들은 한 가지라도 범죄사실을 줄이려고 애쓰고 있는데 나 혼자 살려고 비겁하게 범죄사실을 늘릴 수 없다, 죽으면 같이 죽는다는 그의 자존심이 진짜 문제였다. 속으로는 이렇게 생각했지만 나는 어떻게 그 어려운 일을 단번에 결정할 수 있는가, 잘 생각해 보라고 하고서는 물러났다. 그것은 그가 선택할 일이었다. 하지만 그의 결심 없이는 실행할 수도 없는 작전이었다.

며칠 후 나는 구치소로 가서 같은 말을 하면서 나의 진짜 속셈을 말했다. 필시 다른 변호사들은 범죄사실을 몇 개라도 줄이는 데 총력을 기울일 것이다. 만일 당신이 공소사실에 추가하여 새로운 범죄사실이나 북쪽에서 알게 된 내용을 새로 털어놓는다면 다른 피고인들과는 뚜렷이 대비될 것이다. 그러면 거기서 나는 당신과 다른 피고인들과의 차이점을 강조하여 극형은 내릴 수 없다고 변론할 것이다. 그러나 그는 듣지를 않았다. 그런 일은 없다고 말하는 그를 충분히 이해하면서도 나는 꼭 무거운 것일 필요는 없다, 있어도 그만 없어도 그만한 가벼운 것이라도 상관없다고 설득하면서 계속 고민해 보라고 말했다. 그는 스스로 자기의 운명을 판단할 수 있는 박식한 자였다. 기다리는 수밖에 없었다.

그의 고민도 컸겠지만 나도 그것이 과연 옳은 생각인가를 놓고 한없이 고민하였다. 그가 나의 제안을 받아들인다고 해도 사형을 면할 수 있다는 확신이 있는 것도 아니었다. 그러나 다른 좋은 방법이 없었다. 이 사건에서는 제1심에서 무기징역만 받아내도 대성공이라는 생각을 지울 수 없었다. 지방법원에서 무기징역이라도 선고가 되면 항소법원에서는 그 형보다 내려가면 내려갔지 높아지지는 않는 것이 하나의 관례였기 때문이다. 무기징역도 엄청나게 무거운 형벌이지만 사형과는 천지의 차이가 있다. 그렇기 때문에 변호사로서는 기묘한 행동이었지만 내가 변호를 맡은 피고인을 살려내려면 이 방법밖에는 없다고 생각했다.

피고인의 결심

그렇게 서로 고민을 하면서 몇 번씩 구치소로 가서 협의를 거듭하는 동안 그도 나의 취지와 열의에 찬동하면서 서너 가지 사실을 더 얘기하겠다는 결심을 보였다. 재판일자가 다가오자 그도 사건의 심각성을 알게 되었기 때문이었다. 그 대답을 듣고 잘됐다 싶었지만, 한편으로는 가슴이 오히려 덜컹 내려앉았다. 잘한 것인지, 못한 것인지 순간 혼란이 왔다. 여러 번 생각하고 고민한 끝에 결정하긴 했지만 확신은 없었다. 공소사실을 몇 개라도 줄이고 그것으로 위안을 삼으면 사형선고를 받더라도 마음은 편할 수도 있는 일이다. 변호사가 보통 할 수 있는 일은 그런 정도가 아닌가. 공연히 너무 앞서가는 것이 아닌가?

그러나 주사위는 던져졌다. 이렇게 해서 재판은 시작됐다. 수십 명의 피고인들과 방청객들로 가득 찬 법정에 내가 변호를 맡은 피고인은 맨 앞줄 첫째 자리에 앉아 있다가 첫번째로 불려나가 재판장의 인정신문을 받고 검사의 직접신문을 받았다. 그는 검사의 공소사실 대부분을 인정했고, 내가 반대신문을 하는 동안도 공소사실을 거의 인정했다. 내가 피고인은 과거를 뉘우치고 평양과의 관계를 완전히 청산했다고 생각하느냐고 묻자, 그는 공소사실에는 없지만 이런 사실도 있었고 저런 사실도 있었다고 몇 마디 덧붙이며 이제는 평양과의 관계를 모두 끊고 새사람이 되었다고 말했다. 법정 안에 있던 모든 사람들은 기상천외의 일이라며 놀랐다. 그의 이런 모습은 뒤이어 공소사실의 일부를 부인하는 데 시간을 보냈던 다른 피고인들과는 대조를 이루었다.

법정은 살인 장소가 아니다

때때로 불안이 나의 가슴을 짓눌렀다. 내가 변호하는 피고인만 범죄사실이 늘어났으니 다른 피고인들은 다 무기징역이 선고되는데 오히려 사형이 선고될지도 모를 일이었다. 그럴 리가 없을 것이라 마음을 다잡아보았지만 불안은 없어지지 않았다. 어쨌든 이렇게 해서 사실심리가 끝나고 검사의 논고와 구형이 끝났다. 내가 변호하는 피고인을 포함해서 10명이 넘는 피고인들에게 사형이 구형되었다. 나는 변론에서 이렇게 말했다.

"피고인은 이제 모든 것을 청산하고 평양과의 관계를 완전히 끊고 새사람이 되었습니다. 그의 과거는 잘못된 것이지만 공소사실 이상으로 범죄사실이 더 있다고 털어놓는 피고인을 우리나라 법정에서 본 일이 있습니까? 그는 사형 이상의 형이 있으면 그런 형이라고 받겠다는 각오를 한 것입니다. 인간으로서 이 이상 참회할 방법은 없습니다. 재판의 본질은 무엇입니까? 재판은 과거를 뉘우치지 않는 사람에게 형벌을 주지만 과거를 뉘우치고 완전히 청산했다고 믿는 사람은 살려 사회에 돌려보내는 것이 목적입니다. 재판은 인간을 위하여 존재하는 것입니다. 그것은 국가의 의무입니다. 이런 사건에서 수사기관과 검사가 모르는 새로운 사실을 고백하고 완전무결하게 회개한 사실을 증명한 피고인까지도 사형으로 처벌한다면 재판은 살인이 될 것이며 법정은 살인장이 될 것입니다. 재판은 정의를 세우고 바른 사람을 살리기 위하여 존재하는 제도입니다."

사법의 본질론을 내세워 모든 사람들의 이성, 아니 감성에 호소했다. 이렇게 해서 내가 변호하는 피고인에 대한 선고를 무기징역으로 한 단계 낮추지 않고서는 견딜 수 없는 분위기를 조성하여 재판장을 궁지로 몰고 가겠다는 생각이었다.

사형선고를 면하다

이제 선고만이 남았다. 내가 변호하는 피고인도 떨고 그의 가족도 떨고 나도 떨었다. 드디어 선고 날이 되었지만 법정에는 무서워서 못 들어가고 바로 문밖에서 소식을 기다렸다. 내가 변호하는 피고인에게만 무기징역이 선고되었고 나머지는 순서대로 7명인가 8명인가가 사형을 선고받았다. 나는 선고 결과를 알리러 나온 부친과 밖에서 얼싸안고 한참 울었다. 재판장이 선고를 마치고 퇴정한 뒤에 법정에 들어간 나는 그의 손을 잡고 웃고 울었다. 감격의 순간이었다.

그 후 이 사건은 항소심, 상고심, 재항소심, 재상고심 등 우여곡절을 거듭한 끝에 형의 집행단계로 들어갔다. 울산 삼척에 공비를 대거 침투시키고, 임자도에 간첩단을 남파하는 등 재판이 진행되고 있는 동안에도 큼직한 북한의 도발은 계속되었다. 1968년 1월에는 미국의 군함 푸에불로호가 북한에 의하여 나포되었다. 그해 12월 성탄절에 가까워서야 승무원 83

명이 풀려났으니 1년 내내 미국이 북한과 실랑이를 벌이는 통에 우리도 북한과 실랑이를 벌였다. 이래저래 경색된 분위기는 부지불식간에 재판 과정에 영향을 미치지 않았나 싶다.

어떻게 아내가 남편의 죄를 고발할 수 있는가

동백림 사건으로 기소된 30여 명 중에는 부부 피고인이 합쳐서 10명쯤 있었는데, 남편도 같이 재판을 받고 있던 한 피고인의 변호도 맡게 되었다. 남편의 일을 알고도 수사당국에 신고하지 않았다는 것이 그 부인에 대한 검찰의 기소이유였다. 나는 몹시 못마땅했다. 남편의 죄가 무엇이든, 아무리 그것이 무거운 죄라도 아내를 남편과 같이 구속하는 것은 타당한 일이 아니라고 생각했다. 그래서 부인을 변론할 때는 범죄사실보다는 기소 자체를 힐책했다. 검사의 잘못을 따지는 형식이었지만 재판장에 대해서는 깍듯이 예절을 지켰다.

"피고인의 처에 대한 공소사실은 남편과 다른 새로운 범죄가 아니라 주로 남편과 동행하며 저지른 범죄이거나 남편의 범죄를 알고도 수사당국에 신고하지 아니한 죄들입니다. 하지만 부부는 일심동체입니다. 어떻게 남편을 고발할 수 있겠습니까? 우리는 지금까지 딸을 시집보내면서 '출가외인'이라는 말로 시부모를 잘 모시고 남편에게 순종하라고 가르쳤습니다. 학교에서도 남편이 하는 일에 무조건 따르는 것이 아내의 도리라고 가르쳤습니다. 이것이 전통교육이었습니다(최근에 와서는 부인이 남편에 무조건 복종하여야 한다는 말은 자취를 감추었지만 적어도 1960년대까지는 당연시되던 말이었다). 그러므로 남편의 잘못된 행동을 수사당국에 고발하지 아니하였다는 이유로 기소를 한다는 것은 전통교육의 파괴이며 어불성설입니다.

더욱이 부부를 같이 구속하면 어린 자식은 누가 돌보라는 말입니까? 어린아이에게 무슨 잘못이 있습니까? 재판은 가족의 파괴가 목적입니까? 과거에는 훌륭한 검사들이 많아서 부부가 공범인 경우에도 남편만을 기소하고 아내는 기소유예 하는 것이 관례였기 때문에 남편이 수년간 징역을 살고 있어도 아내는 가정을 지키며 어린 자식을 키울 수 있었습니다. 2년 전에 월남에 파병된 젊은 군인들이 국위를 선양하면서 6·25전쟁에 참전한 미국에 대해 보은까지 하고 있는 것도, 38선을 튼튼히 지켜 우리가 편안하게 지내며 재산을 가질 수 있는 것도 모두 그 결과 덕분입니다. 따지고 보면 평화로운 법정에서 질서 있게 이렇게 재판을 진행할 수 있는 것도 그렇게 성장한 아이들의 공로입니다. 그러므로 아내에 대한 처벌은 국가와 민족의 먼 앞날을 내다보아야 하며, 피고인이 모두 유죄인 경우에도 그 아내는 석방되어야 합니다."

그러나 피고인들의 부인들에 대해서는 일률적으로 3년 6개월의 징역 실형이 선고되었다. 구형량이 10년이었던 것에 비추어 낮은 편이기는 하였지만 집행유예가 되지 않은 데는 불만이었다. 물론 나는 제1심에서 가벼운 형을 받게 되면 항소심에서 집행유예가 되리라는 계산을 하고 있었다. 과연 항소심에서 부인들은 모두 집행유예로 풀려났다.

모두 형집행정지

20년쯤 지난 뒤에 변호사가 된 당시의 재판장과 어느 자리에서 만났는데, 우연히 동백림 사건에 이야기가 나왔다. 그는 나의 변론을 듣고 다른 피고인은 사형선고를 할 판인데 내가 변론했던 피고인만 무기징역형으로 할까 말까를 놓고 몹시 고민했다고 한다. 5명의 부인들의 형량을 놓고도 고민했지만 사건의 성질과 당시의 강경한 대북 인식이나 경색된 국민정서로 보아 당장 풀어주지는 못하지만 형을 낮추어주면 항소심에서 집행유예를 해줄 것이라는 기대를 했다고 했다. 그도 같은 법률가로서 나와 비슷한 생각을 가슴에 품고 있었던 것이다.

동백림 사건은 당초 중앙정보부가 독일에 살고 있는 사람들을 자국민이라는 이유로 불법으로 체포하고 납치한 데서 비롯된 사건이다. 그중에는 윤이상(尹伊桑), 이응로(李應魯)와 같은 세계적인 예술가들이 끼어 있어서 독일 언론은 한국 정부의 국제법 위반 행위를 놓고 맹비난을 퍼부었다. 아무리 자국민이라 하더라도 타국에 거주하는 사람을 함부로 체포·연행하는 것은 주권의 침해라는 독일의 거센 항의와 압력은 시간이 갈수록 커갔다. 재판 중에는 윤이상, 이응로를 위하여 여러 독일인들이 증인으로 법정에 나오기도 했다. 독일 정부는 경제제재도 서슴지 않았다. 결국 이에 견디다 못한 정부의 굴복으로 그들은 모두 형 집행정지로 풀려났다. 독일 주재 최덕신 대사도 추방되는 수모를 겪었다.

우리 모두에게 귀중한 교훈을 남긴 사건이다.

재일교포 유학생 간첩 사건

국가보안법을 남용하는 독재시대

1961년에 '혁명'이라는 이름으로 시작된 군사독재가 20여 년이나 지속되었다. 그동안 정권교체가 없었던 것은 아니지만 모두 형식적이었을 뿐이었다. 그러나 영원할 것 같았던 군사독재도 국민의 끈질긴 저항으로 점차 기울기 시작하였다. 1980년대가 민주화운동의 전성시대인 이유다. 하지만 독재자들도 안간힘을 다하여 정권을 유지하려고 버티고 있었다.

군사 정권이 20여 년이나 지속되자 오랜 세월 굳건한 지조로 국민의 신뢰를 받고 있던 사법부도 권위를 잃고, 보신과 출세를 위하여 사법부의 독립을 버리는 판사들이 나타났다. 검찰은 더욱 심하여 자기가 지휘하는 하위 수사기관, 특히 군 수사기관에 휘말려 검사로서의 기개를 잃고 독자성을 잃는 일이 많았다. 수사기관에서 보내온 사건을 거르고 재수사해서 옥석을 가리는 일이 그들의 직무였건만 거의 그대로 기소해 놓고선 유죄선고를 받아내기 위하여 온갖 힘을 다한다. 모든 검사가 그랬을 리는 없지만 그런 검사도 적잖이 많아 위세를 떨치던 시대였다.

그 여파로 실제로는 국가보안법을 위반하지 아니한 사람이 국가보안법 위반으로 기소되고 유죄판결을 받는 일이 많아졌다. 독재에 항거하는 민주화운동을 무엇이든 트집 잡아서 국가보안법으로 구속하고 기소하는 무분별한 일이 일어나는 비극의 시대이기도 했다. 그 결과 당시의 용어로 북한괴뢰집단인 반국가단체와 아무런 관계가 없는 사람을, 독재 정권에 맞서 민주화운동을 한 데 불과한 사람을 반국가단체의 구성원 또는 반국가단체를 고무·찬양했다는 이유로 수사하고 기소하는 일이 빈번했다. 군사 정권에 반대하는 사람을 '빨갱이'로 몰아 탄압의 도구로 사용한 일이 왕왕 생겼으니 국가보안법은 정권유지의 도구라고 비난을 받을 수밖에 없었다.

그러므로 국가보안법이 반국가단체의 활동을 억지하고 자유민주주의와 대한민국을 수호하는 법률로서 그 긴요성과 유용성에도 불구하고 비난의 대상이 되고 악법으로 규정되어 개정과 폐지의 대상이 된 것은 우연한 일이 아니다.

일본에 사는 한국조선인

1945년 광복 후 80년대까지 일본에서는 대한민국을 지지하는 거류민단과 북한을 지지하는 조총련 간의 대립이 심각하였고 서로 앙숙이 되어 세력 확장에 여념이 없었다. 그러나 개개 한인들은 같은 지역에 살면서 민단과 조총련 소속 여부에 관계없이 학교에도 같이 다니면서 서로 교류하고 지냈다. 그중에는 친인척 관계에 있는 사람도 많았다. 민단이나 조총련에서 두드러진 위치에 있는 사람이 아니면 어느 쪽의 구성원인지 본인이 내놓고 말하지 않는 한 알 수가 없었다. 게다가 일본은 대한민국과의 수교협정으로 국교를 수립하고 있음에도 불구하고 남한의 군사독재를 비판하면서 대한민국 국민을 수교가 없는 북한계 주민과 동일시해 '한국

조선인(韓國朝鮮人)'이라는 야릇한 말로 제3국민 취급했다. 이런 환경 속에서는 소속관계를 분명하게 아는 경우에도 그것이 교우 단절의 이유가 되지 않았다. 또한 개인적으로 큰 관심사도 아니었다. 오히려 일본 학생들의 모멸과 차별에 항거하기 위하여 하나로 뭉치기도 했다. 그것이 일본에 사는 재일동포, 특히 젊은 학생들의 환경이었다.

한국에 몰려온 유학생

1980년대에 많은 재일교포 학생들의 모국 유학이 줄을 이었다. 훌륭한 한국인이 되겠다는 갸륵한 생각에서였다. 하지만 그들 중 상당수가 국가보안법 위반으로 옥고를 치렀다. 이종수(李宗樹)도 그중 한 명이었다. 그는 고려대학교 국문과 1학년에 재학 중이었다. 원래는 미국 유학을 꿈꾸고 있었지만 할머니와 고모의 권고로 한국을 선택하게 되었다. 할머니는 딸이 셋 있었는데 두 명은 일본인과 결혼함으로써 재일교포의 비애를 톡톡히 맛보았다. 그래서 이종수의 고모가 되는 셋째 딸만은 그런 일이 생기지 않도록 한국에 강제로 유학을 보냈다. 그 고모도 당초에는 군사독재에 반대하는 일본 내의 반한(反韓) 분위기에 따라 한국을 싫어했고 한국으로 유학할 생각은 전혀 없었다고 한다. 그러나 어머니의 성화에 못 이겨 한국으로 유학을 왔는데 김포공항에 내리자마자 웬일인지 주체할 수 없이 눈물이 쏟아지더라는 것이다. 많은 교포들이 겪는 감동이다. 그녀는 모국이 무엇인가를 이때 비로소 느꼈다고 한다. 그 후 그녀는 고려대학교 국문과 정규과정 4년을 졸업하고 일본에 돌아가서 한국어를 가르치는 교사가 되었다.

그녀는 자기 경험을 이야기해 주며 진짜 한국인이 되려면 한국으로 유학해야 한다고 설득하여 고려대학교 국문과에 조카인 이종수를 보낸 것이다. 그러나 이것이 이종수의 운명을 바꾸어놓으리라고는 아무도 몰랐다. 이렇게 어렵게 한국에 온 이종수는 어느 날 갑자기 군 수사기관에 연행되었다. 죄명은 국가보안법 위반이었다. 반국가단체 구성원인 조신부라는 사람의 지령을 받고 간첩으로 입국했다는 것이다. 청천벽력은 이것을 두고 하는 말이다. 이종수를 강권하다시피 해서 한국으로 보낸 할머니와 가족들은 어쩔 줄을 몰랐다. 재일교포 학생들은 일본에서도 차별대우를 받고 사는데 모국에서조차 이런 대우를 받다니 참으로 안타까운 일이었다. 하필이면 그런 시대인 줄 모르고 유학을 온 그는 모국에서 더욱 심한 모멸을 겪는다.

유일한 쟁점, 반국가단체 구성원 여부

1983년 이종수의 고모와 할머니가 이 사건을 맡아달라고 나를 찾아왔다. 또 어려운 사건이다 싶었지만 거류민단 친지의 소개가 있어서 긴 말 안 하고 맡았다. 당시만 해도 나는 한일회담 대표를 지낸 일이 있어서 비교적 일본 사정에 밝았고 거류민단과도 특별한 친분 관계가 있어서 조금만 설명을 듣고도 이종수에게 무슨 지령을 주었다는 조신부가 반국가단체의 구성원이 아니라는 확신을 가질 수 있었다.

이종수의 범죄사실 내용은 그가 반국가단체 구성원인 조신부의 지령을 받고 유학이라는 명분으로 한국에 들어왔다가 방학 때 일본으로 돌아가 서울에서 보고 들은 일을 조신부에게 보고했다는 것이었다. 조신부가 반국가단체 구성원이라고 하더라도 왜 이종수가 조신부에게 한 말이 정보를 보고한 것이 되는가? 이종수가 반국가단체의 구성원으로부터 지령을 받았다면, 널리 알려진 사실이든 말든 한국에서 보고 들은 이야기를 옮기는 것은 간첩행위라는 대법원의 판결이 통하던 시대였다. 즉 신문이나 잡지에 났거나 친구와의 대화 내용을 말해도 그것이 모두 정보로 취급되던 시대였다.

그래서 조신부가 반국가단체의 구성원인가 아닌가가 이 사건의 유일한 쟁점이었다. 조신부가 구성원만 아니면 이종수가 그에게 무슨 말을 하든 문제될 것이 없었기 때문이다. 조신부 자신의 진술도 없고 그가 반국가단체의 구성원이라고 명백하게 말하는 사람도 없는 상황에서 이종수를 유죄로 선고한다는 것은 상상도 할 수 없는 일이었다.

그러면 조신부는 반국가단체의 구성원이었을까? 의심만 있을 뿐 직접적인 증거는 어디에도 없었다. 조사해 보니 그는 교토에 있는 한국학원의 직원으로 근무하고 있는 성실한 거류민단원이며 평범한 대한민국 국민이었다. 그러한 사실은 거류민단장의 문서로, 한국 대사관 영사부의 증명서로, 증인의 증언으로 증명되었다. 그러니 그것만으로 끝낼 일이었다.

이종수가 검찰에서 조신부가 반국가단체의 구성원이라는 사실을 알았다는 자백을 한 일이 있지만 그것이 무슨 소용이 있는가? 불법 구속된 군 수사기관에서 고문에 못 이겨 자백한 사람은 검사 앞에서도 똑같은 말을 하는 법이다. 자필 진술서는 더 말할 필요가 없다. 검사도 판사도 다 아는 일이었다.

일본의 사정을 전혀 알지 못하는 한국의 검찰이나 법원이 서울에 앉아서 멀리 일본에 사는 몇 사람의 의견서(진술서)만을 토대로 조신부가 반국가단체의 구성원인가 아닌가를 가린다는 것은 상상도 할 수 없는 문제다. 그것은 증거법상 허용될 일도 아니다.

이렇듯 이 사건은 얼토당토않은 조작된 사건으로서 수사권이 없는 보안사는 말할 것도 없고 검사도 생사람을 잡고 있다는 사실을 알고 있었을 것이다. 검사도 판사도 군사독재 앞에 완전히 무기력하게 흔들리고 있었다. 무법천지란 바로 이런 일을 두고 하는 말 같다.

하지만 이런 사건일수록 풀기는 더 어렵다. 군사독재의 공포 분위기에 휘말려 국가보안법으로 기소되면 피고인을 유죄로 만들기 위한 공감대가 수사기관, 검찰, 법원 안에 은연중에 형성되기 때문이다. 검사가 무죄인 줄 알면서 상부 방침에 따라 무리인 줄 알면서도 할 수 없이 기소한 사건도 유죄판결이 난다는 말이 돌던 시대다. 이쯤 되면 검찰도 검찰이지만 법원도 비난을 받을 수밖에 없다.

제1심

제1심에서는 일본에서 명성이 있는 유력한 인사가 일부러 서울까지 와서 법정에서 조신부는 반국가단체의 구성원이 아니라는 증언을 했다. 당시는 누구도 국가보안법 위반사건의 증인으로 나가는 것을 꺼려했다. 잘못하다간 증인도 생트집을 잡아 구속하는 암흑의 시대였다. 조총련 단원과 사귀었다는 이유만으로 구속되는 거류민단원도 있었다. 더욱이 사업을 하고 있는 인사가 한국 법정에 나간다는 것은 이만저만한 용기를 필요로 하지 않는다. 필시 증인으로 나가지 말라는 압력도 받았을 것이다. 아무리 용기가 있어도 조신부라는 사람의 인품과 신원에 확신이 서지 않으면 불가능한 일이었다.

이외에도 일본에서 몇 사람의 증인이 더 나와서 조신부는 절대로 반국가단체의 구성원이 아니라는 증언을 했다. 그래서 재판 결과에 기대를 걸었다. 그러나 서울형사지방법원은 이런저런 이유를 들어 검사의 구형대로 이종수에게 징역 10년이라는 무거운 형을 선고하였다.

첫번째 항소심

그래서 항소를 했더니 예상대로 항소기각이었다. 재판장은 모든 점에서 믿을 만한 분이어서 이렇게 확실한 사건이면 파기가 되고 무죄선고가 되리라는 기대를 걸어보았지만 허사였다. 여러 해가 지난 뒤에 그 재판장을 산행 길에서 우연히 만나 후일담을 들었지만, 역시 그랬구나 하는 서글픈 마음이 더했을 뿐 나의 아픈 가슴을 풀 수는 없었다. 그가 그런 말을 하는 것은 마음속 어딘가에 당시의 일을 뉘우치고 있다는 표징일 것이다.

첫번째 상고심

이번에는 상고를 했다. 아무리 시대가 그렇기로서니 대법원만은 살아있을 것이라고 믿었다. 그런 암흑시대에도 이런 희망 때문에 견디고 살 수 있었다. 과연 대법원은 달랐다. 원심을 파기하고 사건을 서울고등법원으로 돌려보낸 것이다. 그간의 고민이 한꺼번에 풀리는 기분이었다. 판결문을 받아서 읽어보니 조신부가 반국가단체의 구성원이라는 증거는 어디에도 없다고 자세히 설시(說示)하였으니 결론은 당연히 무죄일 수밖에 없었다.

두 번째 항소심

그러나 또 한 번 나는 뜻밖의 일을 겪어야만 했다. 환송을 받은 서울고등법원은 대법원의 파기환송 판결을 무시하고 항소기각 판결을 내렸다. 놀라운 일이었다. 대법원에서 파기환송을 받고 기쁨에 겨웠던 가족들은 급전직하(急轉直下) 슬픔의 도가니로 빠져들었다. 당초 수사를 한 보안사의 정보원으로 일하고 있는 재일교포의 증언을 받아들여 조신부가 반국가단체 구성원이라고 인정한 것이다.

두 번째 상고심

다시 일말의 기대를 걸고 대법원에 재상고하였으나 이번에는 기각당했다. 더욱이 먼저 원심파기의 환송판결을 한 대법원의 그 주심판사가 재상고심의 판결에 관여하였는데도 상고를 기각했으니 어디에 호소하랴. 파기환송을 받은 고등법원이 대법원의 파기환송 판결을 받아쳐도 대법원이 그대로 넘어가니 슬픔도 슬픔이지만 더 이상 어떻게 할 수가 없었다. 절망이었다. 대법원 판사도 두 번씩 파기환송을 하면 어딘가의 미움을 받을지도 모른다는 두려움 때문에 이번에는 좋은 것이 좋은 것이라고 판결한 것이 아닌가 싶었다. 먼젓번의 환송판결에서 보여준 용기는 간 곳이 없고, 아무리 대법원 판사라 할지라도 더 버티기 어려우니 이 정도로 해두자는 쪽으로 결정한 것 같았다.

판결문은 말장난

재항소심 판결도 재상고심 판결도 모두 말장난이었다. 형식은 판결이지만 내용은 판결이 아니었다. 재항소심에서는 새로운 증인의 증언이 있었으니 앞서 대법원이 파기재판을 하면서 믿을 만하다고 지적한 증인들의 증언을 배척한다는 논리를 세웠다. 원래 이 사건에는 새 증언이라고는 있을 수 없었다. 형식논리로는 무슨 말인들 못하랴. 그러나 재판은 말의 장난이 아니다. 그 사건에 알맞은 구체적 타당성을 찾아서 보통사람들도 이해시킬 수 있게 판단하고 판결문도 써야 한다. 그것이 정의를 실현하는 길이다.

재심청구

모든 것은 다 끝났고 방법도 길도 없었다. 하지만 젊디 젊은 학생이 아무런 죄도 없이 모국에 유학을 왔다가 징역을 살아야 한다, 이럴 바에야 대법원은 파기환송이나 하지 말지 하는 생각에 억울해서 견딜 수가 없었다. 나는 궁리 끝에 재심청구를 내기로 결심했다. 확정판결을 받은 이상 성사될 것이라는 자신이 있는 것은 아니었지만 아무것도 안 하고 그대로 넘어갈 수는 없었다.

재심이유는 형사소송법 제420조 제5조 유죄의 선고를 받은 자에 대하여 무죄를 인정할 명백한 증거가 새로 발견된 때라는 사유를 근거로 삼았다. 대법원의 재상고심 판결은 원심이 조신부가 반국가단체의 구성원이 아니라는 여러 사람의 증언과 그런 의심이 있다는 다른 사람들의 증언을 비교한 후, 전자에 속하는 증인들은 그 신빙성이 없다는 이유로 그들의 증언을 배척하고 후자인 반국가단체 구성원이라는 증언을 채택한 것은 잘못이라고 주장했다. 두 번째 대법원의 판결과 두 번째 고등법원 판결은 첫번째 대법원 판결과 어긋난다.

그러면 재심청구에서 말하는 새로운 증거는 무엇인가? 재판이 재상고심 단계에 있을 때 신빙성이 없다고 배척된 전자에 속하는 증인들 중 두 사람에게 대통령이 새로 국민훈장 모란장을 주었다는 것이다. 증인 두 사람이 재일한국인을 위한 교육기관을 설립하고, 민단 발전에 끼친 공로를 인정하여 국민훈장을 받았는데 그래도 그의 증언을 신빙성이 없다고 말할 수 있겠는가라는 항의성 재심사유였다. 그중의 한 사람은 이 사건이 일어나기 전에 국민훈장 목련장을 받은 일이 있는데 재항소심이 끝난 뒤 또다시 국민훈장을 받은 것이다. 그 외에 새로운 증거도 같이 제시했다.

어느 나라나 재심청구는 잘 인정되지 않는다. 그래서 일본, 독일, 미국의 학설과 판례를 풍부하게 원용해서 재심을 너무 엄격하게 따지지 말라고 강조하였다. 그러면서 혹시라도 재심청구를 맡은 판사가 이종수가 억울하다는 것을 알게 되면 스스로 구제할 길을 찾아줄 것이라는, 판사라는 인간에게 가냘픈 희망도 품었지만 몇년 후에 재심청구도 기각됐다. 만사 휴의(萬事休矣)였다.

타락한 법원

이 정도만 설명해도 이종수가 얼마나 억울하게 처벌을 받았는지 알 수 있을 것이다. 그러나 기록으로 남기기 위해 원문을 인용해 본다. 다행히 이 글을 쓰고 있는 동안 우연하게도 이종수가 미국에 가서 공부를 하고 일본으로 돌아왔다고 전화를 했기에 판결문이 있으면 보내달라고 했더니 부쳐왔다. 덕분에 판결문을 정확하게 인용할 수 있었다. 비슷한 사건은 많았지만 나는 이 사건만큼은 자세히 기록해 두고 싶다.

먼저 대법원의 첫번째 상고심이 첫번째 고등법원의 판결을 파기환송한 이유를 그대로 인용하여 그 판결이 얼마나 정당했는가를 밝히고, 두 번째 고등법원 판결이 얼마나 대법원의 환송판결을 무시하였는가를 말하고 싶다. 그러면 저절로 이에 이어지는 두 번째 대법원 판결이 얼마나 소신 없고 무기력했던가를 알게 될 것이다.

1. 대법원의 첫번째 파기환송 판결이유

〔판결에 나오는 이름은 모두 성(姓)만으로 줄인다.〕

첫째로, "원심이 유지한 원심판결의 거시증거 중 검사 작성의 피고인에 대한 피의자 신문조서의 기재에 의하면, 피고인은 반국가단체 구성원인 조 씨로부터 북괴 찬양 및 한국 비방의 교양과 학습을 받은 후 한국에 유학하게 됨을 이용하여 조 씨의 지령에 따라 위에서 본 범죄사실 기재와 같은 잠입과 간첩행위를 하였다는 점을 자백하고 있으나" "조 씨가 반국

가단체의 구성원이라는 공소사실을 뒷받침하기 위한 증거"인 「사법경찰
관 작성의 수사보고」「주 오사카 대한민국 총영사관 총영사 윤○○ 작성
의 확인서」가 "조 씨가 반국가단체의 구성원이라는 입증으로서는 부족하
다 아니할 수 없다"고 판시(判示)하였고, 둘째로, "반면 피고인은 제1심 및
원심법정에서 조 씨가 반국가단체의 구성원인 줄 몰랐으며 조 씨로부터
북괴의 찬양과 한국의 비방에 대한 교양이나 학습을 받은 일이 없고 간첩
지령을 받은 일도 없다고 진술하고 있을 뿐만 아니라" "일본 교토 민단
창설 주역으로서 현재 교토 민단 고문직과 일본국 교토 소재 한국학원의
이사장이며 고산물산 주식회사의 대표이사인 최 씨는 원심 법정의 증인
으로서 조 씨는 증인회사의 지점장으로 근무하고 있는데 채용 당시 조 씨
가 조총련계나 조총련계의 공작원이 아니라는 것을 확인하고 채용하였으
며" "대한민국을 지지하는 사람으로 확신한다고 진술하고" 있다는 증언
과 「재일 대한민국 거류민단 구라시키 지부 지단장 박 씨가 1983년 2월
12일 작성하고 주 고베 대한민국 총영사관의 영사가 같은 해 9월 26일 확
인한 신원보증서」「최 씨가 1983년 2월 9일 작성하고 주 오사카 대한민국
총영사관 부영사가 같은 해 9월 20일 확인한 신원보증서」「재일본 대한
민국 거류민단 교토부 지방본부 지방단장 하○○이 1983년 8월 7일 작성
하고 주 오사카 대한민국 총영사관 부영사가 같은 해 8월 9일 확인한 진
술서」에 비추어 원심을 파기한다.

2. 서울고등법원의 두 번째 판결이유

"(일본으로부터 한국에 들어와 간첩활동을 하다가 체포되었으나 공소가 보류되
어 수사기관의 공작원이 된 몇 사람의 증인을 채택한 후) 그러므로 먼저 변호인
의 항소 이유에 관하여 살피건대, 피고인의 검찰에서의 자백 등 원심이

적법하게 조사·채택한 여러 증거들과 환송 후 검사가 당심에 제출한 주오사카 총영사관 영사 이○○ 씨 작성의 영사증명서 및 한○○ 씨 작성의 진술서의 각 기재와 환송 후 당심 증인 한 씨, 서 씨, 김 씨의 각 진술(괄호 부분 생략)을 종합하면 공소 외 조 씨가 북괴의 재일 대남공작 지도원으로서 반국가단체의 구성원이라는 사실 및 피고인이 그의 지령에 따라 원심 판시의 각 범죄사실을 저지른 사실을 인정할 수 있다.

(…) 조 씨는 1980년 7월 31일 고산물산 주식회사의 사원으로 채용되어 충실히 근무하고 있는데 동 회사는 채용 당시 조 씨가 조총련계나 조총련계의 공작원이 아니라는 것을 확인하고 채용하였으며 채용 시나 채용 이후 현재까지 정치활동에 관계한 바 없고 동인은 물론 한국학원의 사무장으로 있는 조 씨는 민단계 인물로서 대한민국을 지지하는 인물로 확신한다는 내용과 교토 소재 한국학원 이사장이며 위 회사의 대표이사인 환송 전 당심 증인 최 씨의 진술과 동인 작성의 신원보증서, 조 씨가 재일 대한민국 거류민단 구라시키 지부 단원임을 증명하고 있는 동 지단장 박 씨 작성의 신원보증서 및 조 씨는 건실한 민단원의 한 사람으로서 한국인의 긍지를 가지고 조국발전에 이바지하였으며 재일본 교토 민단사회의 훌륭한 지도자 후보의 한 사람임을 확신하고 보증한다는 재일본 대한민국 거류민단 교토부 지방본부 단장인 환송 전 당심 증인 하 씨의 진술 및 동인 작성의 진술서의 기재가 있으나(…)한편으로 치안본부 제3부장 작성의 신원조사 회보서의 기재와 위에서 본 증인 한 씨의 진술에 의하면, 환송 전 당심 증인 하 씨는 1949년경 밀항·도일하여 조총련 상공회 재정부장으로 활동하다가 1963년 민단원으로 전향하였으며, 재일 반한단체인 베트공파(한국민주회복통일촉진국민회의, 속칭 한민통)의 교토 책임자로 활동한 사실이 있고 위에서 본 증인 서 씨, 김 씨의 각 진술에 의하면, 북

괴와 재일 조총련은 대남공작을 함에 있어 그 신분 노출을 방지하고 한국에의 출입을 용이하게 하기 위하여 민단원을 비밀리에 포섭하여 대남공작원이나 그 지도원으로 활동하거나 조총련이 민단원으로 행세하거나 등록되어 있는 사실만으로는 그 신원이나 성향을 파악하기 어려운 사실을 엿볼 수 있다."

서울고등법원의 두 번째 판결이유는 피고인의 유죄를 전제로 한 말장난임이 역력하다. 의심스러운 때에는 피고인을 위하여 유리하게 해석하고 판단하라는 형사재판의 철칙은 간 곳이 없다. 대법원으로부터 파기환송을 받은 서울고등법원은 검사가 신청한 증인 3인을 새로 채택하였다. 그중 한 사람인 서 씨는 평양에 가서 간첩교육을 받았다고 자인하는 간첩으로서 무기징역의 형을 받은 자이고, 김 씨는 그에게 포섭되어 간첩으로 한국에 잠입하였다고 자인하는 자로서 보안사와 협조관계가 있다고 법정에서 증언을 할 정도이다. 국가보안법 제20조에는 공소보류가 취소되면 동일한 범죄사실로 재구속될 수도 있기 때문에 그들은 수사기관과 협조관계를 잘 유지하여야만 한다. 그러므로 증인, 군 수사기관과 특수 관계가 있는 그들의 증언이야말로 신빙성이 없다. 그 점은 그들을 증인으로 신청한 고등검찰청 검사나 고등법원 판사쯤 되면 잘 아는 일이다. 어떻게 '신빙성'이라는 주관적인 말로 못 믿을 자를 믿을 자라고 할 수 있는가?

나는 이 두 번째 서울고등법원 판결을 받아보고 재심청구에서, 하도 화가 나서 한 말이기는 하지만, 법원도 증언이라는 형식을 빌린 간첩의 모략에 말려든 것이라고 극언하였다. 아무리 시대가 그렇기로서니, 아니 그런 시대이기에 더욱 판사의 '양심'을 건드려 일깨우고 싶었다. 조총련과 피비린내 나는 싸움터에서 대한민국 지지에 앞장서서 몸 바쳐온 거류민단 간부들의 증언은 믿지 못하겠다고 말하면서 수사기관의 공작원인 전향자들의 말을 채택한 법원을 두고, 나는 비통한 마음을 억누를 길이 없어 대한민국 사법부에 봉직하는 법관으로서 정의의 이념과 형평 감각을 상실한 판단이라는 지나친 말도 서슴지 않았다.

변호도 하고 주례도 하고

이 사건 말고도 비슷한 사건이 많았다. 그중에 비슷한 시기에 유학생 장 군의 사건도 내가 맡았던 사건 중 하나였다. 장 군은 나고야에서 한국으로 유학 온 학생인데, 서울서 학교를 다니다가 국가보안법 위반으로 구속되었다. 그런데 하필이면 한국에서 사귄 이대 졸업생과 약혼식을 하기로 되어 있던 날 아침에 구속이 되었다. 아들의 약혼식에 참석하기 위하여 전날 가족들이 모두 일본에서 와 있던 상태였다. 본인들은 물론 두 집안의 슬픔은 이루 말할 수 없었다.

국가보안법으로 옥고를 치른 재일교포 유학생 장 군의 주례를 서다.

다행히 1심에서 보석이 되고 집행유예가 되고 보석이 되어 내가 약혼 주례를 하였다. 어떻게 국가보안법 위반사건 피고인의 약혼을 주례하느냐고 놀라는 사람도 있었다. 변호사가 자기 의뢰인의 약혼식을 주례하는 일도 별로 없는 일이었을 터다. 그 후 사건이 무죄로 종결되어 나는 결혼식 주례도 해주었다. 유신이라는 암흑시대에 아주 드문 일이었다. 나에게는 큰 위안이 되었지만 용기가 필요한 일이기도 했다. 여전히 보안사가 재일동포 학생들을 구속하고 더러 변호사들도 구속되어 재판을 받는 일이 왕왕 있을 때였기 때문이다. 변호사에게 용기가 필요하다는 말은 바로 이런 일을 두고 하는 말이다.

그들은 현재 슬하에 두 남매를 두고 잘 살고 있다.

판사와 검사의 용기와 기개

한번은 KBS에서 1시간 정도 넉넉하게 시간을 줄 테니 아무 말이라도 하라고 하여 TV에 출연한 일이 있다. 그때 나는 이종수 사건을 두고 마음 놓고 검찰과 법원을 원망하고 억울함을 호소하였다. 혹시나 이종수의 재심 청구가 계류 중이어서 만의 하나 좋은 쪽으로 영향을 줄 수도 있지 않을까 하는 일말의 기대도 있었다.

법원은 언제나 사법권의 독립성을 강조하지만 그것은 말로만 되는 일이 아니다. 외압에 굽히지 않는 소신 있는 판결을 하려면 용기가 있어야 한다. 용기는 청렴, 지조에서 나온다. 그러려면 수사기관의 뒷조사에 견딜 수 있도록 사생활이 당당하여야 한다.

그러나 첫번째 고등법원은 용기가 없었다. 두 번째 고등법원도 용기가 없었다. 용기가 있었다면 그 이유를 밝힌 대법원의 파기환송에 의지하여서라도 제대로 된 재판을 했을 것이고 그랬으면 이종수는 그 이상의 고통은 받지 않았을 것이다. 그간에 입은 고통은 일시의 악몽으로 넘기고 계속해서 한국에서 공부할 수 있었을 것이다. 그러나 두 번째 고등법원도 외압에 눌려 대법원의 파기환송 판결에 승복하지 아니한 것은 말할 것도 없고 한 걸음 더 나아가 대법원의 판결을 받아쳤다. 늘 이런 식이니 군 수사기관은 계속 검사를 손발처럼 부리고 법원을 얕잡아 보았던 것이다. 그리고 국가보안법은 독재 정권 유지용 살상무기로 이용되었던 것이다.

검사도 마찬가지다. 검사는 자기가 기소한 사건은 어떻게 해서든지 유죄선고를 받으려고 노력한다. 그것은 일반론으로 보면 정당한 일이다. 검사도 사람인 이상 자기의 잘못이 공개적으로 나타나는 것을 싫어한다는 것은 이해할 수 있는 일이지만 그것도 옛날 권위주의시대의 유물이 아닌가? 사람은 누구나 실수할 수 있고, 그것이 창피한 일이 아니라는 평범한 진리를 인정하는 것만이 자기 직무를 바르게 이끄는 방법이다.

기소 후 법정에서는 피고인, 승인의 자유로운 발언이 나와 기소할 때와는 사뭇 다른 분위기가 연출된다. 그러므로 검사는 피고인의 유무죄를 감(感)으로 어느 정도 안다. 그러나 검사가 유죄에 너무 집착하면 이런 감이 역할을 할 여지가 없어진다. 검사는 공익의 대표자이고 정의의 사도여야 한다. 피고인이 무죄일지 모른다는 생각이 들면 유죄라고 우겨대서는 안된다. 그런 경우에까지 일방적인 증거만을 들이대는 일은 범죄행위와 같다. 검사는 피고인에게 유리한 증거도 동시에 제출하여 공정한 재판을 돕고 피고인이 억울한 일을 당하지 않도록 노력하여야 한다.

검사에게는 수사기관의 부당한 압력은 일격에 배척하는 기개가 있어야 한다. 증인의 '신빙성'을 다투고 있는 마당에 어떻게 간첩 전향자인 수사기관의 공작원을 증인이라는 이름으로 법정에 내세워 피고인과 거류민단의 간부를 괴롭히는가? 물론 시대는 달라져서 자유를 만끽하는 인권존중의 시대가 열렸으니 이제 그런 일은 다시는 없겠지만, 바로 '그때의 그런 일들' 그때의 '그 사람들' 때문에 민주적 기본질서를 수호하는 국가보안법이 악법으로 규정되고 폐지 대상으로까지 거론되고 있다.

현행 국가보안법에도 형벌법으로서의 이론으로 보면 구성요건에 모호한 점이 없는 것은 아니지만 그보다는 수사에 종사하고 재판에 관여하는 검사, 판사가 자기의 직책을 다하면 억울한 사람은 생기지 않는다.

이종수는 수년이 지난 뒤에 출옥하여 일본으로 돌아갔지만 일본의 재입국비자를 받을 때에도 애를 먹었다. 국가보안법을 위반하고 징역을 산 전과자이니 말이다. 그 후 여러 해가 지난 뒤에 일본에서 미국으로 유학을 가기 위해 미국 비자를 신청할 때도 미국 대사 앞으로 내가 긴 글을 써주어야만 했다. 다행히 미국 대사관이 이를 믿어주었다. 그와는 지금도 편지를 주고받고 있는데, 그는 언제나 한국에 오고 싶다고 말한다. 사건도 30년이 넘는 일이 되었지만 당시 이종수의 가족들이 겪은 고통을 생각하면 지금도 마음이 편하지 않다. 꿈에 그리던 모국을 찾아왔다가 교도소에서 잃어버린 청춘은 누가 보상할 것인가?

재심과 무죄 판결 그리고 보상

2009년 3월경 일본에 살고 있는 이종수로부터 연락이 왔다. 진실화해를위한과거사정리위원회(이하 진실화해위원회)에서 '진실규명 결정'을 받았다는 얘기다. 나는 놀랐다. 다른 사건에 대해 위원회로부터 의견 요청을 받은 일이 있어서 진실화해위원회의 존재와 활동은 알고 있었다. 그러나 그리 대단한 존재라고는 생각한 일이 없었다. 그래서 그 위원회에 이종수 사건에 대한 조사를 신청할 생각을 해보지 않았다. 이종수가 일본에서 신청을 하고 조사를 받고 진실규명 결정을 받았던 것이다. 참으로 반가운 일이다.

그렇다고 그것만 가지고 재심개시 결정을 받고 무죄판결을 받는다는 보증은 없었고 실제로 경험한 적도 없어서 오히려 걱정이 되기도 했다. 웬만하면 내가 다루어주어야 할 텐데 법정에 안 나간 지도 오래되어 그러기도 여의치 않았다. 한번은 이종수가 서울에 왔기에 재심신청에 대해 의논을 했다. 재심신청을 해서 재심개시 결정을 받더라도 결국은 재판을 다시 해야 하는데 변호사 착수금은 낼 만한 여유가 있느냐고 물었더니 없다고 했다. 지금 몇 살이냐고 물었더니 50세라고 하기에 장가는 갔느냐고 물었더니 독신이라고 했다. 모국에 잘못 왔다가 완전히 망가졌구나 하는 생각에 한탄밖에 나오지 않았다.

그래서 무료 변호를 맡아줄 변호사를 찾아주어야겠다는 생각으로 한일변호사협의회 회장을 맡고 있는 경수근 변호사에게 사정을 얘기하고 사건을 부탁했다. 다행히 그는 흔쾌히 승낙을 했다. 그래서 2009년 4월에 재심신청을 했고 2010년 5월에 재심개시 결정을 받았다. 얼마나 반가운 일인가. 그 후 6월에는 공판기일 결정이 나왔는데 경 변호사와 둘이 걱정이 되는 것이 있었다. 보통 재판하듯이 재판을 하게 되면 일본에서 증인들이 와야 한다. 물론 이제는 마음 놓고 한국에 올 수 있지만 증인 한 사람의 공식소환 절차만 해도 수개월이 걸릴 것이고 출정해 준다 하더라도 이 핑계 저 핑계로 연기를 거듭할 수도 있었다.

그래서 나는 공판기일에 내가 나가는 것이 옳다는 생각을 했다. 나이가 들 만큼 든 노(老) 변호사가 옆에 나와 앉아 있으면 재판장이 뭔가 특별히 고려해 줄지 모른다는 가냘픈 기대를 하면서 말이다. 첫날 공판에서 경 변호사가 증인 신청을 하려 했더니 재판장은 증인은 그만두고 서증(書證)을 잘 정리해서 제출하라고 했다. 우리는 놀랐다. 재판장의 심사를 짐작할 수 있었기 때문이다. 그래서 우리는 밖으로 나와서 재판장이 서증만 가지고 재판을 할 것 같은 인상이라고 의견을 주고받으면서 빨리 끝날지도 모른다는 예측을 했다. 물론 재판장을 잘 만났다는 말도 서로 잊지 않았다. 그러면서 재판장이 재심개시 결정을 할 때에는 기록을 다 열람했을 것이고 그렇다면 먼저 판결에서 반국가단체의 구성원이라는 엉뚱한 혐의를 받은 조신부라는 증인을 일본에서 불러오지 않아도 무죄판결을 받을 수 있을 것이라는 희망의 말을 주고받았다.

다음 기일에 위원회에서 보내온 서류를 정리하여 경 변호사가 서증으로 제출했는데 재판장은 검사의 동의 여부를 물은 뒤 결심(結審)한다고 말했다. 증인을 부를 필요가 없다는 결론이다. 정말로 증인이 없는 간단한 재판이었다. 혹시 변론을 하게 되면 내가 하기로 경 변호사와 미리 작정을 해놓고 있어서 내가 변론을 했다. 변론이라야 할 게 있겠는가. 피고인이 어려서 모국으로 유학을 왔다가 그릇된 수사와 재판 때문에 인생이 완전히 망가졌다, 이번에도 스스로 진실화해위원회에서 진실규명의 결정을 받고 한국에 왔지만 돈 한푼 없어서 경 변호사에게 부탁을 했다, 나는 지금 법정에 나올 만한 건강 상태가 아니지만 나의 잘못으로 이 사건이 이렇게 꼬인 것이기 때문에 안 나올 수가 없었다, 이렇게 통사정했다.

결국 다음 기일에 이종수는 무죄판결을 받았다. 어떻게 해서든지 빨리 결론을 내주어야겠다는 재판장의 성의가 눈에 보였다. 오랜만에, 그것도 아주 오랜만에 인간다운 훌륭한 재판장을 만났다는 느낌에 과거지사는 모두 잊어버렸다. 저런 재판장이라면 사법부는 바르게 갈 것이라는 인상도 강하게 받았다. 다음에 받아본 판결문에는 지난날의 재판의 잘못에 대하여 구구절절 사죄하는 글귀가 넘치고 있었다. 굳이 재판장의 성함을 밝히면 이강원(李康源) 부장판사다. 우리가 기대하는 성숙한 사법부란 바로 이런 것이 아니겠는가? 이종수도 감동했으리라고 믿는다.

법정 밖에서 서로 기쁨을 나누고 있는데 이종수가 방청석에 나와 있던 진실화해위원회의 조사관을 소개해서 그녀에게도 고맙다고 인사를 하였다. 그녀가 쓴 조서는 진실성이 눈에 보이는 살아 있는 조서였다. 그런데 늘 방청을 오는 듯한 어떤 사람에게서 보상을 해줄 예산이 없어서 요새는 무죄판결이 되면 검사가 무조건 상고한다는 말을 들었다. 그러면 안 되지 하는 생각으로, 생전 처음으로 고등검찰청의 담당부장과 검사를 찾아가서 이 사건만은 절대로 그래서는 안 된다는 사정을 이야기했다. 물론 그 때문은 아니었겠지만 검찰도 사건의 실체를 이해하고 상고를 포기해 주어 이종수는 완전이 무죄로 확정되어 한을 풀었다. 사랑하는 손자를 만나기 위하여 한국을 수십 번씩 드나들었던 돌아가신 그의 할머니도 이제는 기뻐하시리라.

그러나 검찰과 사법부는 이에 대한 책임을 어떻게 질 것인가? 어닌지 석연치 않은 여운이 내 가슴을 짓눌렀다.

독일인의 금괴밀수 사건

1968년경 어느 날 독일 대사관의 대공사가 나에게 전화를 했다. 지금 독일인 한 사람이 금괴를 밀수하려다가 김포세관에서 적발된 후 서울지방법원 재판에서 징역 2년의 실형을 받았는데 항소심을 맡아달라는 것이다. 그러면서 하는 말이 조금 가지고 있던 돈은 제1심 변호료로 다 써버리고 현재는 무일푼이라고 했다. 나는 즉석에서 승낙했다. 독일 공사와 대사를 서너 번 만난 일이 있었을 뿐이었는데 어찌된 일인지 내가 독일 대사관의 고문변호사라는 말이 돌았고 어느 신문에도 그런 기사가 난 것으로 기억한다. 그런 독일 대사로부터 모처럼 부탁을 받고 그의 체면을 고려해서 승낙을 한 것이었다. 그런데 해외교포문제연구소 소장과 이사장을 지내면서 해외교포에 깊은 관심이 있던 나로서는 잘 맡았다는 생각이 들었다.

당시 우리나라는 가난해서 독일 광산에는 대학을 졸업한 사람들이 광부로, 독일 병원에는 젊은 간호사들이 나가 일하고 있었다. 독일인 피고인을 변호해 봤자 결론은 항소기각이 뻔했지만 내가 변호만 해주면 혹시라도 독일에 나가 있는 우리 광부나 간호사 중 도움이 필요할 때 독일 변호사가 무료로 변론을 해주지 않을까 하는 기대감을 가진 것이다. 독일인 한 사람 변호하고 그런 거창한 기대를 가질 필요는 없다고 말하는 사람이 있을지 모르지만 동포애라는 것은 원래 그런 것이 아닌가 싶다.

당시 그 독일인은 영등포교도소에 수감되어 있었는데 몇 차례 면회를 갔다. 본인도 다 인정하는 사건이고 할 말이 많은 사건도 아니어서 잠깐 만나고 헤어지곤 했다. 그에게는 형의 경감은 기대할 수 없다는 것을 말해주고 형이 확정되면 가석방이나 빨리 되도록 노력하겠다는 말로 위로하였다. 그러나 항소심에 가서는 재판장에게 내가 변호를 맡게 된 경위와 의견을 말하고 가벼운 형이나 집행유예를 부탁하였지만 사건이 사건인지라 소용이 없었다. 항소심은 간단히 끝났고 판결은 예측한 대로 항소기각이었다. 징역 2년 그대로다. 상고는 피고인의 동의를 얻어 포기했다.

그때부터 나의 진짜 변호는 시작됐다. 외무부와 법무부를 번갈아 다니면서 독일인을 가석방하거나 집행정지를 하여 하루라도 빨리 본국으로 돌려보내라고 설득했다. 교도소에 외국인이 있으면 외국인의 입에 맞도록 식사를 제공하는 것도 번거롭고 독일어를 할 줄 아는 교도관도 없어서 처우가 어려울 것이라고 법무부의 약한 곳을 찌르기도 했다. 독일에 나가 있는 많은 광부와 간호사 중에 범법하는 사람이 있으면 이 사건의 사례(事例)를 이용하라고도 했다. 이렇게 노력한 결과 예상보다 훨씬 빨리 석방되어 본인은 본국으로 돌아갔고, 독일 대사관으로부터 고맙다는 말을 들었다.

세계일주 초대장

그러고 나서 한 2년쯤 지났을까 있었던 일이다. 사실 이 말이 하고 싶어서 이 글을 쓰는 것이다. 독일의 루프트한자 항공사로부터 정중한 초대장을 받았다. 내용인즉 프랑크푸르트와 런던 간의 항공 증편(增便)으로

새로 취항식을 하는데 한국의 귀빈으로
서 참석해 달라는 것이다. 그런데 어떻
게 젊은 변호사인 나를 선택했을까? 알
수 없는 노릇이었다.

이렇게 저렇게 알아본 결과 먼저 변
호를 맡았던 독일인이 금괴를 밀수할
때 이용했던 항공사가 바로 루프트한자
였다. 이 사건은 독일에서도 크게 보도
되었기 때문에 루프트한자는 관심을 갖
고 지켜보았다. 그런데 어떤 젊은 한국
인 변호사가 그 사건을 맡아서 무료로
변호해 주는 것을 보고 고마운 사람이

국빈으로 초대받아 독일에 갔을 때 베를린의 브란덴
부르크 문 앞에서

라고 느꼈던 것이다. 사건이 끝난 뒤에도 내가 외무부와 법무부로 뛰어다
니며 당국자를 설득하려고 노력했다는 이야기도 전해 들어 알고 있었다.
그러다 취항식이 기회라고 생각하여 나를 귀빈으로 초대한 것이다.

참으로 놀라운 일이다. 비록 승객이라고 하지만 그는 금괴 밀수범이었
고 독일의 위신을 손상했으면 했지 별로 유익한 인물은 아니다. 밀수범이
아니라고 할지라도 자기 비행기를 한번 이용한 것밖에는 없는데 그 사람
을 무료로 변호하였다고 하여 취항식에 초대하면서 세계일주까지 하라고
비행기표를 넣어서 보내다니 감탄할 수밖에 없었다. 독일 정부의 권고가
있었을지도 모르지만 그래도 역시 놀라울 뿐이다.

당시 나는 한참 많은 사건에 시달릴 때여서 취항식에도 참석할 수가 없
었고 세계일주도 포기할 수밖에 없었다. 그러고 나서 2년인가 3년 후 집
사람과 함께 영국 런던에 가 있을 때 독일 정부로부터 초청을 받았다. 귀

국하는 길에 1주일 정도 독일을 방문해 달라는 초청장이 내가 묵고 있는 호텔에 와 있었던 것이다. 초청에 응해 독일을 방문했는데 거의 국빈과 같은 수준의 대접을 받았다. 박정희 대통령이 묵었던 호텔에 우리가 묵을 방이 마련되었고 벤츠 승용차와 한 명의 비서가 제공되었다.

독일 정부나 루프트한자 항공사가 자국민과 승객을 보호하는 진지한 자세에 감동받았던 일이다.

공원 용지 불하 사건

1960년대 후반의 일이다. 현직 재무부 장관이 연루되어 당시 신문에 크게 보도된 사건이 있었다. 변호사가 반대신문을 위하여 얼마나 머리를 써야 하고 공을 들여야 하는가를 경험했던 사건이다.

사건의 내용은 현직 재무부 장관이 특정인에게 사직공원 용지의 일부를 불하해 주라고 담당부서인 서울시 관재국장에게 지시를 했다는 것이다. 공소사실에는 장관이 직접 전화를 건 것이 아니라 비서관을 통하여 그와 같은 지시를 했다고 돼 있었지만 장관은 물론 비서관은 그런 전화를 한 일이 없다고 부인했다.

반대신문의 요령

문제는 죄명이 아니라 사실의 유무였다. 그런데 사건이 중앙정보부에서 다루어진 것을 보면 장관이 미움을 산 것 같았다. 중앙정보부에서 아무 사건이고 막 다루는 시대여서 그 점만을 놓고 이러쿵저러쿵 말할 수는 없었지만 재무부 장관이 대통령선거 자금을 모으는 데 비협조적이어서 이렇게 됐다는 소문이 들리기도 했다. 과연 사건을 수임하고 보니 장관을 잡기 위한 정치적 조작의 냄새가 풍겼다.

어쨌든 장관도 비서관도 그런 지시를 한 일이 없다고 부인했지만 서울시 관재국장의 증언과 비서관의 자백조서가 근거가 되어 두 사람은 기소가 됐는데 장관은 불구속, 비서관은 구속기소가 되었다. 사건을 위임받은 나는 의뢰인들이 부인하는 말에 진실성이 있다는 심증을 갖고 관재국장의 증언이 허위라는 것을 증명하기 위하여 심혈을 기울였다.

관재국장은 내 질문에 비서관으로부터 그러한 지시를 받을 때에 왼손으로 수화기를 잡고 오른손으로 명함꽂이 맨 위에 있던 명함에 '사직동 1번지 ○평 아무개'라는 식으로 써넣었다고 했다. 검사는 넉 줄로 연필 글씨가 쓰여진 이 명함을 증거로 내놓았다. 그러므로 제출된 명함 증거를 깨는 것이 선결문제였다.

그러나 나는 명함 위에 적혀 있는 글씨는 사후에 조작된 것이라고 생각했다. 그래서 명함꽂이를 하나 사다가 명함을 가득 끼운 후 맨 위에 있는 명함에 본인의 말대로 왼손에 수화기를 들고 오른손으로 글씨를 써보니 명함이 빙빙 돌아가 글씨를 잘 쓸 수가 없었다. 나는 혼자 빙그레 웃었다. 여러 번 되풀이해도 마찬가지였다. 나는 여기서 관재국장이 거짓말을 하고 있다는 확신을 갖게 되었다.

명함꽂이 맨 위에 있는 명함은 명함의 주인공이 관재국장이 전화를 받기 직전에 그를 찾아갔다는 것을 의미한다. 그래서 맨 위에 꽂혀 있는 것이다. 검사가 증거로 제시한 명함의 주인공에게 확인한 결과 관재국장이 비서관으로부터 전화를 받았다고 하는 날짜보다 훨씬 전에 찾아간 일이 있다는 대답을 받아냈다. 명함꽂이에 명함이 가득 차면 누구나 그렇듯 명함을 빼내어 고무줄로 묶어서 서랍에 넣어둔다는 관재국장 여비서의 말도 비밀로 해두었다.

그렇게 보면 관재국장이 메모를 했다는 명함은 이미 서랍에 들어가 있던 것을 꺼내서 그 위에 글씨를 쓰고 명함꽂이에 다시 끼워놓은 것이 된다. 그러므로 이 명함은 사건이 터지고 신문에 크게 보도되자 장관의 지시라고 하여야만 자기가 살 수 있다는 계략으로 사후에 조작한 것이다. 글씨가 쓰여진 명함이라는 잔꾀도 수사기관의 정보부의 장난일 수 있다.

나는 법정에서 관재국장에 대한 반대신문을 시작하면서 일단은 그의 증언이 사실이라는 확인을 다시 받아냈다. 그래야만 다음에 이어지는 그의 증언이 거짓이라는 것이 더욱 두드러질 터였다. 그러고 나서 미리 준비해 간 수십 장의 명함이 꽂힌 명함꽂이와 연필을 가방에서 꺼내들고 서서히 증언대로 다가가서 그 위에 올려놓았다. 그리고 증인에게 그가 증언한 대로 왼손으로 수화기를 잡고 귀에 갖다 대는 시늉을 하면서 오른손에 든 연필로 내가 부르는 대로 써보라고 말했다. 증인은 써보려고 노력했지만 명함은 빙빙 돌아가면서 글씨가 써지지 아니하였다.

재판장은 물론 검사, 피고인, 방청객 들이 일제히 그 장면을 주목하고 있었다. 나는 결정타를 쳤다고 확신했다. 그 명함의 주인공은 몇 월 몇 일 몇 시에 관재국장을 찾아간 사람이니 비서관이 전화를 한 날 명함꽂이 맨 위에 그 명함이 꽂혀 있었다는 증인의 말은 그 점에서도 거짓말이라고 몰아붙였다. 이로써 증언의 신빙성은 완전히 무너졌다.

자백조서와 고문

그러나 전화를 걸었다는 비서관의 자백조서를 어떻게 깰 것인가? 물론 비서관은 법정에서 검사의 직접신문에 대답하면서 정보부에 구속되어 모진 고문을 받고 할 수 없이 자백한 것이라고 공소사실을 완강히 부인하였다. 나는 반대신문의 차례가 오자 그가 집에서 자고 있다가 밤중에 정보부에 끌려간 전후의 사정을 있는 그대로 생생하게 말하게 해 피고인이 얼마나 무서운 공포에 휩싸였는가를 밝히는 데 주력하였다.

끌려간 시간이 몇 시쯤이었는가? 오전 2시쯤이다. 몇 사람이 왔는가? 두 사람이다. 옷은 무엇을 입었는가? 군복 비슷한 것이었다. 자동차는 타고 왔는가? 밖에 나가보니 검은색 지프차가 대기하고 있었다. 어디로 가느냐고 묻지 않았는가, 물었지만 곧 알 것이다 하는 대답뿐이었다. 끌려간 곳은 어떤 곳이었는가, 간판은 달려 있었는가? 허름한 일본식 2층집이었는데 간판은 없었다. 끌려간 곳은 몇 층이었는가? 지하실이었다. 다른 사람이 있었는가? 자그만 방에 작은 의자가 두 개 덜렁 놓여 있었을 뿐이다. 바닥은 콘크리트였는가? 그렇다. 불은 켜져 있었는가? 어두컴컴한 방이었다. 그러고 나서 어떻게 했는가? 조금 있다가 가죽잠바 차림의 수사관이라는 젊은 사람들이 들어와서 조사를 시작하였다.

그 후 나는 조사받은 내용은 무엇이냐 물으면서 그들이 주고받은 문답 내용을 인용했다.

관재국장에게 전화를 한 일이 있는가? 공무로 전화는 더러 했다. 사직동 땅 얘기를 한 일이 있는가? 그런 전화를 한 일은 없다. 사실인가? 사실이다, 그런 일은 없다. 혼이 나야 알겠느냐? 혼이 나도 없는 것은 없다.

이런 식으로 문답을 계속함으로써 재판장을 추리소설에 나오는 공포분위기 가득한 현장으로 몰고 갔다. 재판장의 얼굴이 굳어지는 것을 느낄 수 있었다. 고문 장면을 현출(顯出)하고 있었지만 피고인과 미리 협의한 대로 고문이라는 말은 질문에서도 빼고 대답에서도 쓰지 아니하였다. 사실을 있는 그대로 파노라마식으로 전개시켜 재판장이 현장에 입회한 사람처럼 현장감과 공포감을 느끼게 한다는 작전이었다.

결국 재판장의 입에서 "피고인은 고문을 당했다는 말이로군"이라는 말이 튀어나왔다. 피고인은 "네"라는 한 마디로 대답을 끝냈다. 피고인과 내가 그런 식의 문답을 계속하다 보면 재판장이 답답해져서 그런 질문을 할 것이라고 미리 예상한 대로였다. 그 대답도 '네'라고만 하기로 협의한 그대로였다.

당시는 고문이 많은 시대였다. 살인을 했거나 방화를 했거나 시국사건이거나 가릴 것 없이 피고인은 누구나 고문을 당했다고 대드는 시대여서 고문이라는 말은 재판장에게 별 효험이 없다고 믿었기 때문에 그런 식으로 나간 것이다.

심리는 끝났다. 잘됐다 싶었지만 여느 때나 마찬가지로 판결 결과는 확신할 수 없었다. 그러나 역시 기대했던 대로 판결은 무죄였다. 명함의 기재는 조작된 것이고 피고인의 자백은 고문으로 인한 허위자백이라는 것이다.

사건은 완승이었지만 사건 준비과정에서는 의뢰인인 장관과 몇 차례 실랑이를 벌였다. 장관이라는 자리에 있었던 사람이라 그런지 "이렇게 해다오, 저렇게 해다오"가 너무 많아서 나를 지치게 만들었다. 그럴 때마다 나는 "그만두겠다, 내 소신대로 할 수 있으면 사건을 계속 맡아서 하겠지만 그렇지 않으면 변호사를 바꿔라"고 단호한 태도를 취했다.

가끔 있는 일이기는 하지만 변호사도 사건 결과에 대해 보장할 수 없는 이상 소신대로 변론한다는 것이 말같이 쉽지는 않다. 의뢰인이 해달라는 대로 하면 유죄판결을 받아도 뒤탈은 적다. 그러나 책임질 때 지더라도 자기 소신대로 하는 것이 변호사의 정도(正道)이다.

그 후 몇 해 안되어 그 재무부 장관은 급환으로 작고했지만, 비서관은 미국으로 이민을 갔는데 40년이 넘도록 연하장을 보내온다. 그때 내가 아니었으면 죽었을 것이라는 글도 몇 번 적혀 있었던 것으로 기억한다. 변호사는 이런 맛에 사는 것 같다.

증거를 은폐한 사건들

책임을 모면하려는 장관

1980년경에 세칭 '율산사건'이라는 금융사건이 있었다. 몇 개 안되는 시중 은행 중에 굵직굵직한 은행들의 은행장 4명이 사표를 내고 그 아래 간부들이 인사 조치를 당한 일이다. 그중에 한 분은 율산그룹의 주거래 은행의 행장이라는 이유로 구속까지 되는 비극이 벌어졌다. 그러나 언제나 그렇듯이 이런 사건이 터지면 금융계에서 의심을 받는 사람들의 비위 사실만 크게 보도될 뿐 정부의 책임은 거론되지 않는다. 나는 어떻게 하다가 이 사건을 맡았다.

나는 의뢰인과 상의하는 과정에서 당시 유행하던 정부 주도형 금융, 이른바 관치금융의 실체를 알게 되었다. 율산그룹과 관련된 금융문제는 재무부 장관이 직접 은행장들과 정책회의를 열고 각 은행의 대출한도까지 결정을 했지만 증거를 댈 수 없었다. 그저 은행이 담보도 없이 대출을 해주었으니 '배임(背任)'이라는 주장이었다. 그러나 나는 이것이 정책금융이니만큼 장관실에는 결재서류가 있을 수 있겠다고 생각했다. 그래서 법정에 장관을 증인으로 불러 율산에 대한 대출은 정부 주도가 아니었던가를 추궁했지만, 정책금융을 한 일도 없고 은행장들과 협의한 일도 없다고 부인했다. 따라서 결재서류라고 볼 만한 문서는 없다고 했다. 같이 사임한 다른 행장들은 한사코 증인이 될 것을 사양했다. 나는 그 서류를 찾는 데 전력을 다하는 중에 필시 한국은행에는 무엇인가 있으리라 짐작하고 탐사해 결재서류의 부본을 발견하는 데 성공하였다.

그 결과 장관의 결재가 명백한 결재서류의 부본을 법정에 제출할 수 있었다. 장관이라는 고위직에 있는 사람이 이렇게 책임을 피하고 거짓말을 할 수 있나 하는 생각으로 분한 마음을 금할 수 없었지만 우리는 그런 시대를 살았다. 의뢰인은 무죄가 되었다. 검사가 항소한 후 대법원에서는 몇 년이 지나도록 판결이 나지 않았다. 그때 담당 대법관이 시국사건에도 무죄를 많이 내는 편에 속하는 판사여서 또 상고기각을 하자니 주저스러워서 시간이 걸리나보다 하고 좋게만 생각을 하고 있었다. 하지만 수년씩이나 걸리니 피고인은 아우성이었다. 당연한 일이 아닌가.

그러다가 그 사건은 그대로 놔둔 채 담당 대법관이 정년이 되어 퇴임하였다. 적어도 퇴임 전에는 판결을 해주리라고 믿었지만 아니었다. 이럴 수가 있나 싶었지만 달리 방법이 없었다. 얼마 후 후임 대법관이 취임하였고 1년도 채 되기 전에 상고기각으로 무죄가 확정되었다. 대법원 판결이 있은 뒤 의뢰인이 퇴임한 담당 대법관이 변호사를 하고 있는 사무실을 찾아가서 분풀이를 하겠다는 것을 말리는 데 혼이 났다. 사건의 심리나 판결을 너무 오래 끄는 것은 부정의(不正義)다.

이사회 회의록을 감춘 이사장

꽤 오래된 은행이 부산에 있는 어느 대학에 담보를 제대로 다 받고 대출을 한 일이 있었다. 그러나 그 대학은 돈을 어느 임원이 개인적으로 빌린 것이므로 학교와는 관계가 없는 일이며 이사회의 결의도 없었다고 딱 잡아뗐다. 그리고 돈을 갚지 않았을 뿐만 아니라 은행의 담당 상무를 배임죄로 고소했다. 사건은 부산지방법원 단독판사가 맡았는데, 그 대학 출신의 젊은 판사였다. 나로서는 불안하기 짝이 없는 일이었지만 담당판사가 그 대학 출신이라는 이유로 함부로 재판을 하지는 않을 것이라고 믿었다. 이 사건을 맡아 의뢰인과 함께 부산을 오가면서 기차 안에서 많은 은행 이야기를 들을 수가 있었으니 그것도 하나의 공부였다면 공부였다. 그 당시 은행 상무는 상당한 사회적 지위와 권한을 갖고 있었는데 이런 일도 있구나 하고 같이 한탄했다.

나는 필시 이 대학이 돈을 빌려간 것은 틀림이 없으며 따라서 법인 이사회에서 결의도 했을 것이라는 믿음으로 이사회 결의서를 찾기 위해 말하자면 또 하나의 007작전을 시작했다. 결국 이사회 결의서를 찾아냈다. 그러고 나서 법정에 이사장을 증인으로 불러놓고 정말로 이사회 결의가 없었느냐고 이리 따지고 저리 따졌더니 절대로 이사회 결의는 없었다는 증언을 했다. 여러 가지 방법으로 거짓말을 잔뜩 시켜놓은 다음에 주머니에서 서류를 꺼내면서 이 서류를 보라고 하며 이사회 결의서 부본을 내밀었다. 그는 어디서 났느냐고 되물었지만 그건 알 필요가 없다고 대답하면서 결의한 것이 사실이 아니냐고 힐문하니 유구무언이었다.

이 사건도 고위직에 있는 사람이 중요한 증거를 은닉하는 데서 억울한 피고인이 생겨난 사건이라는 점에서 율산사건과 같다고 할 수 있다. 어쨌든 이렇게 해서 더 재판을 계속할 필요가 없게 되어 무죄판결을 받았다.

그 후의 일이다. 내가 한국법학원장으로 있던 무렵 대법원장이 만나자고 하기에 찾아갔다. 대법원장은 몇 사람의 대법관 후보를 놓고 의견을 물었다. 그런데 그 후보 명단에 20여 년 전 그 사건을 맡았던 판사의 이름이 있는 게 아닌가. 나는 서슴없이 그 판사를 추천했다. 그러고 나서 얼마 후 부산에 갈 일이 있어서 기차를 타고 있었는데, 바로 뒷자리에 대법관이 된 그 판사가 앉아 있어 고맙다는 인사와 함께 후일담을 들을 수 있었다.

간통 사건을 맡지 않은 이유

민법이 규정하는 재판상의 이혼 원인 중의 첫째로 꼽는 것이 배우자의 부정(不貞)행위이다. 그중에서도 현실적으로 주종을 이루는 것은 아무래도 남편의 간통이다. 내가 검사로서 간통고소 사건을 다룰 때는 언제나 두 사람을 불러 다시 화해시키고 고소도 취하하게 만드는 것을 조사의 목표로 삼았다. 그래서 한 건도 기소한 일이 없다. 이러한 생각은 변호사를 개업한 후 간통이나 이혼 사건을 의뢰받을 때도 마찬가지였다. 부부가 잘 살도록 도와줄 수는 있어도 헤어지게 도와줄 수는 없었다. 그러므로 변호사를 개업하고 수년 사이에 이혼 사건을 맡아달라는 부탁을 몇 건 받은 일은 있었지만, 모두 사양했다.

이혼 사건을 맡아달라고 나를 찾아온 부인들은 대체로 남편의 간통을 이유로 들었다. 간통을 이혼사유로 삼자면 남편을 고소하여야 하는데 그것은 더욱 내 취향에 맞지 않았다. '변호사가 남을 고소하다니'라는 생각 때문이었다. 그래서 변호사를 하고 있는 동안 고소 사건은 맡아본 일이 없다.

물론 간통에도 여러 가지 형태가 있어서 한마디로 구별할 수는 없지만 나는 간통을 남편의(혹은 아내의) 일시적 과오로 보는 쪽이며 사람의 선의를 믿는 편이다. 사람은 누구나 그것이 무슨 일이 됐든 과오를 범하게 마련이라는 인간의 본성과 한계를 인식하고 있기에 그런 식으로 생각하고 있는지도 모른다.

시대상황도 크게 작용했을 것이다. 내가 검사를 하던 1960년대에는 우리나라의 경제적 발전도도 낮고 여성의 사회적 지위도 낮았다. 이유야 어떻든 이혼도 좋게 받아들여지지 않던 시대였다. 그러므로 이혼을 하면 여성의 경제적, 사회적 고통은 엄청났다. 남편의 과오를 용서하고 다시 옛날같이 지내는 것이 괴롭더라도 아내의 실리를 위하여 좋다는 것이 또한 나의 생각이었다.

그러나 나는 원칙적으로 이혼 자체에 찬성하지 않는다. 그것은 시대상황이 달라져 여성의 경제적, 사회적 지위가 향상된 현재에 있어서도 마찬가지이다. 남편이든 아내이든 과오는 언제나 있게 마련이며 서로 용서하는 데서 부부 간의 사랑은 깊어지고 사람은 성숙할 수 있다. 인간의 생활이 이론으로 설명하기 어렵듯이 부부의 생활도 논리적으로 설명이 되지 않는다.

어느 중년 부인의 경우

한번은 한 중년 부인으로부터 남편의 간통을 이유로 이혼 사건을 맡아 달라는 부탁을 받았다. 앞서 설명한 이유를 들어 나는 사양하고 돌려보냈다. 그러나 그 부인은 나를 또 찾아왔다. 두 번씩이나 찾아온 의뢰인을 또 거절할 수도 없어서 정 나에게 그런 부탁을 하고 싶으면 내가 믿을 만한 다른 변호사를 소개할 수는 있다고 말했다. 그때 부인은 비로소 나를 찾아오기 전에 이미 다른 변호사 세 분을 만났는데 모두 이혼청구소송을 맡아주겠다고 했으며, 그중에는 남편 욕을 하는 사람도 있었고, 어려운 결심을 했다고 칭찬해 주는 변호사도 있었지만 무엇인가 마음 한구석에 걸리는 것이 있어서 또 나를 찾아왔다고 말했다.

나는 그 부인에게 이혼을 하고 싶어서 변호사를 3명이나 찾아갔고 변호사가 그렇게 하자고 자기 소망을 들어주었는데도 다시 나를 찾아온 것이냐고 다시 물었다. 부인은 그렇다면서 이혼을 하지 말라는 나의 말을 듣고 속이 편안해졌다고 말을 한다. 남편이 하는 짓을 보면 밉고 속상해서 고소도 하고 이혼도 하고 몇 년쯤 징역이라도 살게 하고 싶었지만 마음속 어느 깊은 곳에는 그래서는 안 되지, 자식들도 있는데 내가 남편을 고소하고 이혼을 해서는 안 되지 하는 사랑의 외침이 있는 듯했다고 했다. 사랑이라는 말이 안 맞으면 정이라 해도 좋다. 한번 사랑했던 부부라면 아무리 미워도 마음 어느 한구석에 사랑이 남아 있다는 생각이 든다. 그것이 '고운 정, 미운 정'이라고 하는 정이 아닐까? 이 부인의 경우가 그랬던 것 같다.

그 후 1년인가 지난 후에 그 부인이 사무실에 들렀다. 무슨 일인가 했더니 그때 이혼하지 말라는 말을 듣고 고소를 하지 않고 조용히 지냈는데 지금은 화목하게 잘 산다, 고맙다는 말을 하기 위해서 들렀다는 것이다. 남편도 그렇게 사람이 달라질 수 없다는 말도 보탰다. 고마워해야 할 사람은 나였다.

1960년대니까 가능한 이야기고, 다 옛날이야기니 그만두라면 할 말은 없다. 그러나 복수심에 불타 한때 행복하게 지내던 남편을 고소하고 이혼을 한 후 자식을 버리고 홀몸이 되면 마음이 편안할까? 새 남편, 새 아내를 만나면 불편한 마음은 가라앉을까?

결손가정과 자식 부양의 책임

내가 한국법학원장을 맡고 있던 1995년경의 일이다. 고려대의 최달곤 교수가 운영하던 한일법학회에서 한중일 학자들이 모여 가족법 세미나에서 이혼사유를 다루기로 했으니 축사를 해달라는 부탁을 받았다. 한중일의 가족법학자가 모이는 자리에서 내가 무슨 말을 할 수 있을까? 주저가 됐지만 나가기로 했다.

나는 그 자리에 모인 법학자들이 모두 동양의 학자들이라는 데 착안해 축사를 했다. 서양의 가족법은 이혼사유가 너무 많고 자의적인 데가 많아서 이혼이 너무 자유롭다는 생각이 드는데, 그 때문에 이혼가정에서 태어난 아이들이 얼마나 불행을 겪는지 모른다. 이혼할 때 자식은 부모를 잃는 것이나 마찬가지다. 부모 중 한쪽을 잃는다는 것은 부모 양쪽을 모두 잃는 것과 큰 차이가 없기 때문이다. 미국에 비행소년(非行少年)이 많고 청소년 마약사범이 많은 것도 이와 관련이 있다고 생각한다. 우리 동양에서는 협의이혼을 빼놓으면 이혼사유가 비교적 엄격하게 적용되지만 점차 느슨하게 해석되고 있어서 걱정이 된다. 한국에 비행청소년이 증가하고 있는 데에는 이혼이 쉬워져 아이들이 버림을 받는 일이 늘어난 것이 큰 원인이라고 생각한다. 우리의 이혼사유를 바로잡아 동양인의 건전한 가족제도의 장점을 살리고 서양의 가족제도가 붕괴되고 파괴되는 것을 막아서 인류를 구원해야 한다. 그것이 여러분 동양가족법 대가들이 하여야 할 일이다.

한중일 삼국의 대가들 앞에서 지나쳤다 싶었지만 이듬해에도 다시 축사를 해달라는 부탁을 받아 그런 대로 마음을 놓았다.

나는 언젠가 미국 뉴욕 주의 맨해튼 검찰청의 검사장을 만나 미국에 비행소년, 그것도 흉악범, 마약사범이 많은 것은 부모들이 개인적인 욕구와

한중일 가족법 세미나에서 축사를 하고 있는 필자

행복만을 추구하기 위하여 자식을 함부로 버리고 무책임하게 이혼하는 데 원인이 있다고 말하면서 동양의 가족제도를 본받아 아이들이 부모의 사랑을 받고 자랄 수 있게 하면 비행소년이 많이 줄어들 것이라고 강조한 일이 있다. 그런데 이제는 우리가 서양의 그 무너진 가족제도의 뒷자락에 매달리고 있는 형세가 됐으니 안타깝기만 하다.

이혼의 자유와 자식의 불행 그리고 인권

한국의 부모는 자식을 위해서 산다는 말도 있었지만 그것도 옛말이 된 것 같다. 부부가 어느 한쪽의 잘못으로 이혼을 하는 경우라도 자기가 낳은 자식에게 불행의 원인을 제공하여서는 안 된다. 자식에게 가장 가까운 사람인 부모가 자기의 행복을 찾기 위하여 아무런 잘못이 없는 어린 자식에게 불행을 떠넘기는 이혼행위는 반인륜행위이며 인권유린이라는 생각을 지울 수가 없다. 이혼으로 인하여 노부모를 버리는 행위도 마찬가지다.

　나는 이렇듯 이혼문제를 단순히 부부의 문제로 보지 않고 자식을 포함한 가족 전체의 문제로 보며 인류 공통의 문제로 보기 때문에 보편적인 인권문제로 다룬다. 여성에게 부정행위를 한 남편을 용서하라고만 말할 수는 없지만 자식을 양육할 책임은 그보다 무거운 것이 아닐까? 그러므로 부모로부터 버림을 받은 자식의 인권문제는 이혼의 자유라는 부부의 인권에 앞서 보장되어야 한다. 부부(부모)가 자유롭게 이혼을 해도 자식이 부모 밑에서 사는 것과 다름없이 양육될 방법을 제시할 수 없기에 나는 검사를 할 때나 변호사를 할 때나 이혼에 동의하지 않고 간통 사건이나 이혼 사건을 다루지 않은 것이다. 자식의 양육은 부부 공동의 책임이므로 부부가 양육 책임을 지지 않는 이혼을 인정하여서는 안 된다. 부부가 자신의 자유와 인권을 누리기 위하여, 자식의 권리를 짓밟고 인권을 유린하는 잔인한 행위가 계속 용서받아서는 안 된다. 이런 의미에서 현재의 이혼법 체계는 허술하고 공허하다.

8장

정주영 회장과 나
그리고
아산재단

정주영 회장과의 친교

현대그룹의 정주영 회장은 1977년부터 87년까지 10년간을 전경련 회장이라는 중책을 맡았다. 그 10년간은 박정희 정권의 말기, 전두환 대통령의 시대여서 정부가 현대건설에 요구하는 일도 적지 않아 정 회장은 정부와 충돌할 때가 많았다. 게다가 하고 싶은 말은 가리지 않고 하는 성품 때문에 두 대통령과도 부드러운 관계는 아니었다고 짐작한다. 그래서 그가 회장으로 있던 전경련 10년은 종전의 회장이 조용히 그 자리를 지켰던 때와는 큰 대조를 이룬다. 정부의 경제정책에 대해 옳고 그른 것을 가리고 따졌기 때문에 정부 입장에서는 정 회장이 껄끄러운 존재였다. 그 때문에 현대그룹 사업까지도 간섭을 받아 힘들어하는 일을 많이 보았다.

당시 나는 현대건설주식회사의 법률고문을 맡고 있었다. 1968년경 전임 강서룡(姜瑞龍) 변호사가 국방부 차관으로 부임하면서 나를 소개한 것이 인연이 되어 시작한 일이었다. 1977년 아산사회복지사업재단(이하 아산재단)이 설립되기 전만 해도 내가 하는 일은 현대건설의 일이 중심이었다. 1970년대는 통신이 매우 불편할 때여서 지금처럼 이메일이나 팩스 같은 것으로 바로바로 서류를 주고받을 수 없었다. 정 회장이 조선소를 건립하느라고 울산에 체류하고 있을 때에 급히 외국에 긴 편지를 써야 할 일이 생기면 전화로 할 수밖에 없었다. 그럴 때는 전화로 정 회장이 생각하는 바를 나한테 일러주면 내가 의문이 나는 것은 질문을 하면서 10분이고 20분이고 통화를 했다. 그렇게 정 회장의 뜻을 파악해 요령 좋게 편지를 쓴 다음 또다시 전화로 글의 내용을 읽어드리면, 정 회장은 더러 다른 의견을 주기도 했지만 대개는 그대로 작성돼서 보내졌다. 정 회장이 먼저 글을 쓰고 나에게 수정을 맡기는 일도 있었다. 그럴 때는 의견이 생기는 것은 맘 놓고 자르기도 하고 다시 써서 읽어주었다. 이런 일을 하다보면 회사 일에 관하여서도 정 회장과 나는 생각하는 것이 같거나 비슷한 것을 알 수 있었다.

법률고문의 일

나는 법률고문이었지만 회사 일은 물론이고 정 회장의 개인 일과 가족 일까지도 의논하는 상대가 돼 있었다. 지금 현대그룹은 현대건설을 중심으로 몇 개사, 현대자동차를 중심으로 몇 개사, 현대중공업을 중심으로 몇 개사가 따로 따로 뭉쳐져 있고 다른 회사들은 전부 분산되어 있는데다 운영권도 자식들에게 넘어갔기 때문에 그룹의 양적, 질적 내용이 달라졌지만, 그때는 그분 혼자 현대그룹 전체를 운영하고 있었다. 그래서 큰일 잔일 불문하고 나하고 의논하고 싶은 것이 생기면 때를 가리지 않고 불러댔다. 새벽잠이 없는 그분은 새벽 시간도 가리지 않고 전화를 걸어왔다. 나는 그분이 부르면 아무리 힘든 시간이어도, 내 일이 아무리 바빠도 제쳐놓고 달려갔다. 그럴 때면 안에서 회의를 하는 중이어도 비서가 내가 왔다고 알리면 그분은 나를 안쪽으로 불러들여 옆 테이블에 앉게 한 후 회의도 대충 끝내고 나와 이야기를 시작했다. 회의를 하던 사람들도 내가 왔다 싶으면 서둘러 그 자리를 떴다. 밖에서 기다리게 하는 일은 없었고 후배인 나에게 예절을 깍듯이 지켰다. 그분의 장점이다.

정 회장과 나눈 이야기는 참으로 다양했다. 회사 이야기가 중심이기는 했지만 정치 이야기도 언제나 곁들었다. 박정희 대통령이 살아 있을 때에는 도청을 당할까봐 라디오를 틀고 이야기를 했다. 그분은 그분대로 대사업가로서 정치에 관심이 많았고 나는 나대로 정국의 변화를 알기 위해서 정치에 관심을 가졌지만 정 회장이 언제나 원칙론에 매달리는 나의 말을 경청하는 데는 놀랐다. 박 대통령이 뭔가 잘못한다고 느낄 때에는 대통령 옆에서 충고하고 간언(諫言)하는 사람이 있으면 그러지는 않을 텐데 그런 사람이 없는 것이 불행하다는 이야기를 하면서 정 회장과 나와의 관계를 비유해도 늘 동감을 표시했다. 그런 나의 말에는 정 회장이 섭섭하게 느낄 내용도 있었지만 모두 받아들였다. 그분이 큰 그릇임을 알려주는 한 장면이기도 하다. 회사 이야기를 할 때에는 내가 회사 경영 내용을 알 까닭이 없어 법률이나 상식적인 입장에서 옳고 그른 것을 가려 직언을 했다. 그렇다고 정 회장이 내 이야기대로 모든 것을 집행한 것은 아니지만 많은 이야기를 들어주었다.

경제에 대한 관심

내가 경제나 회사 경영을 알 까닭이 없다고는 했지만 그래도 당시 법률 공부한 사람치고는 경제 쪽에 꽤 관심을 갖고 있었다고 자부한다. 나는 첫번째 변호사시험에 떨어지고 두 번째 시험에 합격을 했는데, 두 번 다 선택과목에서 경제원론을 선택했다. 왜 그때 내가 경제학을 선택과목으로 결정했는지 모른다. 검사가 돼서 일을 할 때에는 남보다는 좀더 일찍 출근해서 영자 신문과 경제 신문을 읽었다. 영자 신문은 영어를 열심히 해서 원서를 읽겠다는 목적이 분명히 있었지만, 경제 기사에 관심이 많았던 것은 왜 그랬는지 모르겠다. 그래도 그것이 공부가 되었는지 경제 관계 사건을 많이 다루었다. 그런 것들이 도움이 돼서 정 회장이 내 말을 경청하게 할 수 있었는지 모른다. 그분은 사업의 경험으로 경제를 이야기했다면 나는 이론적인 지식으로 경제를 이야기했다. 그러나 그분과의 만남이 길어지면 길수록 나의 경험도 풍부해져서 회사 경영이나 경제문제에 대해서 꽤 아는 척하는 나쁜 버릇이 생겼을지도 모른다.

그런 식으로 그분과의 만남은 그분이 돌아갈 때 까지 40년 가까이 시속되었으므로 내가 하는 이야기라면 정 회장이 무엇이든지 들어준다는 소문이 났다. 회사의 간부들 중에 좋은 아이디어를 내어가지고 모처럼 칭찬을 받으려고 결재를 받으러 들어갔다가 야단만 맞고 나온 사람이 나에게 대신 결재를 받아달라고 부탁하는 일도 여러 번 있었다. 그런 경우 나는 정 회장에게 결재를 받으며 그런 직원이야말로 회사를 위하여 충성을 다하는 직원이라는 칭찬을 꼭 보탰다. 결재를 받지 못하면 그만이지 나를 대신 들여보냈다고 그 간부가 욕을 먹을 수도 있었기 때문이다. 물론 나도 부탁하는 사람에게서 충분히 설명을 듣고 자신이 있을 때만 회장실로 들어갔다. 이처럼 자세한 설명을 들으면 회사 경영에 대해 큰 공부가 되는 것은 말할 것도 없었다.

하지만 나는 정 회장과 만날 때 항상 조심스러웠고 대화를 할 때에는 그분에게 도움이 될 만한 말을 골라 하려고 노력했다. 그분 입장에서는 교훈적인 말로 들려서 건방지다고 느끼는 경우도 있었겠지만 그분에게서 반론으로 들릴 만한 말은 별로 들어보지 못했다. 『논어』 「학이편(學而篇)」에 다음과 같은 말이 나온다. '吾日三省吾身 爲人謀而不忠乎 與朋友交而不信乎 傳不習乎(오일삼성오신 위인모이불충호 여붕우교이불신호 전불습

호)', 나는 매일 세 가지에 대해 반성한다, 남을 도울 때에 정성을 다하지 않는 일은 없었는가, 친구와 사귀면서 신의를 깨버린 일은 없었는가, 제대로 알지 못하면서 아는 체하고 말을 건네는 일은 없었는가. 나는 늘 이런 자세로 그분을 도왔다.

영부인의 인내와 공로

나는 정 회장과의 이런 친교 덕분에 그분의 인간적인 모습도 지켜볼 수 있었다. 정 회장은 자제가 회사 사건에 연루되어 문제가 되면 만사를 제치고 살릴 길을 찾았다. 나도 그런 사건을 많이 다뤄보긴 했지만 정 회장만큼 자제에게 집착하는 분을 본 일이 없다. 정 회장의 영부인도 잊을 수 없는 훌륭한 분이다. 큰 사업가의 부인이지만 조선 현장의 근로자들을 위하여 직접 김치를 담그는 수고를 마다하지 않았을 뿐 아니라 견디기 어려운 남편의 정신적 압박을 모두 소화하고 사업에 지장을 주지 않았다. 영부인도 더러는 나한테 오셔서 답답한 심정을 토로하기도 했지만 그 모든 것을 참고 견디며 도운 공은 어떠한 표현으로도 부족하다. 돌아가시기 전 10여 년간 병원 생활을 하면서 남편이 먼저 세상을 뜨신 것도 모르고 5~6년간을 더 있다가 작고하셨다. 나는 그 사실이 너무나 안타깝다.

생일만찬과 가을 등산

내가 단순히 현대의 법률고문직일 뿐이었다면 정 회장과의 친교를 말하기가 어려울지 모른다. 사적으로도 무척 가깝게 지내고 대접을 받았기에 정 회장과의 관계를 친교라고 말할 수 있는 것인데, 이런 일도 있었다.

11월 25일은 정 회장의 생일인데 그때가 되면 삼청동 영빈관에서 식구들이 모여서 식사를 같이했다. 모든 식구들이 다 모이면 4~50명이 넘었다. 생일만찬에는 외부 손님도 초청되었는데, 그중 4~5명 정도가 정 회장과 같은 테이블에 앉아서 식사를 했다. 나는 한 번도 빼놓지 않고 정 회장의 옆자리에 앉아서 덕담으로 시간을 보내고 했으니 자제들도 정 회장과 나와의 관계가 어떻다는 것을 알게 되었을 것이다.

같이 등산을 다닌 일도 기억에 남는다. 나는 검사 시절부터 산을 즐겨 다녔는데, 정 회장도 그걸 알고 언젠가 한번 같이 산에 가자는 말을 했다. 그래서 어느 해인가 가을 단풍 때를 골라 오대산 주전계곡에 같이 모시고 갔다. 사장, 간부 몇 사람도 그 산행에 동행했다. 한계령을 넘어 내려가다가 중간에 오른쪽으로 들어가면 주전계곡이 나오는데, 단풍이 일품이다. 단풍이 좋다는 곳을 많이 듣고 가봤지만 계곡과 봉우리, 단풍이 같이 어

정주영 회장의 생일만찬에서(제일 뒤 오른쪽부터) 정주영 회장, 필자, 필자의 처 정순옥

우러진 풍경은 주전계곡만 한 데가 없다는 것이 나의 생각이다. 주전계곡에서 출발하면 올라가는 길이 아니고 내려가는 길이어서 바닥은 바위덩어리와 자갈이 많지만 조심만 하면 넘어질 염려는 없다. 그때도 때를 맞춰서 갔기 때문에 감탄의 소리를 지르면서 내려갔다. 정 회장도 세상에 이렇게 좋은 곳이 있느냐고 탄성을 발하면서 왜 진작 안 데리고 왔느냐고 했다. 그 후 몇 번 더 정주영 회장과 함께 그곳을 찾았다.

그 시절은 산에서 음식을 해 먹을 수 있을 때여서 식재료들을 가지고 갔다. 운전사들이 먹을 것은 거의 다 짊어졌기 때문에 운반에는 힘이 들지 않았지만 점심을 준비하는 것은 내 몫이었다. 산에 다니는 것에는 이골이 나 있었기 때문에 밥을 짓고 찌개를 끓이는 일은 남한테 지지 않았지만 시간이 되면 배고프다고 아우성을 치는 정 회장에게 12시 정각에 맞추어 점심을 대접하고 그 사이에 앞으로 갈 코스를 탐사하는 일은 어려웠

주전계곡에서 정주영 회장과 필자

다. 정 회장은 아침이 이르기 때문에 12시에 밥을 먹는 것은 하나의 절대 법칙 같은 것이었다. 저녁때는 동해 해변에 있는 현대호텔에 들어가서 하룻밤 잔치를 벌였다. 문자 그대로 호화판이었다.

그 후 가을만 되면 이번엔 어딜 갈 거냐고 재촉을 하셨다. 그때마다 동행하는 사람들이 늘어났다. 나는 정 회장과 자리를 같이하기 바라는 사람들이 많다는 것을 알고 있었기 때문에 될 수 있으면 많은 사람들, 그중에도 초면인 사람들을 옆자리에 앉게 했다. 그들은 산행도 산행이지만, 그날 저녁 자리에서 정 회장과 같이 노래를 부르고 잡담을 하는 데 재미를 붙였고 소탈한 정 회장에게 매료되었다.

재벌에 대한 비난이 비등할 때여서 인간 정 회장을 알려야 한다는 생각이 늘 내 머릿속에 차 있었다. 산에 다니다보면 젊은 사람들을 많이 만나는데 정 회장이라는 것을 알아보고 그쪽에서 이야기를 하고 싶어 하는 눈치를 보이면 나는 10분 정도 대화할 기회를 마련했다. 아마도 다음날 그들은 정 회장과 담소한 것을 자랑했으리라. 지금 생각해도 정 회장과의 산행은 언제나 일행이 많고 화제도 다양하여 참으로 즐거웠고 재미가 있었다.

현대건설의 고문변호사

사우디아라비아 재판

현대건설에서 처리한 일 가운데 사우디아라비아의 주베일 항구 공사는 일로서도 크고 금액으로서도 큰 대공사였다. 그런데 그 공사를 알선한 사우디아라비아 왕자와 커미션 문제로 분쟁이 생겼다. 그 사건으로 파리에 있는 상사중재위원회에 가기도 하고 사우디아라비아의 수도 리야드에서 재판을 받기도 했다. 재판이라고 하지만 이것도 재판이라고 할 수 있나 할 정도로 엉망이었다. 파리와 리야드의 일 모두 현대 직원과 같이했다. 기후가 더운 탓에 리야드에서는 오후 6시쯤 재판이 시작됐다. 법정에는 오래된 나무탁자가 가운데 놓여 있었고 맨발에 두루마기 같은 옷을 입은 판사가 한쪽에 앉고 그 반대쪽에 내가 앉았다. 코란이 재판의 기준이어서 법률이라고는 간 곳이 없고 판사가 묻는 대로 대답할 수밖에 없었다. 통역이 있기는 했지만, 내가 하는 말을 정확히 통역하는지 알 수가 없어서 뒷자리에 사우디아라비아 말을 할 줄 아는 회사 직원을 앉혀두었다.

재판을 진행하는 동안 정 회장은 사우디아라비아에 갈 수가 없었다. 영자 신문에 실린 한 미국인 사업가 기사 때문이었다. 그는 한 사우디아라

사우디아라비아 주베일 항구 공사 실무자들과 함께, 왼쪽에서 두 번째가 필자

비아인과의 채무분쟁에서 채무가 없다고 주장을 하다가 구속되어 감옥에 갇혔다가 관 속에 숨어 감옥을 탈출했다는 007 영화 같은 이야기였다. 정 회장의 경우 상대방이 왕자이니만큼 사우디아라비아에 갔다가는 무슨 봉변을 당할지 몰랐다. 그래서 내가 대신 나선 것이다. 아무리 이슬람 국가라고 할지라도 제삼자인 변호사를 잡아넣을 수 없을 것이라 생각했기 때문이다. 나도 구속될지 모른다는 두려움이 있기도 했지만, 그분의 일이라면 무엇이고 한다는 일념으로 리야드에 갈 수 있었다.

사우디아라비아에는 이 일 말고도 갈 일이 꽤 있었다. 직원이 감옥에 들어갔을 때에는 사식을 들고 가기도 했다. 그럴 때에는 현지 직원이 마침 잘 왔다고 정 회장에게 대신 전화를 걸어달라는 부탁도 하곤 했다. 자기들이 하는 얘기는 야단만 치고 들어주지 않는다는 것이 이유였다. 그럴 때에는 전화로 내가 대신 설명을 해서 승낙을 받아주었다. 그래서 직원들

사이에서는 어려운 일은 문 변호사가 다한다는 말도 돌고 있다고 전해주
는 사람도 있었다.

영국고등법원 판례 변경 승소

현대중공업에서 탱커(원유 및 액체 수송 선박; 편집자)를 주문받으면 완성
하는 데는 2년쯤 걸렸다. 그런데 계약을 할 때와 달리 선박이 준공이 되고
인수할 때쯤 해운 경기가 나빠지고 달러 값에 변화(평가절하)가 오면 계약
금을 포기하고도 배를 찾지 않는 것이 유리하다는 판단하에 선주가 검사
를 명분으로 트집을 잡는 일이 생기곤 했다. 그리스의 한 선주였다고 생
각하는데, 한번은 보일러가 제대로 작동하지 않는다는 트집을 잡아서 인
수 거부를 하는 일이 있었다. 현대중공업에서는 보일러에 이상이 없다는
이유로 계약서에 따라 영국 런던의 중재위원회에 중재신청을 했다. 당연
히 내가 따라다닐 수밖에 없었지만 영국 변호사에게 맡긴다고 해도 쉬운
사건은 아니라는 생각이 들었다.

우선 보일러가 제대로 조립되었는지의 여부가 문제였다. 우리 기술자
들하고 얘기를 해보니 조립은 잘되었고 작동도 제대로 된다는 것이다. 분
쟁이 중재사건으로 비화한 이상 나도 자신을 가져야 상대방에게 주장할
수 있으니 우리 기사들 말대로 조립이 제대로 됐는가를 검토할 필요가 있
었다. 그러나 내가 어떻게 보일러 내용을 알 수 있겠는가? 일본에 가서 기
계나 기관에 관해 그림을 자세히 그려놓고 일본어와 영어로 하나하나 명
칭을 단 뒤에 작동원리를 해설해 놓은 초급 보일러 기술시험 준비용 책들
을 여러 권 사가지고 와서 읽고 난 뒤에 다시 대화를 하니 우리 기술자들
이 놀란다. 그리고는 같이 보일러 안으로 들어가서 책을 옆에 놓고 같이
검토했다.

현대중공업에서 보일러 문제를 조사하고 나서 관계자들과 함께, 오른쪽에서 세 번째가 필자

　이렇게 확인을 하고 선주에게 편지를 보냈다. 그러니 그 편지는 기술자의 설명을 그대로 옮긴 것이 아니고 소신에 찬 반론이 될 수밖에 없었다. 문제는 보일러 쪽보다도 달러의 평가절하를 어떻게 다루느냐에 달려 있었다. 영국의 계약법 책을 몇 권 읽었지만 거기서는 특별히 유리한 것을 찾아낼 수는 없었다. 그래서 우리 민법에서 배운 '사정변경'을 논거로 내세웠다. 이것은 대륙법 이론에 따른 것이어서 영국 변호사도 그 이론을 들고 나온 것에 대해 놀랐다. 그러나 이를 대체할 마땅한 영미법 이론의 대안이 없었던 영국 변호사는 그 논거를 바탕으로 중재심리에 나갔는데 다행히 승소 중재판정을 받아냈다.

　그러나 상대방은 중재판정이 영국법률에 위반되었다고 영국의 고등법원으로 제소했는데, 그 역시 우리 측의 승소로 끝이 났다. 그러나 나는 그 사건이 고등법원까지 갔다는 것은 모르고 있었다. 영국에서 선박 관계 공부를 한 고려대 채이식(蔡利植) 교수가 귀국인사를 하러 내 사무실에 들렀는데, 그때 그 사건은 완전히 나의 이론으로 승소를 했다면서 그로 인해 판례가 변경됐다는 얘기를 해주어서 알았다. 그는 나와는 초면이었지만, 어떻게 선박의 기술과 이론을 공부해서 그 까다로운 영국의 판례를 변경시켰느냐고 칭찬하러 들른 것이다. 그 무렵 채이식 교수는 영국 배리스터(barrister. 영국의 법정 변호사) 사무실에서 근무하고 있었는데 같은 한국 사람으로서 자랑스러웠다고 해서 기뻤다.

이 두 사건은 특별히 기억에 남는 대표적인 사건이지만 보수를 받은 기억이 없다. 모두 1970년대, 80년대 사건이고 금액도 어지간히 큰 사건이어서 요새 식으로 보수를 받는다면 어지간히 받을 수 있는 사건이었지만, 내 입으로 돈을 청구한 일도 없고 그분도 얼마가 됐든지 수고했다고 돈을 준 적도 없다.

사건과 보수

재벌 총수라고 불리는 정 회장과 그렇게 가깝게 지내면서 법률고문, 아산재단 상임이사로서 큰일을 많이 했으면 돈을 많이 벌었을 것이라는 생각을 하는 사람들이 꽤 많다. 그러나 그런 일은 없었다. 약 10여 년 동안 현대건설 주식회사의 법률고문으로 일하면서 정 회장이 특별히 관심이 있는 일은 거의 다 맡아서 했다. 하지만 현대건설의 고문이라고 해도 그때는 지금과 달라서 고문료가 100만 원 내외였거나 그에 미치지 못했던 것으로 기억하고 있다.

현대건설주식회사는 토목공사, 건축공사, 해외공사를 많이 했기 때문에 근로자를 많이 채용했고 그렇기 때문에 재해에 대한 손해배상청구소송이 많았다. 따라서 회사가 피고가 되는 사건을 맡으면 사무적으로 규정된 착수금을 받았을 뿐이다. 게다가 사건 모두 피고사건이어서 패소가 대부분이었으니 사례금도 없었다. 판사에 따라서는 법정에서 내놓고 큰 회사니 돈을 좀 주시라고 공언하는 경우도 있었다. 현대중공업은 조선소 대지를 마련할 때부터 정 회장과 여러 번 현지답사를 하는 등 일이 많았지만, 그곳에서 고문료라고는 받은 일이 없다.

아산재단에도 일이 많았다. 그러다보니 내가 재단에 나가 있는 일이 많아졌다. 재단 사무실에는 내 방도 하나 있었고 비서도 한 사람 두었다. 회의도 무척 많았다. 재단으로부터의 보수는 교통비 명목으로 회의를 할 때만 받았다. 초기에는 한 번 회의에 10만 원이었고 나중에는 20만 원이 되었던 것으로 기억한다. 그러다가 어느 날 문득 생각해 보니 10회 이상이면 100만 원 이상이 되고 100만 원 이상이 되면 상당한 보수가 된다. 이러다간 내가 보수를 받고 재단 일을 하는 사람이 된다는 생각으로 어떤 경우라도 100만 원 이상은 받지 않기로 했다. 때로는 그럴 필요가 없다는 생각도 했지만 정 회장이 거액을 내놓고 돈으로 사회적 책임을 다한다면 나는 시간으로 사회적 책임을 다한다는 자부심이 있었다. 변호사에게 시간은 돈이다.

나는 정 회장을 애국자라는 관점에서 깊이 존경했다. 애국자란 무엇인가? 국가와 민족을 위해서 자기가 할 수 있는 일은 다하는 사람이 아닌가? 거기다 성과까지 크다면 그것은 분명 애국자임에 틀림없다. 그런 애국자, 아니 이런 대사업가에게는 열성을 다하는 보조자가 필요하고 그 보조자는 돈에 집념이 없는 사람이라야 한다. 어떻게 나라를 살리겠다고 뛰는 사람에게 내가 일한 만큼 돈을 내라고 말할 수 있겠는가? 아무 말이고 할 수 있는 친분이 두터운 사이가 될수록 이쪽에서 돈을 달라고 말할 수는 없는 일이었다. 정 회장도 나를 돈과 무관한 사람으로 치부했다.

내가 보수에 무관심했던 것은 이처럼 정 회장이 국가적인 대사업을 위하여 불철주야 노력하는 데 대한 존경심 때문이기도 했지만 돈은 먹고살 정도만 있으면 된다는 생각 때문이기도 했다. 또 현대 일로 외국에 출장을 자주 가서 사무실을 비우는 일이 많았는데도 나에게 사건을 맡기겠다는 사람들이 비행장에까지 나와 의뢰하기도 하는데 그러면 됐지 하고 생각했기 때문이기도 하다. 당시 거의 모든 법률사무소가 그렇듯 나도 혼자서 재판 일까지 책임졌는데, 참으로 힘든 일이었다.

내 입장에서 생각해 보면, 정 회장과 내가 생각하는 방식이나 하는 일이나 성격이 엄청나게 다른데도 불구하고 30여 년의 세월을 다정하게 같이 일할 수 있었던 것은 내가 돈을 무시했던 탓이 크다. 정 회장 입장에서는 돈, 돈 하는 사람들이 줄을 서 있는데 내가 돈 얘기는 일절 안 하니 나를 대접해 주지 않았을까 싶다. 근년 나이가 들면서 그때 돈 좀 받을 수 있을 때에, 큰 사건들을 맡았을 때에 돈을 받을 만큼 받아두었어야 하는데 하는 후회 아닌 후회를 할 때도 있다.

사실 정 회장께 말을 해야겠다는 생각을 한 적도 있다. 그래서 1997년 『100인 문집 아산 정주영과 나』를 만들어드릴 때 「아산과의 33년」이라는 제목으로 글을 쓰면서 그간 지내온 일들을 간략히 소개하면서 돈 이야기를 꺼냈다. "이런저런 사정을 어느 정도 알고 있는 가까운 한 변호사 친구로부터 일의 대가라고 할까, 목돈 같은 것은 그때그때 챙기지 않으면 안 된다고 충고를 받은 일도 있었지만, 돈 얘기를 꺼내기에는 아산과의 인간관계가 너무나 깊었고 현대그룹 일의 국가성, 사회성에 대한 보람이나 나에게 맡겨진 아산재단의 복지사업이 나를 사로잡고 있었다." 내가 이렇게 쓴 데는 몇 가지 이유가 있었다. 첫째, 나도 상당히 나이가 들기 시작했고 법률사무소 일도 사건 수입이라고는 거의 없어 폐업이나 다름이 없는 상태였다. 둘째, 그렇게 오랫동안 재벌과 같이 일을 했으면 상당한 치부를 했을 것이라는 주변의 오해도 풀어야 했다. 그 책이 나올 당시 정 회장은 건강했으므로 혹시라도 그 글을 읽고 나면 내가 왜 이런 글을 썼는지 금방 알아차릴 것이라는 기대도 있었다. 그러나 정 회장은 그 글을 읽었는지 안 읽었는지 아무런 반응이 없었다. 한번은 현대건설의 이명박(李明博) 회장에게 내가 직접 돈 얘기 하기 어려우니 주베일사건 등 어렵고 큰 사건의 내용을 잘 아는 당신이 얘기 좀 해달라고 부탁을 했는데, "두 분 사이가 그렇게 친한데 어떻게 제가 개입을 합니까" 하는 말로 거절하기에 그것이 글로 나간 것이다. 어쨌든 그분 생전에 쓴 글이니 진실의 증거는 됐을 것이다.

후에는 정 회장의 건강이 좋지 않았다. 건강이 좋지 않은 어른에게 돈 얘기를 꺼낸다는 것은 도의적으로 좋지 않다는 생각이 들어 더 이상 기회를 찾을 수 없었다.

아산재단과 나

아산재단은 1977년 7월 정주영 회장이 현대건설 창립 30주년을 기념하여 만든 재단이다. 당시 장학재단 설립자는 많았어도 사회복지사업을 목적으로 한 재단을 설립하는 일은 별로 없었다.

그때만 해도 기업가들은 국민의 미움을 사고 있었다. 특히 현대건설 정도의 재벌급은 국민으로부터 증오를 받고 있었다고 해도 과언이 아니다. 일부 기업가들이 돈을 벌기 위하여 수단 방법을 가리지 않고, 정치나 권력에 기대어 축재를 거듭하는 등 과욕을 부렸던 것이 그렇게 된 이유의 하나라고 할 수 있다. 또 북한과 대치하고 있는 남한에서 가난한 사람들을 선동하여 계층 간의 갈등을 조장하는 어떤 음모 때문이라고 생각되기도 했다.

이는 국가나 민족을 위하여 아주 불행한 일이다. 기업가 없이, 경제건설 없이 국가가 발전할 수 없고 국민이 살 수 없다는 것은 다 아는 일이다. 하지만 반기업 정서는 우리같이 사업을 하지 않는 사람도 걱정을 하지 않을 수 없을 정도로 심각했다. 그 무렵 나는 〈조선일보〉에 아침논단을 연재하고 있었는데, 기업가가 얼마나 고생하는지에 대해 썼다가 욕을 먹기도 하였다. 당시 현대건설은 중동 붐을 타고 많은 돈을 벌고 있었는데 그로 인해서 많은 근로자들이 소득을 올린 것도 사실이다. 기업은 기업 자신의 이윤을 목적으로 하면서 근로자의 소득도 올려준다. 어디 그뿐인가? 당시 국가는 부도설이 도는 등 위기에 처해 있었는데 현대건설이 중동에서 돈을 벌어다가 그 빚을 메웠다는 사실을 아는 사람은 다 안다.

그럼에도 불구하고 재벌에 대한 국민들의 미움은 깊어만 갔다. 그래서 나는 기업을 보호하는 의미도 겸해서 재단을 설립하여 가난한 사람을 돕자고 권하기 시작했다. 나는 정 회장과 만날 때마다 기회가 있으면 공익재단을 하나 설립하라고 권고하였다. 정 회장 본인도 그런 생각을 하고 있었다. 아마도 그것은 모든 대기업의 공통 관심사였을 것이다.

정 회장은 여러 사람들의 의견을 들어 흔한 장학재단을 설립하지 않고 사회복지사업재단을 설립했다. 그러나 정 회장이 사회복지재단을 설립하기로 결정한 것은 우선 본인이 그런 생각을 가지고 있어서였을 것이다. 싫고 좋은 것이 분명한 분이기에 사회복지사업이 마음에 없었으면 딱 잘라서 거부했을 것이기 때문이다. 하지만 나의 의견도 십분 존중된 것이 아닌가 짐작한다. 내가 그렇게 생각하는 데는 이유가 있다. 나는 재단 설립 전에 미국에 본부를 두고 있는 장애아동 지원단체인 한국키비탄 운동에서 사회복지사업을 경험한 적이 있었다. 별것 아닌 경험이었지만 그를 통해 나는 사회복지사업의 긴요성을 알게 되었고 정 회장에게도 사회복지사업의 중요성을 강조할 수 있었다. 정 회장이 나에게 사회복지재단을 맡아서 해주겠느냐고 물은 것도 재단 설립에 나의 의견이 반영되었다고 생각하게 만드는 이유다.

당시 나는 50대 초반으로 변호사 개업을 한 지도 15년째 되어 한참 바쁠 때였다. 큼직큼직한 사건들을 맡았고 성과도 좋은 편인데다가 현대건설 법률고문 일도 있어서 변호사 일에 심혈을 기울여야만 할 때였다. 그럼에도 불구하고 주저 없이 정 회장의 부탁을 받아들여 아산재단의 일을 맡았던 것은 앞서 말한 이유들 때문이었을 것이다. 이 결정이 20여 년간 나를 아산재단에 묶어두었다.

이렇게 해서 1977년 7월 1일 현대건설 설립 30주년 기념사업 명목으로 아산재단이 설립되었다. 이때 정 회장은 현대건설주식회사 주식의 2분의 1에 해당하는 엄청난 금액을 재단에 출연(出捐)했는데, 달러로 환산하면 1억 달러가 넘는 액수였다고 기억하고 있다. 1억 달러 이상의 공익재단, 그것은 외국의 어떤 재단과 비교해 봐도 큰 규모다. 그 정도면 돈 걱정 하지 않고 무엇이든지 할 수 있었다. 그러므로 나는 어느 정도의 규모에 맞춰 일을 할 것인가에 대해서는 전혀 고민해 본 일이 없다. 무슨 일이든 사회에 도움이 되는 일이기만 하면 된다는 넉넉한 생각으로 이런저런 구상을 해나갔다.

아산재단이 설립되자마자 나는 상임이사로서 운영계획서 하나 없이 운영을 시작했다. 당시는 복지사업의 개념조차 정립되어 있지 않을 때다. 가난한 사람을 돕고 학비가 없는 학생들에게 장학금을 주며 양로원에 기부를 하는 정도의 막연한 일을 복지사업이라고 생각했다. 게다가 나는 정 회장으로부터 두터운 신임을 받고 있었다. 정 회장은 나를 만능으로 생각했거나 모르는 일을 맡아도 충분히 알아서 처리하리라 믿었던 듯하다. 그래서 아산재단을 맡아서 운영할 때도 그 일만으로 정 회장을 만나는 일은 없었다. 물론 지시도 없었다.

이런 신임을 느낄 수 있는 일은 아산재단 말고 또 있었다. 정 회장에 관한 다큐멘터리 영화를 만들기로 했던 때였다. 제작 결정이 나자 신상옥 씨에게 영화의 감독이 맡겨졌다. 내가 검사로 있을 때 영화 제작 일로 나에게 조언을 요청한 적이 있어 신상옥 씨와는 안면이 있었다. 그러나 정 회장이 이런 사실은 모른 채 이 영화는 나하고 모든 것을 의논하라고 말하면서 영화 이름은 '골리아스'로 하라고 결정하였다. 현재 현대중공업 주식회사로 알려진 속칭 현대조선소에서 조선시설을 설치한 데 쓰는, 기동력이 큰 거대한 골리앗 크레인을 보고 모든 사람이 놀랄 때여서 골리앗 크레인은 현대의 상징이었다. 이 때문에 영화의 제목을 이렇게 정했던 듯하다. 신상옥 감독과는 그 후 줄곧 만나서 의논을 했지만 내가 영화를, 그것도 영화 제작에 관해서 알 까닭이 없었다. 그러나 신 감독은 나와 전부 의논하라는 말을 들었기에 모든 것을 나와 의논하면서 제작을 완료하였고 시사회도 했다. 영화를 모르는 나도 그만하면 잘되었다는 생각이 들었다. 그래서 정 회장과 같이 시사회를 가졌는데 그도 만족스러워 하는 것 같았다. 그러나 신 감독과의 사이에 무슨 일이 있었는지 그 영화는 빛을 보지 못했다.

이처럼 정 회장은 영화 제작처럼 아주 엉뚱한 일까지도 맘 놓고 맡길 정도로 나를 신임하였다. 세상에 누군가로부터, 특히 대기업가로부터 이렇게 신임을 받는 일은 흔하지 않다. 그럼에도 나는 정 회장에게 요령껏 아산재단에 대한 보고를 했다. 늘 그렇듯 정 회장과 다른 일로 이런저런 이야기를 하다가 이야기가 끝날 때쯤 요새 아산재단에서 이런 일을 하고 있다는 정도로 보고를 하면 정 회장은 고개를 끄덕이며 이해를 해주었다. 이런 정 회장의 믿음이 내가 마음 놓고 재단을 운영할 수 있게 해주었다. 어느 재단이나 재단의 중심은 이사회였는데, 이사회에서는 언제나 내가 이사장인 정 회장 옆에 앉아서 회의를 끌고 나갔다.

그런데 대한변협 협회장에 입후보했을 때 내가 현대건설의 법률고문은 물론 아산재단까지 맡아 보고 있던 일로 논쟁이 있었다. 내가 믿고 나

아산재단 이사회 회의 모습, 맨 왼쪽이 필자, 그 옆이 정주영 회장

를 도와줄 만한 후배 회원들이 큰 재벌의 고문을 그만두라고 대드는 것이었다. 자기네들은 당연히 나를 밀기로 결정했는데 재벌의 고문을 한다는 것이 걸림돌이 된다는 것이 그들의 주장이었다. 나는 나같이 재벌의 고문을 하는 사람이 어디 한둘이냐, 다만 아산재단과 같은 큰 재단을 만들도록 권고한 고문이 있으면 대라, 그러면 내가 그만둘 수도 있다고 맞받아쳤다. 그들과 이런 식으로 문답을 하면서, 입후보를 그만두면 그만두었지 내가 친분이 있고 내 소신에 따라 하고 있는 일을 그만둘 수는 없다고 잘라 말할 수 있었던 것은 정 회장과의 신의를 지키겠다는 소신도 소신이지만 훌륭한 사회복지사업재단 설립에 관여하고 있다는 자부심이 있었기 때문이다.

3년 앞을 내다보는 재단 사업

　사회복지분야에 대하여 경험이 없던 나는 몇 가지 사업분야를 정하여 각 분야별로 자문위원회를 구성하였다. 그리고 사회복지 자문위원회 위원장에 박은태(朴恩泰) 박사, 연구개발 자문위원회 위원장에 배재식(裵載湜) 박사, 장학 자문위원회 위원장에 오성식(吳聖植) 박사, 의료 자문위원회 위원장에 이문호(李文鎬) 박사와 같은 훌륭한 분들을 모셨다. 다행히 개인적으로도 친분이 있는 분들이었다.

　하지만 전문가들의 지식과 아산재단이 사업을 어떻게 벌여나갈 것인가는 전혀 다른 문제였다. 의료복지사업 부문은 지방병원 건립사업의 시작으로 방향을 잡았지만 그 외에는 어느 분야의 무엇부터 시작할 것인가 하는 문제부터 시작해야 했다. 한동안은 자유로운 토론을 통하여 길을 찾아나갈 수밖에 없었다. 꼭 해야 할 일이 따로 정해져 있는 것은 아니었지만, 나는 무엇이든 하고 싶은 의욕으로 가득 차 있었다.

자문위원회의 새로운 운영 방식

　처음에 자문위원들은 대개 자기 생각을 자유롭게 개진하는 일은 없고 조용히 앉았다가 돌아갔다. 결국 나는 재단의 책임자로서 자문위원회를 열기 전에 나의 생각을 정리하여 이런 일을 해봅시다, 저런 일은 어떨까요 하는 식으로 끌고 가면서 핵심을 잡아내야만 했다. 전문성 있는 토론을 들으면서 그 이야기를 알아듣고 핵심을 잡으려면 그 방면의 책을 미리 읽어 방안을 갖고 있어야만 했다. 그렇지 않고서는 자문위원회에서 무슨 이야기를 하고 있는지 알아들을 수 없고 알아들어도 결론을 끄집어낼 수가 없다. 혹시 결론을 얻더라도 실천을 담보할 수 없다. 이런 상황은 중기까지 계속되었다.

그래서 나는 문제가 되고 토론의 대상이 될 만한 사항에 관한 책을 많이 읽었다. 무슨 말을 해도 주관자가 제대로 그 내용을 이해했는지 못했는지 이상한 표정을 지으면 그것은 자문위원들에게는 참 답답한 일이다. 그러나 회의를 하기 전에 이미 어느 정도 문제의 본질을 파악하고 있던 나는 누군가가 좋은 아이디어를 내면 반드시 채택해 주었고, 좀 엉뚱하다는 느낌이 들더라도 좋은 아이디어라고 칭찬하며 좀더 생각해 보자고 했다. 자문위원들은 나의 결정이 재단의 최종결정이며 누구의 간섭도 받지 않는 운영방식에 놀라면서 자신의 의견이 채택되면 그 사업을 자기 사업처럼 느끼는 것 같았다. 자문위원들의 열과 성에는 나도 놀랐다.

이사장은 모든 것을 이사에게 맡기고 이사는 자문위원들의 의견을 절대 존중하는 재단, 그것은 어느 재단이나 조직에서도 볼 수 없는 이상적인 운영방식이었다. 재단의 사업으로 결정된 사항은 기회가 닿을 때 이사장에게 보고하면 된다. 아산재단은 사회에 완전히 내놓은 재단이라는 것이 나의 신념이었고 정주영 회장도 그렇게 생각하고 있었다. 기금을 출연한 설립자라고 해서 일일이 간섭하거나 보고받는 일도 없었다. 이런 운영방식은 정 회장과 내가 약정한 것도 아닌, 이심전심 신뢰의 산물이라고 생각한다. 그러므로 나는 자신 있게 자문위원회의 화제를 결정할 수 있었다. 내가 그들에게 특별히 부탁한 것은 현실에 바탕을 두되 미래를 전망해 달라는 것이었다.

나는 이런 식으로 하나하나 사업을 결정해서 집행해 나갔다. 이 때문인지 아산재단은 3년 앞을 내다보고 일을 한다는 평을 들었다. 물론 나는 5년, 10년 앞을 생각하면서 재단을 운영하였고 정부에 대하여서도 복지사회의 방향만은 아산재단이 챙겨준다는 자부심으로 가득 차 있었다.

정주영 회장과 자문위원들

아산재단의 사업이 하나하나 결정되고 집행되는 동안 정 회장이 건립 중인 병원을 보러가거나 지방대학에서 열리는 장학증서 수여식에 참석하는 일이 있었다. 이럴 때면 같이 간 자문위원들과 식사를 같이했는데, 나는 언제나 자문위원들이 정 회장 옆에 앉도록 최대한 배려했다. 정 회장이 더러 초대하는 식사 때도 그랬다. 그래서 정 회장은 자문위원을 한 사람 한 사람 기억하고 친숙하게 대할 수 있었다. 자문위원들은 자문위원대로 그와 가까이 앉아서 대화하는 것을 즐겼다. 그들은 정 회장을 건설 현장에서 돈이나 번 야인 정도로 이해하고 있었는데, 정 회장의 풍부한 화제와 독특한 화술을 직접 대하고는 압도당했다. 그러므로 자문위원들은 정 회장과 한번 대화를 하고 나면 모두 그의 식견과 활달함에 놀라서 기회만 있으면 그에게 가까이 가길 바랐다. 그럴수록 나는 멀리 구석에 앉아서 그들에게 최대한 기회를 주었다. 아마도 이것이 자문위원들의 열정을 불러일으킨 원인의 하나였을지도 모른다.

이런 식으로 자문위원회를 운영하다 보니 자문위원들은 재단의 임원 또는 가족이나 다름없게 되었고 학계에도 자문위원의 새로운 역할에 관한 소식이 전해졌다.

나는 이렇듯 공공기관에서의 학자들의 역할과 기능, 즉 자문위원회의 기능에 관해 새로운 기풍을 불어넣어준 것이 아산재단의 뜻밖의 성과 중 하나라고 생각한다.

초대 이사들과 자문위원들은 다음과 같다.

초대 이사회: 정주영(이사장), 김동일(金東一), 김상만(金相万), 김용완(金容完), 김재순(金在順), 문인구, 이우주(李宇柱), 이원경(李源京), 장정자(張貞子), 최석채, 한심석(韓沁錫)

초대 감사: 강서룡, 송기철(宋基澈)

의료자문위원회: 이문호(위원장), 권이혁, 김기홍(金箕洪), 김순용(金舜鏞), 김주환(金周煥), 서순규(徐舜圭), 유철(劉喆), 이성우(李晟雨), 장경식(張慶植), 조규상(曺圭常), 주근원(朱槿源), 진동식(陳東植)

사회복지자문위원회: 박은태(위원장), 민병근, 신정순(申廷淳), 이명박, 추국희(秋菊姬)

연구개발자문위원회: 배재식(위원장), 강명순, 권숙표(權肅杓), 김입삼(金立三), 박노경(朴魯敬), 신영기(申永琦), 심태식(沈泰植), 오재경(吳在璟), 윤장섭(尹張燮), 윤동석(尹東錫), 이재성(李載聖), 이춘림(李春林), 이혜복(李蕙馥), 정세영(鄭世永)

장학자문위원회: 오성식(위원장), 김인자(金仁子), 신집호(申集浩), 이상주(李相周)

아산재단 4대 사업

장학 사업

장학 사업은 가난한 학생들에게 등록금이나 학자금을 도와주는 일인데, 한국에서 가장 발달한 것이 장학 사업이 아닌가 싶다. 이러한 장학 사업 때문에 가난한 젊은이들이 공부를 많이 할 수 있었고 한국의 경제가 이만큼 성장하고 사회가 발전하였다고 믿는다. 장학 사업을 하고 있는 많은 분들에게 고마움을 느낀다.

아산재단에서도 장학 사업을 시작하였는데 장학금의 총규모나 학생 수에 있어서 어느 재단보다도 많은 장학금을 지급하고 있었다. 나는 장학 자문위원회에 이렇게 대규모의 장학금을 주니 장학증서 수여식을 하자는 제안을 했더니 반대하는 분이 많았다. 장학생들 입장에서는 몇 푼 안되는 장학금을 주면서 오라 가라 하면 고맙다는 생각보다는 귀찮게 군다는 인상을 주게 되어 역효과가 난다는 것이다. 게다가 요새 학생들은 장학재단에서 주는 장학금은 근로자로부터 착취한 돈이고 마땅히 받아야 할 돈을 돌려받는 것에 불과한데 장학증서를 준다고 오라고 그러면 반발만 할 것이라는 것이다. 모두 학생들의 심정을 잘 알고 있는 대학 교수들이 한 말이어서 경청은 했지만 그대로 따를 수는 없었다. 아니 그러면 그럴수록 장학증서를 수여하면서 그것이 누구의 돈이었든 공부하는 데 쓰라고 주는 돈은 고맙게 느끼게 만들어야 한다고 주장했다.

그러나 장학생이 워낙 많아서 한군데 모을 수 없었고 또한 한자리에 모으는 이상은 그들에게 교훈이 될 만한 시간을 마련해야 한다는 생각을 했다. 그래서 전국을 서울, 부산, 광주 3개 지역으로 나누어 소집을 하고 장학증서 수여식을 가졌다. 장소는 대개 장학생들이 다니고 있는 대학교 중 한 곳을 선택했다. 그런데 뜻밖에도 학생들이 거의 다 참석을 했고 많은 부모들도 함께 참석했다. 거기에 그 대학교의 총장을 비롯해서 교수들과 다른 대학, 고등학교의 관계자들이 다수 참석해서 성대한 수여식이 이루어질 수 있었다.

수여식에는 고학해서 대성한 분들의 이야기들을 듣는 시간을 넣었다. 제1회 장학증서 수여식에는 이상주 교수, 김인자 교수가 이야기를 해주었다. 이상주 교수는 아버지가 밀양 역전에서 지게품팔이를 하였는데 기차가 도착하면 짐을 받아서 날라다주고 돈 몇 푼을 받았다는 이야기부터 시작했고, 김인자 교수는 서울대학병원에서 겨울에 더운물이 나오지 않아 손이 떨어져 나가는 것 같은 고통을 참으며 찬물에 피 묻은 붕대를 빨았던 것과 같은 고생담을 꺼내서 고학의 어려운 과정을 진솔하게 전했다. 내용도 풍성했고 웃기기도 하여 가난한 학생들이 공감을 하고 감동을 느끼기에 충분했다. 아마도 두 교수의 말씀만으로 장학생들은 그날 참석을 잘했다는 생각을 했을 것이다. 이상주 교수와 김인자 교수는 그 후에도 마다않고 매년 참여해 주셨는데 두고두고 고맙다는 생각이 든다.

강좌가 끝나고 나면 다과회를 열어 학생들과 정담을 나누었는데, 나는 그 자리에서 학생들과 이야기를 나누고 위로를 하면서 격려했다. 정 회장도 여러 차례 참석했다. 학생들은 자수성가하여 세계무대에서 큰 사업을 벌이는 그분과의 대화를 무척 즐겼고 많은 교훈을 받았을 것이다.

한번은 부산에서 수여식을 했는데 다과회에서 어느 학생이 나에게 다가오더니 고맙다는 말을 건네면서 자기에게까지 장학금이 오리라는 생각을 못했다고 한다. 그러고 나서 하는 이야기가 참으로 놀라웠다. 자기는 충실한 기독교 신자인데 그동안 이 세상이 빨리 망하라고 기도를 했다, 그런데 이 장학금을 받고보니 마음이 확 달라지면서 정 회장님의 만수무강을 하나님께 빌었다는 것이다. 나는 그 학생으로부터 오히려 많은 것을 배운 것 같은 생각이 든다. 사회의 현실은 교과서에 쓰여 있는 것이라든지 이치대로만 움직이지는 않는다는 것을 말이다.

사회복지시설 지원 사업

아산재단은 사회복지사업재단이라 사회복지시설에 대한 지원을 가장 우선시해야만 할 것 같았는데 지원해야 할 곳이 많아 몇몇 곳에만 집중할 수는 없었다. 그래서 교수와 전문가로 구성된 자문위원회와 의논을 해 지원신청을 받아 지원했다. 총지원 금액이 꽤 컸다.

1970년대 우리나라 사회복지시설은 비참하기 짝이 없었다. 6·25전쟁의 유산이었다. 비바람은 피했다고 말할 수 있는지 몰라도 보호라는 말을 쓰기가 어려운 데가 적지 않았다. 지적 장애아, 지체부자유아 위탁 시설의 경우 그냥 바닥에 거적때기를 깔고 아이들을 뉘어놓은 곳도 있었고 방이 있더라도 냉골이나 다름없는 곳이 허다했다. 이런 상황에서 아이들을 실질적으로 보호하고 교육하는 것은 어려운 일이었다. 건물도 수리가 안 된 상태로 망가져 있는 경우가 많았다. 우선 거적때기는 면하도록 건물부터 수리해야겠다는 생각을 하고 자문위원들과 의논을 하니 그런 방향이 옳다고 동의했다. 그러다가 얼마 안 있어서 1988년 올림픽이 유치되었는데, 올림픽이 끝나면 장애인올림픽도 치러야 했다. 그 후로는 정부가 사회복지시설에 대해 적극적인 지원에 나섰다. 장애인올림픽은 이런 면에서도 큰 도움을 주었다.

아산재단에서 사회복지시설에 지원을 할 때에는 자문위원과 담당직원이 현지답사를 했는데 때로는 나도 같이 갔다. 시설에서 장애자들을 거두고 보살피는 사람은 대개 젊은 사람들이었는데 그중에는 여자가 꽤 많다. 알고보니 대학에서 특수교육과를 졸업한 사람들이었다. 감농적인 일이었다. 어렵게 대학을 졸업했으면 좀더 편한 자리를 찾아갈 수도 있었을 텐데 오줌똥 못 가리는 아이들을 돌봐주다니 말이다. 몇 사람에게 어떻게 이런 데서 일을 하게 됐는가, 일하기가 힘들지 않느냐 하고 물으니 이 아이들보다는 낫다, 그럼 아이들은 누가 보살펴주어야 하느냐는 대답이 돌아온다. 천사들을 만난 듯한 기분이었다.

그에 감명받은 바 있어 나는 연말에 사회복지 시설의 모범직원을 표창하면서 연말잔치를 벌여 그들을 위로했다. 시설의 원장이 아니라 말단에서 일하는 젊은 직원들을 초대해서 모범직원에게 표창장을 주고 나서 식사를 한 후에 2시간가량 아주 즐거운 시간을 마련해 주었다. 떠날 때에는 가벼운 기념품과 교통비를 주었는데 최석채 이사는 매년 한 번도 빼놓지 않고 참석했다. 그러면서 어떻게 이런 잔치를 벌였느냐고 나를 칭찬해 마지않았다. 정 회장도 이 자리에는 거의 매번 참석해 젊은이들과 뛰면서 그 큰 홀을 빙빙 돌았다. 높고 낮음이 있는 서열사회에서 말단 직원들만 초대하는 행사가 어디 있었을까? 그것은 젊은이들에 대한 나의 감사 표시였다.

20여 년간 재단을 운영하면서 우리나라에는 묵묵히 사회복지사업을 하면서 인생의 보람을 찾는 훌륭한 사람들이 많은 것을 발견할 수 있었

豊 模範職員 慰勞의 밤

法人 峨山社會福祉事業財團

사회복지 최일선에서 애쓰고 있는 사람들을 위해 마련한 사회복지 시설 모범직원 위로의 밤, 오른쪽에서 두 번째가 필자

다. 내가 이러한 일에 관계한 것을 행복하게 느낀다. 광복 전후의 혼란과 6·25전쟁 전후의 폐허 속에서 지체부자유아와 지적 장애아, 부모를 잃은 고아들을 잘 거두어 보호·교육하는 사회복지시설 실무자들이야말로 훌륭한 사람이라고 믿는다. 이런 분들 덕분에 6·25전쟁 후의 사회가 안정될 수 있었고 경제발전의 여건이 마련될 수 있었다고 생각한다. 사회복지시설 운영자 및 종사자 여러분께 경의를 표한다.

연구비 지원 사업

대학 교수를 중심으로 연구비를 지원하는 재단의 사업도 다른 사업과 마찬가지로 규모 면에서, 액수 면에서 전국 교수들의 큰 관심사가 되었다. 아산재단이 설립된 1977년 이듬해부터 지원금이 지급되었다. 당시만 해도 대학 교수에게 연구비를 지급하는 데가 많지 않아서 몇 백만 원밖에 안되는 연구비였지만 많은 신청자가 몰렸다. 초기에는 한 사람이라도 더 많은 사람에게 연구비를 지급하려고 액수를 높이지 않고 연구 분야도 가리지 않고 교수의 능력과 연구 과제를 중심으로 평가하여 연구비를 지급했다. 세월이 흐르면서 총액은 제한이 있는데 연구비가 적다는 말이 들리고 연구 과목도 국가적으로 필요한 분야로 제한해야 한다는 의견도 있어서 점차 금액이 높아지고 분야는 제한되었다.

나는 연구비를 지급한 첫해부터 연구비를 받게 된 교수들을 연구교수 간담회라는 명분으로 만찬에 초청했다. 오직 연구교수들만을 위한 만찬회로서 학문의 길을 걷는 분들의 노고를 치하하고 감사하며 경의를 표한다는 의미가 담긴 모임이었다. 나는 언제부터인지 몰라도 학문하는 사람들, 특히 대학 교수들에 대한 사회적 존경이 높은 사회에서만 지적 수준이 높은 교수가 나온다는 생각을 하고 있었다. 그리고 각 대학에 훌륭한 교수가 많다는 것이 바로 부국(富國)으로 가는 길이라 생각했다. 애덤 스미스의 국부론이 경제적인 것이라고 한다면 나의 국부론은 인(人)적인 것이다. 그만큼 나는 교수에 대한 기대가 컸고 그들을 훌륭한 사람들이라 생각했다.

그래서 세종문화회관에 만찬과 여흥의 자리를 마련했다. 백 명이 넘는 교수들이 초청되었는데 빠진 사람이라고는 몇 사람 안되는 문자 그대로 성황을 이루곤 하였다. 어떠한 모임이든 초청받은 사람들이 100% 가까이 참석한다는 것은 상상도 할 수 없는 일이다. 더욱이 대학 교수들은 이 세상을 자기가 요리한다는 정도의 기개를 지니고 있는 분들인데 어떻게 거의 전원이 참가할 수 있는가. 나는 주최자로서 당연히 기쁨을 느꼈고 연구교수 간담회가 진행되는 동안 그저 좋아서 싱글벙글하였다. 얼마 후 〈아산〉 지에는 연구비를 준 것만도 고마운데 거기에 학생을 가르치느라고 수고했다고 식사까지 대접을 하는 재단이 어디 있는가, 아마도 세계에서 처음 있는 감동적인 자리였다는 그분들의 감상이 실렸다.

그러나 굳이 한마디 한다면 재단의 성의를 그렇게 느꼈다면 자리를 마지막까지 지켜주는 것이 예의라고 생각했고 그렇게 기대도 했다. 그러나 식사가 끝나고 여흥이 시작되자 많은 사람들이 자리를 뜬 것을 보고 내 가슴은 쓸쓸해졌다. 나는 교수쯤 되면 같은 자리에 합석한 교수들과 비록 안면이 없고 전공이 다르다고 할지라도, 서로 이야기를 주고받고 하는 동안에 서로 많은 것을 배울 수 있으리라는 생각도 했다. 또 식사가 끝났다고 바로 일어서는 것은 합석한 다른 교수들에 대해서도 예의에 벗어나는 일이 아닌가 싶다.

대학 교수는 자기 전공 분야에 대해서는 공부도 하고 연구를 하여 지식은 풍부하지만, 쪼개지고 쪼개진 좁은 분야에 국한해서만 연구를 해서는 깊이 있는 성과를 거둘 수 없다고 생각한다. 폭을 넓히면서 깊이 있는 연구를 하려면 남의 전공 분야에 대해서도 경청하는 자세가 필요하지 않은가 싶다. 노벨 물리학상을 받은 어느 일본인 학자가, 자기는 한문에도 관심이 깊은데 한문에서 힌트를 얻어 물리학에서 깊이 있는 연구를 하게 됐고 노벨상도 받게 되었다고 설명하는 신문 기사를 읽은 적도 있다.

그 후에도 몇 번 그런 자리를 마련했지만 참석 인원도 줄기 시작하여 더 이상 큰 의미가 없다 싶어 중단했다. 교수의 인성교육도 학문 못지않게 중요하다고 나는 느낀다. 나는 자문위원회의 동의를 얻어 단독 연구보다는 학제적(學際的) 연구와 공동 연구에 중점적으로 연구비를 지급하겠다고 발표한 일이 있었다. 그런데 공동 연구와 학제적 연구로 제출한 논문을 보니 참여자 여러 사람의 단독 연구들을 모은 데 불과한 것이 너무나 많아 실망스러웠다. 학계의 실상을 모르는 나의 한계일 것이다.

출판 사업

장학 사업, 사회복지시설 지원 사업, 연구비 지원 사업, 의료복지 사업의 재단 4대 사업이라 불렀다. 그외에 학술연찬사업과 출판사업도 있었지만 나는 이 4가지를 4대 사업으로 꼽았다. 아산재단은 계간 〈아산〉〈아산건강소식〉과 같은 정기간행물, 『한국의 사회복지』『장애자복지 편람』『노인복지 편람』과 같은 단행본을 출간했다. 『한국의 사회복지』『장애자복지 편람』『노인복지 편람』은 당시의 사회복지사업의 정황에 비추어 아산재단이 자랑할 만한 출판물이다. 『한국의 사회복지』는 한국 복지사업의 발전 방향을 모색하기 위해서 사회복지시설 및 그 수용자에 대해 전국적인 실태 조사를 하고 주요 국가들의 사회복지 정책을 연구한 것이고, 『장애자복지 편람』『노인복지 편람』은 장애자 복지시설에 종사하고 있는 직원들이 장애자 복지에 관한 지식에 손쉽게 접근할 수 있도록 편찬한 것이다. 당시 사회복지사업 자문위원들과 많은 전문가들이 집필을 담당하였는데 문헌도 많지 않고 자료도 부족한 상태에서 이런 책들을 내놓을 수 있었던 것은 많은 분들이 아산재단에 협조하였기에 가능했던 일이다. 지금 생각하여도 고마운 마음을 금할 수가 없다.

5개 지방병원의 건립과 운영

의료 자문위원회

1977년 7월 재단이 발족하면서 처음 손을 댄 것이 5개 지방에 병원을 세우는 일이었다. 5개 지방은 전라남도 보성, 충청남도 대천, 전라북도 정읍, 강원도 인제, 경상북도 영덕이다. 그러나 재단에는 현대건설주식회사에서 파견된 직원이 몇명 있기는 했지만 병원을 건립할 수 있는 전문가나 의사는 한 사람도 없었다. 그것도 나에게 맡겨진 일이었다. 나는 예전부터 잘 알고 지내던 서울대학교 의과대학 이문호 박사에게 협조를 요청하였다. 그는 의학계에서 높은 평가를 받는 학자였는데, 정년을 앞두고 있어서 선뜻 승낙했다.

이문호 박사는 전문 분야별로 원로급 교수들 10명 내외의 의료 자문위원을 위촉하는 것이 좋겠다고 했다. 이렇게 해서 권이혁, 김기홍, 김순용, 김주환, 서순규, 유철, 이성우, 장경식, 조규상, 주근원, 진동식 선생이 위촉되었는데, 대부분이 대학병원의 원장, 학장, 의료원장을 지낸 권위 있는 분들이었다. 반가운 일이었다. 자주 시간을 내기 어려운 분들이었는데도 불구하고 5개 병원 건립 업무의 초보적인 작업부터 차근차근 진행해

주었다.

나는 비록 병원 업무를 모르기는 했지만 자문회의 때마다 참석했다. 처음에는 무슨 말인지 못 알아듣던 것도 하나둘 알아듣게 됐다. 시간이 가면서 질문도 하게 되고 나의 의견을 말하기도 했다. 현대건설에서 파견되어 나와 설계를 맡은 건축사도 처음 겪는 일이라 열심히 메모를 했다. 한편 병원 대지를 마련하느라고 직원들은 동분서주했는데 보건사회부의 지시도 있었지만 군 당국은 병원 유치를 위해 여러 가지 편의를 제공했다. 직원들이 적지(適地)를 발견하면 정 회장이 현장을 가보고 결정을 했다. 그러나 병원 위치를 정하는 일은 쉽지 않았다.

어느 정도 건립 준비가 되어 기공식이 열리면 할 일이 더욱 많아졌다. 자문위원들은 병원장을 선임하는 일과 관계 책임자를 선발하는 일을 시작했고 준공이 가까워지면 전문의를 선발했다. 또 의료 기자재를 발주·설치하고 기술직·사무직 직원도 채용했는데, 이런 식으로 하다보니 모든 것이 빠를 수밖에 없었다.

5개 지방병원 완성, 3개 지방병원 증설

이렇게 해서 5개 병원을 순차적으로 개원하였는데, 모두 1년 6개월밖에 안 걸렸다. 정 회장의 남다른 추진력 때문이며 의료사에 남을 만한 일이다. 제일 먼저 개원한 곳은 전라북도 정읍병원이다. 1978년 7월 1일 14개과 100병상의 규모로 개원하였는데 정읍시, 고창시, 부안군, 정주시 등이 혜택을 입었다. 아산재단 창립 1년 만이다. 1984년에는 100병상을 증축하여 인턴 수련병원으로 확장되었다.

그 다음은 1978년 11월에 100병상 규모로 전라남도 보성병원이 개원했는데, 보성군 벌교읍 주민들의 요청을 받아 1986년 5월에는 벌교 분원을 개원하였다.

세 번째로 개원한 곳은 같은 해 같은 달 25일에 20병상 규모로 개원한 인제병원이다. 다른 병원들도 인근 큰 병원의 지원을 받았는데 인제병원은 1981년 3월 20일 원주기독병원과 모자병원협약을 맺었다.

네 번째로 개원한 곳은 1979년 2월 개원한 100병상의 보령병원인데, 같은 해 10월에는 충남의대부속병원과 모자병원협약을 맺어 역시 큰 병원의 지원을 받게 되었다.

마지막으로 개원한 병원은 1979년 100병상 규모의 영덕병원이다. 영덕병원은 도심에서 좀 멀리 떨어져 있었지만, 지방 주민에게 혜택을 주는 데는 다른 병원과 다르지 않았다. 3월 31일 개원식에 참석하여 원장으로부터 제1호 환자인 산모가 그날 옥동자를 출산하였다는 말을 듣고 개원식에 모인 하객 앞에서 아이 아버지를 자청하며 개원을 축하하고 옥동자의 건강한 성장을 바라는 의미에서 입원비는 받지 않겠다고 말해 큰 박수를 받은 기억이 새롭다.

현대중공업 부속병원인 해성병원의 운영을 재단이 맡게 되어 몇 번 출장을 간 기억이 있다. 서울 시내 동부이촌동에 있는 금강병원은 원래 금강개발주식회사의 소유였는데, 1989년 9월에 재단이 인수하여 금강아산병원이 되었다.

강원도 홍천에도 1989년 12월에 다른 병원과 비슷한 규모로 홍천병원이 개원했다. 홍천병원은 1996년 11월에 개원한 강릉병원과 같이 당초의 5개 지방병원에는 포함되지 않았던 병원인데, 강원도 출신인 정 회장은 강원도에 특별히 애착을 갖고 있어서 현지 주민들의 요청이 있으면 기꺼이 이를 받아들이곤 하였다.

강릉병원의 경우는 700병상 22개 진료과목을 갖추고 있어서 소규모 대학병원의 수준이 될 정도로 큰 병원이라 할 수 있었는데, 정 회장과 나는 강릉병원의 경우는 남북통일에 대비하는 의미를 갖게 하는 것이 좋을 것이라는 말을 주고받은 일이 있다. 결국 재단의 지방병원은 서울 시내에 위치한 해성병원을 제외하면 8개가 되는 셈이다.

1989년 6월 23일 서울아산병원이 개원한 후에는 국내외 중견 의사들이 많이 들어왔고 병원 운영 경험도 늘어, 나도 지방병원을 종전처럼 자주 찾아다니지 않아도 되었지만 관할 병원 수가 늘어남에 따라 미래의 전체적인 전망을 그려보는 일은 여전히 과제였다.

재단 지방병원의 차별성

지방병원에는 지방 유지들로 이루어진 자문위원회를 두었다. 병원 운영의 방편이기도 했지만 병원이 그들의 병원이라는 의식을 심어주기 위해서였다. 나는 이 병원이 돈을 벌려는 병원이 아니라 사회복지사업 병원이라는 차별성을 인식시키기 위하여 신경을 썼다. 그렇기는 해도 시골에 원장으로 갈 사람을 찾기가 쉽지 않았다. 첨단 병원이면서도 시골 병원의 특색을 살릴 사람이어야 했기 때문이다. 전문의를 구하는 일은 더욱 어려웠다. 시골에 가고 싶어 하는 사람이 없었는데, 시골에서 근무하면 가족과 헤어져 지내야 하는 불편도 있지만 의료 지식의 향상을 기대할 수 없었기 때문이다. 그래서 나는 기회 있을 때마다 외국 유학 등 특별 혜택을 주겠다고 강조했다. 개원 후에도 나는 각 병원을 찾아 먼 길을 떠나야만 했다. 지금과 달리 길은 엉망이어서 자갈길 진흙길을 수십 km 달려야만 했다. 그래도 즐겁기만 했다.

자문위원들도 병원을 하나씩 맡아 가끔 찾아가 지도를 해주었다. 이렇게 고마울 데가 없었다. 그 병원에 담당 전문의가 없으면 자기 대학에서 전문의를 보내주기도 했다. 경우에 따라서는 지방병원과 가까운 의과대학에 부탁하여 몇 달 정도 전문의 파견을 부탁하는 일도 있었다. 전국의 의과대학이 모두 나서서 협조를 해주었다고도 할 수 있을 정도였다. 정회장의 자선사업에 마음으로부터 끌려든 때문이라고 말할 수도 있지만 인술(仁術) 이념으로 의료에 종사하면서 각 의과대학과 병원을 운영하던 원로급 의사들의 정성이라고 믿는다.

한번은 보령병원이 담당이었던 자문위원 한 분과 보령에 간 일이 있었다. 서울역에서 만나서 기차에 오르기 전 그분은 남대문시장에 들러 꽃다발 두 개를 샀다. 하나는 원장실에 주고 하나는 간호과장실에 준다고 한다. 한두 번이 아니라 갈 때마다 그랬는데 참 감동스러운 일이었다. 경희대학교의 병원장을 하시던 김순용 박사의 이야기다.

자문위원들은 원장과 병원 운영과 환자 치료를 지도했지만 나는 그럴 수도 없어 환자에 대한 친절을 강조하는 일에 주력했다. 친절, 그것은 모든 대인관계에 필요한 것이기는 하지만 병원의 친절은 다른 곳의 친절과는 다르다. 의사의 부드러운 자세와 친절만으로 환자의 질병을 치료할 수 있다는 것은 그간 내가 자문위원들로부터 배운 교훈이기도 하다. 그러고 보면 의사의 친절은 처방전에 담긴 약제에 못지 않게 중요하다. 시골 병원의 의사는 농촌에서 어렵게 사는 사람들의 사회교육자로서의 역할도 해야 한다는 것이 나의 생각이었다. 시골에서 병원만큼 교육을 제대로 받은 사람들이 모인 곳이 어디 있는가? 나는 원래 의사에 대한 기대가 큰 사람이다. 그래서 대한변협 총무를 할 때도 대한의사협회와 협의회를 만들어 주로 세미나였지만 공통 관심사를 함께 연구하는 일을 많이 했다.

간호사들에게는 온실을 만들어 꽃을 키워 병실에 배치하고, 달력에 좋은 그림이 많으니 지난 달의 그림을 잘라서 병실에 부치면 어떨까 하는 제안을 했다. 가난한 농사꾼일수록 더욱 세심한 배려를 하라는 당부도 했다. 사회복지재단 병원의 진찰과 치료는 다른 병원과는 달라야 한다고 강조하면서 배운 것을 생활개선에 도움이 되도록 하는 것도 병원의 역할이라고 늘 이르고 다녔다.

개업의와 공존

5개 지방병원이 자리를 잡은 곳은 의료취약지구였긴 해도 보통 개인병원이 두세 곳 있었다. 그 병원들에게는 큰 병원이 들어오는 것이 반갑지가 않았다. 그나마 환자가 줄어드는 판인데 이제는 아주 끊어지게 생겼으니 당연한 불만이었다.

그래서 각 지방병원 원장들에게 우리 병원은 돈을 벌려고 이 지방에 온 것이 아니니 환자가 집중되지 않도록 서로 협의하라고 타일렀다. 수시로 서울에서 권위자를 보내 의료기술의 향상과 공통된 병원 운영을 위하여 세미나를 열 때도 개업의가 같이 참여하도록 했다. 보통의 환자들에게는 개인병원이나 큰 병원이나 다를 것이 없다는 인상을 주도록 하였다. 맨 먼저 시작한 것이 신형 엑스선 강좌였는데 주변 지역에서 많은 의사들이 모였다. 이런 일을 계속하고 싶었지만 오래는 못했다.

5개 병원이 거의 다 개원하게 되면서 서울에 중앙병원을 건립하자는 이야기가 자연스럽게 나왔기 때문이다. 자문위원들이 각 지방을 방문 지도할 때 대개 나도 동행했는데, 여러 시간을 자동차나 기차를 같이 타고 먼 길을 왕래하다 보니 주고받는 말은 자연 병원에 관한 것이 많았고 그때마다 그들은 5개 지방병원을 거느릴 재단이라면 중앙에 이를 통솔하고 지도하는 병원이 있어야 한다는 말로 나를 설득했다. 어차피 지방병원은 한참은 적자가 심할 테니 중앙병원에서 소득을 올려 이를 보충하는 것도 하나의 방법이라는 것이었지만 그들 머릿속에는 정 회장 정도의 거부가 서울에 좋은 병원을 하나 지어주었으면 하는 희망이 담겨 있는 것이 눈에 보였다.

서울아산병원의 건립

서울아산병원의 구상

자문위원들은 아무리 손해를 예상한 사회복지사업이라고 할지라도 병원은 독자적인 수입이 있고 그 수입으로 병원을 경영할 수 없다면 원장 이하 의사들의 사기가 떨어진다고 말했다. 나는 재정에 관해서는 잘 알지 못해서 사무국장에게 일임하고 사업을 시작했다는 것은 앞에서 말한 바와 같다. 실제로 1년에 몇 번 이사회를 개최하고 지방병원의 재정 사항을 보고하다 보면 정 회장도 관심을 표하며 손해를 없애야 한다는 말도 했다. 다른 이사 몇 분이 사회복지사업재단이 무슨 이익을 생각하느냐고 반박하면 정 회장도 아무런 대답을 하지 않았지만 아무리 사업을 모르는 나라도 그 점에 깊은 관심을 갖지 않을 수가 없었다. 그런 이야기를 비롯해서 이런저런 이야기가 나오자 나도 자문위원들의 제안을 깊이 생각하기 시작했다. 서울에 일류 병원을 건립한다는 것은 여러 가지로 의미 있는 일일 터였다.

일류 병원이라는 말은 대한민국에서 제일가는 병원을 건립한다는 것을 의미한다. 당시 서울대학교 부속병원이 최고로 평가되고 있었지만 그

병원을 넘어서는 병원을 건립한다는 것은 한국의 의료수준을 높이는 데도 크게 공헌하는 일이 될 것이다. 자문위원들은 거의 모두 서울대학교 의과대학 출신이어서 그런지 감히 서울대학을 넘어선다고 말하는 분은 없었다. 그러나 아주 엉뚱하게도 일개 변호사인 나는 지방병원들의 운영에 관계하면서 그 가능성을 생각하기 시작했다.

당시에는 사업가나 여유가 있는 사람들이 난치병이나 중병을 앓게 되면 서울대학병원이 아니면 미국이나 일본의 큰 병원을 찾아갔는데, 서울에 일류 병원을 지으면 그런 사람들이 국내에서 치료를 받을 수 있어 편안하게 생업에 전념하게 할 수 있을지 모른다는 생각을 하니 그것도 사회복지사업이 될 것 같았다. 그 후 자문위원들과 지방병원을 방문할 때면 아산재단 서울중앙병원(서울아산병원의 초기 명칭, 이하 서울아산병원)의 건립을 머릿속에 넣고 대화를 나누기 시작했다.

병원 운영에 관해 공부하다

나는 일본의 병원 운영 전문서적을 사다가 읽기 시작했다. 잘 모르는 내용이 많았지만 그래도 경영 측면의 서적이라 조금씩 이해가 깊어지기 시작했다. 일본 원로 의사들의 수필도 읽었는데 병원의 실정을 아는 데 도움이 됐다. 이렇게 되자 시간이 흐르면서 중앙병원을 건립해 보자는 쪽으로 생각이 기울기 시작했다.

서울아산병원의 건립에는 한국의 의료수준을 높이면서 5개 지방병원을 지도한다는 목적이 있었다. 하지만 나는 정 회장의 연령과 건강도 고려해 장래를 대비한다는 생각도 하고 있었다. 물론 정 회장을 비롯해 그 누구에게도 그런 눈치는 보이지 아니하였다. 정 회장은 누구보다도 건강을 자랑하는 사람이었지만 때로 병원 신세를 지는 것은 어쩔 수 없는 일이었기 때문이다.

나는 의사 아닌 의사로서 병원 일에 매달리게 됐고 개인적인 변호사 일은 점차 소홀하게 됐다. 그래도 이상하게 법률사무소 일이야 잘못된들 어쩌랴 하는 생각이 나를 지배했다. 이렇게 큰 재단을 맡아서 내가 생각하는 방향으로 재단의 일을 한다는 것이 더 없는 보람으로 느껴지는 것을 어찌할 수 없었다.

중앙병원과 지방병원의 차이

서울아산병원 건립을 생각하게 된 또 하나의 이유는 지방병원의 전문의 문제였다. 전문의들은 시설이 좋은 병원에서 진료를 하고 싶어 하는데, 지방병원은 서울의 일류 병원과는 거리가 멀고 자기를 지도해 줄 선배도 없었다. 그래서 나는 지방병원에 갈 때마다 앞으로 지방병원에서 근무하면 1~2년 서울아산병원에서 근무할 수 있는 기회를 줄 뿐만 아니라 우수한 사람은 서울아산병원에서 계속 근무할 기회도 줄 것이라는 말로 달랬다.

결과적으로는 그렇게 안 됐지만 내 심정은 그랬다. 내가 그런 말을 할 때에는 사전에 자문위원들에게 의견을 묻고 좋다는 대답을 들은 뒤였다. 그러나 후일 알게 됐지만 지방병원의 전문의와 서울 본원의 전문의는 기술적 능력, 경력 면에서 차이가 있는데다 서울 본원에 근무하는 사람들의 자부심은 대단하여 지방병원의 전문의와 동등하게 취급하는 것은 있을 수 없는 일이라고 생각하는 것 같았다.

서울아산병원 건립에는 엄청난 돈이 들어가는 것은 당연한 일이지만 나는 자세히 계산해 본 일이 없다. 그래서 정 회장에게는 서울아산병원 건립의 필요성을 구두로 간단하게 설명했는데도 두말없이 승낙을 받았다. 거인은 거인이다.

　그렇게 해서 서울아산병원 건립은 시작되었다. 그러나 서울아산병원에서 고려해야 할 요건과 지방병원에서 생각해야 할 요건은 엄청나게 달랐다. 지방병원은 자문위원 회의가 열리면 모두 비슷한 모델이 머릿속에 그려져 있는지 금방금방 결정이 되어나가곤 했는데, 서울아산병원은 그 규모를 결정하는 데만도 너무나 문제가 많아서 자문위원들이 고민하고 있음을 알 수가 있었다.

서울아산병원의 건립

　설계에 관한 일은 현대건설 건축 관계자와 외부에서 채용한 몇 사람의 전문가가 참여해서 하나하나 결정해 나갔다. 일본에서 병원 전문 건축가를 초빙해 며칠씩 강의를 들은 것도 이때의 일이다. 강의를 듣고보니 병원 건립 전에 자문위원들이나 전문가들이 미리 생각할 일이 한두 가지가 아니었다. 예컨대, 어느 방에 어떠한 기계를 설치한다는 결정을 하여도 그 기계가 얼마 안 가서 신형으로 교체되는 것이 병원의 상례이기 때문에 그것을 미리 예측해서 방을 여유 있게 만들거나 빈방 몇 개를 미리 만들어놓아야 한다. 병원이 아니고서는 생각할 수 없는 일들이었다.

　또 병원을 재래식으로 지을 것이냐 아니면 나무가 무성한 식물원처럼 지을 것이냐 하는 것은 병원 건립 주체자의 철학에 따를 일이었는데, 나는 후자를 택하는 것이 옳다고 생각했다. 환자가 병원을 찾을 때 자기가 환자라는 의식이 강해지는 것보다는 어디 놀이터라도 온 것 같은 인상을 받게 되면 치료에도 큰 도움이 된다는 것은 이미 나에게도 상식이 되어 있었기 때문이다. 이는 병원 건립에 관한 문제 중 일례에 불과했다. 이외에도 병원 건축 강의에서는 배운 일이 많았다.

이런 식으로 병원 건축에 대한 지식도 많이 얻어나갔지만 그렇다고 자문위원들이 전원 의견의 일치를 보는 것은 아니었다. 그런 때에는 내가 최종결정을 하여야 했다.

병원 운영에 관해서도 전문가 강의를 들었다. 의사라고 누구나 병원 경영을 잘하는 것은 아니다. 당시 내 머릿속에는 이문호 박사를 원장 후보로 생각하고 있었는데, 그분은 병원 운영에 대하여서는 전혀 경험이 없는 분이었다. 그러므로 나라도 병원 운영의 요체를 많이 배워둬야 했다.

이러한 강의를 들으면서 나는 이문호 박사와 같이 건축사, 컴퓨터 전문가 등 직원 몇 사람을 데리고 일본의 새로운 병원을 몇 군데 방문하였고, 유럽에도 새로운 병원을 찾아서 시찰하였다. 어느 곳에서나 최근의 지식과 기술이 집약되어 있어 배운 것이 많았다.

컴퓨터 시스템의 도입

설계 단계에서 제일 고민했던 것은 병원 운영 전반에 컴퓨터 시스템을 채택할 것인가였다. 당시는 현대전자주식회사가 있기는 해도 창사한 지 얼마 되지 않아 병원에 컴퓨터 시스템을 설치한 경험도 없었고 시내 어느 병원도 컴퓨터 시스템을 채택하고 있는 데가 없었다. 세브란스 병원에서 IBM에 위탁하여 조사를 해보고 있다는 얘기는 들렸지만 그쪽을 모델로 삼기에는 부족했다. 장래에는 컴퓨터 시스템이 모든 병원은 물론 모든 기관에서 채택될 것이라는 전망은 있었지만 그것도 학자들의 전망에 불과했고 이론의 범위를 벗어나지 못하고 있었다.

유럽과 일본의 병원을 여러 곳 보았지만 당시로서는 컴퓨터 시스템을 채택한 데가 없었다. 병원 운영 전문가도, 일본의 병원 건축 전문가도 컴퓨터 시스템 도입에 대해서는 확실한 답을 주지 못했다.

나는 장래가 어떻게 될 것인지 알지도 못하면서 컴퓨터에 관한 책을 많이 읽었다. 그래서 말로는 남보다 훨씬 앞선 컴퓨터 지식을 갖고 있어서 고민이 클 수밖에 없었다. 차라리 컴퓨터를 몰랐으면 그런 고민도 하지 않았을 것이다. 그러나 컴퓨터를 이용할 것인가 아닌가를 결정하지 않고서는 효율적인 설계를 할 수가 없었다. 이 문제는 나를 무척 괴롭혔지만 정 회장과 상의할 성격이 아니어서 나 혼자 결정하는 수밖에 없었다. 수소문하여 컴퓨터에 관심이 있는 서울대 의사 한 사람, 전자공학을 전공한 사람을 전문위원으로 옆에 두고 직접 연구하여 결정할 수밖에 없었다.

이렇게 해서 컴퓨터 시스템을 병원 운영 전반에 걸쳐 채택한다는 방침을 세웠다. 나는 당시 시점보다 훨씬 더 앞선 생각을 했지만 오늘날과 같은 정보화시대를 생각한 것은 아니었다. 단순히 진찰과 검사의 능률화, 환자들의 편의를 고려한 것뿐이었다. 실제로 다른 병원에 다니면서 환자 진찰 체계를 보면 예약 단계는 제쳐놓더라도 환자는 외래 대기실에서 한참 기다리다가 겨우 몇 분 의사의 진찰을 받으면 쪽지를 받아서 약국에 갖다주고 전광판에 자기 번호가 떠오를 때까지 우두커니 기다려야만 했다. 검사는 시간이 더 걸려 그날로 안 되는 일이 많았다. 환자의 이런 불편을 없애야겠다는 것이 나의 생각이었다.

그러나 이런 불편한 일들은 의사의 눈에는 당연한 것이었다. 그래서 내가 이런 이야기를 꺼내면서 인권 운운하면 자문위원들 중에는 놀라는 분도 있었다. 게다가 환자를 진찰한 후 차트에 몇 글자 적어넣으면 될 일을 알지도 못하는 키보드를 두들겨가면서 입력을 한다는 것은 말만큼 쉬운 일이 아니었다. 때문에 의사들, 특히 나이가 든 의사들의 저항도 많을 것이라는 생각을 하지 않을 수 없었다. 그래서 이문호 원장에게 의사들이 저항하지 않을까 걱정이 된다고 이야기하면서 그들을 설득하는 것은 이

원장이 책임지라고 일렀다. 사실 내가 컴퓨터 시스템을 도입한 뒤 20년이 지나도 컴퓨터를 손쉽게 다루는 의사들이 적었다. 옆에서 간호사가 도와 주지 않으면 손을 놓고 있는 의사들을 쉽게 볼 수 있었다.

이런 고민 끝에 처음부터 컴퓨터 시스템을 채택한 것이 병원 운영을 능률적으로 할 수 있게 만들었다. 현재 3천 병상에 가까운 대규모 병원에서 이렇게 도입된 컴퓨터 시스템이 없었던들 진찰, 치료, 검사는 물론 병원을 원활하게 운영하기가 어려웠을 것이다. 그리고 이미 시대는 달라져서 젊은 사람들은 말할 것도 없고 의사들까지도 컴퓨터는 없어서는 안 될 실용품이 되었다.

여담이지만 서울아산병원에서 컴퓨터 시스템 도입을 고민한 경험이 있었기에 1987년부터 89년까지 대한변협 협회장을 맡던 당시 정권과 검찰 사법부 전반에 관하여 문제가 생길 때마다 컴퓨터를 이용하여 신속하게 그들을 질타하는 성명서를 낼 수 있었고 1990년부터는 6년간 한국법학원장으로 있을 때 사법부와 법조계를 상대로 컴퓨터 교육을 실시할 생각을 할 수 있었던 것이다.

의과대학과 연구소

서울아산병원은 성격상 의과대학과 연구소를 필요로 했다. 나도 수년 간을 의사들과 병원 이야기를 하다보니 한국에서 훌륭한 교수를 모시려면 의과대학이나 연구소가 필요하다는 것을 알게 될 때까지 시간이 얼마 걸리지 않았다. 그래서 의과대학의 설립을 서두르기로 하였고 연구소도 될 수 있으면 빨리 설립하는 것이 좋겠다는 생각을 했다. 당시 정부로부터 의과대학 설립의 허가를 받는 일은 대단히 어려웠다. 특히 서울에 독립된 의과대학을 두기란 거의 불가능했다. 그러므로 연구소(아산생명과학

연구소)라도 먼저 설립하는 것이 좋겠다는 결론을 냈다. 후발 병원으로서 기존 서울대학교 의과대학 부속병원을 단시일 내에 따라잡고 그보다 앞선 병원을 만들기 위해서는 병원, 의과대학, 연구소 3자의 체계적인 조직이 필요했다.

의과대학은 우선 울산학원(당시 이사장 정주영)이 경영하는 울산대학교에 세운 뒤 현대중공업주식회사의 직원용 해성병원을 부속병원으로 하고 아산재단의 서울아산병원은 그에 대한 협력병원으로 하기로 했다. 학생은 지역 형편상 우수한 지망자를 모집하기가 어려울 것 같아 전원 장학금을 지급하고 교육은 서울아산병원에서 담당하고 전원 기숙사에 수용하기로 했다. 이 부분은 경험이 많은 민병근 교수의 공로가 절대적이었다. 두고두고 감사할 따름이다.

정주영 회장의 돌발적 지시와 나의 진술서

정 회장은 시간이 나면 건축 중인 서울아산병원 현장에 나와서 여긴 뭐냐 저긴 뭐냐 물으면서 설계대로 짓고 있는 현장 소장에게 여기는 줄여라 여기는 넓혀라는 지시를 가끔 했다. 현장 소장은 정 회장의 지시가 떨어지면 누구하고 의논할 것도 없이 당장 그가 하라는 대로 했다. 한번은 현장에 수시로 나와 감독을 하던 구청 직원이 설계와 달리 건축되고 있는 것을 보고 그것을 근거로 재단의 병원 담당 부장을 고발하였다. 담당 부장은 동향의 가까운 국회의원을 통해서 고발을 무마하려 했지만 쉽게 풀리지 않았다. 그는 자기가 담당 부장으로서 변경하라고 지시한 것으로 하고 혼자 책임지려고 했다.

하지만 담당 검사가 당신은 일개 부장인데 그런 지시를 할 수 있느냐고 다그치는 바람에 상임이사 문인구의 승낙을 받고 한 일이라고 대답을 했다. 검사가 그것이 사실인지 확인하려면 그의 진술서를 받아오라고 해 그 부장은 나에게 와서 자초지종을 이야기했다. 이야기를 들은 나는 난감하기는 했지만 나는 그런 지시를 한 일이 없을 뿐만 아니라 정 회장도 그런 지시를 한 일이 없다고 말해야 할 형편이니 진술서를 한 장 쓸 수밖에 없다는 생각을 했다. 진술서, 그것도 내용이 사실과 다른 진술서를 쓰자니 나로서도 생전 처음 있는 일이어서 마음에 걸리기는 했지만 정 회장의 지시라고 말할 수도 없었다. 내가 진술서 한 장을 써주었더니 사건은 그대로 종결이 되었다. 담당검사가 내 이름을 기억하고 있었던 것 같다.

담당 부장은 이런 식으로 자기가 책임을 지고 일을 처리하려 할 정도로 열성적이고 충성스러웠지만 후일 무슨 일인가로 정 회장의 눈 밖에 나 파면되었다. 그래서 정 회장을 만나 건축법 위반사건 이야기를 하면서 그렇게 충성스러운 사람을 무슨 일인지 모르지만 내보낼 수는 없다고 정색을 하였다. 한참 이야기가 오가다가 재단에 두기가 싫으시면 본인의 희망을 들어 그룹 내 적당한 곳에 회장님 지시라고 보내겠다고 이야기를 해서 승낙을 받고 그쪽으로 전출 형식으로 보냈다. 재단 직원의 진급 문제만 해도 그렇다. 현대그룹에서는 때가 되면 진급을 하는 것이 보통이었는데 정 회장의 결재를 받아야 할 재단 사무국의 고위직은 진급이 늦어지는 경향이 있었다. 정 회장에게 그 이유를 물었더니 재단 직원들은 하는 일 없이 놀면서 월급이나 타먹지 않느냐고 이야기를 한다. 나는 "무슨 말씀입니까, 그러지 않아도 현대그룹에서 활기찬 일을 하러 어려운 입사시험에 합격하여 들어왔더니 재미도 없는 복지사업을 한답시고 재단으로 보내니 다들 다른 곳으로 가게 해달라고 아우성들인데 이렇게 하시면 됩니까" 하고 대들어서 그룹의 다른 사원들과 진급 시한을 맞추도록 했다.

환자 중심의 병원

　서울아산병원을 설계하는 단계에서 규모가 너무 크다는 이야기가 나오기도 했지만 나는 될 수 있으면 규모가 큰 병원을 건립하고 싶었다. 진찰실을 비롯해서 병동, 환자대기실 등의 공간이 모두 넉넉했으면 했기 때문이다. 시대가 변하고 한국의 경제가 성장하는 데 따른 변화도 변화지만 모든 것이 넉넉해야 의사도 환자도 편안하다는 생각을 한 것이다. 무슨 병이든 한 번에 치료가 되는 일이 드무니 입원을 하든지 자주 병원을 방문해야 할 텐데 그때마다 환자들이 불편을 느껴서는 안 된다.

　지금은 많이 나아지기도 했고 이렇게 친절할 수가 있나 할 정도로 친절한 병원도 생기기는 했지만, 종전의 병원에 대한 국민의 비난은 의사 또는 간호사가 너무 불친절하다는 데 있었다. 의사나 간호사의 불친절은 대체로 권위의식에서 나오는 것이었다. 환자도 그런 권위의식을 무척 잘 알고 있었기 때문에 의사 앞에서는 자기 생각을 맘 놓고 이야기하지 못하고 질문도 하지 못했다. 실제로 환자가 많은 병원일수록 환자가 무슨 말을 꺼내려들면 의사는 그만하고 나가라는 듯한 행동을 하는 경우가 드물지 않았다. 하지만 진찰을 받는 환자 입장에서는 자기가 걸린 질병의 상황이

나 치료의 계획에 대하여 의사의 설명을 듣고 싶게 마련이다. 그렇기에 의사가 진찰이나 수술을 할 때 친절하게 대하는지 그렇지 않은지가 치료의 전부라고 할 만큼 환자들은 친절에 굶주려 있었다. 높은 수준의 의술은 오히려 나중 문제였다.

이 문제를 어떻게 풀 것인가? 의사들과 간호사들을 모아놓고 친절을 강조할 수밖에 없었다. 하지만 의사들에게는 듣기 싫은 이야기라는 것을 표정으로 알 수 있었다. 친절이란 억지로 노력한다고 될 일은 아니지만 그래도 목적의식을 갖고 노력하면 달라질 것이라 생각했다.

나는 서울아산병원과 지방병원 간호사들에게 일본 병원의 예를 들어 친절을 강조하곤 했는데 이런 이야기였다. 한번은 집사람이 미국에서 귀국하다가 도쿄에 들렀을 때 3~4일 입원한 일이 있었다. 그런데 입원하고 있는 동안 복도에 사람 다니는 기척을 느낄 수가 없었다고 한다. 사람들이 복도를 다니다보면, 특히 여자들은 또각또각 구두 소리를 낼 텐데 그런 소리가 전혀 없어서 하루는 병실 문을 조금 열어놓고 복도를 내다보았다. 그런데 간호사가 뒤꿈치를 들고 병실 앞을 지나가더라는 것이다. 이런 예를 이야기하면서 나는 그대로 하라는 것은 아니다, 병동마다 사정이 다르니 사정이 다르면 다른 대로 환자를 위해서 창의적인 노력을 하면 그 마음이 환자에게 전달될 것이라고 말하곤 하였다.

그러나 질병으로 입원해 본 사람이라면 모두 느끼겠지만 의사와 간호사의 일은 아주 힘들다. 그래서 일을 하다가 얼마간이고 시간이 날 때면 편안히 쉴 수 있는 방을 따로 마련해 주는 것이 중요하다는 생각을 하고 설계팀에게 의사들만의 휴게실이나 식당을 따로 두어야 한다고 강조했다. 내 몸이 편해야 남에게 친절할 여유가 생긴다. 원래 친절은 자연히 우러나는 것이다.

의사가 환자를 성의 있게 진료하려면 환자들이 의사를 존경하는 것도 대단히 중요한 일이다. 내가 서울아산병원 20주년 기념회 때『질병 없는 세상을 꿈꾸는 사람들』이라는 책을 기획하고 출판하도록 한 까닭도 여기에 있다. 원로 의사들의 경험을 빌려서 젊은 의사들에게 의사의 보람을 강조하기 위해 만든 책이다. 그 책에 나도「젊은 의사에게 바란다」는 제목의 글을 한 편 실었다.

이처럼 아산재단에서 의료복지 사업을 하면서 의사와 환자의 관계를 어떻게 정립할 것인가에 관해서 많은 생각을 하게 되었다. 그러나 인술 (仁術)이라는 옛 개념 이외에는 달리 대안이 생각나지 않았다. 오랜 의료 경험을 갖고 있는 고명한 의사들과 이야기해 보았지만 마찬가지였다.

의사들의 선서 '우리의 다짐'

지금은 어느 병원을 막론하고 의사와 환자의 권리장전 같은 것을 병실에 내걸고 있지만 당시에는 드문 일이었다. 그러나 나는 사회복지사업재단의 병원이라는 점을 내세워 '우리의 다짐'이라는 의사들의 윤리규범을 만들도록 했다. 당시 홍창기(洪昌基) 내과과장, 이철(李哲) 정신과 부교수, 문희범(文熙範) 알레르기 류머티즘 내과 부교수 세 사람을 불러 나의 뜻을 설명하고 의사가 환자를 대하는 자세에 대한 규범을 만들어보라고 일렀다. 그리고 나서 1989년 6월 23일 개원식에서 민병근(閔丙根) 부원장이 '우리의 다짐'이라는 겸손한 제목을 붙인 이 규범을 낭독함으로써 의사들을 놀라게 했다. 대한민국에서는 처음 있는 일이었다. 그 5개항의 내용은 다음과 같다.

- 우리는 인간의 생명이 더 없이 고귀하다는 것을 깊이 인식하고 환자가 건

강을 빨리 회복하도록 최선을 다한다.

- 우리는 환자가 가난이나 그 밖의 이유로 소외되는 일이 없도록 누구에게나 친절하고 성의 있게 대한다.
- 우리는 환자가 자신의 건강에 관하여 잘 이해할 수 있도록 설명해 주며, 환자의 비밀을 굳게 지킨다.
- 우리는 새로운 지식과 기술을 얻기 위해 항상 연구하며, 연구와 경험을 통해 얻은 내용을 동료와 기꺼이 나눈다.
- 우리는 복지사회 실현의 선구자적 병원에서 일한다는 긍지를 갖고 서로 돕고 사랑하며 행복한 직장이 되도록 노력한다.

나는 의사들에게 기회가 있을 때마다 의사 중심의 병원과 환자 중심의 병원에 대한 나의 생각을 이야기하며 친절을 강조했지만 아마도 의사들은 재단 이사가 병원의 무엇을 안다고 저런 말을 하는가 하며 속으로 웃었으리라 생각한다. 그러나 이는 평소에 환자로서 기존 병원을 다니면서 느끼고 있던 것을 자연스럽게 표현한 것뿐이다. 어쩌면 법률가로서 인권의식이 작용했을지도 모른다.

입원환자의 휴게실

1인실, 2인실이 있어도 입원비가 비싸서 이용하기가 어려워 6인실을 이용하는 환자들이 훨씬 많다. 그러므로 병동에 누구나 이용할 수 있는 휴게실을 따로 만들라고 설계팀에 일렀다. 이런 나의 지시에 자문위원들은 놀라는 눈치였다. 휴게실은 서관부터 만들어지기 시작해서 후에 동관과 신관에도 만들어졌다. 나중에 휴게실을 들러보니 그곳에서 방문객들과 환자들이 경험을 나누고 담소하는 것을 많이 보았다. 환자 간의 경험의 교환은 치료에도 도움이 된다는 것이 나의 생각이다.

지방병원에도 마찬가지로 휴게실을 만들도록 했다. 언젠가 한번 어느 지방병원에 가보니 휴게실이 있던 자리가 병실 2개로 변해 있었다. 환자가 그만큼 늘었다는 증거겠지만 병실은 별도로 만들었어야 하지 않았나 싶었다. 야단을 칠 수도 없어 휴게실 설치의 취지를 설명하는 데 그쳤다. 입원비가 넉넉하지 못해서 6인실을 쓰고 있는 사람도 1인실이나 특실 입원환자와 똑같이 대우받을 수는 없지만 비슷한 대우는 해주어야 한다는 게 내 생각이다. 최근 새로 지은 어느 병원에 들렀다가 내가 설치를 추진했던 것과 비슷한 휴게실을 보고 혼자 웃음을 지었다.

복도와 대기실

평소 다른 큰 병원에 가서 느낀 소감 중의 하나는 복도에다가 환자를 앉혀놓고 대기시키는 것은 병원답지 못한 일이라는 것이었다. 복도는 사람들이 지나다니는 길인데 그 한편에 긴 의자를 놓고 아픈 사람을 대기하게 한다는 것은 인간다운 대접이 아니다. 그래서 진료 대기실을 진찰과마다 따로 만들도록 하라고 설계팀에 일렀지만 지금 보면 그렇게 된 곳도 있고 그렇지 못한 곳도 있는 듯이 보인다. 이렇듯 나의 생각이 모두 관철된 것은 아니다.

인간 대접을 마지막으로 받는 영안실

서울아산병원 영안실은 내가 특별히 신경을 쓴 산물이다. 당시에는 큰 병원 영안실 중에도 거적때기를 깔아놓은 곳이 있었다. 죽은 사람은 사람이 아니라는 의식이 그대로 드러나는 단면이었다. 그러나 비록 죽었어도 장례식이 끝날 때까지 인간으로서 대접을 받아야 한다는 것이 나의 생각이었다. 그렇기 때문에 나는 영안실과 장례식에 필요한 시설을 제대로 갖추라고 일렀다.

일본 병원을 시찰했을 때에 힌트를 얻은 일이지만 기독교, 불교, 유교에 따라 예식은 달라질 수 있으므로 그에 따른 각종 제구(祭具)도 갖추어 놓도록 했다. 그런 탓인지 신문 부고란에는 서울아산병원 영안실이 자주 등장했다. 나는 이런 기사나 부고가 실린 것을 볼 때마다 서울아산병원에서 죽는 사람이 이렇게 많구나 하는 인상을 주고 있는 것 같아서 불안하기도 했다. 하지만 시간이 가면서 영안실은 진료병원과는 관계없이 대여한다는 사실이 점차 알려졌고 지금은 병원마다 새로 지을 때에는 영안실부터 잘 짓는 것이 관행이 된 것 같다.

내가 영안실에 공을 들인 것은 돌아가신 분에 대해 인간적인 대접을 다 한다면 살아 있는 분에 대해서는 더욱 정성을 쏟을 것이라는 생각 때문이었다. 의사, 간호사를 비롯한 병원 직원들도 집안이나 친구 집의 상사로 문상을 가는 일이 많을 것이다. 그럴 때에 인간이 무엇인가, 생전에 잘해 드렸으면, 빨리 병원에 갔으면 이런 일이 생기지 않았을 것을 하는 말들을 주고받으면서 좀더 환자를 정중하게 모셔야 한다는 생각을 하게 되기를 희망했던 것이다. 오늘날에 와서는 망자(亡者)에 대한 인간적 대접보다는 병원의 수입 증대를 위해 너도 나도 영안실에 공을 들이는 듯싶기도 하여 쓸쓸한 기분을 느낄 때가 있다. 물론 아파트 문화가 발달하면서 가정집에서 장례식을 치른다는 것이 불가능해진 것도 한 이유일 것이다. 그러나 영안실의 화려함은 죽어서도 화려하게 장례식을 치르는 것이 무슨 명예라도 되는 듯이 느끼고 사는 한국인의 허상을 보는 것 같아 뒷맛이 좋지 않을 때가 있다.

모두가 환자를 받드는 병원의 로고

건립 당시 서울아산병원의 로고(노랑 바탕에 초록색)

나는 병원을 건립할 때 환자 중심이라는 뚜렷한 목표를 갖고 있었지만, 의사들 대부분은 역시 병원은 의사들의 것이라는 의식이 강했다. 그것을 나무랄 수는 없었다. 그래서 환자 중심의 병원이라는 철학이 잘 담긴 로고를 만들고 싶었다. 우선 몇 분의 원로 의사에게 병원이 흔히 쓰는 적십자 모양을 모든 병원이 사용하고 있는데 꼭 그래야만 하는지 확인해 달라고 부탁했다. 그래서 적십자는 1차 세계대전 때 부상병을 나르는 것을 나타내기 위한 표시가 그 유래인데, 그 이상의 의미는 없음을 알게 됐다. 나는 몇 사람의 젊은 의사와 간호사에게 내 뜻을 얘기하고 로고를 잘 아는 전문가 한 사람과 함께 환자 중심의 병원임을 표시하는 로고를 만들어내게 했다. 환자를 나타내기 위해 가운데에 원을 두었다. 병원에 다니다 남자는 ♂로 여자는 우로 표시한 것을 본 기억이 나 남녀 구별 없이 표시하려면 원으로 하면 된다고 일러주었던 것이 이렇게 표현되었다. 그리고 그 원을 의사가 두 손으로 감싸고 양쪽에서 간호사를 포함한 전 직원이 모두 합심해서 떠받드는 모양을 만들었다. 모든 직원이 합심하여 환자를 돕는다는 인간 존중의 의지가 담겨져 있었던 이 로고는 얼마 전까지 사용되었다.

마음을 밝게 하는 환자복

환자복을 밝은 색으로 만든 것도 새로운 시도였다. 간호부장으로부터 추천을 받은 몇 명의 간호사들에게 다른 병원에서 입히고 있는 환자복이 우중충해서 그렇지 않아도 우울한 환자가 기분이 좋아질 리 없다는 내 의견을 말하고 밝은 색으로 환자복을 만들어보라는 부탁을 했다. 그렇게 해서 만들어진 것이 얼마 전까지 사용되던 분홍색 환자복이었다. 어느 날 TV 드라마를 보니 환자가 입고 나온 옷이 분홍색이었는데 화사하니 보기 좋아 좋은 색을 택했다고 생각했다.

그러나 여기에도 어려움이 따랐다. 시간이 지남에 따라 환자복 윗도리는 새 옷이라 밝은 분홍색이고 바지 쪽은 거의 허옇게 퇴색해서 무슨 색이라고 말하기 어려울 정도의 것을 보니 영 말이 아니었다. 몇 번 주의를 주어서 시정을 하게 노력해 보았지만 많은 일에 시달리는 간호사들이 여러 가지 빛깔로 변한 것을 따로 따로 골라내 아래 위를 꼭같은 빛깔로 맞추기 어려웠던 것 같다. 그러다가 최근 동부이촌동에 있는 금강아산병원에 갔는데, 서울아산병원이 개원한 지 20년이 넘은 지금도 분홍색 환자복을 입히고 있는 것을 보고 반갑기는 했지만 여전히 아래위가 고르지 못한 두 가지 색깔이었다.

1층 로비에서 산책하는 환자들에게는 가운을 입혀야 한다는 생각도 해보았지만 복잡하다는 말에 더 이야기를 하지 않았다. 병원 직원들에게 다른 병원에서 하지 않는 일을 너무 많이 시켜서 미안하지만 병원도 잘 알지 못하는 내가 새로운 병원을 만들면서 많은 꿈을 꿀 수 있어서 지금 생각해도 즐거운 일이었다.

산모와 신생아는 환자가 아니다

일본 적십자병원에는 산부인과 병동이 별관으로 따로 있었다. 이 세상에 새로 태어나는 아기가 환자로 취급된다는 것은 말이 안 된다, 신생아야말로 깨끗한 환경에서 인간으로서 출발을 해야 한다는 것이 그 병원 원장이 설명한 이유였다. 이 말에 나는 법률가로서 큰 충격을 받았다. 그래서 재단 의료 자문위원과 의논한 후 설계 담당자에게 말을 했지만 그 당시는 별동으로 산부인과 병동을 건립한다는 것은 어렵다고 했다. 그러나 그 취지를 살리기 위해서 산부인과 병동은 서관 4층에 독립된 좋은 자리로 정하고 앞에 작은 공원도 만들어주었다.

또 한 가지 신생아에 관한 한 일본 부인의 이야기를 토대로, 앞으로 아산병원에서는 모유만 먹이는 것을 동의하는 산모에 한해서 입원 출산을 허용하자는 이야기를 꺼내보았다. 서관을 개원하고 난 뒤 몇 년 지나서 꺼낸 이야기였다. 문헌 몇 가지를 읽고 난 뒤에 우선 신생아를 담당하는 간호사 몇 명과 일본에서는 모유를 먹이겠다는 산모에 한해서 입원시키는 병원이 있다는 이야기를 하면서 모유만 먹이도록 하면 어떠냐고 의견을 물었다. 뜻밖에도 그들은 나의 생각에 찬성하고 지금 우유만 먹이고 있는 실정은 우유생산회사들의 상술이며 모유를 먹여야 아이가 정상적으로 성장할 수 있다고 했다. 나는 어느 정도 자신을 얻고 산부인과 의사들과 의논을 해보려고 했는데 중단되고 말았다.

의사의 영입

의사 영입에 관해서는 이문호 원장에게 위임했다. 일류 첨단 병원을 개원하기 위하여서는 능력과 경험이 많은 훌륭한 의사들을 많이 모아야 하는데 나는 의사가 아니어서 의사 영입에 관여할 여지가 없었기 때문이다. 내가 사전에 당부한 말은 단 한 가지다. 언젠가는 서울대학병원을 극복하는 병원이 되어야 할 테니 서울대학 출신에만 치중하지 말고 능력이 있는 사람은 대담하게 채용하라. 이런 이야기를 하게 된 이유 중에 하나는 보통 대학병원은 자기 대학 출신만 채용하는 것이 관례였기 때문이다. 당시 서울대학병원과 세브란스병원의 갈등은 세상이 다 알 정도였다. 다른 재단에서의 일이지만 서울대, 연세대 출신의 의사들은 회의 때마다 사사건건 충돌했고 그러지 않아도 될 만한 일에도 서로 얼굴을 붉히곤 했다.

그래서 나는 이문호 원장에게 그런 주문을 한 것이다. 새로이 출발하는 병원이니만큼 선후배 간에 자연스럽게 질서를 잡기 위하여 서울대학 출신이 많은 것은 할 수 없지만 60, 70%는 넘지 않는 것이 좋겠다고 했다. 이문호 원장은 자랑할 만한 국내외의 의사들을 모집하는 데 성공하였다. 당시의 여러 가지 이야기를 종합하면, 이문호 원장은 아산재단을 맡아서 운영하고 있는 문인구 이사와 친분이 두터운데 이문호 원장이 추천하면 재단에서 거부하는 일은 없을 것이라는 신뢰가 있어서 좋은 의사들을 모을 수 있었다고 한다. 한국에서 가장 돈이 많다고 하는 정주영 회장이 병원을 짓는다니까 시설과 의료기기도 최신일 것이라는 믿음도 작용했다. 검사기기나 의료장비는 각 과에서 희망하는 대로 모두 사주었다. 뒤늦게 신경외과에 들어온 황충진(黃忠鎭) 교수가 나에게 직접 고가의 '감마나이프'를 사달라고 하여 즉석에서 승낙한 것이 하나의 예이다. 황충진 교수는 먼저 이문호 위원장에게 찾아가 요청을 했으나 시기가 늦어서 추천할 수 없으니 재단 이사장에게 직접 말해보라고 해 나에게 직접 이야기했던 것이다. 그는 감마나이프를 들여놓게 되면 아시아에서 두 번째이니 주변 국가에서 환자들이 몰려들어 아산병원의 발전에도 도움이 될 것이라고 설명했다. 아산병원이 단기간에 장족의 발전을 한 것은 정 회장을 닮아 모든 결정이 신속했기 때문이다.

환자 가족용 간이호텔

지금 서울아산병원이 서 있는 대지는 엄청나게 넓다. 병원 건물도 건물이지만 자동차 주차장만 보더라도 대지의 규모를 알 수 있다. 따라서 1980년 서관(현재는 동관, 신관, 기타 연구소가 있다)을 건립하려고 할 때에는 이 넓은 대지에다 무엇을 어떻게 지을 것인가를 고민해야 할 정도였다. 그래서 나는 서울아산병원을 건립할 때에 먼 곳에서 병원을 찾아오는 환자나 보호자를 위한 간이호텔을 지었으면 하는 생각을 했다. 거기다 목욕탕까지 지으면 더욱 좋을 터였다. 나의 그런 생각을 의료 자문위원들에게 말했더니 동의하는 사람이 별로 없었다. 물론 한국에는 전례가 없는 일이었다.

나는 미국 휴스턴의 그 유명한 MD 앤더슨 암센터(MD Anderson Cancer Center)에서 폐 수술을 받은 적이 있다. 어느 해 연말 나는 폐암(후일 오진으로 판명) 진단을 받고 수술을 받기 위하여 그 병원에 도착했는데 거기에는 환자와 보호자가 숙박할 수 있는 호텔이 병원에 붙어 있었다. 거기서 식사 조리도 할 수 있었다. 나는 거기서 며칠 숙박을 한 뒤 수술을 받고 돌아왔다.

결국 간이호텔은 유보됐지만 그 후 서울아산병원이 유명해져서 지방에서 올라오는 사람들이 많아지자 병원의 로비에서 잠자리를 잡는 사람들이 생기는 것을 보고 그때 무리해서라도 간이호텔을 만들었으면 좋았을 것을 하는 생각을 했다.

나는 언제나 꿈같은 이야기를 한다는 어느 자문위원의 말처럼 이상에 치우치는 발상을 할 때가 있다. 그러나 전국을 대상으로 하는 병원이라면, 더욱이 사회복지사업재단이 운영하는 병원이라면 환자의 치료와 더불어 환자 가족이나 보호자의 편의까지 도모해 주는 그런 구상도 해볼 수 있지 않겠는가?

의사의 인술

의사의 날 제정

의사는 그가 보통 의사이든 보직을 맡고 있는 의사이든 모두 자존심이 강한 사람들이다. 나는 아산재단의 한 지방병원에서 있었던 일로 이를 크게 느낀 적이 있다. 지방병원장은 될 수 있으면 좋은 분을 모시기 위해서 공고를 하고 자문위원들이 전원 참석해서 면접을 하고 채용했다. 그래서인지 병원은 별 탈이 없이 잘 운영되어 나갔다. 그런데 한 병원장이 재단의 사무총장을 상대로 고소를 하는 일이 벌어졌다. 그 원장 입장에서는 나이가 들어서 심신도 쉴 겸 지방병원의 원장을 희망한 것인데 의사도 아닌 재단 사무총장이라는 사람이 감독으로 나와 원장을 함부로 대한 것이 화근이었다. 고소의 정확한 내용은 오래된 일이라 기억이 나지 않지만 정주영 회장께 알려지지 않도록 비밀로 하여 해결하느라고 무진 애를 먹었다.

자존심이 강하다고 말하면 독선적인 사람이라고 느끼기 쉽지만 의사에게 자존심은 필수적인 조건이다. 자존심이 없으면 어떻게 진찰을 하고 처방을 할 수 있겠는가? 그래서 의사에게는 의사에 상응한 존대를 하여야 한다. 예전에는 의사를 선생님이라는 존칭으로 불렀는데, 나는 옛날 사람이라서 그런지 지금도 상대방의 나이에 관계없이 선생이라는 존칭으로 부른다. 그렇게 힘들고 그렇게 시달리는 일을 묵묵히 하는 의사를 보면 저절로 존경의 마음이 생겨 존대하지 않을 수 없게 된다.

그래서 내가 생각해 본 일이 '의사의 날'을 제정해서 1년에 하루라도 의사의 노고에 경의를 표했으면 하는 것이다. 이런 제의에 대해 의사들이 얼마나 나쁜 놈들인데 하고 반발하는 사람도 있겠지만 그것은 극히 일부의 의사에 국한되는 일이다. 그 일부의 의사를 놓고 의사 전부를 나쁜 사람으로 취급하는 것은 바른 일이 아니다.

미국 병원에서의 경험

나는 1990년대에 미국에 가서 심장수술(바이패스)을 받은 일이 있는데, 그때 여기와 다른 일들을 경험했다. 심장수술 후 통증을 한 번도 느낀 일이 없어서 병실에서는 첫날부터 일어나 앉아 있었는데 우연히 문병 차 들른 어느 한국분이 이를 보고 자기도 한국의 유명한 병원에서 똑같은 수술을 받았는데 한 20일쯤 심한 통증 때문에 견디기가 어려웠다며 미국은 다르군요 하는 말을 했다. 그래서 나는 돌아와서 서울아산병원 원장에게 미국 얘기를 해주었더니 그도 놀라면서 의사 한 사람을 보내서 배워 오게 하겠다고 했지만 그렇게 하기까지는 상당한 시일이 걸렸던 것으로 기억한다.

그뿐이 아니다. 심장수술을 하고 5일째 되는 날 퇴원하라고 하여 깜짝 놀랐다. 퇴원하고 나서 걷는 운동을 많이 했는데, 퇴원한 지 이틀째 되는 날 밤에 우연히 가슴에 이상을 느끼고 손을 대보았더니 피가 흐르고 있었다. 이젠 죽었구나 하며 응급실로 가는 도중 생각해 보니 흐르는 피가 심장에서 나온 것이라면 지금 이렇게 차를 타고 움직일 수 있겠나 싶었다.

이런 생각을 하니 편안한 마음으로 병원으로 갈 수 있었다. 응급실에는 여러 사람들이 앉아서 기다리고 있었는데 진료 의사는 한 사람이었다. 언제 내 차례가 오겠냐 싶어 가슴을 손으로 누르면서 내 차례가 되기를 기다리는 수밖에 없다고 자리를 찾아서 앉으려고 했더니 우연히 나를 쳐다본 의사가 진찰을 중단하고 내 쪽으로 달려와서 나를 데리고 엑스선 시설이 있는 침대로 데려가 눕혔다. 의사가 엑스선 촬영을 하려고 준비를 하는데 어딘가에서 전화가 왔는지 전화를 받고서 와서 하는 말이 당신을 치료한 의사한테서 전화를 받았는데 심장수술을 받았다는 이야기를 했더니 피가 바깥으로 흐르는 것은 바깥에 봉합한 자리에서 흐르는 것이니 걱정할 것이 없다고 전해준다. 그때는 밤 10시의 늦은 시간이었는데 어떻게 그렇게 빨리 주치의가 연락을 할 수 있었을까? 그런 경우에 대비해 응급전화 시스템이 구축돼 있었기 때문이었다는 것을 후에 알았다. 참으로 감탄할 일이었다. 그 의사는 퇴원 후에 필요로 하는 진찰을 받으라고 수술한 병원에서 지정해 준 의사였다.

어쨌든 심장수술이라는 위험 부담이 큰 수술을 받은 사람들을 위해서 퇴원 후 한참 동안은 예상되는 응급치료를 위해서 한국인 의사를 지정해 주고 연결이 안 되는 경우에 대비해서 응급연락망을 상시 운영하는 것은 의사를 위해서도 환자를 위해서도 좋은 일이다. 서울아산병원 원장에게 다른 병원에 앞서서 퇴원 후에 그와 같은 연락망을 구축하는 것이 좋을 것이라는 얘길 했더니 좋은 일이라고 하면서 한번 해볼 듯이 대답을 했지만 그것도 실현되지 못했다. 이렇듯 1990년대에 국내의 의료 시스템은 미국과는 비교가 안 되는 것이었지만 그렇다고 의사에 대한 존경심이 달라지지는 않았다.

인술(仁術)

지방병원에 갈 때 오가는 기차나 버스 안에서 자문위원들과 이야기를 나누다보면 의사가 좋다는 말보다는 변호사가 좋다는 말을 많이 들었지만, 나는 언제고 의사가 더 좋다는 말로 대꾸했다. 나는 젊어서도 의사를 부러워했지만, 나이가 들어 법정에 나갈 일이 없어지다보니 작은 병원이라도 차려 용돈이라도 벌면서 환자를 볼 수 있는 의사가 훨씬 나을 것만 같은데 의사들 입장은 반드시 그렇지만은 않은 것 같다. 남의 떡이 커 보이는 때문일까?

의사와 변호사는 닮은 데가 많다고 생각한다. 지식을 팔고 사는 사람이라는 점이 비슷하다. 의사는 환자를 진단하고 처방을 내리고는 병이 나을지 안 나을지 확신도 없으면서 돈을 내라고 요구한다. 변호사도 같다. 변호사가 아무리 좋은 말을 하여도 결정은 법원이 하는 일이라 이길지, 질지도 알 수 없는 일에 의뢰인은 최선을 다해달라는 부탁으로 착수금이라는 큰돈을 건넨다(물론 의사의 경우 건강보험이란 제한을 받는 것이 다르다). 눈에 보이지 않는 것에 돈을 주고받으니 부르는 것이 값이다. 이래서 의사와 변호사는 가깝게 지내게 마련이지만 바로 이런 점에서 여러 가지 문제가 파생된다. 더러 사람들의 입에 오르내리는 '허가받은 도둑'이라는 말은 두 직업의 이런 어려움을 말해준다.

이런 점에서 '인술(仁術)'이라는 개념은 참된 의사의 길을 가리켜주는 나침반이 되어줄 수 있다고 생각한다. 인술의 인(仁)은 인간애, 사랑, 연민의 정으로 해석되고 충서(忠恕)라고도 풀이되는데, 충(忠)은 사람의 진심, 인정을 의미하며, 서(恕)는 마음으로부터 사람을 따뜻하게 감싸주는 것을 의미한다. 인(仁)은 유교의 최고의 덕이며 삶의 목표이기도 하다. 의술은 발달한 서구에서 배워온다 하더라도 인술이 제시하고 있는 의사의 윤리, 의사의 도(道)는 우리가 그들에게 가르쳐줄 수도 있지 않겠는가. 바야흐로 그런 시대이다.

우리나라에도 '환자의 권리선언'이라는 것이 있다. 이 선언은 소비자 단체에서 만든 것도 있지만 병원에서 자진하여 만든 것도 있다고 들었다. 그러나 이에 상응하는 의사의 권리선언이 있다는 말은 듣지 못하였다. 다만 의사에게는 전문인으로서의 윤리선언이 있을 따름인데, 언젠가 발표된 윤리선언 초안을 읽어보고 의사로서의 사명과 직분을 완수하기 위한 자신감이나 자부심이 모자란다는 인상을 받았다.

환자를 존중하고 인간으로서 예우를 하는 것과 환자의 병을 치료하는 의사로서의 무거운 책임과 권리는 서로 다른 것이 아니겠는가. 환자는 권위 없는 의사에게는 신뢰를 보내지 않는다. 권위는 의사 자격을 갖고 있다는 이유만으로 생기지 않는다. 학식, 능력, 인격, 연륜 모든 것이 갖춰져야 한다. 이것이 하루 이틀에 생길 수 있겠는가. 모든 전문직이 다 그러하지만 의사도 인간으로서의 한계를 인식하고 겸손하게 환자를 대하여야 한다. 특히 젊은 의사의 경우가 그래야 한다. 그러나 자신이 의사라는 자부심과 사명감 또한 필요하다. 이 자부심과 사명감은 특별한 대안이 없는 한, 한마디로 인술이라고밖에 표현할 길이 없다고 생각한다.

인술은 그 혹독한 일제강점기에 이 마을 저 마을에서 선생님이라 존경받으면서 가난한 민족과 애환을 같이 나눈 선배 의사들이 만들어낸 빛나는 전통이 아닌가? 그 전통의 길 위에 서기 위해서는 최소 10년 이상의 긴 세월 동안 각고의 노력이 필요하다. 그 귀한 길을 종이돈 몇 푼과 바꾸는 잡상인으로 전락하여서야 되는가? 인간적으로 너무나 안타까운 일이다. 현재와 같이 개인주의, 이기주의가 팽배한 사회에서 이를 지키라고 강요할 수 없는 일이지만, 의사로서의 직업적인 목표와 인생의 보람과 꿈만은 언제나 지니고 있어야 하지 않겠는가? 전문의이며, 신사인 의사는 인술을 통하여 혼탁한 사회의 안정제로서 청정의 기능을 아울러 담당하여야 한다. 나라의 병을 다스리는 의사는 국의(國醫)로도 통한다. 또한 그것은 히포크라테스 선서의 첫줄 "나의 생애를 인류 봉사에 바칠 것"과도 통한다.

미국 병원에서의 치료비

앞서 말한 바와 같이 나는 1990년대에 큰 수술을 받기 위해 2번 미국에 간 일이 있다. 그때만 해도 한국에서 그런 큰 수술을 받는 것은 불안하다는 전문가의 권고에 따른 일이었다. 나의 상태가 중해 박성욱(朴成旭) 박사가 동행해 주었는데, 두고두고 고마울 따름이다.

미국의 수술비는 비싸기로 유명했는데, 두 번 다 정주영 회장이 도와주었다. 처음 미국에 수술을 받으러 갈 때는 정 회장이 병실로 찾아와 미국 지점에 이야기를 해둘 테니 지원을 받으라고 했고, 두 번째는 뭉칫돈을 내놓고 갔다. 두 번째 수술은 심장 수술이니 돈이 더 많이 들 것이라 생각했던 듯하다. 보수를 받지 않고 아산재단의 일을 했지만 사실 이보다 더 기쁜 보수를 받기는 어려울 것이다.

고마운 분들

5개 지방병원과 서울아산병원의 건립과 운영에 있어서 의사, 간호사, 직원 할 것 없이 많은 분들의 도움을 받았지만 일일이 거명할 수가 없어서 특별히 고마움을 표시하고 싶은 몇 분만 언급하기로 한다.

이문호 선생, 민병철(閔丙哲) 선생, 민병근 선생, 김주환 선생, 이 네 분은 우연한 일이지만 1977년 7월 아산재단이 발족하기 훨씬 전부터 나와 개인적인 친분이 있는 분들이었다.

이문호 선생은 종로5가에서 야간 개업을 하던 1950년대에 알게 됐다. 동대문에서 하숙을 하면서 검찰청에 나가고 있던 그때 어디가 아프다 싶으면 이문호 선생의 병원을 찾았고 그분이 작고할 때까지 친교를 거듭했다. 그전부터 서울대학교 의과대학에서도 명의로 이름이 난 정주영 회장도 몇 번인가 나의 안내로 이문호 선생의 진찰을 받은 일이 있다. 그런 관계로 아산재단이 5개 지방병원을 건립하기로 결정한 뒤에 나는 그분을 만나 사정을 이야기한 것이다. 그것이 인연이 되어 이문호 선생은 자문위원장이 되어 의료 자문위원회를 구성하고 지방병원 건립 계획, 건립 인사 등 많은 일을 해주었다. 아무리 병원 건물이 크고 시설이 좋더라도 훌륭한 의

서울아산병원 개원 10주년 기념식에서 (맨 왼쪽부터) 신익현, 이철, 이호왕, 민병철, 이문호, 필자, 박건춘

사가 없으면 좋은 병원이 될 수 없다. 이문호 선생은 40년간을 서울대학교 의과대학 교수로서 재직했기 때문에 국내외에 제자가 많았고 아는 의사도 많았다. 덕분에 국내외에서 훌륭한 의사를 많이 모실 수 있었다.

민병철 선생은 개업하고 있던 병원에서 친구가 수술을 받고 입원 중이어서 면회를 갔다가 알게 되었다. 그 후 고려대학교 구로병원 원장을 지냈다. 이문호 원장과 사전에 협의를 한 후 내가 직접 만나 외과 책임을 맡아달라는 말을 했는데 거부도 승낙도 아닌 엉거주춤한 대답을 했다. 그도 그럴 것이 민병철 선생의 경력으로 보아 단순한 외과 책임자로서는 마음에 차지 않았을 것이다. 게다가 나와 여러 번 만나는 동안 원장은 이문호 선생이 맡을 것이라는 것을 알게 되어 원장 이야기는 꺼낼 수 없었을 것이다. 나로서는 이문호 선생이 병원 경험이 없기 때문에 개인병원과 대학병원 모두 운영해 본 민병철 선생이 꼭 필요했다. 결국 승낙을 받는 데 성공하였다. 민병철 선생은 초기 서울아산병원을 정비, 확장하는 데 많은 공을 세우고 2, 3, 4대 원장을 지냈다.

민병근 선생은 중앙대학교 부속병원 원장과 의료원장 및 부총장을 지 낸 분으로서 병원뿐만 아니라 의과대학 학사행정에 경험이 많았다. 어느 날 설악산 등산길에서 만난 그에게 서울아산병원 건립 이야기를 하면서 부원장을 맡아주셨으면 한다고 말을 했더니 왜 하필이면 부원장이냐는 대답이 돌아왔다. 하지만 언제까지 부원장을 할 것은 아니지 않겠느냐고 설득하여 승낙을 받았다.

5인 운영위원회

서울아산병원 건립과 운영 초기에는 원장 이문호, 부원장 민병근, 외과 과장 민병철, 세 분과 개별적으로 의논해 가며 일을 하다가 나중에는 서 울대학병원장 경험이 있는 홍창의(洪彰儀) 선생과 내가 참가하여 5인 운 영위원회라는 것을 만들었다. 그러면서 나는 이문호 원장에게 위원장은 모든 책임을 진다는 의미에서 내가 맡지만, 사실상 이문호 원장이 맡는 것으로 해달라면서 원활한 운영을 부탁을 했다. 원장에게 힘을 실어주기 위하여서였다.

그러나 세 분은 내과, 외과, 정신과 등 서로 전공이 다르고 성격이 다른 탓인지 충돌이 잦아서 큰일 났다는 생각이 들 때가 한두 번이 아니었다. 내가 모셔온 분이어서 모질게 할 수도 없는 일이었다. 초창기의 갈등은 이문호 원장과 민병근 부원장 사이에 있었는데, 민병근 부원장이 교섭을 맡고 있던 서울아산병원 의사들의 울산대 의과대학 교수 임명 건과 관계 가 있었다. 특히 이문호 원장은 서울대에서 정년퇴임을 한 뒤였기 때문에 울산대 평교수협의회에서 교수직 임명에 난색을 표시하여 임명이 늦어지고 있었다. 당시는 어느 대학이나 평교수협의회가 큰 힘을 쓸 때였는데, 서울아산병원 건립과 더불어 처음 발족한 의과대학에 무슨 교수가 그렇게 많이 필요하느냐는 교수들의 항변은 거셌다. 그런데다 울산만 갔다오면 이문호 원장이 어떻게 됐느냐고 힐책하니 상대가 아무리 선배라도 견디기 어려웠을 것이다. 그래도 민병근 부원장은 이를 잘 참고 극복해 나갔다.

이문호 원장과 민병철 박사와의 관계도 원만하지 못했다. 이문호 원장과 민병철 외과과장 간의 갈등은, 처음에는 생명공학연구소장직을 누가 맡느냐를 놓고 생긴 일이라고 들었지만 나는 대수롭게 생각하지 않았다. 두 분 다 훌륭한 분들인데 누가 맡은들 무슨 상관이 있느냐고 생각했다. 그러나 불화는 계속되었던 듯하다. 물론 이것이 세 분 간에 있었던 갈등 원인의 전부는 아닐 것이다.

이럴 때 대개 내가 직접 나서서 한분 한분 이야기를 듣고 설득했지만 그래도 말하기 힘든 것은 김주환 선생에게 부탁하여 나의 결단을 전하도록 했다. 김주환 선생은 온화환 성격의 소유자로 나와도 가까이 지내는데다가 그 세 분과도 교분이 두터웠다. 그래서 내가 대놓고 말하기 힘든 것은 김주환 선생을 통해서 이야기를 건네기도 했고 그분들도 김주환 선생을 통해서 나에게 의견을 전달하기도 했다. 아주 귀한 분이었다.

어느 사회나 마찬가지겠지만 의사의 세계야말로 같은 계통의 선후배가 아니면 충돌은 면할 수 없는 것 같다. 그때 내가 배운 것은 의사들의 교수직에 대한 강한 집념이다. 어느 일본 의과대학병원의 원장이 임상(臨床) 의사에게는 교수직이 필요 없다고 주장한 글을 본 적이 있고 미국도 그런 분위기라고 알고 있었는데 국내의 현실은 그렇지 않았던 것이다.

세 분과 언제나 화목한 대화로 병원 일을 처리하려는데 이런 일이 가끔 있다보니 나에게도 적지 않은 고충이 따랐다. 그래도 이문호 원장이 없었으면 오늘날 서울아산병원의 웅장한 모습은 볼 수 없었을 것이라는 생각을 할 때에 서로 소리를 높여 언쟁을 하던 일도 오히려 그리워진다.

미안하고 그리운 분들

그런데 어느 날 정주영 회장이 나를 부르더니 이문호 원장을 내보내라고 했다. 나로서는 하늘이 무너질 정도로 놀라운 일이었지만 그날따라 정 회장의 말은 명령조지 상담조가 아니다. 나는 지방병원 건립 초부터 고생을 많이 했고 서울아산병원도 기초가 잡혀가는 마당에 임기 한 번밖에 안 된 사람을 어떻게 내보내느냐고 했다. 그러나 정 회장은 귀담아 듣는 것 같지가 않았다. 무슨 이야기를 해도 이해가 안 가면 말을 듣지 않는 나의 성정을 알고 있던 정 회장은 이번만은 자기 맘대로 하겠다는 강한 의지를 보였다. 그래도 할 말 안 할 말로 대들었더니 잘 생각해 보라고 이야기하기에 일단은 후퇴한 것으로 생각했다.

그러나 다른 때와 다른 정 회장의 말투로 보아 이번만은 이미 결심한 뒤인 것 같아서 나도 방안을 생각해 보았다. 정 그렇다면 나도 재단을 떠나겠다고 말할까도 생각했지만 주위 환경은 그럴 때가 아니라는 생각을 하게 했다. 그래서 생각해 낸 것이 그간 재단에 재단 병원을 아우르는 의료원을 만들려고 생각만 하고 있었지 실행하지 못하고 있었는데 이참에 만들어서 의료원장으로 승격·발령하자고 생각을 해놓고 다시 만날 기회를 기다리고 있었다. 며칠 후에 정 회장을 다시 만나 생각해 보았느냐고 그러기에 아무리 생각해도 마찬가지라고 말했더니 오늘 발령을 하자고 다그쳤다. 후임 원장은 민병철로 하고 부원장도 민병근 선생에서 다른 사람으로 바꾸라는 것이다. "그럼 부원장은 누구로 할까요" 하고 물었더니 그것은 알아서 하라고 대답했다.

민병철 선생은 병원 운영 경험이 풍부하여 원장으로 손색이 없는 사람이지만 이문호 원장은 그간의 공로를 생각하면 비록 병원 경영은 서툴다고 해도 본인이 원하는 한 적어도 한 번쯤은 더 할 수 있는 기회를 주어야 한다는 것이 나의 생각이었다. 그러나 이제는 어찌할 도리가 없었다. "그러면 준비가 됐습니까" 하고 물었더니 "준비는 무슨 준비 이제 같이 나가서 말로 이르면 된다"고 했다. 사전 양해는 생각도 못할 성품이었다. 그래서 나는 정 회장의 마음이 변할까봐 즉석에서 큰 종이에다가 "서울원장 이문호 명(命) 의료원장, 외과과장 민병철 명 병원장, 부원장 민병근 명 울산대학교 의과대학장 겸 부총장"이라고 써 보이면서 "이대로 하면 되지요" 하고 물었다. 좋다고 대답하면서 바로 나가자고 하기에 세 사람을 병원에 있는 내 방으로 불렀다.

그렇게 해서 형식적으로는 이 원장과 민 부원장의 체면을 갖추게는 해주었지만 내 마음은 불편하기 이를 데 없었다. 두 사람에게는 정 회장의 의중을 짐작으로 말해주었지만 그들도 기분 좋을 리가 없었다. 정 회장이 이문호 원장을 교체한 진짜 이유는 아직도 잘 모르겠다. 이문호 원장의 말에 의하면 개원 초기부터 정 회장이 더러 병원에 들르면 왜 병원이 텅텅 비었느냐고 질책을 했다고 한다. 그러나 그것이 진짜 이유인지 아닌지는 분간할 수가 없다.

민병근 부원장은 서울에 독립된 의과대학의 설립이 불가능하다는 것을 알고 울산대학교에 의과대학 설립 허가를 받고 서울아산병원과 협력병원 협약을 맺으면 된다는 아이디어를 낸 사람이다. 또한 그 어려운 의과대학 설립 허가를 받고 서울아산병원이 협력병원이라는 이유로 의사들을 모두 울산대 의과대학 교수로 발령시키는 엄청난 일을 해냈다. 앞서 말했듯이 다른 단과대학의 입장에서 보면 자기들 과에 한 사람이라도 더 교수를 늘려야 할 판인데 별안간 의과대학이 생기더니 수십 명의 교수를 한꺼번에 임명하는 것을 보고 부당하다 느꼈을 것이다. 그래서 이모저모로 저항이 꽤 있었는데 그들을 다 설득하는 큰일을 해냈다. 또 미국에서 초청한 의사 중에 박사학위가 없어서 교수로 발령할 수 없는 사람이 있었는데, 그는 일본에서도 널리 알려진 유명한 의사였다. 그래서 민병근 부원장이 일본 해당 의과대학에 부탁하여 간단한 강연과 논문으로 학위를 받아낸 후 교수로 임용하는 묘책을 쓰기도 했다.

민병근 부원장은 울산대학교 의무부총장이 된 후에도 울산에 내려가면 젊은 교수들의 비위를 맞추느라고 술집에 드나드는 일도 많았고 그러다보면 술에 취한 척하면서 언성을 높이는 일도 있었을 것이다. 그래도 당시 이상주 총장은 참 훌륭하다는 말로 그를 칭찬했다. 그러나 아마도 울산에 상주하다시피 한 정 회장의 귀에는 좋지 않은 이야기로 들어갔는지 모르겠다.

내 입장에서 보면 민병근 부원장은 싫다는 것을 억지로 사정하여 부원장으로 오게 만들어 이심전심으로 후임 원장으로 생각하고 있었는데, 뜻밖에 울산대학교 의무부총장으로 발령을 내게 된 것이었다. 물론 그는 서울아산병원 부원장으로 온 후에 한 번도 원장 이야기를 한 일은 없다. 내 생각이 그렇다는 것뿐이다. 당시는 정년퇴임 할 때가 돼도 2~3년 더 근무할 수 있었는데도 민병근 선생은 정년이 되자 조용히 자기 연구실부터 정리하고 인사를 온 것을 보고 훌륭한 사람을 놓쳤다는 울분을 억누를 수가 없었다.

두 분의 교체로 이런저런 말이 많았고 나에게 그 이유를 묻는 사람들이 꽤 있었지만 그때는 적당히 대답할 수밖에 없었다. 세월이 흘러 이문호 원장은 유명을 달리했지만 지금 이 기회에 당시 나의 심정을 다시 말하고 사과에 대신하려 한다. 나를 믿고 나와 의논하면 모든 것이 다 되는 것으로 알고 병원과 의과대학의 설립과 발전에 큰 공을 세운 분들을 섭섭하게 만든 데 대하여서도 용서를 구한다.

후임 민병철 원장은 외과계의 경험이 많은 분이어서 훌륭한 의사들을 영입하는 등 병원 발전에 크게 공헌했다. 이제 세 분 다 병원에 안 계시고 나 또한 재단에서 떠났으니 모두 옛날 일이 됐다. 그러나 두고두고 고마워야 할 분들이다. 때로 이때의 일로 쓸쓸함을 느낄 때가 있으나 서울아산병원이 무럭무럭 크고 앞선 병원으로 발전하고 있고 한국의 학계의 수준도 그만큼 높아지는 것을 보면서 위로를 받는다.

학술연찬 사업

체계적인 복지사업 연구

지방병원 건립이 일단락되고 중앙병원인 서울아산병원 건립이 논의되기 시작되었는데, 이렇게 병원 사업이 커지자 아산재단이 사회복지사업재단이라기보다는 병원사업재단이라는 오해를 살지 모른다는 염려를 하게 되었다. 물론 사회복지사업의 제1사업으로 병원을 건립하는 것은 좋지만 지방병원 외에 서울에 규모가 큰 서울아산병원을 건립한다는 것은 이런 의미에서는 주저되는 일이었다. 사회사업복지재단의 병원이라면 장애자 치료와 같은 재활병원을 건립하거나 부설하여야 하는데 자문위원에게 그래도 되느냐고 물었더니 그러면 병원의 경영이 안 된다는 의견이었다. 의료 자문위원들은 전원이 의사였는데, 정 회장과 같은 분이 큰 병원을 하나 지어주면 그만큼 의학 발전에 바람직한 일이 없는 것으로 생각하고 있는 것 같았다. 물론 일리 있는 의견이었다.

그러나 나는 서울아산병원 건립문제로 인해 사회복지사업재단을 설립한 목적이 무엇인가를 나 자신에게 납득시켜야 할 문제에 부닥치고 있었다. 그렇다고 재단의 성격을 뚜렷하게 설명하고 나를 이해시킬 사람이 달리 있는 것도 아니었다. 사회복지사업이 지향하는 복지사회란 무엇인가? 왜 복지사회로 가야만 하는가? 필요하다면 그것은 국가가 맡아서 해야 할 일이 아닌가? 아무리 사회복지사업 기금의 규모가 크다 할지라도 복지사회를 전반적으로 감당하는 일은 불가능한 일이 아닌가? 내가 이런 고민을 하고 있는 동안에도 사업은 날로 커지고 있었다.

당시에 복지사회라는 말이 없었던 것은 아니지만 국가적인 정책으로 나와 있는 것도 없고 학문적으로 정립이 된 일도 없었다. 다만 북유럽 3국을 복지국가라고 부르면서 몹시 부러워하고 있었다. 복지국가, 모든 사람이 잘사는 복지국가, 그런 생각 저런 생각을 하다가 나는 대담하게도 이 나라에 적합한 복지사업의 이념과 방향은 우리 재단이 정리해 줄 수밖에 없다는 결론에 도달했다. 국가가 나아가야 할 복지사회의 방향에 대해서 우리 재단이 심포지엄이라는 형태를 통해서 문제점을 체계적으로 정리하고 학문적으로도 틀을 잡아보자는 생각을 하게 되었다. 잘하면 그 방면의 학문을 장려하여 사회복지사업 계통에서 일하는 사람들을 교육할 수도 있을 터였다. 이 사업을 학술연찬 사업이라고 이름을 붙인 까닭이다.

그리하여 1979년 7월에 재단 건립을 기념하여 복지사회를 대주제로 한 제1회 심포지엄을 가졌다. 학술연찬 사업을 비롯해 아산재단의 4대 사업이라고 부르던 사회복지시설 지원 사업, 장학 사업, 연구비 지원 사업, 의료복지 사업은 이때 구상되었다.

재단 심포지엄의 특색

사실 이런 심포지엄은 사회복지사업재단이 주관할 일은 아니다. 재단으로서는 그때그때 필요에 따라 학자나 학회에 위탁하여 연구를 의뢰하거나 자문을 구하면 될 일이었다. 그러나 나는 생각을 달리해서 재단이 주최하는 심포지엄은 심포지엄의 형태를 빌리기는 하되 그 수준과 목표는 새로운 학문의 연구가 아니라 학자들의 기존 연구 결과를 복지사회라는 측면에서 정리하여 전문성이 부족한 실무자나 관심이 있는 사회기관에 규범성과 실용성을 제공하고자 했다. 그래서 심포지엄은 학회의 그것과 조직부터 전혀 달랐다. 심포지엄 참석자를 30명이라고 가정한다면 기조연설, 기조강연을 제외한 각 분과위원회 발표자의 반은 학자로, 반은 일선에서 사회복지사업을 담당하면서도 학자에 준하는 지식을 가진 실무자로 구성했다.

그리고 학문적으로나 실무적으로 문제가 되는 것은 10년 정도 지속적으로 그리고 문제별로 연구하는 방식을 취했다. 한 번 발표를 하고 토론한 후에 끝내버리는 그런 심포지엄이 아니라 대주제를 정해서 이론적, 실무적으로 파고들어 해결의 방향을 제시하려고 노력하였다는 말이다. 그리고 반드시 심포지엄의 내용을 책으로 출간하여 참석자의 성명과 직업과 발언내용을 밝혔다. 내가 왜 그런 주제를 선택하였는지 그 목표와 조직의 과정은 반드시 책의 후기로 남겼다.

또한 사회복지사업재단답게 학자의 이론과 생각이 바로 실용화되고 실무자는 현실감각이 필요한 문제점을 학자에게 알리어 이론과 현실이 교차하게 하자는 목표를 세웠다.

이 구상을 내가 개인적으로 아는 학자 몇 사람에게 미리 의논을 했더니 좋다고 하는 사람도 있고 주저하는 사람도 있었지만 나는 그대로 밀고 나갔다. 우리나라에서 처음 시도하는 방식이었지만 다른 나라에도 그런 예가 있는지 모르겠다.

첫 주제: 복지사회의 이념과 방향

1회 심포지엄의 주제는 '복지사업의 이념과 방향'이었는데, 나의 의도가 어디에 있었는지를 잘 알 수 있는 심포지엄이었다. 심포지엄의 조직과 구성은 학자들의 작품이지만 목표와 방향은 나의 생각을 기초로 했다. 그때 기조연설을 맡으신 분은 고려대 김상협(金相浹) 총장이었다. 직접 만나서 부탁을 하였더니 복지사회의 이념이나 방향 같은 것에 대해서는 아무것도 모른다는 대답으로 거절을 하였다. 그래서 나는 우리나라에 그 문제를 아는 학자가 따로 없다, 이것이 새로이 복지학을 공동으로 연구하는 첫 시도다 하는 말로 설득을 해 결국 승낙을 받았다. 후일 알고보니 김 총장은 그래도 복지와 관계가 있는 교수 몇 사람들에게 공동 작업을 시켜서 의견을 들은 후 기조연설의 초안을 잡았다고 한다. 첫 심포지엄은 대성공이었다.

심포지엄은 지금까지도 이어져오고 있는데 다른 학회의 심포지엄과는 조직에서부터 차이를 보인다는 것은 앞서 말한 바와 같다. 이 점에 관하여 제23회 '환경변화와 삶의 질' 심포지엄에서 당시 한국정신문화연구원의 이상주 원장은 축사에서 다음과 같이 말했다.

"아산재단은 지난 24년간 일관성 있는 주제로 체계적인 학술대회를 개최해서 한국 사회의 발전 방향을 제시해 왔습니다. 이와 같은 학술행사는 우리나라에서는 그 예를 찾아보기가 어렵다고 생각합니다. 아산재단의 학술대회는 첫 10년간은 우리나라의 사회복지 문제를 다각적으로 점검하여 미래 복지사회로 나아갈 방향을 모색하였고, 두 번째 10년간은 현대 사회에서 새롭게 제기되는 여러 사회윤리 문제를 깊이 있게 분석하여 한국인의 가치관 정립을 위한 방향을 제시하였습니다. 그리고 이제 제3주기에 들어선 최근 몇년 동안은 한국 사회의 삶의 질 문제에 대해서 집중적으로 다루어왔습니다. 우리나라에서 개최되는 대부분의 학술행사가 단발성, 일회성 행사로 끝나는 데 비해서 아산재단이 개최해 온 23회에 걸친 학술대회는 실질적인 성과를 거두는 참으로 뜻 깊은 학술행사라고 저는 생각합니다."

내가 초창기부터 지향한 심포지엄의 내용과 그 방향을 잘 간파한 축사이다. 이 원장과 같은 학식과 경험이 풍부한 분의 이런 축사를 듣고 나는 기뻤다.

양의학과 한의학

재단의 심포지엄은 서양의학과 동양의학의 갈등 조정이라는 특수 분야에까지 발을 들여놓았다. 서양의학〔洋醫學〕과 동양의학〔韓醫學〕의 갈등은 일반 사람들 눈에는 비치지 않지만 상당히 심하다. 두 학계의 지도자들 중에는 어떻게 하나의 치료체계로 뭉칠 방법이 없는가를 놓고 고민하고 있는 분들도 있는 것으로 알지만 그것이 쉬울 까닭이 없다. 그러면서도 어느 쪽이든 그런 문제를 놓고 토론의 장을 만들지 못하고 있었다. 아니 그런 제의조차도 하기 어려운 형편이었다. 양방 한방의 관계를 남북관계만큼 어렵다고 하는 사람도 있었다.

그러므로 이 주제에 대해서는 심포지엄의 성사 자체를 놓고 나는 고민했다. 그래서 미리 한의학협회장을 만났더니 한의학계에서 반대하리라고 했다. 그러나 나는 이 문제가 한국 의학의 발전에 중요하다고 믿고 있다는 의견을 전했다. 결국 양측 지도자 모두 아산재단이 주관해 준다면 기꺼이 참가, 지원할 수 있다고 했고 나는 이에 용기를 얻어 계획을 밀고 나갔다. 이렇게 해서 '동서의학의 만남과 삶의 질'이 21회 심포지엄의 주제로 정해졌다. 아산재단은 국민의 건강과 밀접한 관계가 있고 의학계의 중요한 숙제이며 이해관계가 얽힌 문제에도 한 발 들여놓을 수 있었다.

10회 사회윤리 심포지엄 후 (맨 왼쪽부터) 정세영 전 현대자동차 회장, 김순용 경희대 전 원장, 필자

이미 아산재단의 학술회의는 정평을 얻고 있으며 형평성에서도 공인을
받았다는 증거다. 그간 아산재단이 벌인 사업이 얻은 성과이며 20년간 지
속적으로 계속한 심포지엄에 대한 신임이다. 얼마나 기쁜 일인가!

아산재단 심포지엄 23년

이런 식으로 나는 23년 간 심포지엄을 계속했다. 그 대주제들을 살펴
보면 1차는 복지사회, 2차는 사회윤리, 3차는 삶의 질이었는데, 1차와 2차
는 각각 10년간 지속하여 각 주제마다 속속들이 파고들면서 사계(斯界)의
관심을 불러일으키는 데 주력하였다. 3차 주제는 중간에 내가 재단을 떠
났기 때문에 3년으로 그쳤다. 심포지엄 자체는 계속되고 있지만 형식도
내용도 내가 할 때와는 달라졌는데 그것은 주관자가 달라졌으니 당연한
일이다.

다만 내가 떠난 뒤에 열린 24회 심포지엄부터는 참석자가 전원 학자여서 언제부터인지 몰라도 조직이 달라졌음을 알 수 있었다. 대주제였던 환경복지사업의 일선에서 종사하고 있는 실무 전문가는 모두 배제된 느낌이었다. 아주 깊이 있는 학문 분야라면 잘 모르겠지만 보통 이상으로 수준 높은 실무 전문가들은 이미 기업과 사회복지사업분야에 널리 참여하고 있어서 학자와 같이 발표하고 토론하는 데 아무런 손색이 없다. 이론도 현실의 이해와 교류가 없으면 그 유용성은 줄어든다.

심포지엄 사업에 대해서도 나는 독단으로 결행, 정 회장과 상의하는 일은 없었다. 그래도 그분은 언제나 즐거운 마음으로 개회사를 해주었다. 심포지엄 하나를 준비하는 데는 적어도 6개월은 걸린다. 그러므로 언제나 한 주제가 끝나면 다음 주제를 무엇으로 할까로 내 머리는 꽉 차 있었다. 주제는 가능하면 적어도 2~3년 앞날의 변화를 읽은 후에 대강의 윤곽을 잡고 상근 아닌 상근 자문위원이라 할 수 있는 고려대 임희섭(林熺燮) 교수(후일 아산재단 이사), 서울대 황경식(黃璟植) 교수와 상의했다. 두 분의 아낌없는 교시(敎示)와 협조가 없었으면 심포지엄도 성공하지 못했을 것이다. 고마운 분들이다.

어쨌든 이런 식으로 복지사회의 실현을 위해 물질적 지원과 더불어 정신적, 이론적 연구와 계몽도 소홀히 하지 아니하였다. 23년간의 심포지엄 목차는 부록 2에 정리했으니 참고하면 된다. 이제 경제 규모가 확대됨에 따라 대기업과 중소기업도 사회책임·사회복지사업을 실천하고 있는데, 여기에 아산재단의 연찬사업이 어느 정도 도움이 되기를 기대한다.

정주영 회장의 방북

정주영 회장은 1989년 1월에 돌발적으로 북한을 방문했다. 제삼국의 누군가가 중간에서 북한과 교섭한 것으로 안다. 1988년 어느 날인가 정 회장은 나에게 느닷없이 북한을 방문하겠다는 말을 하고 고향에 가서 무엇인가 도움이 되는 일을 해보고 싶다는 말을 꺼냈다. 이미 여러 가지 생각을 한 뒤인 것 같았지만 나는 놀라면서 내심 우려가 앞섰다. 관광 삼아 한번 북한에 갔다 오고 싶다는 이야기라면 염려할 일이 없지만 고향인 통천이든 어디든 북한에서 사업을 벌인다는 것은 신중해야 한다고 믿었기 때문이다. 세계적으로 명성 있는 대기업가가 아닌가? 나는 "북한에 관하여 아는 바가 없어서 저도 생각해 보겠습니다"라고만 대답했다.

그리고 며칠 후 다시 정 회장과 만나 방북에 관하여 진지하게 이야기를 주고받았다. 정 회장이 외국에서 많은 사업을 벌였지만 북한은 사회주의 정권이 지배하는 지역이어서 우리의 사고방식과는 차이가 크다는 것이 나의 걱정이었다. 우리와 같은 상식의 사람이면 상대방이 아무리 센 사람이라도 걱정할 일은 없다.

정 회장이 고향에 도움이 되는 일을 하고 싶다는 이야기는 아주 인간적이고 자연스러운 일이지만 그 가운데 금강산 개발도 해보고 싶다는 내용이 특히 마음에 걸렸다. 얼핏 생각하기에 큰돈을 들여 관광시설을 모두 세우고 난 뒤에 일방적으로 몰수당할 가능성을 무시할 수 없기 때문이다. 나의 그런 걱정을 이야기했더니 정 회장도 그런 점을 고려하여 가능하면 금강산 개발 일을 할 회사는 주식회사로 꾸미되 일본, 미국 등을 포함한 다국적 주식회사로 하여 그런 사고가 일어나지 않도록 하려고 생각하고 있다는 대답이었다. 나도 그거 좋은 생각이라고 동의를 했지만 방북 후의 결과는 그렇게 안 되었던 것 같다.

나는 정 회장에게 사회주의 국가가 자본주의 국가와 어떻게 다른지, 그들의 사고방식은 어떤 특징이 있는지 방북 전에 공부해 둘 필요는 있다는 생각으로 북한 전문가들의 의견을 한번 듣는 것이 어떻겠냐고 말했다. 정 회장이 좋은 생각이라고 해서 아는 두 분한테 직접 연락을 했고 그분들을 통해서 몇 분을 추천받아 하루 저녁 강좌의 자리를 마련했다. 정 회장은 그들의 의견을 경청하면서 공부는 하였지만 얼마나 도움이 됐는지 알 수는 없다. 정 회장은 정 회장대로 첫 방북이니만큼 긴장해 있었기 때문에 그렇게 함부로 움직이리라 생각하진 않았지만 나의 걱정은 컸다.

그렇게 첫 방북은 이루어졌다. 첫 방북에서 금강산 개발 약정도 체결되었다. 그런데 북한이 무슨 개발기관을 설치하고 위원장으로 정주영 회장이 취임한다는 취지의 합의서 비슷한 것을 보여주기에 이것은 안 된다고 잘라 말했다. 북한이 그 사람들을 중심으로 기관을 만들고 남한 인사가 그 위원장이 되면 반국가단체 구성이 될지도 모른다는 생각 때문이었다. 또 현재의 정권에서는 방북 승인을 받았지만 정권이 바뀌고 정 회장과 같은 재벌총수를 좋지 않게 생각하는 사람이 대통령이 되면 무슨 일이 생길지 모른다고 정 회장을 말렸다. 그래서인지 그런 기관은 만들지 않았다.

그러나 몇 번 북한 방문이 거듭되자 자신이 생겼는지 독자적으로 계속 활동을 이어나갔고 북한을 전담하는 회사도 만들었다. 거기에 북한 전문가는 없는 것 같았다. 나도 그 일에 더 깊이 관여하지 않았지만 사업은 날로 확장되는 듯이 보였다. 1998년 6월에 소 1천여 마리를 몰고 판문점을 통해서 방북을 할 때에는 많은 국민이 함성을 질렀고 통일문제까지도 해결될지 모른다는 희망을 품기도 했다. 하지만 옆에서 지켜보고 있는 몇몇 사람들은 그분의 건강이 전 같지 않다는 것을 느끼기 시작하여 잘못하다가는 큰일이 벌어질지도 모른다는 우려를 금치 못했다. 다만 지금은 작고한 정몽헌 회장이 늘 모시고 다녀서 불의의 사고는 일어나지 않을 것이라는 이야기로 서로를 위로하였다.

후일 금강산 관광을 포함한 현대의 대북 민간사업은 자유롭게 진행되다가 지금은 큰 어려움을 겪고 있다. 정주영 회장이 중간에 손을 뗀 것, 정치적으로 이용당한 것이 그 이유에 포함될 수 있다. 하지만 그 어려움은 무엇보다도 체제가 다르고 사고방식이 다른 남북 간의 교류나 사업이 쉽지 않다는 방증일 것이다.

정주영 회장의 대통령 출마

정주영 회장은 1992년 대통령 선거에 출마했다가 낙선했다. 낙선은 그에게 큰 타격을 주었다. 뜻밖의 인물이 선거에 출마하였다는 그 자체가 국민의 큰 관심거리였던데다 기발하고 박력 있는 선거운동으로 당선될지도 모른다는 전망도 있었기 때문이다. 본인도 당선에 대한 확신을 품었을지 모른다. 그러나 낙선만으로도 타격이 큰데 회사 돈을 선거자금으로 불법 사용했다는 횡령죄로 재판을 받게 된 것은 그를 아주 초췌하게 만들었다.

정 회장이 입후보할 생각을 언제부터 했는지 정확히는 알 수 없다. 그러나 선거가 1992년 12월이고 보면 적어도 1991년 초쯤에는 생각을 시작했을 것이다. 나에게는 국회의원 출마부터 이야기를 시작했다. 어느 때처럼 만나서 이야기를 나누는데 정 회장이 불쑥 "국회의원에 출마할까 생각하고 있는데 문 박사는 어떻게 생각해" 하고 물었다. 농담인지 진담인지 알 수 없는 질문이었다. 나도 딱 그 정도로 받아들이고 "좋지요" 하고 화답했다. 정 회장은 정권이 바뀌면 재벌은 제상(祭床)의 돼지머리가 된다는 말을 즐겨 했다. 돈을 가지고 있는 재벌들은 알게 모르게 정치인들에게 돈을 건네야만 하는 실정이었다. 이제 어느 정도 자리를 잡고보니 그들한테 돈을 뺏기기보다는 차라리 본인이 정치인이 되어버리면 되지 않겠는가 하는 생각이었는지도 모른다.

그 후 정 회장은 거의 만날 때마다 국회의원 출마 이야기를 했다. 한번은 그런 말을 듣고 "이왕 출마하려면 국회의원이 아니라 대통령 출마를 하지 그러세요" 하고 말했더니 "그거 좋구먼! 그렇지" 하는 말이 정 회장 입에서 튀어 나왔다. 그런 대답을 기다렸는지도 모를 일이다. 물론 나는 진담이 아니었다. 오히려 국회의원 출마를 단념시켜야겠다는 생각으로 얼토당토않은 대통령 얘기를 꺼냈는데 정 회장은 구미가 당기는 듯했다. 그다음에 만났을 때에도 비슷한 이야기를 주고받았는데 국회의원 출마 이야기는 쏙 들어가고 간간히 대통령 출마 이야기로 시간을 보냈다. 돈도 넉넉히 가지고 있겠다, 사업도 단단히 터를 잡았겠다, 자식에게 유산도 충분히 마련해 주었겠다, 낙선한들 어떠랴 하는 생각도 했을 수 있다. 한 걸음 더 나가서 당선 가능성도 화제에 올랐지만 나의 대답은 어느덧 "글쎄요" 쪽으로 변하고 있었다. 상대가 정치 9단 김영삼, 김대중이 아닌가. 돈만 있다고 되는 게 아니었다. 오히려 한국 사람들은 돈 가진 사람을 미워하는 성향이 있다.

그러는 동안 정 회장이 진정으로 출마를 생각하고 있고 선거운동도 짜고 있다는 것이 눈에 보이기 시작해서 이걸 어떻게 말리느냐가 고민이 되었다. 한번은 정색을 하고 "이 자리가 어때서 그럽니까, 나 같으면 대통령 자리와 안 바꿀 겁니다" 하고 말했다. 정 회장은 사업으로 대성을 했고 애국을 했다. 자기 적성에 맞는 일로 국가발전에 공헌하는 것이 애국이지 정치 경험이 없는 사람이 대통령이 되면 자신도 괴롭고 국민도 골탕 먹는 일이 아닌가. 그것은 누구를 위해서도 좋지 않은 일이다. 정 회장에게 출마해서는 안 되는 이유를 구체적으로 말할 수는 없었지만, 잘못되면 이 대사업이 망가질 수도 있다는 말까지는 했다. 그리고 아산재단 설립은 참으로 좋은 일을 시작한 것인데 이것도 선거용으로 만들었다고 비난받을 테니 그것을 어떻게 막겠는가라고 강하게 말리기도 했다. 낙선이라는 말은 입에 담지 않았다. 낙선이라는 말은 감히 할 수가 없었다. 실제 당선될 수도 있다는 말을 하는 사람이 있었지만 나는 정치는 잘 몰라도 대선 정도가 되면 인기만이 아니라 조직이 더 없이 중요한데 지금 이렇게 조직을 급조해서야 경쟁하기 힘들다고 생각했다. 또 정 회장이 부자라서 그 돈을 바라보고 허풍을 떠는 사람들이 많았다. 별로 인기도 없는 정치인들이 갈 곳이 없어서 달라붙는 경우도 많이 보였다. 그래서 당선이란 불가능한 일이라고 생각하면서도 지금 하고 있는 사업이 대통령 일보다는 월등 낫다는 말로 이야기했던 것인데 정 회장은 그저 듣기 좋으라고 한 말로 들었을 것이다. 그러나 그것은 나의 진심이었다.

정 회장은 이미 결심이 굳어졌는지 선거 준비를 착착 진행시키고 있었다.

중국 여행과 내몽고 도피

정 회장은 1991년 정치에 관계가 없는 중립적인 명사들을 100명 가까이 데리고 중국에 간 일이 있었다. 중국에 자유롭게 갈 수 없는 때여서 개인적으로 전화를 걸어 "중국 구경 안 갈래요" 하고 권하면 거의 다 승낙을 하는 판이었다. 또 정 회장이 나를 이렇게 극진히 생각하는구나 하는 감동에 두말없이 승낙하는 경우가 많았다. 그때만 해도 정 회장이 대통령 선거에 출마한다는 소문이 나지 않을 때여서 순수하게 친구끼리 중국 구경을 가자는 인상을 줄 수밖에 없었다. 몇 사람은 나에게 전화를 걸어 이

중국 여행 중 일행과 인민대회장에 들른 정주영 회장, 왼쪽 첫번째 줄에 필자(왼쪽에서 두 번째), 이명박 당시 회장(오른쪽에서 두 번째)

런 초대를 받았는데 무슨 이유냐고 물어와 나도 잘 모르겠다고 얼버무렸지만 상대가 사회적으로 존경받는 분일 때에는 진실을 말하지 아니한 것이 죄스러울 수밖에 없었다.

　중국 여행은 호화스러웠다. 비행기 한 대를 통째로 대절했고, 호텔도 일류를 잡았다. 베이징에서는 백두산을 갔다 오는 데도 비행기를 대절했다. 평생 처음 호강한다는 말로 즐거움을 표시하는 사람도 있었다. 나는 무엇인가 이유가 있을 것이라는 눈치를 챈 사람들로부터 질문을 피하기 위해서 슬그머니 혼자 내몽고 다퉁에 있는 윈강석불을 구경하러 갔다. 일행과 같이 백두산에 갔다가는 진실을 고백하지 않고서는 배기지 못할 것 같아서 말하자면 열두 시간씩 기차를 타고 가야 하는 먼 곳으로 도피를 한 것이다. 다녀오고 나니 어딜 갔다 왔느냐고 추궁을 하는 사람들이 많아서 그것은 그것대로 고통스러웠다.

통일국민당의 출범과 발기인 참여 거부

정 회장은 얼마 안 가서 통일국민당 조직에 착수했는데 참가하라는 말에 나는 분명하게 거절을 하였다. 문 박사는 하늘이 무너진다고 해도 눈 한 번 깜빡 안 한다고 말할 정도로 나의 성격을 잘 알고 있던 정 회장은 몇 번 권고를 해도 내가 거절하니까 그러면 발기인에만 참가해 달라는 말을 건네왔다. 세상 사람들이 둘도 없이 가깝게 지낸다고 믿는 사이인데라는 생각이 들어 "일단은 생각을 해보겠습니다"라는 말로 후퇴를 했다. 하지만 다음에 만나서 같은 말을 들었을 때에도 "발기인 명단에 내 이름이 들어가면 어쩌다가 내 이름을 보고 정당에 가입하는 사람이 생길 수도 있는데 나중에 정당에는 참가하지 아니하였다는 사실이 밝혀질 때에는 속인 꼴이 되니 아무래도 안 되겠습니다"라는 말로 정중하게 거절했다. 그러면서 이제 두 사람의 사이도 여기서 끝날 것이라는 생각을 하니 가슴이 저려오는 것을 막을 수가 없었다. 정 회장은 이렇게까지 사정을 하는데 발기인도 싫다는 말은 이해할 수도 없는 일이고 경우에 따라서는 배신으로 생각했는지 모른다.

아산재단과 선거운동

아산재단 일에 모든 걸 바친 나로서는 나의 순수성이라고 할까 도덕성이 무너질까봐 무척 안타까웠다. 그렇다고 아산재단에서 손을 뗄 수는 없었다. 그것이 선거운동이라고 보든 아니라고 보든 10년 이상 하던 일을 변함없이 그대로 계속해 나갔다. 그러므로 내가 정 회장이 조직한 정당이나 선거운동에 누구보다 앞서서 참가하리라고 믿었던 사람들은 나에게 이유를 물었다. 정치에는 관심이 없어서 양해를 구하고 참가하지 아니하였다고 대답은 했지만 무엇인가 이상하다는 인상은 주지 않을 수 없었다.

정 회장도 정당사무실에 주로 나가 있었기 때문에 만나러 갈 수도 없어서 한참 동안 관계가 소원해질 수밖에 없었다. 이제는 옛날 같은 친교를 유지하기가 어렵다는 생각을 하면 내가 잘했는지 못했는지 분간하기가 어려울 때도 있었다. 하지만 나는 그간 정 회장과의 관계에 있어서 아무리 친분이 두터울 때라도 안 된다고 생각하는 것은 끝끝내 안 된다는 주장을 관철하는 일이 많아서 이번에도 안 된다고 생각한 이상 마지막까지 안 된다는 것을 행동으로 보여야만 모시는 분에 대한 충정이라고 생각을 했다. 그렇기는 하지만 쓸쓸한 마음은 어쩔 수 없었다.

거액의 수표

그런데 한번은 정 회장이 만나고 싶다는 연락을 해와 정당사무실로 찾아갔다. 낯익은 사람도 많고 정당마다 늘 이름이 올라 있는 사람들의 얼굴도 볼 수 있었지만은 그들과는 얼굴로만 인사하고 말았다. 정 회장의 용건은 누구에게 참가해 달라고 부탁을 했더니 돈을 얼마 달라고 해서 준비를 했는데 이미 작성된 거액의 수표를 보여주면서 이렇게 줘도 상관없냐는 것이었다. 정당에 여러 사람의 변호사들이 참가하고 있어서 그들에게 물어보아도 될 일이었다. 그래도 웬일인지 나를 불러서 질문을 한 것이다. 정치에 관심이 있거나 정치적인 사람들은 되는 것도 없지만 안 되는 것도 없다는 것이 그가 배운 정치적 교훈인 듯싶었다. 그래서 되고 안 되는 것이 분명한 나에게 물어보고 싶었던 듯이 보였다. 나는 언제나 그랬듯이 한마디로 안 된다는 대답을 했다. 그리고 어쩌다가 이런 사무실에 그런 거액의 수표를 갖고 있느냐고 염려하면서 당장 다른 곳에다 치우라고 덧붙였다.

선거기간 중 한 번쯤 유세장에 나가는 것이 예의상 옳을 것 같아서 정

읍에서 열리는 유세장에 나갔는데 엄청 많은 사람들이 모여 있었다. 이래서 정치인들, 특히 처음으로 정치를 해보는 분들은 당선을 쉽게 낙관하는지도 모른다. 정 회장의 경우 그분의 돈을 쳐다보고 좋은 말만 되풀이하는 사람들이 주변에 모이니 낙선은 생각할 수도 없는 일이 되어버렸는지 모른다. 그러다가 시간이 흘러 선거는 결판이 났다. 주변은 말할 것도 없고 본인의 실망은 이루 말할 수 없었을 것이다. 그 많은 돈이 흘러나갔는데 누구 주머니에 있는지 알 수 없는 노릇이었다.

횡령사건

정 회장이 얼마나 많은 돈을 선거에 썼는지 모르지만 그가 경영하는 현대중공업에서 돈을 갖다 썼다는 고발이 있어 문제는 낙선으로 끝나지 않을 것 같았다. 마침 친구 중에 김영삼 대통령과 아주 가깝게 지내는 사람이 있어서 정 회장의 양해를 구하고 부탁을 해보았지만 별로 효과가 없었다. 고발은 수사가 진행이 되어 재판에 넘겨졌다. 승자가 관대하리라고 믿었던 나는 앞장서서 변론에 나섰다. 현대중공업 사장은 그룹 회장인 정 회장의 지시를 받아서 했다는 것이고 정 회장은 그런 지시를 한 일이 없다는 것이 논점이었다. 아무리 내가 정 회장의 사건을 변론한다고 치더라도 사장한테 모든 책임을 지우는 그런 식의 변론도 할 수 없었고 그래 보았자 가능성은 사장의 이야기를 믿는 쪽으로 결론이 나기가 십상이었다. 이런 종류의 사건은 변호사로서도 힘든 사건이다.

결국 정 회장은 유죄판결을 받았지만 사면이 되어서 불행 중 다행이라고나 할까 그 이상 어려움을 겪는 일은 없었다. 그러나 법정에 여러 번 불려갔고 그때마다 겪은 어려움은 이루 표현할 수가 없다. 어쩌다가 무슨 핑계를 대고 출석을 하지 아니하면 재판장의 노성이 법정을 울려서 나는 나대로 노 사업가에게 너무하지 않느냐고 대들기도 했다. 그 후 나는 정 회장의 자택으로 찾아가서 통일국민당을 빨리 해체하고 정계에서 떠나라고 설득도 하고 강요도 했지만 묵묵부답일 때가 많았다. 낙선하면 한 번쯤 더 해보고 싶은 것이 인지상정일 테니 어쩌면 그때 재출마를 꿈꾸고 있었는지도 모른다. 어떤 때는 듣는 둥 마는 둥 하는 것 같은 인상을 받아서 큰 글씨로 써서 드리기도 했다. 그러나 생각보다는 빨리 손을 떼는 쪽으로 결말이 났다. 정 회장의 출마와 낙선을 놓고 말이 많은 것은 당연한 일이었는데, 웬일인지 나에 대한 위로의 말도 많았다. 두 사람의 친분만 생각했지 다른 것은 생각하지 않고 하는 말들이었다. 그래도 나는 관계없다는 말을 할 수는 없어서 고맙다고 하든가 아니면 우물우물 그 자리를 넘기곤 했다.

그 후에는 자주 만나면 오히려 아픈 곳을 찌르는 것 같은 인상을 줄까 봐 정 회장과는 거리를 두었다. 그런데 가끔 만나면 그렇게 건강하던 사람이 어딘가 아픈 데가 있는 것이 아닌가 하는 인상을 받을 때가 있었다. 그간 겪은 고통과 고뇌를 생각하면 당연한 일이기도 했다. 이런 정 회장을 보고 출마를 반대했던 것처럼 말하는 사람도 많아졌다. 선거에서 앞장서서 뛰던 사람들 중에도 그런 사람들이 있었다. 세상은 그런 것이며 특히 정치의 세계는 더욱 그런 모양이다.

어떻게 하다가 말년에 법정에 서서 재판을 받게 됐나 싶어 가슴이 쓰리기도 했지만 한편으로는 남자로 태어나서 하고 싶은 일을 하다가 재판을 받는 일도 크게 잘못되었다고 한탄할 일만은 아니라는 생각도 해보았다. 정 회장은 언제나 범부(凡夫)의 생각과는 다른 거창한 생각을 하는 사람이기에 말이다.

그 후 정 회장은 회사에 출근하는 것보다 자택에서 소일하는 경우가 많아졌다. 나는 때로 자택으로 정 회장을 방문하여 위로도 하였다. 그럴 때는 대통령 선거에 관한 이야기는 될 수 있는 대로 피했다. 또 통일국민당에 참여하지 않은 것이 미안했지만 겉으로 표시하지는 않았다. 하지만 정회장은 내가 무슨 이야기를 해도 옛날 같은 열정적인 반응은 보이지 않았다. 이렇게 낙선은 그 훌륭한 분과 나 사이에 변화를 가져오기 시작했다.

한 날개를 잃다

날개 하나 잃은 새

2001년 3월 21일, 정주영 회장의 서거는 나에게 참으로 큰 충격이었다. 두 날개로 나는 새가 한 날개를 잃어버린 것과 같은 충격과 고통이었다. 나를 만나는 많은 사람들이 내가 친상을 당한 것처럼 위로의 말을 건넬 때에는 감사합니다 하는 말로 회답할 수밖에 없었지만 나의 마음은 복잡하기만 했다.

하는 일이 다르고 성장 과정도 달랐을 뿐만 아니라 인생을 살아가는 방식이 아주 다른 두 사람이 그렇게 오랫동안 일을 같이하면서 잘 지낼 수 있었던 이유를 생각해 볼 때가 있다. 재단 일만 해도 그렇다. 나는 재단을 운영해 본 일도 없었고 더구나 병원을 건립한다든가 운영한다든가 하는 일은 더더욱 없었다. 그러한 사실을 너무나 잘 알고 있을 뿐만 아니라 용인술이 뛰어난 정 회장이 병원에 전혀 경험이 없는 나에게 재단과 병원 운영을 위임하였다는 것은 내가 생각하기에도 이상한 일이다. 어쨌든 이는 정 회장이 나에게 재단, 병원이 아니라 그 이상 가는 일도 맡길 수 있었음을 증명하는 것이라고 생각한다. 이것이 다른 무엇보다도 신기하며 아주 자랑스럽다. 노자의 말 중에 '사이불망자수(死而不亡者壽)'라는 말이 있다. 덕정(德政)이나 국가에 필요한 큰 사업을 남겨놓고 세상을 떠나는 사람은 죽지만 오래 사는 장수와도 같다는, 다시 말하면 진정한 장명(長命)이라고 말할 수 있다는 이야기다. 정 회장은 지금도 그를 아는 모든 사람들의 가슴속에 살고 있는 것이 아닐까? 정 회장이 서거하신 지 벌써 10년이 넘었건만 그립기만 하다. 꿈에서 자주 뵈는 일도 그리움 때문일 것이다.

후배를 선배처럼

정 회장과는 추억이 참 많다. 1985년 3월, 프레스센터에서 졸저 『한국법의 실상과 허상』의 출판기념회 때의 일이다. 남이 하는 대로 일정한 절차에 따라 기념식을 마치고 간단한 다과회를 가졌는데, 다과회 자리에서 정 회장이 나에게 귓속말로 다과회가 끝나면 명동에 있는 퍼시픽호텔 2층 일식점에 저녁 준비를 해놓을 테니 그리로 몇 사람 데리고 오라고 했다. 그래서 기념회가 끝나자마자 20여 명의 변호사들과 그쪽으로 달려갔다. 정 회장이 저녁을 모신다니까 말을 건네기가 무섭게 다들 따라나섰던 것이다. 그 자리에 가보니 이미 정 회장은 와 계셨고, 한 20명은 앉을 수 있는 넓은 요리상이 마련되어서 각자 적당히 앉았는데 그날은 내가 주인인 탓인지 정 회장이 지정하는 대로 가운데 자리를 차지했다. 정 회장은 나를 마주보고 건너편에 앉아 식사를 시작하는데 여종업원이 내 옆에 와서 조용히 하는 말이, 아까 정 회장님이 오셔서 내 자리는 주인 자리이니 수저는 이렇게 놓고 무엇은 어떻게 놓으라고 일일이 지시를 하시는 바람에 굉장히 높은 사람이 오는 줄 알았다고 말을 하기에 내가 높은 사람 같지 않으냐고 대꾸하면서 웃었다. 당시 정 회장은 이미 한국 재계에서 으

1985년 『한국법의 실상과 허상』 출판기념회에서 가족과 함께

뜸가는 인물로 평을 받고 있었을 뿐만 아니라 나보다는 9년이나 연상이었다. 이런 융숭한 대접은 누가 보아도 일개 법률고문을 위한 것이라고 생각할 수 없는 것이었다.

강단 있는 정 회장

울산조선소(현대중공업주식회사)의 초기에는 근로자들의 파업 때문에 참 힘들었다. 나는 정 회장이 울산에 갈 때에는 더러 동행을 한 것 이외에는 고생을 한 일은 별로 없었다.

한번은 울산에서 크게 파업이 일어났고 경찰의 힘 가지고는 억제가 되지를 않아서 군대가 동원된 일도 있었다. 한 장성이 단상에 올라서서 타일러도 진정되지가 않았다. 이런 일들이 계속되는 와중에 정 회장이 울산에 같이 가자고 하여 따라나섰다. 그때 정 회장은 매일 고깃국을 끓여준다고 파업을 하니 그런 놈들이 어딨어, 큰 쇳덩어리를 다루는 직업이 되어서 고기를 먹어야 힘을 쓸 것 아니야, 이제는 근로자도 참 사치스러워졌어 하고 말했다. 파업 이유가 그것만은 아니었겠지만 파업은 진정될 기미를 보이지 않았다. 현장에 도착한 정 회장은 근로자들 속에 뛰어들어서 소리치며 달랬는데 그 용기란 대단한 것이다. 그러고 나서 밤 11시인가 12시쯤이 되어서 자동차를 타고 서울로 떠났는데 다음날 신문에 성명서 겸 해명서를 낼 예정이었다. 그것은 내 몫이었다. 나는 이것저것 생각을 하여야 할 뿐만 아니라 자동차에서 잠을 잔다는 것은 체질상 불가능한 일이어서 말똥말똥 눈을 뜨고 앞만 쳐다보고 있었는데 운전사가 금강주유소에서 휘발유를 넣겠다고 한다. 나는 그러라고 대답은 했지만 정 회장은 이미 깊이 잠이 들어서 휘발유를 넣는지 무엇을 하는지 전혀 의식이 없었다. 그런데 운전사가 조금 가더니 허겁지겁 하면서 "이것 큰일 났습니다, 휘발유를 넣는다는 것이 경유를 집어넣었습니다"고 한다. 밤중이라 당황한 것이다. 어쩔 거냐고 물으니 "내려가는 차를 잡아 타고 가서 휘발유를 통에 넣어가지고 와야지요" 한다. 그럼 나는 어쩔까냐고 했더니 "여기 그대로 계세요, 저 혼자만 갔다 오겠습니다" 한다. 그러더니 길 건너편으로 건너가서 부산 쪽으로 가는 차를 하나 잡았는지 한참 없어졌다가 휘발유를 통에 넣어가지고 와서 먼저 넣었던 경유는 뽑아내고 휘발유를 넣었다. 그러는 동안에도 정 회장은 주무시느라고 세상 돌아가는 일을 모르고 있었다. 운전사는 "안 깨셨지요? 깨셨으면 제가 죽습니다"고 걱정하며 정 회장의 상태를 확인했다. 그 후 서울까지 무사히 올라왔지만 이래저래 나는 뜬눈으로 밤을 새웠다.

잠 못 드는 정 회장

또 한번은 이런 일도 있었다. 정 회장과 사우디아라비아를 거쳐서 유럽을 가기로 했다. 당연히 일등석을 탔는데 좌석에 앉자마자 정 회장은 잠을 자기 시작했다. 나는 비행기를 타면 잠을 잘 못 자는 편인데 이분은 자동차고 비행기고 가릴 것 없이 잠을 자는 게 익숙했다. 대기업가는 모두 그런지 모르겠다. 나는 역시 뜬눈으로 바레인을 거쳐서 사우디아라비아에 도착을 했다. 공항에서 내려 수도 리야드까지 자동차로 가는데 노래를 부르면서 5~6시간을 달려간 것 같다. 노래라는 노래는 다 불렀지만 모두 옛날 노래인데다가 둘이 다 음치여서 남들이 들으면 무슨 노래인지 알 수 없었을 것이다. 처음 하는 사막 횡단은 그렇게 재미있었다.

그날 밤은 호텔에서 잠을 잤는데 현지에서도 별안간 연락을 받은 것이라 방을 따로따로 구하지 못해 정 회장과 한방에서 하룻밤을 같이 지내기로 했다. 잠에 대해서는 자신만만한 분이라 정 회장이 먼저 잠들 줄 알았더니 아침에 눈을 뜨고 하는 말씀이 내가 코를 골아서 한잠도 잘 수 없었다고 하신다. 나는 웃으면서 "그럴 때도 있군요" 하고 대답했다.

시간이 흐를수록 그분이 그립다.

정주영 회장의 학식

정주영 회장은 1998년 3월에 『이 땅에 태어나서: 나의 살아온 이야기』라는 책을 출간했는데, 거기에 어려서 초근목피로 목숨을 부지하던 가난 속에서 교육받았던 이야기가 나온다. 학교는 소학교(지금의 초등학교)밖에 나오지 않았는데, "성적은 붓글씨 쓰기와 창가(唱歌)를 못해서 졸업할 때까지 줄곧 2등이었다(…) 타고나기를 음치여서 엉망이었다." 어쩌면 그렇게 나하고 똑같을까? 그래도 그 책에는 그림을 못 그렸다는 이야기가 안 나오는 것으로 보아 그 점은 나보다 훨씬 나았던 것 같다.

또 '나의 소년시절과 고향 탈출' 부분을 보면 이런 이야기가 나온다. "소학교에 들어가기 전 3년 동안 할아버지의 서당에서 『천자문』으로 시작해서 『동몽선습(童蒙先習)』『소학(小學)』『대학(大學)』『맹자』『논어』를 배우고 무제시(無題詩), 연주시(聯珠詩), 당시(唐詩)도 배웠다." 공부를 하고 싶어서가 아니라 할아버지 회초리가 무서워서 배웠는데 "그때 배운 한문 글귀들의 진정한 의미는 자라면서 깨달았다."

요즘 와서는 『천자문』이라는 책조차 모르는 젊은이들이 많지만 『천자문』은 초학자를 위한 한학 교과서겸 습자교본이다. 초학자를 위한 교과서라고 하지만 나는 지금 읽어도 의미를 제대로 알 수가 없는 구절이 있을 정도로 어렵다. 약 1600여 년 전에 중국에서 만들어진 이 책은 천 개의 글자가 사언고시(四言古詩) 250구로 제시되어 있는데 그 하나하나에 깊은 뜻이 담겨 있다. 『천자문』 다음에 나오는 『동몽선습』은 조선 영·정조 시대의 학자가 저술한 것이다. '부자유친(父子有親)' '군신유의(君臣有義)' '부부유별(夫婦有別)' '장유유서(長幼有序)' '붕우유신'의 오륜(五倫)으로 시작해서 중국과 조선의 역사를 쓴 것이다. 『소학』은 송나라 때 주자가 소년들에게 유학의 기본을 가르치기 위해 만든 책으로 조선시대 교육기관의 필수 교제였다.

학문과 정치, 윤리를 다룬 『대학』, 군자와 인간의 도를 다룬 『논어』와 『맹자』는 유교에서 가장 핵심이 되는 사서오경에 속하는데, 나는 『논어』를 단편적으로만 읽었을 뿐이다. 당시쯤 되면 웬만한 한학자들도 잘 모른다. 그러니 정 회장 정도면 대단한 한학자라고 말할 수 있다. 이런 정 회장이 인간으로나 대기업가로 살아가는 데 소학교를 나오고 안 나오고는 문제가 안 된다. 아마도 대학에서 공부한 사람도 기업과 인간생활을 하는 데에는 정 회장처럼 공부한 사람을 따라갈 수 없을 것이다.

따라서 정 회장은 현대그룹이라는 대기업을 일으켜 국가 번영에 큰 공헌을 했고 전경련 회장으로서도 10년이라는 긴 세월, 제대로 근대 교육을 받은 CEO들을 위압할 뿐만 아니라 큰일마다 간섭하려 드는 정부에 당당하게 맞설 수 있었던 것이다. 정 회장은 한마디로 일세를 풍미한 영웅이었다.

아산재단을 떠나다

2가지 행운

정주영 회장과의 만남은 나에겐 행운이었다. 내가 한국경제사에 길이 남을 거인과 친교를 거듭했다는 것은 신기하고 희한한 일이다. 또한 아산재단과 같은 거대한 재단을 혼자 맡아서 운영할 수 있었다는 것도 행운이었다.

사업가가 기업을 하는 이유가 부의 사회환원을 목적으로 한다면 월급쟁이 생활로 재물을 모은 사람도 사회환원을 해야 한다고 생각한다. 사회에서 받은 혜택 덕으로 치부한 것은 기업가와 마찬가지이기 때문이다. 나는 이런 관점에서 아산재단의 일에 전력을 다했다. 정 회장이 거액의 돈을 사회에 환원했다면 나는 나의 시간과 노력을 사회에 환원한다고 생각한 것이다.

그렇게 내가 시작한 일들이 30년이 지난 지금도 계속되고 있다. 물론 정치적 사정도 변하고 사회적 환경도 달라졌을 뿐만 아니라 개인들의 사고방식도 선진화돼서 그전에는 생각할 수 없었던, 시정해야 할 일도 많아졌다. 이런 점에서 재단의 사업내용도 많은 부분 달라져야 할 것이다. 하지만 30여 년 전 재단 설립 당시의 기본적인 틀은 그대로 유지되고 있다.

부의 사회환원

아산재단 설립자인 정주영 이사장이 2001년 작고하자 나는 이사의 임기도 만료되어 그해 7월에 아산재단을 떠났다. 24년 만이다. 정 회장은 아산재단을 설립할 때에 우선 본인이 소유하고 있던 현대건설의 주식 반(半)을 출연하면서 은퇴할 때가 되면 나머지 반도 전부 내놓고 재단 일에서도 깨끗이 손을 떼겠다고 다짐했다. 나도 그의 뜻을 따라 이사회에서 아산재단은 사회가 소유하는 국민의 재산이라 공언하기도 했다. 정 회장은 자식들한테는 돈을 줄 만큼 넉넉하게 주었으니 재단 일에는 관여시키지는 않겠다고 늘 말해왔다. 이 말은 정 회장이 사람들이 모일 때마다 명시적으로 또는 간접적으로 해서 모든 사람들을 그 주변으로 모이게 하는 흡인력이 되었다. 한국경제를 우뚝 서게 만든 큰 업적만으로도 정 회장의 매력은 충만했는데 아산재단의 설립과 운영은 그의 인간미를 더욱 빛냈다.

그러나 수십 년이 지나다보니 재단 이사들이 조금씩 바뀌어서 정 회장의 참뜻을 모르는 분이 생겼다. 그래서 나는 언젠가 이사회에서 정 회장의 그런 뜻을 담은 글을 돌린 일이 있었는데, 현재 기록에 남아 있는지 알 수 없다. 내 생각 같아서는 정 회장이 서거하면 재단의 이사장과 이사는 사회에서 존경받는 분들을 모시고, 형식적으로나 실질적으로 부의 사회환원을 실현해 보였으면 싶었다. 지금 우리나라에는 재단이 많지만 대부분은 설립자 아니면 그 가족이 이사장이나 이사를 맡고 나머지 이사들은 친분이 두터운 사람들이 맡는 것이 상례다. 이것이 과연 부의 사회환원인가 의문을 가질 때가 있다. 환원이란 무엇인가? 근본, 원점으로 되돌아가는 것이 아닌가? 우리나라와 같은 작은 나라에서 자수성가를 한 사람이 그간 애써 번 돈을 사회에 내놓고 가족에게는 나 몰라라 할 수는 없는 일이니 중간 규모의 재단들은 종례대로 해나가는 것이 격려도 되고 재단 설립을 장려하는 일도 되리라고 믿는다.

그러나 현대처럼 가족 한 사람 한 사람이 독자적으로 대기업을 운영할 정도로 능력이 있는 경우에는 가족은 재단에서 손을 떼는 것이 좋을 것 같다. 오히려 재단후원회 같은 것을 만들어 재단의 재정이 부족한 경우 가족이 하나가 되어 설립자의 유지(遺志)를 실현하는 것이 옳을 것이다. 그럴 수만 있었다면 정 회장은 경영의 귀재를 넘어서 우리나라에는 없었고 세계적으로도 드문 방법으로 사회에 공헌한 역사적인 인물이 됐으리라는 생각을 해본다. 또한 다른 재벌들도 그런 방향으로 유도해서 대기업가에 대한 존경을 불러일으킬 수 있었을 것이다. 우리 국민들이 기업가들의 경제활동을 크게 기대하고 그 성과를 누리며 세계 각국을 누비고 다니면서 한국인임을 자랑하면서도 막상 대기업가나 치부한 사람에 대한 감정이 좋지 않은 것은 왜겠는가. 생각해 볼 일이다.

자수성가한 사람들이 거액의 재산을 출연하여 공익재단이나 학교재단을 설립한 뒤 운영은 자신이 직접 하거나 자제들에게 맡기는 관행은 지난날에는 충분히 이해할 만한 일이었다. 그러나 시대가 달라진 지금 국민들에게 부의 사회적 환원은 당연히 이행해야 할 사회적 책무일 뿐이다. 나는 언제나 이러한 점을 아쉽게 생각한다. 그래서 국민이 진정 고마워하고, 사회를 더욱 품위 있게 만드는 선행을 촉진할 방법이 없을까 고민하곤 한다.

30여 년간 정주영 회장과 같이 지내면서 있는 힘을 다해 보좌했지만 마지막 단계에서 대통령선거 입후보를 끝내 말리지 못한 것도 두고두고 아쉬움으로 남는다. 그분이 이룩한 국가적 사업이 어디 평범한 대통령의 업적과 비교할 수준인가?

그러나 그도 인간, 백세 이상의 장수를 확신하면서 일만 생각하고 살았지 신병으로 병원을 자주 찾을 때도 사후 계획에 대해서는 생각해 본 일이 없는 사람이었다. 따라서 사후의 대비라는 것은 없었다. 정 회장이 작고하신 뒤에 나에게 유언의 유무를 묻는 사람들이 가족을 포함해서 그렇게 많았던 것도 유언을 남기지 않았다는 것이 오히려 기이하게 느껴진 때문이리라. 정 회장이 유언이나 공개적인 표시를 통하여 그의 사후에 아산재단이 명실공히 국민의 재산으로서 사회를 대표하는 공공기구에 의하여 운영되도록 하였다면 그분의 업적은 날이 갈수록 빛나고 국민적인 숭앙을 한 몸에 받을 수 있었을 것이라는 생각이 든다. 생전에 분명 그런 뜻을 갖고 있던 정 회장의 유지가 좌절된 듯싶어 안타깝기만 하다.

공익재단의 미래형

내가 재단 일을 맡아서 했던 24년을 회고하면서 재단 활동에서 가장 중요하다고 느끼는 것은 주관자(이사, 특히 상임이사)의 창조적인 활동이라고 할 수 있다. 자문위원은 그 성격상 자문을 요청받기 전에 자진하여 의견을 개진하는 일은 드물다. 먼저 재단의 주관자가 사업의 내용과 구상을 다듬고 자문위원의 자문을 받아야 한다. 그러므로 자문위원의 활동에는 재단 주관자의 적극적인 제안과 협의는 물론 자문위원의 의견을 존중하는 일이 중요하다.

재단은 정부가 하지 못하는 일, 할 수 없는 일, 기업가가 하지 못하는 일, 할 수 없는 일 그러나 사회가, 인간이 바라는 일 들 중에서 꼭 하여야 할 일을 찾아서 사업을 전개하여야 한다. 그것은 사회를 안정시키고 현재를 미래의 발전으로 연결하는 일이다. 그러므로 재단의 주관자는 언제나 사회의 제반 상황을 살펴보고 연구를 거듭하여야 한다. 그러면 가까운 미래를 전망하는 일은 그리 어려운 일이 아니다. 쉬운 일은 아니지만, 글로벌 시대라 일컬어지는 이 시대에는 세계적인 흐름도 보아야 한다. 사회를 보는 눈과 현실문제를 보는 감각에는 경제, 정치, 남북문제 등 모든 문제가 포함된다. 재단 사업의 방향은 이런 기초 위에서 결정된다.

재단 주관자는 시행착오를 너무 두려워하지 말고, 모험을 꺼리지 않아야 한다. 그러지 않으면 금년에는 작년에 한 일을 형태만 바꾸어 또 하면 되는 일로 생각하는 타성이 생긴다. 종전의 것을 답습하면 발전이 없다.

또한 재단 주관자는 재단에 대한 귀속의식이 강해야 한다. 서울아산병원에서 2, 3, 4대 원장을 하면서 병원 발전에 크게 공헌한 민병철 원장이 진료수가(診療酬價) 문제로 시내 여러 병원장들과 재판을 받게 되었을 때에 아산재단의 이사들 중 한 분도 방청석에 나타난 일이 없었다는 것은 유감스러운 일이었다. 그 재판에는 서울 시내 10개 큰 병원의 원장들이 전부 기소가 되었는데 기소 내용은 병원에서 받은 수가가 보험공단의 보험규정과 어긋난다는 것이었다. 예컨대 수술 후 봉합할 때 보험에 규정되어 있는 것보다 좋은 실을 썼다든가 효능이 더 좋은 약을 쓰고 돈을 조금 더 받았다든가 하는 것이 보험규정에 위반된다는 내용이어서 병원으로서는 충분히 다퉈볼 만한 사건이었는데도 대법원에서 무죄가 날 때까지 6, 7년이라는 긴 세월이 걸렸다. 그런데 병원 원장은 병원 일로, 재단 일로 수사를 당하고 재판을 받게 되었는데 그 많은 이사들이 방청석에 한 번도 나타나질 않았던 것이다. 그야 담당 변호사도 있고 다른 피고인들도 있어서 잘되리라고 생각했는지 몰라도 그 재판을 방청하고 원장을 위로하는 것은 이사로서는 당연한 일인데 모두 나 몰라라 하는 것 같았다.

대체로 어느 재단이나 재단의 이사들은 이사장의 천거를 받아 구두 선거로 결정되는 일이 많다. 하지만 일단 이사가 되면 재단이 자기 것이라는 인식을 가지고 병원일로 인해 사기죄라는 누명으로 기소된 원장의 고통을 얼마만큼이라도 덜어주는 것이 도리일 것이다. 원장은 재단에 고용된 사람이지만 재단 이사는 재단의 주인이며 사회에 대한 책임을 지는 사람이기 때문이다.

마지막으로 재단 주관자는 봉사정신이 뚜렷하고 창의적인 사람이어야 한다. 적어도 큰 재단의 이사는 월급을 기대해서는 안 된다. 아산재단 이사회에서 이임 인사를 할 때에 나는 그만두더라도 영원한 이사로 남을 것이라는 취지의 말을 남겼는데 그만큼 애착을 갖고 일을 했다. 아산재단이 앞으로 어떠한 사업을 해나갈 것인가는 사회의 여건과 발전의 방향에 따라 결정될 수밖에 없다. 지금까지 각 분야별 전문가로 구성된 자문위원회와 협의를 거쳐 각종 사업을 운영해 왔는데 이 점은 앞으로도 변함이 없을 것이다. 그런 의미에서 자문위원들에 대한 역할과 기대는 크다. 30년간 자기 사업처럼 재단 운영을 뒷받침해 준 자문위원 여러분의 노고에 대하여 감사를 드린다.

9장

법률가와
사회활동

집필활동

나는 항상 손에 잡히는 책이면 무엇이든 읽었는데, 그중에서도 〈뉴스위크〉는 영어공부도 할 수 있어서 애독하던 읽을거리였다. 거기서 읽은 '위의 자유'에 대한 기사가 아직도 기억에 남는다.

'위의 자유'라는 말은 처음 듣는 신기한 개념이었다. 미국에서 한 피의자가 마약을 막 입에 넣으려고 하는데 경찰관이 들이닥치는 바람에 경찰관이 보는 앞에서 단숨에 삼켜버렸다. 그러자 경찰관은 그를 병원으로 데리고 가서 토하게 만들어 채 녹지 않은 마약을 수사의 증거로 제출했다. 그러나 법원은 본인의 승낙 없이 먹은 것을 토하게 한 것은 위의 자유를 침범한 것이므로 증거가 될 수 없다고 무죄를

〈조선일보〉 1952년 10월 27일 자에 실린
「위의 자유」

선고했다는 내용이다. 우리나라 같으면 그 경찰관은 표창을 받았을지도 모른다. 마약을 한 사람을 병원에 데려간 일도, 증거를 확보한 일도 모두 표창감이다. 그리고 피의자는 법원에 기소되어 당연히 유죄판결을 받았을 것이다. 그러나 미국에서는 이토록 사정이 달랐다.

하도 기가 막힌 일이어서 나는 〈조선일보〉에 번역한 원고를 보냈는데, 〈조선일보〉에서 이것을 지면에 실었다. 전쟁이 한창이던 1952년 내가 초임 검사이던 시절 일이다. 내가 쓴 글 중 처음으로 신문에 실렸던 글이다. 이것이 계기가 되어 그 후 기고한 수필이나 논문이 2006년까지 약 200편 정도가 된다(부록 6에 그 목록을 정리했다). 그중에는 앞서 말한 동백림 사건에 대해 사회에 경종을 울리기 위해 기고한 글도 있었다(조선일보, 1967년 12월 17일 자). 중형(重型)이 선고된 뒤여서 정부를 비판하는 글을 기고한다는 것은 위험한 일이긴 했지만, 그 글에서 나는 해외 유학생들이 처한 환경과 그 환경을 방치한 우리 공관의 책임을 추궁했다.

지내놓고 보니 글다운 글은 없지만 언제나 인간과 사회를 생각하면서 그 생각한 바를 소통하기 위해 노력하며 살아왔던 듯하다.

한국키비탄 운동

국제키비탄은 1920년 미국 조지아 주에서 창설된 지적 장애아 후원운동을 하는 국제 단체다. 그것이 리처드 스틸웰(Richard Stilwell) 주한 미군 사령관의 소개로 국내에 알려지면서 1976년에 경희대학교 설립자인 조영식(趙永植) 박사의 주도로 한국키비탄이 창립되었다. 조영식 박사는 먼저 서울중앙클럽을 조직하고 한국키비탄의 초대 총재를 맡았다가 세계 각국에 밝은사회 운동 클럽을 조직하기 시작하면서 한국키비탄 쪽은 나에게 맡기다시피 하였다.

그때만 해도 지적 장애아에 대한 국민의 관심은 거의 없었다. 나도 그 운동에 참가하고 나서야 우리나라에 그렇게 많은 지적 장애아가 있다는 것을 알고 놀랐다. 지적 장애아란 문자 그대로 지능에 장애가 있는 아이들을 이르는 말인데, 자기를 낳고 키워준 부모의 얼굴조차 알아보지 못하는 경우가 대부분이다. 무슨 까닭인지는 잘 모르겠지만, 지적 장애아는 대체로 얼굴이 일그러져 인상이 사나운 편이라 처음 만나는 사람은 그 자리를 빨리 뜨고 싶을 정도로 심한 충격을 받고, 세상에 어떻게 하다가 이런 모습으로 태어났나 하는 안타까운 마음을 가지게 된다. 나도 꼭 같은 경험을 했다. 그러나 보호시설을 찾을 때마다 용기를 내어 손을 잡고 안아주고 먹을 것을 주고 같이 놀아주는 동안 점차 그 얼굴에 익숙해질 뿐만 아니라 오히려 다정함을 느끼게 되었다.

이 운동에 참여하면서 알게 된 일이지만 평균적으로 어느 나라나 인구의 3~4%가 선천적이거나 후천적으로 지적 장애를 가지고 있다고 한다. 우리나라의 인구를 5천만 명이라고 볼 때에 150만~200만 명이 지적 장애를 가지고 있다는 말이 된다. 그런데 그들의 가족까지 더하면 규모가 더욱 커진다. 한 가족을 평균 4명으로 보면 600만~800만 명의 사람들이 이 아이들을 돌봐야 하는 어려움을 겪고 있는 것이다. 참으로 엄청난 숫자다.

그런데 한국키비탄은 미국 본부와 달리 지적 장애아 이외에 지체부자유아도 후원의 대상으로 포함하고 있다. 지체부자유아도 장애자임에는 틀림없지만 대소변을 가리지 못하는 지적 장애아와는 천지의 차이가 있다. 요새는 거의 그런 말을 들을 수가 없게 됐지만 당시에는 다리를 저는 아이를 보면 곧잘 '병신'이라고 폄하하곤 하였다. 지체부자유아도 지적 장애아와 같이 사회적 냉대를 받는 시대였다. 한국키비탄에서는 '지적 장애아도, 지체부자유아도 같은 사람이다' '그들도 양지에서 인간 대접을 받고 살게 하자' '그들을 병신으로 부르는 사람이 병신이다' 하는 다양한 표어를 내세워 지적 장애아·지체부자유아 후원운동을 펼쳐나갔다. 아무것도 모르는 나였지만 많은 학자들과 전문가들을 동원하여 장애자 복지 세미나를 개최하고 강연회도 열어 사회 참여를 촉구했다.

이때 큰 도움을 준 사람이 박은태 박사였다. 박은태 박사는 프랑스에서 경제학을 전공하고 학위를 받았는데, 정말로 열심히 운동을 거들었다. 그와 함께 지적 장애가 있고 지체가 부자유한 학자들을 모시고 여러 번 심

1981년 한국키비탄 부산 클럽 창립식에 참석한 (왼쪽에서 두 번째부터) 이문호, 김주환, 필자

포지엄을 개최하였다. 후일 내가 아산재단을 도맡아 운영할 때도 박은태 박사를 사회복지자문위원회 위원장으로 모시고 보호시설 지원과 사회운동 양면에서 많은 활동을 함께했다.

후원운동에 관심을 갖는 사람이 늘어나면서 지역 단위 클럽도 점차 늘어났다. 지금 한국키비탄은 전국적인 규모가 되어 회원도 상당수에 이른다. 단위 클럽은 보호시설을 한 군데씩 맡아서 후원운동을 펼치는데 1년에 한두 번은 반드시 보호시설을 방문한다. 후원 물품을 전달하고 아이들과 같이 놀기 위해서이다.

한국키비탄 3대 총재를 맡다

1978년 나는 2대 김태동(金泰東) 총재를 뒤이어 한국키비탄의 3대 총재에 취임하였다. 국제키비탄 운동은 나뿐만 아니라 모두에게 생소한 일이었지만, 좋은 시민이 되자는 것을 목표로 배우면서 후원사업을 추진해 나갔다. 처음 1, 2년은 단위 클럽을 만드는 데 주력했는데, 재활 전공 의사들의 호응이 컸고 많은 명사들이 참여했다.

처음 벌인 일들은 클럽의 행사로서 얼마간 성금과 선물을 마련하여 장애자 보호시설을 방문하고 아이들과 같이 놀아주는 정도였다. 클럽들은 서울 시청 뒤 광장에 모여 일정한 격식을 갖춘 행사를 치른 후 각 방문지로 떠났다.

아이들은 방문자를 무척이나 반기고 먹는 것을 즐겼지만, 자기에게 빵을 준 사람이 누군지 몰랐다. 방문자는커녕 모처럼 찾아온 자기 어머니조차 알아보지 못했다. 오랜 시간 같이 놀다가 멍하니 아이를 처다보며 발걸음을 돌리는 어머니의 눈물 섞인 뒷모습에 나도 함께 눈물을 훔쳐야 했던 적이 한두 번이 아니다.

창립 2년째로 접어들어서는 관계 기관과 과학자들을 초청, 장애자 보호의 필요성을 주제로 하는 세미나를 개최하여 사회에 신선한 충격을 주었다. 내가 조금이나마 사회복지 실무와 이론을 익힌 것은 이런 경험 때문이다. 여기서 나는 새로운 친지를 많이 사귈 수 있었다.

특수어린이날 제정과 운동회

1978년 나는 '특수 어린이 올림픽'이라는 이름의 운동회를 시작하였다. 5월 5일은 어린이들이 부모의 손을 잡고 놀러 나가고 선물도 받는 즐거운 날이지만, 지적 장애아들에게는 오히려 더 쓸쓸한 날이라는 사실을 알게 된 나는 이들을 달래고 위로하기 위하여 5월 5일이 지난 바로 다음 토요일을 '특수어린이날'로 선포하고 특수 어린이 운동회를 열었다. 특수 어린이는 장애자라는 말이 싫어서 내가 만든 말이다. 민간 단체인 한국키비탄에서 제멋대로 특수어린이날을 지정했다고 보건사회부로부터 야단도 맞았지만 이에 개의치 않고 매년 전국적인 규모의 운동회를 열었다.

지적 장애아는 세상 밖으로 나오기가 어렵다. 본인이야 외부에 나가고 싶은 마음이 있겠지만 보호자가 아이를 데리고 나오기가 무척이나 힘들고 복잡하기 때문이다. 적합한 운송장비가 없고 장애자가 이용할 만한 편의시설도 부족하다. 당시 휠체어는 구경꾼이 모일 정도로 신기한 물건이었다. 그렇기는 했지만 나는 총재가 되자마자 보호시설 주관자들이 늘 주창하듯 장애자도 다른 어린이들과 다를 바 없다는 구호 아래 장애자를 위한 각종 운동회를 열었다. 말이 운동회지 감옥과도 같은 작은 방에서 뒹굴던 지적 장애아들이 낯선 어른들과 손잡고 왔다 갔다 하며 바깥바람을 쏘이는 것이 전부였다.

첫번째 운동회는 이화여자대학교 운동장에서 열렸다. 마땅한 곳이 없어서 내가 감사를 맡고 있던 이화여자대학교에 부탁을 했더니 그런 아이들의 선생님이 될 사람들을 교육하는 특수교육과가 있다며 흔쾌히 승낙해 주었다. 보호시설에서 교육을 받고 있는 아이들은 물론, 부모 손에 이끌려서 나온 아이들도 많았다. 선뜻 보호시설에 맡기기 싫어하는 어머니들도 많았다. 모정(母情)도 모정이지만 장애자가 집에 있다는 것을 알리기 싫어하기 때문이기도 했다.

운동회는 형식을 갖추어 진행되었다. 입장식이 시작되자 장애아 두 명을 한 명은 업고 다른 한 명은 손을 잡고 입장하는 어머니가 맨 앞에 입장하였다. 이 모습을 단상에서 본 나는 눈물이 흘러내렸다. 한 명도 벅찰 텐데 두 명을 장애아로 둔 어머니의 마음은 얼마나 막막할 것이며 아이들을 돌보는 일은 얼마나 힘들지, 불쌍한 마음이 내 가슴을 쳤다.

이화여자대학교에는 화장실이 여자용뿐이어서 통으로 남자용 화장실을 마련하느라 애를 먹었던 우스운 일도 벌어졌다. 경험이 없어 운동회 운영이 매끄럽지 못한 탓에 벌어진 작은 소동이었다. 그러나 장애자들과 그 부모들은 무척이나 좋아했다. 자기네 아이들과 같은 장애 어린이들을 모아놓고 즐거운 시간을 갖게 해주는 것은 처음 있는 일이었기 때문이다. 아이들은 크게 울려 퍼지는 음악 속에서 이리 끌려가고 저리 밀려다니는 그 자체만으로 즐거워했다.

병신이라는 말

그 후 어느 해인가 경희대학교 운동장에서 운동회를 하는데 시작하고 얼마 안돼서 비가 내렸다. 가슴이 아팠다. 1년에 한 번밖에 없는 하루인데! 비가 그치기를 바라고 계속했지만 비는 멈추지 않았다. 그런 와중에 별안간 중년 신사 한 분이 내 앞에 나타나서 시비를 걸었다. 아이들이 병신이라고 비를 맞히면서 운동회를 계속하는 것이냐, 정상적인 아이들 같으면 벌써 그만두었을 것 아니냐! 맞는 이야기다. 하지만 모처럼 하루 외출을 하였는데 비 좀 맞더라도 기분 좋을 것이고, 정상적인 아이라면 내일도 있으니 그만둘 수도 있는데 이 아이들은 그렇지 않다는 것이 나의 생각이었다. 그러나 그분은 아이들을 무시하는 것으로 해석을 하고 덤벼드니 어이가 없었다. 모든 일이 입장에 따라 생각이 다를 수 있는 것이다. 이 일은 큰 경험이 되었다.

한국키비탄은 그런 아이들을 보호하는 기관이 아니다. 장애자들도 우리와 똑같은 사람이라는 인식을 사회에 불어넣어 주어 그들을 후원하고 같이 살아나가자는 시민운동이다.

이런 경험은 훗날 내가 아산재단에 관여하면서 진행했던 중요한 사업으로 이어졌다. 1988년에는 관례에 따라 서울 올림픽이 치러진 후 장애자 올림픽까지 열렸기 때문에 정부에서도 사전에 모든 보호시설을 개수, 확장, 정비하느라고 큰 투자를 하였다. 얼마나 다행한 일인지 모르겠다.

클린턴 대통령과의 인연

후일에 안 것이지만 미국의 클린턴 대통령도 국제키비탄에서 장학금을 받았다고 한다. 1990년대 말 우리가 IMF의 구제금융을 받을 정도로 금융위기에 빠졌을 때에 내가 발의하여 국제키비탄 본부에 우리의 어려운 사정을 편지로 적어 클린턴 대통령에게 전달하여 달라고 했던 일이 있는데 그때에 알게 된 일이다. 클린턴 대통령에게 편지는 전달됐지만 그로 인해 무슨 효과가 있었다고 생각하지 않는다. 그래도 편지를 보낸 자체에 보람을 느꼈다.

장애자의 유람선 놀이

운동회로 시작된 특수 어린이 잔치는 30여 년이 지난 지금도 세가 커지면 커졌지 기울지 않았다. 2011년 5월 26일에는 여의도 한강선착장에서 특수 어린이 잔치가 열렸다. 잔치라고 해도 1시간 정도 놀고 유람선을 타는 것이 전부였다. 이 잔치가 열릴 때마다 국제키비탄 국제본부에서 총재, 부총재가 오는데 두 분이 축사하는 시간이 합해서 5분도 안 걸렸다. 그 후 국내 내빈도 3~4분 만에 축사를 끝냈다. 멋있는 진행이었다. 그리고 여흥은 아이와 어른 모두 볼 만한 것으로 꾸몄는데 가수가 등장해서 노래를 하자 의자에 앉아 있던 아이들이 보호자를 제치다시피 하면서 뛰쳐나와 같이 춤을 추고 노래를 했다.

지금은 아시아 지역 코디네이터 신정순 선생의 뒤를 이어 세브란스병

2011년 특수 어린이 잔치에 참석한 한국키비탄 전 총재들, (왼쪽부터) 필자, 장윤석, 신정순, 박창일, 황창익, 강병건, 남정우

원 원장, 의무부 총장을 지내신 박창일(朴昌一) 선생이 총재를 맡고 계신데 열정이 많은 분이시다. 나는 보행이 불편해서 매년 나갈까 말까 주저하지만 웬만하면 참석하는 편이다. 그럴 때면 이제는 나도 자동차에서 내리면 운전기사가 밀어주는 휠체어를 타고 가야 하니 장애자가 되어서 이 자리에 앉았구나 하는 감회에 젖게 된다. 장애자가 따로 없다.

그래도 옛날에는 아이가 장애자면 감추었는데 이제는 어머니가 직접 데리고 나온 아이들도 많은 것을 보고 대한민국이 큰 나라가 된 것 같아 뿌듯하다.

밝은사회 운동

'밝은사회 운동'은 조영식 박사가 경희대학교 총장 시절에 세계대학총장회의를 소집하고 그 자리에서 '인류사회의 재건'이라는 웅대한 사상과 거창한 비전을 바탕으로 창립한 운동이다. UN으로 하여금 1986년 세계평화의 날을 제정케 한 것도 밝은사회 운동이었다.

나는 한국비키탄 운동 때 맺은 인연으로 조영식 박사가 밝은사회 운동으로 한국은 물론 세계 각국에 50~100명의 단위클럽을 만들 때에 1982년 서울중앙클럽의 총무로 참가하였다. 서울중앙클럽 초대회장은 백선엽(白善燁) 장군이 맡았다. 그 후 30년이 흐르도록 여기에 가담하고 있지만 이제는 내가 백선엽 장군 다음으로 최고령자가 되다보니 월례회의에 나갈 때도 있고 나가지 못할 때도 있다. 나는 판사, 검사를 포함한 법률가들도 이와 같은 사회봉사단체에 관여하여 힘을 보태는 것이 좋다고 생각한다.

밝은사회 운동의 목적과 취지는 헌장과 모일 때마다 하는 집회선서에 잘 나타나 있는데, 다음과 같다.

1983년 밝은사회운동 월례회의를 마친 후, 최대현(맨 왼쪽), (왼쪽에서 세 번째부터) 안호상, 조영식, 김기형, 김기준, 필자

밝은사회 헌장

1. 우리는 인간이 존엄하다는 것을 재확인하고 인간복권에 기여한다.

2. 우리는 선의 · 협동 · 봉사 · 기여의 정신으로 아름답고 풍요하고 보람 있는 사회를 이룩한다.

3. 우리는 인간 가족의 정신으로 내 조국을 사랑하고 인류 평화에 기여한다.

집회선서

우리는 선량한 인간 본연의 자세로 돌아가 선의 · 협동 · 봉사 · 기여의 정신으로 정신적으로 아름답고 물질적으로 풍요하고 인간적으로 보람 있는 건전하고 평화로운 인류의 문화복지사회를 이루기 위하여 몸과 마음을 바쳐 일할 것을 다짐한다.

1. 우리는 건전사회 운동의 길잡이가 된다.

2. 우리는 잘살기 운동의 역군이 된다.

3. 우리는 자연애호 운동의 선봉이 된다.

4. 우리는 인간복권 운동의 기수가 된다.

5. 우리는 세계평화 운동의 초석이 된다.

우리나라가 전쟁의 폐허와 외국의 원조 없이는 생존할 수 없었던 가난한 살림에서 벗어나 이제는 외국에 원조를 주는 나라가 된 것처럼 밝은사회 운동도 세계 여러 나라에서 경제적 원조는 물론 사회운동을 펼치는 국제적 단체가 되어 인류사회에 크게 공헌하고 있어 자랑스럽다. 다만 운동의 설립자인 조영식 박사가 5~6년 전부터 뇌졸중으로 누워 있다가 2012년 초에 작고하여 안타까운 마음이다. 조영식 박사와는 서울대 법대 동기인데다가 내가 경희대학교에 강의하러 나간 적도 있고 학교 일에 더러 관계한 일도 있어 특별한 사이였다.

차별받는 재일교포들

이득현 사건

1967년 2월에 서울에서는 재일교포 이득현(李得賢) 사건 후원회가 조직되었다. 회장은 계창업(桂昌業) 변호사, 부회장은 백철(白鐵) 국제펜클럽 한국위원장과 내게 맡겨졌다. 내가 변호사를 개업한 지 4년 되는 해였다. 나로서는 '벌이'가 한참 좋은 때여서 바쁠 때였다. 그러나 나는 해야할 일이라고 생각되는 일이 생기면 손익을 떠나서 뛰어드는 편이었고, 사람들도 나를 그런 쪽으로 몰고 갔다.

어려서 부모를 따라 일본에 건너가 성장한 뒤 트럭 운전사로 일하던 재일교포 이득현은 1955년 5월 30일에 시즈오카〔靜岡〕현 미시마〔三島〕시에 있는 마루쇼〔丸正〕운송점의 여주인을 죽였다는 누명을 쓰고 기소되어 최고재판소까지 올라갔으나 기각되어 무기징역형을 선고받았다. 이득현은 살인사건이 있던 날 밤에 그 운송점에 들러 화물을 싣고 도쿄로 갔는데, 운송점에 들른 것이 누명을 쓰게 된 원인이 되었다. 이것이 '이득현 사건', 일명 '마루쇼 사건'이다. 한국의 우리가 이 사건을 알게 되었을 때 그는 이미 센다이〔仙臺〕형무소에서 복역 중이었다.

이득현(맨 아랫줄 가운데)과 그의 가족

그런데 이득현의 억울한 사정을 알게 된 일본인 마사키 히로시〔正木日天〕 변호사는 그의 누명을 벗기겠다고 나섰다. 그는 동료 변호사와 함께 『고발(告發)』이라는 책을 발간하여 이득현이 운송점에 들른 시간과 피해자가 사망한 시간부터 맞지 않는다는 등 과학적인 설명을 중심으로 그가 무죄라는 사실을 강조하였다. 그리고 진범은 피해자의 오빠 부부와 동생, 세 명이라고 명시하였다. 이에 이들 세 명은 최고재판소의 확정판결로 범인이 복역하고 있는데도 불구하고 그들을 진범이라고 지목한 것은 명예훼손이라고 마사키 히로시 변호사를 고소하였다.

이것은 마사키 히로시 변호사가 바라고 기다리던 고소였다. 그들이 자기를 명예훼손으로 고소하면 검찰에서는 사건의 내용을 재수사할 수밖에 없을 것이고, 어느 쪽으로 결론이 나든 정식 재판을 이끌어낼 수 있다는 계산이 깔린 의도적인 도발이었다. 그렇지 않고서는 재심청구에 필요한 새로운 증거를 확보할 수 없어서 확정판결을 뒤집을 방법이 없었다. 마사

이득현의 무죄를 밝히기 위해 헌신한 일본의 인권변호사 마사키 히로시(왼쪽)와 필자

키 히로시 변호사는 문자 그대로 살신성인의 투쟁에 나섰다. 그러나 유감스럽게도 마사키 히로시 변호사는 기소되었고 예상과는 달리 도쿄지방재판소에서 유죄판결을 받았다.

당시 〈경향신문〉에 소식을 전한 유근주(柳根周)로부터 이런 사실을 전해 들은 나는 재일교포를 살리려다 스스로 유죄판결을 받은 일본인 변호사를 위해 무엇인가 해야겠다는 생각을 했다. 그때는 도쿄고등재판소에서 명예훼손 사건의 항소심이 진행되고 있을 때였다. 유근주 기자는 이득현이 누명을 쓰게 된 진짜 이유는 마사키 히로시 변호사의 말대로 그가 조선인이기 때문이라고 하였다. 1945년 2차 세계대전이 끝나고 나서 일본인은 패전국가가 되었지만 조선은 광복의 기쁨을 누렸는데, 그때 재일조선인들이 미군정을 등에 업고 난폭하게 구는 일도 많았다. 패전 후 10년쯤 지나 일본이 패전의 충격에서 조금씩 벗어나기 시작하던 차에 조선인이 한 놈 걸려들었고 일본 경찰은 마음 놓고 고문을 했다는 것이 고발서의 핵심이었다. 유근주 기자는 한국은 동포가 억울하게 누명을 쓰고 있는데도 모른 척할 것인가라는 마사키 히로시 변호사의 말을 전하는 것도 잊지 않았다. 일본과 국교를 정상화하기 위해 한일회담이 진행 중이었지만, 대한민국은 독립국가이고 이득현은 대한민국의 국민임에 틀림없다는 주장이 많은 사람들의 공감을 얻었다.

이런 계기로 변호사 수십 명과 문인, 화가 수십 명이 참여한, 재일교포 이득현 사건 후원회가 조직되었다. 변호사, 문인, 화가 들이 함께 뭉쳐서 특정 사건의 후원회를 조직한 일은 초유의 일이었다. 그 후에도 그런 일은 없었던 것으로 안다. 후원회는 서울의 행사로만 그치지 않았다. 대구에서 이득현 사건 후원회 경북본부, 재일교포 이득현 사건 후원회 학생위원회가 결성되었고, 다른 지역에도 그런 후원회가 생겼다. 재일교포의 억울한 사건이 전해지자 민족감정이 폭발한 것이었다.

1967년 5월 15일 나는 도쿄고등재판소에서 열린 1회 공판에 참석하고, 센다이 형무소에 가서 이득현을 만나 한국에서의 후원운동의 경과를 설명하고 위문금도 전달하였다. 7월 18일 2차 공판에는 계창업 회장과 유근주 기자, 3차 공판에는 백철 부회장과 민병훈 변호사, 안명기(安明基) 변호사가 참석하였고, 10월 25일 4차 공판에는 작가인 구상(具常) 선생, 정비석(鄭飛石) 선생이 참석하였다. 이후에도 한국 인사들의 방청은 이어졌다.

후원회에서는 이득현을 돕기 위해 여러 가지 활동을 펼쳤다. 문인, 화가 들이 대거 참여한 후원회에서는 이득현의 무죄를 입증하기 위해 애쓰는 일본 변호사들에게 전달할 후원금을 마련하기 위하여 시화전(詩畫展)을 열었다. 후원회에 참여한 화가가 그림을 그리고 시인이 시를 쓴 작품으로 서울과 도쿄에서 '한국 현대 시화전'이라는 이름으로 전시회를 열었는데, 전시된 작품이 모두 팔렸다. 판매금 전액은 마사키 히로시 변호사에게 전달되었다. 또 서명운동을 통해 40만 명이 넘는 사람들로부터 서명을 받았는데, 내가 도쿄고등재판소에 직접 들고 가서 법정에서 제출했다. 일본 법무대신이 방한하였을 때에는 가석방 진정서를 전달했다. 일본에서도 마르쇼 사건 후원회가 있었는데, 회장은 일본의 유명한 소설가 이토 세이〔伊藤整〕였다.

그러나 마사키 변호사가 신병으로 작고하여 재판은 유무죄를 가리지 못한 채 끝이 났다. 아쉬운 일이었다. 다만 후원회의 활동은 이득현이 가석방될 때까지 14년간 지속됐다. 그의 가석방에는 후원회의 호소가 어느 정도는 영향을 주었으리라 믿는다. 1981년 가석방이 된 그는 모국을 찾아와 따뜻한 환대를 받았고 친형도 인천에서 만날 수 있었다.

지금도 당시 기념으로 받은 유근주 기자의 시, 전영화 화백의 그림으로 만든 작은 병풍은 그때 참여한 문인들과 화가들의 정성이 담긴 활동을 떠올리게 만든다.

김희로 사건

1968년에는 재일동포 김희로(金嬉老) 사건이 터졌다. 이 사건은 범인이 누명을 쓴 것이 아니고 실제로 살인을 저지른 사건인데다가 사건의 실상이 국내에도 생생하게 보도된 것이어서 이득현 사건과는 성격이 달랐다. 하지만 조선인에 대한 차별 때문에 살인했다는 본인의 강한 주장이 한국의 반일감정에 불을 댕겼다. 국내에서는 그의 구제운동이 펼쳐져 서명운동이 전국적으로 번져나갔다.

나는 이 운동의 전면에 나서지는 않았지만 한승헌(韓勝憲) 변호사와 같이 일본 시즈오카 형무소로 김희로를 만나러 갔다. 참으로 씩씩한 인상의 사나이였다. 우리와의 면담이 사전에 알려졌는지 면회 창구로 나와 우리를 마주보고 자리에 앉은 그는 노트에서 해당 날짜의 면을 펴들고 시계를 풀어놓았다. 면담 내용을 적을 모양이었다. 누가 변호사고 누가 피고인인지 분간할 수 없었다.

그는 자기가 일본인을 죽인 것은 사실이지만 일본에서 조선인에 대한 차별 대우가 얼마나 심한가를 설명한 후에 살인은 이런 민족 차별에 대한

김희로를 면회하러 간 한승헌 변호사(왼쪽)와 필자

대가라고 말했다. 우리는 남한에서는 당신에 대한 후원이 대단하며 당신에 관한 기사가 매일 신문에 난다고 하자 자기는 남한과도 북한과도 관계가 없다고 대꾸했다. 우리는 한 시간쯤 면회를 하고 형무소를 나왔다. 얼마 후 재판을 받는 법정에서 그는 인정신문(人定訊問)을 받게 되자 자기의 본적은 재판장이 묻는 조선 경상남도 부산시 몇 번지가 아니다, 그런 나라는 없다, 자기의 본적은 대한민국 경상남도 부산시라고 정정하여 대답했다는 보도를 접하고 혼자 쓴웃음을 지었다. 그러나 한국 후원회의 정성 어린 후원에 감동하여 조총련 쪽이었던 그는 거류민단 쪽으로 전향하였다.

그 후 김희로는 실형을 받고 복역하다가 석방되어 한국의 박삼중(朴三中) 스님의 주선으로 한국에 와서 정착하고 결혼까지 했다. 하지만 여러 가지 말썽을 일으킨다는 소문도 들려왔는데, 한국에 온 후로는 만난 일이 없었다. 그는 2010년 지병으로 세상을 떠났다.

해외교포와 모국 대한민국

해외교포들은 한때 모국 대한민국에서도 차별대우를 받았다. 요즘은 그런 이야기가 잘 들리지 않지만 10년 전만 해도 미국에서 온 교포 2세가 영어는 잘하지만 우리말을 못하면 그러면서 무슨 한국 사람이냐고 욕을 먹기 일쑤였고 그것은 재일교포도 마찬가지였다. 미국이나 일본에서 태어나 자라면 친구와도 그렇고 학교 수업에서도 영어나 일본어만 배우고 쓰게 된다. 그러나 우리나라 사람들은 그럴 수밖에 없다는 사실을 이해해 주려 하지 않았다.

이제는 오히려 조기유학이라는 명분으로 우리말도 제대로 못하는 어린아이들을 영어를 배우게 하겠다고 미국이나 캐나다로 보내고 있으니 예외는 있겠지만 이 아이들이 잘못하다가는 우리말도 제대로 못하고 영어도 제대로 못하게 될까 두렵다. 거기에 인간적 성품도 거칠어지기만 할 것 같다.

해외교포와 대한민국

해외교포문제연구소

1965년 지금 이사장을 맡고 있는 이구홍(李求弘)이 찾아와서 내가 해외교포문제에 관심이 있는 것을 어떻게 알았는지 해외교포문제연구소 소장을 맡아달라고 간청하는 바람에 그 자리를 맡게 되었다. 소장이란 연구소를 운영해 나가야 할 책임이 있는 자리인데, 연구소에 재정이 넉넉히 있는 것도 아니고 국민의 관심이 있는 것도 아니어서 주저되었지만 할 수 없이 승낙을 하고 말았다.

소장을 맡고 나서 한 일 중 가장 기억에 남는 것이 월간지 〈한민족〉의 발행이었다. 지금 되돌아보니 상상도 못하던 때에 상상도 못한 일을 한 것 같다. 잡지 제목을 '한민족'이라고 한 것은 모국에 살고 있는 국민과 해외에 살고 있는 교포들이 하나의 민족이라는 뜻과 우리는 모두 한(韓)민족이라는 것을 표시하기 위한 것이었다. 거기에는 북한 동포들도 포함된다. 그때만 해도 남북통일에 대한 의욕이 강했고 별 근거도 없이 얼마 안 가서 통일이 될 것이라는 희망도 있었다. 교포 하면 재일교포밖에 모르던 때에 이런 의미를 담은 〈한민족〉은 이 방면에 관심을 가진 사람들에게는 신선한 충격을 주었다. 출간비는 내가 여기저기서 끌어왔다. 나는 1972년 3월 창간호의 창간사에서 이런 말을 했다.

"1백만에 달하는 해외동포, 만일 이들이 참된 조국애와 민족의식을 갖는다면 민간 외교관으로서 남북통일운동의 주도적 역할에도 크게 기여할 것이다." 지금은 〈OK Times〉라는 이름으로 발행되고 있다.

해외동포의 날과 교민청

나는 매년 8월 20일을 해외동포의 날로 제정, 선포하고 교민청을 설치할 것을 정부에 건의했다. 내가 8월 20일이란 날짜를 제안한 것은 역사적 이유에서였다. 1902년 8월 20일, 대한제국 정부는 적십자 사업과 신문화 수입을 장려한다는 명분으로 '수민원(綏民院)'을 설립하고 서울, 인천, 부산, 울산 등지에서 이민(移民)을 모집하여 하와이에 보냈다. 하와이의 사탕수수밭 농장 주인들이 주한미국공사를 통해서 노동자를 모집했기 때문이다. 우리나라 이민사는 이 하와이 이민으로부터 시작되었다.

이외에 다양한 행사를 벌였다. 해외동포들의 활동상을 알리기 위한 사진전시회를 열기도 하고, 1971~73년에는 해외동포들에게 서적 보내기 운동을 전개했으며, 아이들을 대상으로 해외동포에게 서신 보내기 운동을 전개해서 3번에 걸쳐 약 3만 통의 서신을 발송했다.

모국이 없던 시대를 살았던 해외동포들에게 이제는 모국이 해외동포에게 관심을 갖고 동고동락의 세계를 만들어나가려고 한다는 것을 보여주고 싶었다.

해외교포문제연구소는 현재도 여러 가지 사업을 벌이고 있는데, 현재 이사장을 맡고 있는 이구홍은 평생을 해외교포문제를 위해서 헌신한 분이시다. 수백만 명에 달하는 해외교포들에게 해외교포문제연구소는 모국의 사랑방 같은 곳이다.

문교부 재외국민 교육정책심의위원회 위원장

1971년 나는 문교부 자문기관인 재외국민 교육정책심의위원회의 위원
장이 되었다. 그전에 한일회담 대표로서 재외국민 법적지위문제를 담당
했고, 이득현 사건 후원회 부회장 등을 역임했으며, 해외교포문제연구소
소장과 이사장을 역임하고 있는 경력 때문에 위원장을 시킨 모양이었다.
민관식 문교부 장관과는 검사 시절부터 친분이 있었는데 그것도 하나의
이유였던 듯하다. 당시 정부가 설치하던 자문위원회는 차관이 위원장을
맡고 국회의원이나 외부 인사는 부위원장을 맡는 것이 관례였는데 당시
47세밖에 되지 않은 나에게 위원장이란 중책을 맡겼던 것은 이례적인 일
이었다. 부위원장은 여야 국회위원 한 분씩이 맡았다.

예산이라야 얼마 되지 않아 나는 사비를 보태 서울대 배재식 교수와 함
께 일본에 가서 민단 관계자들은 물론 민족학교(재외국민학교)의 교장을
만난 후 생생한 보고서 2통을 만들어 위원회에서 통과시킨 후 문교부 장
관에게 제출했다.

포한사전 발간

해외교포문제연구소 이사장을 맡고 있던 1975년 5월 연구소 명의로 포
한사전을 발간했다. 포한사전은 우리나라에서 처음 발간되는 것이었다.
포르투갈어는 브라질의 공용어였는데, 브라질로 이민 간 우리 동포들은
그간 제대로 된 포르투갈어 사전이 없어서 큰 불편을 겪고 있었다. 한국
이 1959년 브라질과 국교를 수립한 뒤에 많은 국민들이 브라질로 이민을
가, 당시만 해도 이미 1만 명이 넘는 한국인들이 브라질에 살고 있었다.

1975년에 발간된 『포한사전』

특히 1962년에는 처음으로 14명의 집단이민이 이루어졌는데, 그때 많은 어린아이들이 같이 갔다. 당시 나는 아이들 손목을 잡고 이민길에 오르는 많은 사람들을 보면서 한민족의 팔자가 이렇게까지 되었는가 하는 한탄을 했다. 이 사람들이 말도 못하는 나라에 가서 얼마나 고생을 할까, 이 아이들이 포르투갈어에 익숙해지면 우리말은 잊지 않을까 하는 걱정에 포한사전의 발행을 서두른 것이다.

이 사전의 편저자는 주영복(朱榮福)이라는 분인데 브라질에 살고 있는 평범한 사업가이다. 어학과는 거리가 먼 사람인데 오직 브라질로 이민을 온 동포를 위하여 10여 년간 원고 작성에 모든 노력을 아끼지 않았다고 한다. 그는 브라질과 각국에서 발간된 포르투갈어 사전을 전부 모아서 참고로 하였는데, 여기에 가재를 전부 탕진했다고 한다. 그러나 모진 고생 끝에 완성된 원고도 막대한 발간 비용 때문에 수년간을 이 사람 손에서 저 사람 손으로 왔다 갔다 할 수밖에 없었다. 그러던 중 당시 브라질 교민회 부회장이며 〈한국일보〉 브라질 지사장이던 홍갑표(洪甲杓)가 나를 찾아와 비용의 일부를 댈 테니 사전을 발간해 달라고 하며 방대한 원고와 성금을 전했다. 브라질 이민이 성공한 것은 이런 독지가들 덕분이다. 이 사실을 알게 된 당시 대농(大農)의 박용학(朴龍學) 회장이 찬조금을 내놓아 이 사전이 탄생하는 데 큰 힘이 되었다. 현재도 해외교포에 대한 본국의 관심은 그렇게 큰 편이 아니다. 그러나 이런 작은 일들이 합쳐져서 국력도 커지고 해외교포들의 활동 무대도 늘고 있다.

중국 동포의 가족 찾기

1991년 5월 나는 베이징에서 한국법학원과 중화전국율사협회가 공동으로 주최한 (법률학) 학술회의에 참석했다가 집사람과 같이 남쪽으로 기차 여행을 떠났다. 베이징 역을 출발하여 정저우〔鄭州〕, 뤄양, 난징, 상하이를 여행했는데, 역에 내리면 미리 연락해 둔 여행사 직원이 나와서 안내를 하고 관광이 끝난 뒤에 기차나 자동차를 태워주면 다음 목적지로 가는 식이었다.

첫 목적지인 정저우에서 관광을 하고 나서 여행사 직원과 작별하기 전에 차를 한 잔 마셨다. 그는 김굉경(金宏卿)이라는 사람이었는데, 오래전에 헤어진 형을 찾아달라고 말하면서 꽤나 낡은 편지 한 통을 건네주었다. 그 편지에는 1952년의 소인과 서울 원남동 소재의 주소가 기재돼 있었다. 그것을 근거로 형을 찾아달라는 것이었다. 아버지는 만주에서 독립운동을 한 사람이라며 조선조의 관복 차림을 한, 빛이 바랜 몇 장의 사진도 보여주었다. 그는 그동안 한국에서 온 사람들을 여럿 안내했고 헤어질 때마다 이런 부탁을 했는데 돌아가면 아무 소식이 없었다고 하며, 중국에 홀로 남아 외롭게 사는 자기로서는 어떻게 해서든지 형을 찾고 싶다고 간곡히 부탁했다.

그로서는 당연한 부탁이었겠지만 딱한 일이었다. 1952년이라면 40년 전인데, 6·25전쟁으로 서울도 폐허가 되다시피 했으니 그 주소지가 남아 있을지 의문이었다. 행정구역도 달라졌을지 모른다는 걱정을 하면서 나는 그런 두려움은 있지만 찾는 데까지 찾아서 알려주겠다고 약속했다. 찾다가 못 찾으면 그 결과만이라도 편지로 꼭 알려주겠다고 다짐도 했다.

서울에 돌아온 나는 그의 형 김운경(金運卿)을 찾아나섰다. 당시 내 사무실에는 오랜 친구 한득선(韓得善)이 놀러오곤 했는데 바쁘지 않은 사람이라서 좋은 일 좀 해보라고 권했다. 그간의 경과와 사정을 듣고 원남동 동사무소를 다녀온 그는 그런 주소도 있고 그런 이름도 주민등록부에 올라 있는데 정릉동으로 이사를 간 것으로 돼 있다고 했다.

국내에 거주했다는 흔적이 없으리라 생각했는데 기록이 있다니 얼마나 다행인가! 다음날 친구는 희망을 갖고 정릉동 동사무소를 찾아갔는데, 거기에는 영등포구로 이사를 간 것으로 기재돼 있었다. 서울은 변화가 심했던데다 그 편지가 씌어지고 40년이 지났으니 당연한 일이었다. 며칠 후에 그는 영등포구로 가서 구내 6개 동을 다 뒤졌다. 정릉동 동사무소의 기록에는 어느 동인지 기재되어 있지 않았기 때문이다. 동사무소 직원들도 사정을 알고 열심히 도와주었다고 한다. 그러나 전입 기록은 찾을 수 없었다.

더 이상 어떻게 할 길이 없을 성싶었다. 그렇다고 포기를 할 수도 없었다. 김굉경에게 편지를 써서 그간의 경과를 전하고 혹시라도 형이나 다른 가족에 대해 아는 것이 있으면 적어 보내라고 했다. 중국에 편지가 한 번 왔다 갔다 하려면 여러 날이 걸리던 때였다. 그대로 답장만 기다리고 앉아 있을 수가 없어서 전화번호부에서 김운경이라는 이름을 가진 사람을 전부 찾아봤더니 6, 70명 되었다. 이들 모두에게 그간의 경과와 딱한 사정을 적은 편지를 보냈는데, 딱 한 사람만이 답장을 보내왔다. 돌림자로 봐서 자기와도 먼 일가가 될지 모르는데 종친회에 알아보는 것이 어떻겠느냐는 조언이었다. 그 조언에 따라 종친회에 가서 알아봤지만 별 소득이 없었다.

그렇게 하고 있는 동안 김굉경으로부터 편지가 날아들었다. 편지에는 김운경이 의사인지, 치과의사인지는 분명치 않으나 병원에 근무한다는 풍문을 들은 일이 있다고 적혀 있었다. 그것이 단서가 되었다. 한번은 김주환 선생이 놀러왔기에 혹시 김운경이 치과의사라면 알 만하다는 희망을 걸고 물어보았다. 그의 답은 같은 이름을 가진 치과의사가 있었는데 보건사회부에 근무하다가 미국으로 이민 갔다는 것이었다. 미국으로 이민이라니 야단났구나 싶어 혹시 주소가 없는지 급하게 물었더니 연하장 받은 것이 있을 것이라는 말에 안도했다. 그 주소를 받아 긴 편지를 써서 보냈다. 그러고 나서 얼마 후 바로 자기가 찾고 있는 김운경이라는 회답이 왔다. 이제 살았구나 하는 탄성이 저절로 나왔다. 감동의 순간이었다.

그렇게 대단한 일은 아니었지만 수개월 동안 노력한 결과가 열매를 맺은 것이다. 이번에는 김굉경에게 알려줄 차례였다. 편지로 상세한 내용을 쓰고 김운경의 편지도 원본을 넣어서 보냈다. 만일에 대비해서 편지를 복사해 두었다. 답장을 받기까지의 시간이 답답하게 느껴졌다. 한참 후에 반갑다, 감사하다, 쉽진 않겠지만 미국에 바로 연락하겠다는 김굉경의 답장을 받았다. 만세라도 부르고 싶은 심정이었다. 얼마 후에 미국의 김운경으로부터도 동생과 연락이 닿았다는 편지가 왔다.

그렇게 일이 마무리된 후 1992년 어느 날 김굉경으로부터 전화가 왔다. 중국과의 수교 후 교류의 일환으로 소림사의 무술 팀이 한국에 왔는데 자기가 안내를 맡아 인천에 와 있다는 것이다. 반가운 마음에 다른 일을 다 제쳐놓고 바로 인천에 가서 재회의 기쁨을 나누고 선물도 전했다.

중국에 사는 동포들은 일제강점기 때 만주벌판으로 쫓겨난 한민족의 후예들이다. 저마다 슬픈 사연을 안고 한을 지니고 사는 사람들이 많다. 독립된 모국 대한민국에서 번영을 누리고 있는 우리들은 해외에서 살고 있는 동포를 위하여 무엇을 할 것인가? 나는 이 질문에 성실히 답하는 것이 변호사의 도(道)라고 생각한다. 그리고 참된 인권옹호라고 생각한다.

3 · 1문화재단

이사장 취임

1994년 7월 나는 3·1문화재단(三·一文化財團) 이사장에 취임했다. 나는 그 얼마 전 미국으로 가서 심장수술을 받고 약 3개월간 휴식을 취하다가 귀국하였는데, 3·1문화재단 설립자 중 한 분인 이정호(李廷鎬) 대한유화공업주식회사 회장으로부터 3·1문화재단 이사장 자리를 맡아달라고 부탁을 받았다. 아직도 여의치 않은 건강 때문에 일단은 정중하게 사양하였다. 그러나 대한유화공업주식회사의 이맹우(李孟雨) 사장도 이사장이라야 1년에 3~4번 이사회를 열고 3월 1일 시상식을 하는 정도니까 큰 부담이 없을 것이라고 여러 번 권하는 바람에 그 자리를 맡아서 오늘에 이르고 있다.

3·1문화재단은 1960년에 제1회 3·1문화상을 시상했지만, 실제로 재단을 설립한 것은 그보다 6년 늦은 1966년이다. 휴전 후 7년도 안되던 때 1인당 국민총생산이 100달러도 되지 않고 거리에 고아와 걸인이 흘러넘치는 처참한 시기에 당시 대한양회공업주식회사를 공동 운영하던 이정림(李庭林), 이정호 형제, 이회림(李會林), 이동준(李東俊) 네 분은 3·1정신의

3·1문화재단 이사회 모습, 필자(중앙)와 권이혁 이사(필자의 오른쪽), 김기형 이사(필자의 왼쪽)

계승을 다짐하면서 문화 발전과 산업 부흥을 위하여 제1회 3·1문화상을 시상하였다.

재단도 결성하기 전에 문화 발전과 산업 부흥이라는 양대 축을 하나로 묶어서 문화상을 시상하는 일은 전무후무한 일이었다. 요즘 같으면 문화 발전을 위한 것이면 문화 사업만으로, 산업 부흥을 목적으로 하면 산업 분야만으로 목적사업을 제한하는 것이 보통인데, 모든 것이 무너진 당시의 상황에서도 산업을 부흥·발전시키면서 동시에 문화와 학문의 발전을 기약한다는 웅대한 구상에 경탄을 금할 수 없다.

넉넉한 기업도 아니고 설립자들의 최종학력도 한 분을 제외하고는 개성의 보통학교를 졸업했을 뿐이다. 모두 대학의 경영학이라는 학문은 이름도 들어본 일이 없는 분들이다. 그렇다면 어떻게 그 웅대한 구상을 기획하고 실행하게 됐을까? 아마도 그분들이 성장한 시대는 그런 시대였기 때문이었을 것이다. 나보다도 남을 위해야 한다는 논어의 인(仁) 사상이 머릿속에 깊이 박혀져 있고, 아직 3 · 1정신이 이끌던 시대 말이다.

설립자 중 한 분인 이정림 회장이 재단의 초대 이사장이 되신 후 1990년까지 맡았고, 그 다음은 이덕규(李德揆), 김종인(金鍾仁) 이사장이 2년씩 맡은 다음 1994년부터 내가 맡고 있으니 50년 동안 세 번밖에 바뀌지 않았다.

제1회와 제2회의 3 · 1문화상은 김병로(金炳魯, 초대 대법원장) 심사위원장, 제3~5회는 이병도(李丙燾, 역사학자) 심사위원장 명의로 시상되었다. 그 후의 심사위원장도 소설가 박종화(朴鍾和), 국어학자 이희승(李熙昇), 의학자이자 교육자인 윤일선(尹日善) 등 당대의 원로들이었다. 심사위원장을 비롯한 심사위원들도 모두 당시 각계의 원로와 권위자가 참여하였다. 용케 이런 제도를 마련하고 또 훌륭한 분들을 모셨다는 생각이 든다.

수상자들도 아주 특이했다. 제1회 수상자는 인문사회, 예술 부문에 각 1명, 기술, 근로건설 부문은 각 4명이었다. 제2회에도 자연, 예술, 기술 부문에 각 1명씩이었는데 근로건설 부문에서는 4명이었다. 근로건설상은 숫자에 있어서도 압도적이지만 그 내용도 다양했다. 고도교육(孤島敎育)이나 등대수(燈臺手), 문맹퇴치, 우편배달 등에 공로가 있는 사람들이 수상했다.

설립자들은 교육에 대하여도 지대한 관심을 가져 장학금도 수여했다. 장학금 수여는 1961년부터 오늘날까지 지속되고 있는데, 1961년 제1회분은 대학생 733명, 대학원생 65명으로 합계 798명에게 수여되었고, 1962년의 제2회분은 대학생 555명, 대학원생 171명으로 합계 726명에게 수여되었다. 금액도 당시로서는 파격적인 규모였는데, 오늘날의 대기업들이 주관하는 큰 재단의 장학금에 못지않았다. 그러기에 초기 3 · 1문화상 시상식에는 10년이 넘도록 대통령, 국회의장, 국무총리가 직접 참석해 축사를 해주었다.

1966년에 문화재단을 설립할 때는 기금이 부족하여 은행으로부터 차입했다. 1971년 대한양회공업주식회사가 제삼자에게 양도된 후부터는 설립자 중 이정림, 이정호 두 분이 별도로 설립한 대한유화공업주식회사가 전적으로 3·1문화재단을 뒷받침해 주었는데, 우리나라가 IMF 구제금융을 받아야만 했던 경제위기 때는 소유 자산 중 한일은행 주식이 전부 소각(消却)되는 비운을 맞기도 했다. 하지만 공동창립자 이정림·이정호 회장 형제 두 분으로부터 개인적인 지원을 받아 3·1문화상이 한 번도 거르지 않고 지금까지 수여된 것은 하나의 기적이다.

그동안 재단의 이사이신 이정호 명예회장과 이순규(李舜揆) 회장 부자의 배려로 대한유화공업주식회사의 지원을 받아 상당한 기금이 확보되어 있으므로 앞으로도 시상이 중단되는 일은 없을 것이라고 확신한다. 이정호 명예회장은 2011년 말에 타계하셨는데, 한 5년쯤 전에 큰 수술을 받으시고 거동이 여의치 않은데도 휠체어를 타고 시상식에 한 번도 거르지 않고 나와 앉아 계시던 모습이 기억에 생생하다. 기업의 사회적 책임과 사회적 활동이 중요한 관심사로 논의되고 있는 지금 그 좋은 본보기로 삼아야 할 것이다.

3·1정신

3·1정신의 핵심은 평화적 시위에 있다. 독립선언서를 보면 혹독한 무단정치하에서도 일본에 대하여 적개심을 누르고 치욕적인 표현을 쓰지 아니하면서 사로(邪路)에서 벗어나 정도를 걸어야 한다는, 보기에 따라서는 어른이 아이를 타이르듯 엄하면서도 우호적인 표현을 쓰고 있다. 적어도 독립선언서에 서명한 지도자들은 도의(道義)의 절대성을 믿고 사필귀

정(事必歸正)의 신념으로 평화를 절대 신봉한 것이다.

1919년 3월 1일을 기점으로 시작된 평화적인 시위로 수많은 사람들이 다치거나 죽었고 옥고를 치르는 등 희생은 컸지만 한민족의 평화정신은 세계에 선양하고도 남음이 있었다. 미국의 루스벨트 대통령으로 하여금 2차 세계대전이 거의 끝나갈 무렵 카이로선언에서 대한민국의 독립을 명시하게 한 것은 3·1운동의 성과라 할 수 있다.

현행 헌법 전문에도 "3·1운동으로 건립된 임시정부의 법통"이라고 명기되어 있다. 현재 3·1문화재단에서 일컫는 3·1정신은 이러한 평화정신, 희생정신, 건국정신, 헌법정신을 아우르는 것이다. 우리는 대한민국이 통일되는 그날까지 이 3·1정신을 지켜나가야 할 것이다.

이사장의 일

3·1문화재단 이사장을 맡을 당시 나는 한국법학원장으로 일할 때여서 재단에서 특별히 할 일을 찾지 못하고 있었다. 안건이 있을 때마다 이사회를 소집하여 의논하고, 3·1문화상 심사위원의 선정과 수상자 심사 결과를 추인하고, 해마다 3·1절을 맞아 시상식을 여는 것이 이사장으로 했던 주된 일이었다. 이사진이 모두 각계에서 훌륭한 분들이었기에 이사회 때마다 안건 이외에도 많은 유익한 말씀을 나눌 수 있어 배운 것도 많다. 이외에 내가 이사장으로서 한 일은 크게 다음과 같다.

첫째로, 3·1문화상 특별상, 즉 3·1운동의 정신을 행동으로 선양하는 데 노력하는 분에 대한 상을 새로 마련했다. 그래서 새로이 4곳을 선정·시상했다. 3·1운동의 정신이 점차 잊혀져가는 것을 조금이라도 막아야겠다는 걱정 때문이다. 얼마 전만 해도 3·1문화상 상금을 3천만 원으로 늘리는 것도 어려움을 겪을 정도로 예산이 빈약해서 다른 생각을 할 여지가 없었다. 그런데 2011년부터 5천만 원으로 올릴 수가 있었기 때문에 그런 대로 체면을 유지할 수 있게 되었다. 모두 이정호 명예회장과 이순규 회장의 끊임없는 지원 덕분이다. 이 정도로 상금을 올릴 수 있다는 전망이 섰기 때문에 3·1문화상 특별상도 신설할 수 있었다.

둘째로, 매년 3월 1일 시상식을 할 때마다 하는 이사장의 식사(式辭)였다. 3·1문화재단이라는 기관의 대표자로서 설립자들의 웅장한 정신을 이어나가기 위해 짧은 인사말 속에 3·1운동의 정신을 기리고 이를 통해 시국에 대한 우려나 기대를 표현하자니 나름의 고충은 컸다. 한 예로 2010년 제51회 3·1문화상 시상식의 이사장 인사말에서 나는 오늘의 정치상황에 대해 다음과 같이 우려를 표시했다.

"만일 정치권이 3·1정신을 조금이라도 익혔다면 같은 헌법을 떠받들고 있는 자유민주주의 국회에서 자기와 견해가 다르다는 이유로 극단적인 갈등과 대립으로 치달으면서 국정을 흔들어대며 국민을 불안하게 만들고 있는 현금의 작태에서 벗어날 수 있다고 믿습니다. 그런 의미에서 오늘은 3·1정신을 더욱 강조하였습니다."

셋째로, 2009년에 『3·1정신의 징표, 3·1문화상 50년(1959-2009)』이라는 책자를 만든 것이다. 2년 전부터 준비한 것인데, 3·1문화상 50년 역사의 정리는 격동의 한국 현대사에 대한 기록이라 해도 지나치지 않았다. 당초에는 3·1문화재단의 역사적 경과만을 기록하지 않고 크고 작은 모든 재단들, 재단이 아니더라도 개인적으로 장학금과 시상제도를 알차게 꾸려가고 있는 단체들의 업적을 한데 묶어서 큰 책을 만들려고 했지만 자료 수집에 어려움이 있어 이루어지지 않았다. 3·1문화상 시상 50주년이라고 하여 3·1문화재단의 업적만 기록·발표하지 않고 모든 관련 단체들의 업적을 아울러 정리하는 것이 3·1정신이라는 생각을 했기 때문이다.

넷째로, 3·1문화재단을 지금까지 키워온 기업인들의 선각자적 정신과 세계적 관심의 대상이 된 기업가정신(또는 기업인의 사회적 책임 내지 공헌)을 비교연구하는 학문적 작업(예컨대 심포지엄 등)도 계획하였다. 이 또한 뜻대로 시행되지 못해 회한으로 남는다. 다만 『3·1정신의 징표, 3·1문화상 50년』에 이에 관한 논문 5편(김학준, 이승철, 이경배, 양승두, 김기영)을 실은 것으로 아쉬움을 달랬다. 왜 우리는 대기업들의 업적과 국가적 공헌을 잘 알면서, 덕분에 외국에 나가서 한국에서 왔다고 하면 주목받는 상찬(賞讚)을 누리면서도 지난날의 과오만을 들추면서 그렇게 폄하하려는지 알 수 없다. 이제 우리나라도 기업가의 공헌 내지 기업가정신을 고양해야 할 때이다.

나도 이제는 곧 90세가 된다. 이런 훌륭한 재단의 이사장을 20년 가까이 할 수 있다는 것은 말년의 행운이다.

3·1문화재단에서 함께 일하고 있는 임원들은 다음과 같다.

이사: 권이혁, 김기형(金基衡), 이광노(李光魯), 이맹우, 양승두(梁承斗),
　　　김기영(金基永), 이태욱(李泰旭), 성낙인(成樂寅), 이순규
감사: 안동일, 김호기(金昊起)

10장

노년의
상념과 소망

수신과 수성은 참 어렵다

— 상념 1

나도 어느덧 90을 눈앞에 두고보니 세월이 덧없이 흘러갔다는 말을 몸으로 느끼고 있다. 이제는 『논어』의 「위정편(爲政篇)」에 나오는 아래 구절을 경험으로 곱씹을 수 있는 나이가 된 것이다.

吾十有五而志于學 三十而立 四十而不惑

五十而知天命 六十而耳順 七十而從心所欲 不踰矩

오십유오이지우학 삼십이립 사십이불혹

오십이지천명 육십이이순 칠십이종심소욕 불유구

나는 15세에 학문에 뜻을 두었고, 30세에 나의 입장을 가졌으며,

40세에 확신을 얻었고, 50세에 천명을 알았으며,

60세에 남의 말을 순수하게 들었고,

70세에 마음이 하고자 하는 대로 행동하여도 도에서 벗어나지 않게 되었다.

그러나 내가 지내온 길은 이 구절과는 먼 것 같다. 60대가 되어서도 남

의 말을 제대로 이해하지는 못했고, 70대에도 마음이 가는 대로 행동했다고 하여 틀에서 벗어나지 않았다고 자부할 수는 없었으며, 90이 다 된 지금도 여전히 남의 이야기 하는 것을 좋아한다. '종심소욕 불유구'는 커녕 갈팡질팡이다. 모두 수신(修身)이 부족한 탓이다. 수신은 평생을 해도 끝이 없다.

수신과 사회활동

돌아보면 그런대로 법률가로서 외길을 걸으며 비난받을 일은 한 일이 없다는 자부심을 가질 수 있는 삶이었다고 생각한다. 아산재단의 일은 변호사 일을 하면서 맡았던 것이니 외도를 한 것은 아니라고 생각한다. 정치를 하고 싶은 생각이 들었던 적도 있다. 광복 후 청년단 일에 관계하면서 정부가 들어선 후 누구나 국회의원에 출마하는 것을 보고 그런 생각을 품었던 적도 있었다.

하지만 박정희 대통령으로부터 간접적으로 출마를 권고받았을 때는 이미 그런 생각을 접은 뒤였다. 당시 나는 현대건설주식회사의 법률고문으로서 세계 각지를 무대로 삼으며 보람된 활동을 하고 있었고 정치의 지저분한 면도 많이 목격한 후라 거기 끼었다가는 사람만 더러워진다는 감정을 품고 있었기 때문이기도 했다. 또 한편으로는 군사독재 정부의 권고로 국회의원이 된다는 것은 내가 비난하는 대상과 손을 잡게 되는 것으로 지조를 파는 것에 다름 아니었다.

게다가 나는 대통령의 영구집권을 허용한 유신헌법과 유신독재체제 자체를 부인하고 있었다. 예컨대, 형사사건의 상고사건에서 상고이유서를 쓸 때도 헌법을 인용해야 할 경우 헌법이라는 말 자체를 쓰지 않으려고 애썼다. 그러나 부득이한 경우도 있었다. 2심까지 유죄판결을 받았다가 상고심에서 파기환송을 받았는데도 같은 고등법원에서 엉뚱한 이유를 달아 다시 유죄판결을 해서 이에 대한 상고심에서는 부득이하게 헌법의 조문을 인용할 수밖에 없었다. 이것이 유일한 예외였는데 두고두고 마음에 걸렸다. 이렇듯 어려운 길을 나는 내 마음만 믿고 걸어왔다.

수신의 방법

수신은 어떤 직업에 종사하든 인간이라면 지켜야 할 본질이라고 생각한다. 그러므로 수신은 사회활동과 깊은 관계가 있다.

이제는 늙어서 그렇게 할 힘도 사라졌지만, 60대까지만 해도 거리에서 누군가가 길을 물어보면 그 건물이 보이는 자리까지 같이 걸어갔다. 예컨대 광화문 사거리 부근에서 누군가 조선호텔이 어디냐고 묻는다면 시청 앞까지 같이 걸어가서 조선호텔이 보이면 저기라고 일러주곤 했다.

또 어느 추운 겨울날에는 시내를 걷다가 지하도 계단에서 떡을 파는 어린 학생을 만나 천 원짜리 한 장을 주고 떡을 산 적이 있다. 그리고 나서 떡은 나의 선물이라고 말하면서 학생에게 다시 주었다. 돈을 그냥 주면 학생의 자존심이 상할까봐 염려했기 때문이다. 나에게는 이것이 수양, 수신이었다. 그러니 상대방의 입장에서 보면 내가 친절한 사람으로 비칠지 모르지만 고마워해야 할 사람은 그가 아니고 나다.

수신하기에는 엘리베이터도 아주 적합한 장소이다. 엘리베이터에 타더라도 닫힘 버튼을 누르지 않고 저절로 떠나기를 기다리는 것이다. 그러기로 결심했어도 3초, 5초를 그대로 버티기가 힘들다. 그래서 가끔 닫힘 단추를 누르고 만다. 수신이란 그만큼 어려운 일이다.

나는 사법연수원에서 강의할 때면 사법관시보(현재의 사법연수원생)들에게 판사, 검사가 되는 것도 좋고 법률 공부도 필요하지만, 그러기에 앞서서 인간이 되는 것이 더욱 중요하다고 강조했다. 인격을 높인다는 것은 어려운 일 같지만 쉬운 일이기도 하다고 말하면서, 법원 구내를 걷다가 누군가로부터 몇 호 법정이 어디냐고 질문을 받는다면 말로 이르지 말고 그 법정 앞까지 데려다주라고, 벌금을 어디다 내느냐고 묻거든 검찰청 해당과에 데리고 가서 일러주라고 했다. 모두 사법시험에 합격했다는 자부가 대단한 젊은이들인데, 내 말을 실행에 옮긴 사람이 얼마나 될지는 모르지만 나는 이런 강의를 계속해 나갔다.

수신만큼 어려운 것이 또 있다. 그것은 바로 수성(守成)이다. 어찌 보면 창업(創業)보다 훨씬 더 어려운 일이다. 창업도 각고(刻苦)의 노력이 필요한 일이기는 하나 그 결과물을 인식할 수 있는 과정인 반면 수성은 틀에 박힌 일상처럼 지루한 일일 수 있기 때문이다. 나라의 일도 이와 다르지 않다.

일제강점기의 식민 생활을 겪고, 광복 이후에는 직·간접으로 건국운동에 참여하며 건국을 경험하고, 6·25전쟁에서 피 흘리며 싸운 우리 세대가 창업의 세대라면, 이에 반해 6·25전쟁이 끝나고 경제가 부흥하기 시작한 1970~80년대 이후에 출생해 우리 세대에 비해 어려움 없이 성장한 젊은 세대는 수성의 세대다.

이들 젊은 세대는 학교 교육도 제대로 받고 외국 여행도 자유롭게 하고 유학도 많이 가서 영어 등 외국어를 자유롭게 하는 사람들이 많다. 그만큼 생각이 자유롭고 개성이 강하고 창조적이지만 수신에 대한 고민과 노력은 부족해 보인다. 그러나 지금 그들이 누리고 있는 것들은 그들의 아버지와 할아버지 세대의 공로임을 알고 이를 지키고 키우고 넓히기 위해 애써야 한다.

수신과 수성은 젊은 세대에게 바라는 나의 소망이다.

『논어』의 생명력

— 상념 2

『논어』에는 내가 좋아하는 구절이 무척 많다. 약 2400~2500년 전에 공자가 말한 금언은 오늘날에도 보수, 진보의 구별 없이 인간이면 누구에게나 유효하다. 특히 수신에 있어 동서를 막론하고 『논어』만큼 도움을 주는 책은 없다고 생각한다. 「이인편(里仁篇)」에 나오는 '조문도석사가의'(朝聞道夕死可矣, 아침에 도를 들으면 저녁에 죽어도 좋다)라는 구절을 보면 공자가 얼마나 인도(人道)를 중시했는지 알 수 있다. 지금 인류는 인도에 굶주리고 있다. 그러므로 공자의 말에는 우리같이 특정한 신앙이 없는 사람들에게는 그대로는 아니라고 해도 일상생활에 이용할 가치가 넘친다. 나약하게 보이는 인간에게도 '인자필유용'(仁者必有勇, 어진 사람은 반드시 용감하다)이라고 하였고, 「옹야편(雍也篇)」에 보면 다음과 같은 구절도 나온다.

夫仁者, 己欲立而立人　　부인자, 기욕립이입인

己欲達而達人 能近取譬　　기욕달이달인 능근취비

可謂仁之方也已　　　　　가위인지방야이

인자(仁者)는 자기가 서고자 하면 남을 세우며

자기가 이루고 싶은 것을 남으로 하여금 이루게 한다.

자기를 미루어 남을 이해할 수 있다면 가히 인(仁)의 방법이라 할 것이다.

또 내가 조금이라도 어려운 책을 읽을 때는 다음과 같은 구절을 되새겼다.

學而不思則罔   학이불사즉망

思而不學則殆   사이불학즉태

배우더라도 스스로 생각하지 않으면 남는 것이 없고,

스스로 생각하더라도 배우지 않으면 위태로워진다.

법률을 공부하는 사람들에게는 다음의 구절도 큰 공부가 된다.

道之以政 濟之以刑   도지이정 제지이형

民免而無恥   민면이무치

道之以德 濟之以禮   도지이덕 제지이례

有恥且格   유치차격

법제로써 이끌고 형벌로써 다스린다면

백성은 형벌을 면하는 것을 수치로 여기지 않을 것이다.

덕으로써 이끌고 예로써 다스린다면,

수치로 여기는 마음을 잃지 않고 따라온다.

일본이 2차 세계대전에서 미국에 도전할 정도로 크게 발전하며 일류국가가 된 데에는 『논어』의 영향이 크다고 한다. 일본에 처음 간 사람들은 일본인의 인사성, 친절성과 청결한 거리와 질서의식에 놀란다. 이것도 주로 『논어』의 영향이라고 본다.

시부사와 에이치〔澁澤榮一〕는 일본 자본주의의 아버지이자 여러 대학의 설립자이며 일본 현대문명의 창시자라고 불리는 사람인데, 『논어와 주판』이라는 책을 썼다. 그 책에서 그는 『논어』를 기업가의 성전으로 설명한다. 근래에 와서 기업의 사회적 책임이라는 용어가 관심을 얻고 있지만, 『논어』를 바탕으로 한 시부사와는 그런 용어가 나타나기 전에 사업과 도덕의 일치를 『논어』에서 자연적으로 발견한 것이다. 국내에서 번역된 책의 역자(譯者) 서문에 이런 말이 나온다.

"경영학의 대가 피터 드러커(Peter F. Drucker)는 '시부사와 에이치는 누구보다도 먼저 경영의 본질이 책임과 신뢰라는 것을 꿰뚫어 보았다'며 기업의 목적이 부의 창출뿐만 아니라 사회적 기여라는 것을 시부사와 에이치에게서도 배웠다."

분야를 막론하고 좋은 일이라 확신하면 서슴없이 지원을 아끼지 않았던 정주영 회장도, 이정호 명예회장을 비롯한 4인의 3·1문화재단 설립자들도 그 인간적인 행동의 뿌리를 『논어』에 두고 있었던 것으로 생각한다. 『논어』의 강력한 생명력은 놀라울 뿐이다.

외국어 소양과 여행
— 상념 3

나의 외국어는 어려서 초등학교 때에 배운 일본어 말고는 어느 것 하나 제대로 된 것이 없다. 일본어는 초등학교 때에 배운 후 계속해서 일본 책으로 공부를 해서 어느 정도의 수준은 된다. 거기에다 1961년 이후 3년간 한일회담 대표로서 일본 도쿄에 머무르면서 장족의 진보를 한 것 같다. 그래서 일본어는 읽는 쪽이나 말하는 쪽이나 별로 불편을 느끼지 않는다.

영어는 광복 전에는 별 볼일이 없는 외국어였는데, 광복 후에 단체 지도도 받고 학원에도 나가면서 공부하느라고 했지만 기초조차 잡지 못했다. 앞서 말한 것처럼 1955년 서울지방검찰청 검사로 있을 때에 우연히 미 국무성 초청으로 미국에 약 10개월 체류하였고 그 후 영어 책이 손에서 떠난 날이 없었지만 머리가 나쁜 탓인지 읽는 쪽도 말하는 쪽도 신통치가 않다. 역시 언어는 어려서부터 제대로 배워야 한다는 말이 맞다. 서울지방검찰청 검사 시절에는 아침 업무를 시작하기 전에 매일 영자 신문을 30분쯤 읽었다.

프랑스어는 업무를 마친 후 사무실에서 개인교수에게 배웠다. 독일어는 을지로인가에 있던 독일어 학원을 다녔는데, 박사학위 준비를 위해서 더욱 열심히 했다. 그래서 독일어는 사전을 펼치면 간단한 글을 읽는 정도가 되었다. 유럽 여행 중 독일에 가서는 독일어로 쉬운 회화를 했고 프랑스에 가서도 프랑스어로 길을 묻거나 식당을 찾아가 밥을 사 먹는 정도는 별 지장이 없게 됐다.

나는 어느 나라나 갈 때마다 그것이 업무 때문이든 개인적인 일 때문이든, 그 나라의 사정과 역사를 조금은 공부하는 습관이 있다. 이때 쉬운 말도 미리 기억해 둔다. 그래서 이탈리아에 갈 때에도 회화 몇 마디 기억을 해갔다. 이탈리아는 20~30개의 짧은 문장을 알아두면 이럭저럭 혼자 여행할 수 있다는 생각이 든다.

한번은 집사람과 같이 스위스 제네바에서 기차로 이탈리아 밀라노에 들렀다가 내친 김에 계속 기차로 베니스까지 가기로 했다. 저녁 기차였는데 세 시간쯤 걸리는 거리였다. 이탈리아어를 몇 마디 배워야겠다는 생각을 하고 있는데, 영자 신문을 든 이탈리아인이 내 옆자리에 자리를 잡았다. 영어를 할 줄 아는 이탈리아인이라 잘됐다 싶어 이탈리아어를 가르쳐 달라는 구실로 말을 건넸다. 그도 흥미를 느꼈는지 흔쾌히 승낙했다. 나는 수첩을 꺼내 들고 이탈리아어로 굿 모닝을 뭐라고 하느냐, 굿 이브닝은 뭐라고 하느냐 이런 식으로 물었다. 그가 대답해 주면 왼쪽에는 굿 모닝 오른쪽에는 한글로 이탈리아어를 적었다. 그런 식으로 한 20개쯤 적고 나서 연습 삼아 한글에 억양을 붙여 읽어나가니 어떻게 그렇게 머리가 좋으냐는 말에 한바탕 같이 웃었다. 베니스에 도착한 것은 밤 12시쯤이었다. 역전에는 호객꾼이 벌 떼같이 몰렸다. 그중 한 사람을 붙들고 금방 익힌 이탈리아어로 숙박비가 얼마냐, 어디에 있느냐, 먼 데는 싫다는 말을 하고 나서 그를 따라 호텔로 갔다.

베니스에서는 교통수단으로 자동차를 이용하듯 배를 이용했다. 기차역으로 가는 데도 배를 이용했는데, 어디가 역인지 정확히 알 수가 없었다. 그래서 역처럼 생긴 건물이 나오자 그 건물을 가리키며 "스타치오네?" 하고 배에 탄 사람들에게 물어보았다. '스타치오네(stazione)'는 이탈리아어로 기차역을 말한다. 그러나 이렇다 할 대답이 없었다. 그러다가 2번째인지 3번째 건물이 보이자 그 건물이 기차역이라고 알려주는 사람이 있어서 무사히 내려 늦지 않게 로마행 기차를 탈 수 있었다. 이만하면 관광 이탈리아어의 대가가 된 셈이다.

그러나 피사에 가서는 나의 이탈리아어가 잘 통하지 않았다. 베니스에서 로마행 기차를 타고 가다가 2시간 정도면 피사의 사탑은 볼 수 있겠거니 하고 피사역에서 내렸다. 그런데 역전에 있는 그 많은 택시 운전사 중 영어를 할 줄 아는 운전사가 한 명도 없는 것이었다. 그래서 문자 그대로 a, b, c만 아는 사람을 한 명 붙들고 필담을 시작했다. 피사역과 피사탑을 그림으로 그리고 난 뒤, 시계를 보이면서 얼마나 시간이 걸리느냐는 식으로 의사를 소통해 피사탑 꼭대기까지 올라갔다가 겨우 기차 시간에 맞출 수 있었다.

프랑스 니스에 갔을 때의 일이다. 저녁 시간에 가까운 모나코에 가보고 싶은 생각이 들어 니스 역으로 나갔다. 미리 시간표를 보고 표 파는 창구로 가서 프랑스어로 모나코 표를 달라고 하니 손가락질로 다른 곳을 가리킨다. 말은 분명하게 알아듣지 못했지만 자동판매기로 가라는 것으로 이해했다. 처음 프랑스어 설명이 붙은 자동판매기를 대하고보니 어떻게 표를 사야 될 지 알 수가 없었다. 그 옆에 어린 남녀가 있었는데 마침 뽀뽀를 하고 있어서 끝내기를 기다려서 그들을 시간표 있는 곳으로 데리고 갔다. 왕복을 한다는 의미로 니스-모나코, 모나코-니스를 손으로 가리키고 난 뒤에 자동판매기 앞으로 다시 데리고 와 돈을 주었다. 나의 뜻이 제대로 통했는지 왕복 표 두 장을 사주었다. 모나코 역전 대형 안내판 앞에서도 택시 운전사에게 손가락으로 갈 곳을 순서대로 가리키고 그 순서대로 돌아달라고 했다. 그렇게 한 바퀴를 돌고 니스로 무사히 되돌아갈 수 있었다. 그때 모나코 궁전에는 유명한 할리우드 배우 그레이스 켈리가 왕비로 살고 있었다. 프랑스어, 이탈리아어, 영어가 섞인 외국어의 향연은 젊은 날의 추억이 되었다. 이렇게 나는 몇 마디밖에 모르는 외국어를 이용하여 곧잘 단독 여행을 즐겼다.

브라질에 갈 때는 포르투갈어를 조금 배우고 갔다. 하지만 현지에서는 이민을 간 친구와 함께 다녔기 때문에 별로 써볼 일은 없었다. 그런데 귀국하기 위해 상파울루에서 비행장으로 갈 때에 내가 묵은 호텔을 나와 다른 호텔에 묵고 있는 변호사를 데리러 가는 길에 써볼 기회를 만났다. 한두 번 가본 길이다 싶어 무심히 그 호텔로 가다가 길을 잃고 말았다. 내 짐은 호텔을 나올 때에 다른 변호사들이 비행장에 가지고 나가기로 해 이미 비행장에 있을 터였다. 출발시간은 다가오는데, 그 호텔은 영 찾을 길이 없었다. 그러다가 불안해지고 다급해지니 누군가가 눈에 띄자 나도 모르게 그 호텔을 어떻게 찾아가느냐고 입에서 포르투갈어가 튀어나왔다. 알고보니 나는 그 호텔을 가운데 놓고 빙빙 돌고 있었다. 이렇게 포르투갈어를 배워 간 덕분에 위기를 모면할 수가 있었다.

관심이 있거나 무엇인가 알고 싶은 것이 있는 나라의 말은 몇 마디 정도라도 배워둔다는 것은 수양도 되고 상식도 키우는 일이다.

상식과 법률

—상념 4

나이 들어서 느끼는 것은 책을 읽을 기운이 없어지고 기억력이 감퇴하는 일이다. 그렇긴 해도 신문이나 잡지 정도는 읽고 이해가 되어야 하는데 그렇지 못한 경우가 생기고 그런 날이 갈수록 늘어난다. 어차피 읽는 글이라야 신문의 논설이나 잡지에 실린 글 정도인데, 보통사람들이 이해할 수 있도록 쉽게 풀어 쓴 글임에도 불구하고 이해하지 못하는 용어나 내용에 부딪힐 때가 많다. 읽고 싶은 제목을 만났을 때에도 그러니 애써 읽어야 하는 경제나 문화, IT에 관련된 기사는 오죽하겠는가.

사회는 나날이 변화하는데 지난날에 배운 지식과 경험만을 토대로 변화된 시대의 글을 읽기 때문이 아닐까 한다. 세상은 많이 변했다. 그중에서도 PC의 등장은 우리 생활에 엄청난 변화를 가져다주었다. 일상생활에서 PC를 알고 모르고는 큰 차이를 준다. 길을 걷다가 PC방 앞을 지나다보면 아이들이 게임을 하는 것을 볼 수 있는데, 어른들은 그것을 아이들의 소일거리로만 생각하겠지만 아이들은 거기서 어른들이 이해할 수 없는 다른 세상, 우주인과 같은 미래사회를 배운다.

나는 60세경부터 PC를 쓰기 시작했는데 남보다 이른 편이었다. 그 후

한 10년 워드프로세서를 써오다보니 손으로 글씨를 쓰지 않게 되었고, 한 자도 잊어버리기 시작했다. 아이들은 아이들대도 줄임말이나 은어를 많이 쓰게 되니 제대로 된 우리말을 익힐 수가 없게 된다. 이것은 노소의 공통 문제이니만큼 PC의 심한 부작용의 대표적인 예일 것이다. 그런데 이제 신체의 일부라고도 말할 수 있는 스마트폰까지 등장했으니 얼마나 더 변할 것인가?

이런 변화는 모든 분야에 걸쳐 일어나고 있다. 이렇듯 사회가 변화하다 보니 (민사)재판의 준거(準據)가 되는 '사회정의와 형평', 즉 '상식'도 변하고 사람들 사이에 야기(惹起)되는 분쟁의 수사 · 재판에 종사하는 판사, 검사, 변호사의 어려움은 엄청나게 커질 수밖에 없다.

노인을 살펴주어야 할 정부나 자치단체는 어린이와 젊은 사람 중심으로 정책을 펴고 있는데도 청년실업률은 늘어나고 빈부의 격차는 더욱 벌어지는 등 세상은 기묘하게 돌아가고 있다. 따라서 가족의 붕괴는 빨라지고 인정은 각박해져 모든 계층의 인간생활에서 불만만 싹튼다.

그러므로 대충이라도 사회의 동향을 알고 나의 살길을 찾으려면 시대에 걸맞은 상식을 더욱 키워야 하는데, 오히려 퇴화를 거듭하니 답답할 수밖에 없다. 이제 상식의 증대 말고는 살 방법이 없다. 그런 까닭에 법치국가에서 법률을 정치 · 사회생활의 최고 기준이라고 알고 있던 나의 믿음도 요새 와서는 넉넉한 상식이 법률에 앞선다는 생각을 지울 수가 없다. 과연 법률, 상식 어느 쪽이 상위개념일까?

헌법과 정의
— 상념 5

헌법은 정치인뿐만 아니라 법률가는 물론 모든 국민이 존경하고 받들어야 할 정치, 경제, 사회, 문화 등의 기준이고 국민 사이의 약속이다. 그러므로 헌법은 그 의미를 잘 익혀 지켜야 한다.

헌법 제10조는 "모든 국민은 인간으로서의 존엄과 가치를 가지며 행복을 추구할 권리를 가진다. 국가는 개인이 가지는 불가침의 기본적 인권을 확인하고 이를 보장할 의무를 진다"고 규정한다. 이 규정은 헌법 중에서도 가장 기본적인 가치 규정이며, 다른 모든 기본권의 기반이다. 국민의 권리와 의무를 규정한 기본권에 관한 규정은 제10~39조에 이르기까지 모두 30개조에 이르지만, 제11조 이하의 모든 규정은 제10조의 규정을 전제로 한다. 그러므로 제10조는 최고의 가치규범이다.

모든 국민은 인간으로서의 존엄과 가치를 갖는다는 말은 새삼 설명할 필요가 없으며, 어쩌면 설명할 수도 없다고 본다. 인간의 가치규범을 이런 말 저런 말로 설명하면 오히려 그 의미가 왜곡될 수 있다. 그만큼 이 규정은 인간의 본질을 찌른 규정이며 그 자체로서 충분한 설명이 된다.

자유, 평등, 정의

대법원 건물 정면에는 재판의 이상이라고 할 '자유, 평등, 정의'라는 표어가 있다. 이 3가지 단어에는 세상만사가 다 포함된다. 이 단어들은 법률용어라기보다는 정치철학사상이다. 먼저 정의는 어느 한 가지 관점에서만 결정할 수 없다. 광의로 본다면 헌법 전문 130조의 어느 조항도 정의와 저촉되어서는 안 된다. 협의로 보아도 어느 사안이 '정의롭다, 옳다'고 판단되기 위하여서는 관계조항 수개조, 경우에 따라서는 10개조를 모두 충족해야 한다. 다이아몬드의 한 면만 보고 완벽한 다이아몬드라고 말할 수 없는 것과 같다. 사회생활이 복잡하여지고 이해관계가 늘어날수록 '정의롭다' '옳다'고 말하기 위하여서는 헌법의 모든 관점에서 살펴보아야 한다. 그러므로 어느 사안을 놓고 정의를 찾으려면 헌법 전체를 탐구하여야 한다.

이렇듯 정의는 헌법의 모든 규정을 축약한 것이라고 말할 수 있다. 그러다보니 정의라는 개념은 너무나 어려워서 한마디로 정리할 수 없다는 것이 나의 생각이기는 하지만, 여기서는 헌법을 정의의 기초로서 간주하고 헌법이 대한민국의 정체성(正體性)과 국민의 가치관으로 정립되기를 바란다. 그러면 남남갈등이니 보수니 진보니 하는 말도 없어지지 않을까?

정의를 세우려면 상식이 풍부하여야 한다. 자유, 평등은 프랑스혁명의 인권선언 제1조에 나오는 말이다. 하지만 혁명 당시 공포정치 때에 하도 사람들을 많이 죽여서 자유란 재판도 없이 기요틴으로 '사람을 죽이는 자유', 평등이란 재산을 나눠 갖는 것뿐만 아니라 자식도 나눠가지는 평등이라는 기묘한 주장까지도 등장하게 되었다. 비록 200여 년 전 남의 나라 이야기이긴 하지만, 소득의 공평한 분배가 평등으로만 알고 지내는 우리에게 시사하는 바가 크다.

그러나 토크빌은 『미국의 민주주의』에서 미국에 갔을 때에 고위직이나 천민이나, 부자나 가난한 사람이나, 지식이 있는 사람이나 없는 사람이나, 서로 차별 없이 모임을 갖고 대화를 나누는 것, 형무소를 방문했을 때 검사와 피의자(죄수)가 서로 손을 잡고 대화를 나누는 것을 보고 프랑스에서는 상상도 할 수 없는 일이라면서 여기서 진짜 평등을 발견했다고 말했다. 우리나라에서 국무총리나 장관이 혼자 동대문시장의 소상인을 찾아 소주를 마시며 대화를 나누고 노숙자들의 현장을 조용히 찾아가 위로하는 장면을 나는 꿈꾸어본다. 평등과 자유는 여기서 출발한다.

대통령과 국회에 바란다

나 아니면 안 된다는 사상은 정치인의 불가피한 심상(心象)이기는 하지만, 이만큼 교육수준이 높고, 국제감각이 깊고, 성숙한 자유민주주의 사회에서 여야가 언제나 대립과 투쟁만 계속하는 것은 이제 지양해야 한다. 지금 경제는 발달했다고 하지만 너무나 많은 문제를 안고 있다. 빚을 내어 대학을 졸업한 젊은이들이 취업할 곳이 없어 이리저리 헤매는 참상은 다른 무엇보다도 심각하게 받아들여야 한다. 중·고생 아들딸을 둔 4, 50대도 사정이 이와 크게 다르지 않다. 지금 국민 입장에서는 여야도 없고 국회도 눈에 들어오지 않는다. 여야는 정권 획득 투쟁에 앞서서 헌법을 잘 살피고 합심하여 중요한 일 한 가지씩이라도 정책위원회 같은 것을 만들어 같이 고민하고 머리를 맞대야 한다. 총선이니 대선이니 하는 모든 선거는 다 나중이다. 모든 일이 더욱 악화의 증세를 보이는 마당에 정권이 무슨 상관인가? 헌법을 바르게 받드는 일도 이제는 상식에 속하는 길이다. 자유민주주의는 설득과 타협이 아니던가.

지식인의 사회적 책임

―상념 6

경제가 발전하고 잘살게 되면서 점점 돈에 대한 애착심이 커지는 것 같다. 자유주의 시장경제가 중심이 되는 경제원칙에서는 돈이 중심이 되는 것은 당연한 일이라면 당연한 일이다. 그러나 나는 어렸을 때 가난을 두려워 말고 일을 하거나 공부하는 데만 주력을 하여야 한다는 교육을 받은 탓인지 돈에 대한 생각은 별로 없이 일에만 매달렸다. 돈에 대한 생각을 제대로 한 것은 오히려 최근 수년간 아이들을 생각하면서라고 말하는 것이 옳을 것 같다.

언젠가 연말에 서대문을 지나가다가 큰 종이에 '부자 되세요'라는 글씨가 씌어 있는 것을 보고 탄식을 했다. 웬만해서는, 아니 거의 남의 욕을 안 하는 내 입에서도 그 글자를 보고는 저절로 욕이 나왔다. 경제 중심으로 발달하는 것은 좋다고 하더라도 너무 돈에 집착해서 인간적이고 정신적인 면이 상처를 입고 있다는 사실이 몹시도 맘에 걸린다. 정부의 모든 정책이 경제성장에 집중되어 국민이 부에 집착하거나 부의 노예가 된다는 것은 슬픈 일이다.

그런 탓인지, 아니 그런 일을 걱정하는 사람이 많아서 그런지 '노블레스 오블리주(Noblesse Oblige)'라는 말을 신문에서 가끔 발견한다. 권력을 가진 사람이나 돈이 많은 사람들의 사회적 책임을 강조하는 말이다. 하지만 사회적 책임은 대기업 총수들이나 특권 권력층뿐 아니라 고위직이나 일반적인 부의 소유자에게도 똑같이 적용되어야 한다. 일반 고위직인 경우 적어도 장관급 이상의 고위직에 대해서는 부의 사회적 환원을 강조하여야 한다. 그렇다고 고위직에 있는 모든 사람이 부자라는 것은 아니지만 사회적 현실에 비추어보면 고위직 자체가 부의 상징이라고 할 수 있다.

부자란 무엇인가? 정의 내리기는 힘들지만 나는 일단 사회의 혜택을 많이 받은 사람이라고 생각한다. 그러므로 부의 환원은 사회의 혜택을 많이 받은 지식인의 사회적 책임이라고도 할 수 있다. 한꺼번에 모두에게 실천하기 어려우면 국무총리를 지낸 사람만이라도 부를 사회에 환원하여야 한다. 국무총리를 지낸 사람이 퇴임 후 또 여기저기 따라다니면서 상당한 보수를 받고 일을 하거나 정치판을 기웃거리는 것은 그렇게 보기 좋은 일이 아니다. 적어도 국무총리를 지낸 사람은 돈에서 완전히 떠나 사회봉사 일에만 매달려야 한다. 그것이 국무총리라는 고위직으로 지내면서 받은 사회적 은혜를 국민에게 되돌려주는 책임감 있는 행동이다. 대법원장이나 국회의원, 장관도 마찬가지다.

동갑내기 친구

—상념 7

사람이 살아가는 데 좋은 친구를 많이 갖는 것만큼 행복한 일은 없다. 나는 검사를 할 때에도 변호사를 할 때에도 좋은 친구들과 선배들을 만나서 큰 실수 없이 지낼 수 있었다고 믿는다.

언뜻 생각나는 친구만 해도 너무 많아서 일일이 거명하고 싶지만 그럴 수도 없는 일이다. 다만 나와 나이가 비슷하고 변호사 단체를 같이 운영한 사람들 중에서 1980년 내가 서울통합변호사회장을 할 때에 부회장을 맡아준 박승서 변호사, 총무이사를 맡았던 김교창 변호사, 1987년 대한변협 협회장을 할 때 공보이사를 맡았던 안동일 변호사와 서울변호사회장을 맡았던 이세중 변호사를 친구, 후배 들의 대표로 언급하고 싶다. 한일변호사협의회 회장을 할 때에 재일동포를 돕는 데 열성적으로 도와주신 임갑인, 황계룡 회장 모두 좋은 친구들이다.

그중에서도 박승서 변호사는 법률과 세상사에 밝은 분이어서 지금까지 내가 개인적으로 자문하는 일이 많은데 아무리 바빠도 금방금방 회답을 해준다. 내가 회장을 할 때에는 자꾸 앞서가려는 나를 견제하기도 한 훌륭한 친구다.

고인이 된 친구들도 그리워진다. 유현석, 안이준, 이주식, 안경열, 최덕빈 변호사가 생각난다. 최덕빈 변호사가 없었으면 일변련과의 교류, 한중 교류, 아변장회의는 성사되지 못했을 것이다. 서울대 법대 배재식 교수도 잊을 수가 없고, 이문호 원장은 너무 일찍 세상을 뜬 것이 아쉽기만 하다. 내가 한국법학원 원장으로 있을 때 법률가들 사이의 컴퓨터 보급에 공로가 컸던 총무이사 윤종수 변호사도 잊을 수 없다.

한국법학원장을 끝낸 1996년 이후는 아무것도 하는 일 없이 세월을 보내고 있다. 그러므로 법률사무소는 이제 필요가 없다. 하지만 나이가 들수록 갈 데가 있어야 하고 움직이는 것이 좋다는 중설 때문에 아직은 사무실을 갖고 있지만 놀러오는 친구는 별로 없다.

그중에 딱 한 분 일주일에 한두 번 꼭 사무실로 찾아와서 덕담을 나누는 동갑내기 친구가 있다. 서울대학교 치과대학장을 지내고 서울아산병원 치과 책임자로 근무했던 김주환 선생이다. 내가 젊어서 변호사를 할때에 등산을 하면서 사귄 친구인데, 지금은 그분도 치과 업무에서 떠나 친구들과 만나 소일하는 것이 일과이다.

일주일에 한두 번이라고는 하지만 김주환 선생처럼 20년 이상 지속하기는 어려운 법이다. 김주환 선생은 내가 보행이 불편해서 점심을 먹으러 밖으로 나가는 것을 주저하는 것을 알고 12시경에 사무실로 올 적에 백화점 음식코너에 들러서 점심거리를 사들고 온다. 맛이 어떠냐고 물어서 맛있다고 그러면 다음에 또 그것을 사오지만 눈치가 이상하면 다른 백화점에 들러서 다른 것을 골라온다. 백화점에 들러 점심을 사올 때에는 사무실 건물 수위 몫까지도 준비해 올 때가 있다. 얼마나 깊은 배려인가? 또 백화점이라곤 하지만 대개는 지하에 있고 주차도 불편해서 점심을 사가지고 온다는 것은 쉬운 일이 아니다.

최근 그분도 무릎이 아파서 불편을 느낄 때가 있으니 더욱 그렇다. 점심을 먹으면 옛날 일부터 시작해서 정치에 이르기까지 다양한 화제를 주고받으며 우리 나름의 나라 걱정도 한다. 아주 즐거운 시간이다.

나는 참 좋은 친구를 갖고 있다.

생(生)과 사(死)
— 상념 8

생(生)은 우리가 미리 따질 수 있는 문제가 아니다. 태어나는 것은 우연의 결과이기 때문이다. 부유한 가정에서 태어날 수도 있고 가난한 가정에서 태어날 수도 있다. 이렇듯 어떤 환경 속에 태어나느냐 하는 것은 운명적인 일이라 체념하고 생의 환경 자체를 문제시 하지 않았다. 광복 전후에는 사람들이 가난하면 가난한 대로 살아가는 것이 인생인 것으로 알고 지냈던 것 같다. 가난한 생활을 청빈이라고 자부하면서 '유호덕'(攸好德, 도덕을 지키기를 낙으로 삼는 일)을 복으로 생각하는 사람들이 많은 시대였다. 그 시대가 그립다.

아버지는 한의사셨지만 살림은 가난했다. 한약방으로 찾아오는 면장을 포함한 동네 유지들과 모여서 한담을 하는 것이 오히려 주된 생활이었다. 그러므로 나도 따지고 보면 가난한 환경 속에서 성장한 셈이다. 초등학교 때는 용돈을 주지 않는다고 책 보따리를 우물에 던진 적도 있지만, 20세가 넘도록 가난한 환경을 탓해본 일은 별로 없다.

서울대 법대 2학년에 편입을 해서도 역시 가난한 환경을 탓해본 일은 없다. 나이가 들면서는 우리 집이 가난하다는 생각을 하기는 했다. 그렇다고 가난이 이렇고 저렇고 하는 생각은 해본 일이 없다. 따라서 내가 부자가 되어야겠다고 생각해 본 일은 전혀 없다. 요새 와서는 부잣집에 태어나는 것이 좋을 듯하다는 생각을 더러 하기도 한다.

사람은 환갑이 지나면 죽음을 생각하는 일이 생긴다. 몇 살까지 살 것인가? 어떻게 죽음을 맞이할 것인가? 죽음은 피할 수 없는 일이지만 멍청하게 맞이할 수는 없는 일이다. 나는 60세가 지나서부터는 적어도 70세까지는 살기를 원했고, 70세가 지나서는 80세가 목표가 되었으나 90이 가까워오니 어쩌면 90세 넘어서도 살 수 있을지 모른다는 생각을 더러 한다. 연령적으로는 죽어도 별로 안타까울 일은 없는 나이지만 내가 죽음을 자연스러운 현상으로 큰 부담 없이 맞이할 준비가 되어 있는지는 의문이다.

반야심경

죽음은 종교와 깊은 관계가 있다. 종교에 관한 책은 기독교, 불교, 이슬람교 할 것 없이 가리지 않고 많이 읽었는데, 그런 탓인지 죽음에 대해서는 별로 두려움을 갖지 않는 편이다. 나는 특별히 믿는 종교는 없지만 무슨 탓인지 불경 『반야심경(般若心經)』만은 자기 전에 외는 버릇이 있다. 내용을 정확히는 모르지만 짐작은 할 만한데다 간단한 글이어서 이젠 거의 다 외운다.

『반야심경』은 노인이 읽기에 적절한 글(경)이다. 밤에 자려고 드러눕고 나서 경을 암송하기 시작한다. 그러면 어느덧 마음이 평화로워지면서 잠에 들게 된다. 정확한 의미는 몰라도 '공(空)' 자와 '색(色)' 자가 나올 때마다 죽음을 잠자는 것처럼 당연한 것으로 받아들이는 쪽으로 수신을 하는 셈이다.

『반야심경』을 가까이 하면서 현장법사에 대해서 알게 되었다. 현장법사는 629년에 머나 먼 인도에 갔다가 645년에 시안(당시는 장안)에 돌아온 후 인도에서 가지고 돌아온 엄청난 경전의 번역에 전력하여 74부 1338권을 번역했다고 한다. 그로부터 오랜 세월이 흐른 뒤 이 경전들은 영국의 탐험가 마크 스타인(Marc Aurel Stein)에 의해 둔황[敦煌]의 석실(石室)에서 발견되었다. 이 둔황 출토본 중에 『당범번대자음반야바라밀다심경(唐梵飜對字音般若波羅蜜多心經)』이 있었는데, 이것을 줄여서 『반야심경』이라 한다.

600년대에 길도 제대로 없는 톈산산맥을 넘어 육로로 인도까지 걸어가 많은 책을 들고 왔다고 하는 것은 참으로 놀라운 일이다. 현장법사의 인도 왕복 기록을 자세히 읽은 적이 있었는데 그야말로 놀라운 일이었다. 나는 불경이나 부처 자체보다도 현장법사의 고행과 번역을 더 중하게 여긴다. 그의 평생을 생각하면 적어도 보살로는 보아야 하지 않겠는가? 불교에서는 모두 성불(成佛)할 수 있다고 했으니 말이다.

현장법사는 인도에서 『대반야경(大般若經)』의 이본(異本)도 가져왔는데, 번역을 하다가 문자나 문장에 의문이 있으면 이 이본들을 서로 비교하여 바른 문자를 정해서 번역했다고 한다. 현장법사는 번역하면서 줄곧 죽음을 생각하였다고 한다. 이렇게 어렵게 번역하여 663년 겨울 드디어 번역을 완료했는데, 합하여 600권이 됐으니 『대반야경』이라고 불렀다. 『반야심경』은 현장법사의 '혈육(血肉)'이라 할 만하다.

종교와 공(空)

내가 『반야심경』을 제대로 읽은 것은 『금강반야경(金剛般若經)』(中村元·紀野一義 저, 岩波文庫 간)을 통해서였다. 이 책에는 현장법사가 번역해 놓은 것과 그에 대한 일본어 번역·풀이가 실려 있고, 단어마다 주석이 붙어 있다. 이 책의 내용을 여러 번 읽고 외우고 했지만 『반야심경』의 의미는 제대로 알지 못한다. 다만 그중에서 잊을 수 없는 구절이 있다.

色不異空 空不異色

色卽是空 空卽是色

不生不滅 不垢不淨 不增不減

색불이공 공불이색

색즉시공 공즉시색

불생불멸 불구부정 부증불감

이 중에서도 잊을 수 없는 한 글자가 '공(空)'이다. 이를 통해 인생은 공이라는 생각이 거의 굳어졌고 그것이 나를 편안하게 만들어준다. 죽음도 두려울 것이 없는 듯 느껴진다. 생명의 유한(有限)이란 참으로 미묘하다. 최근 의학의 발달로 장수의 기회가 늘어나고 있지만 역시 인간은 유한하기에 선행도 하고 행복도 느낄 수 있는 것이 아닐까? 역사도 국가도 인간의 유한성이 만들어낸 존재인 것 같다. 만일 인생이 무한하다면 선행은커녕 가족이나 친구라는 존재도 없을지 모른다.

그런데 죽음에 관한 책들을 읽어보면 죽음을 맞이할 때의 마음의 준비에 대해서는 언급을 해도 사후의 문제를 따지는 사람이 별로 없어 보인다. 죽음을 제대로 맞이하고 평소의 행동을 정당화하려면 사후의 문제도 생각하는 것이 옳지만 너무 어려운 이야기여서 그럴 것이다. 종교에서는 오히려 사후를 중요시하고 있지만 종교를 믿는 친구들과 이야기를 나누어보아도 사후에 천당을 간다거나 정토(淨土)에 가리라고 확신하는 사람은 보지 못했다. '미지생 언지사(未知生 焉知死)', 살아 있는 일에 관해서도 알지 못하는데 죽음 뒤의 일을 어찌 알겠느냐는 공자의 말씀이 일반적으로는 마음에 와 닿는다.

　그렇기는 해도 내가 생각하기에는 사후에도 자식에게 좋은 부모였다는 인상을 남기거나 친구로부터 훌륭한 친구였다는 평을 듣고 싶다면 죽음을 맞이하기까지 노년의 생을 더욱 아름답게 하려고 수신을 거듭해야 하지 않을까?

가족 이야기

— 상념 9

　아내 정순옥(鄭順玉)은 내가 살던 시골 시흥시(구 부천군 소래면 대야리)에 초등학교 교사로 부임해 온 것이 인연이 되어 만나게 되었는데 고생을 무척 많이 했다. 당시 나는 수리조합 직원이라 월급도 몇 푼 못 받으면서 청년단이나 따라다니고 있었고, 시부(媤父)는 앞서 말한 것처럼 한의사셨지만 벌이가 좋지 않았다. 시모(媤母)는 교회에 나가는 분이기는 했지만 우울증 비슷한 병이 있어서 모시기가 매우 어려웠을 것이다. 게다가 나는 청년운동을 그만둔 뒤에는 신혼임에도 불구하고 공부를 한답시고 서울 선배 집에 가 있었으니 혼자 시골 살림을 맡아 하느라 무척 고생했다. 두고두고 미안하게 생각한다. 검사가 된 후 시골집을 떠나 서울로 이사를 온 후에도 가난하기는 마찬가지였지만 시골에서 살 때와는 달리 편안한 맛은 있었을 것이다.

　그렇다고 즐거움이 아주 없었던 것은 아니다. 여러 나라를 같이 다녔고 70이 넘어서도 오스트레일리아 중심부에 있는 사막 공원 안의 울루루(Uluru, 한때는 오스트레일리아 수상의 이름을 따서 '에어즈록'이라고 불렸다) 바위산에 오른 일이 있었다. 많은 곳을 함께 다녔지만 유독 이 산에 올랐던

오스트레일리아 울루루를 오르는 필자와 아내

일은 지금도 잊히지 않는다. 울루루는 산이라기보다는 하나의 거대한 바위덩어리다. 하나의 덩어리치고 그 크기가 세계 최대이고보니 산이라 불리는 것이다. 울루루 밑에는 중간중간 원주민들이 아주 옛날에 그려놓은 벽화도 있어 관광객들이 많이 몰린다. 울루루는 사막 한가운데 있는 풀 한 포기 나 있지 않은 바위라서 오르려면 배낭에 오렌지를 충분히 가지고 가야 한다. 그래야 1분마다 오렌지를 먹으며 탈수를 막을 수 있기 때문이다. 그래도 쇠말뚝에 연결되어 있는 쇠줄을 잡고 올라갔다 내려오는데 목이 타서 죽을 뻔했다. 10분밖에 걸리지 않는 거리인데도 그랬다. 게다가 미끄럽기까지 해 위험한 곳이다. 이런 이유로 '자기 생명은 자기가 책임진다'는 각서에 서명을 해야 오를 수 있고, 정상에는 이곳에 오르다 죽은 사람들의 이름이 적힌 기념비도 있다.

바로 아래 여동생 인순(仁順)은 일제강점기에 정신대를 뽑는다는 소문에 놀라 일찍 인천에 사는 김종식(金宗植)과 결혼하였는데, 농장을 하면서 잘 살고 있다.

　남동생도 둘이 있었는데 너무나 속을 썩여 나 자신도 힘이 들었지만 처가 그들을 달래고 도와주느라 속이 더 많이 썩었을 것이다. 바로 아래 동생의 두 아이들은 대학을 졸업할 때까지 내가 돌봐주어야만 했다. 주변에 가난한 친척이나 형제가 왜 그리도 많았는지 나도 아내도 그들을 돕느라고 몹시 애를 썼다. 처가 이렇게 집안일을 잘 돌봐주어서 내가 밖에서 하는 일은 순조로웠으니 고마울 따름이다.

　내게는 자식이 5명이나 된다.

　첫째는 장녀 제선(濟善)이다. 제선이는 6·25전쟁이 나던 해인 1950년 12월에 태어났는데 그때 나는 군에 가고 없었으니 처는 혼자 핏덩어리와 같은 그 애를 업고 피난길에 나섰다. 그 당시는 누구나 그렇기는 했지만 당시 그 애를 등에 업고 피난하면서 내가 대전으로 데리러 갈 때까지 지냈던 이야기를 들으면 지금도 눈물이 난다. 충청남도 유구에서 있었던 일인데, 어느 집에서 수십 명이 자는 둥 마는 둥 얽히고설켜 있는데 주인이 조용히 처를 밖으로 불러내더란다. 그러고는 몰래 구석으로 데려가 애기 엄마니 먹어서 기운을 차려야 한다고 하며 닭을 한 마리 잡은 것을 내놓고 다 먹도록 하였다고 한다. 전쟁 속에서도 인정은 메마르지 않았던 것이다. 30년 전인가, 40년 전에 처와 둘이 충청남도 공주시 유구읍으로 가서 그 집을 찾아본 적이 있다. 하지만 길도 새로 생기고 많이 바뀌어서 그 동네를 찾을 수가 없어 그대로 돌아왔다. 이렇게 고마운 분도 있었다는 것은 두고두고 전해야 할 일이다. 제선은 이화여대를 졸업한 후 사업을 하는 남편 김재동(金在東)과 잘 살며, 아들 하나 딸 하나를 두고 있다. 맏사위는 내가 70세에 두 번이나 미국에서 큰 수술을 받아 쉬고 있을 때에 한

달씩이나 장사를 쉬고 내 옆에서 붙어 있었다.

차녀 제희(濟喜)는 연세대를 졸업하고 큰 회사의 전무로 있던 남편 조규정(曺圭政)과 잘 살고 있다. 어려서는 병치레가 많았는데 지금은 건강하고 운동도 잘하고 시모는 물론(시부는 돌아가셨다) 부모를 잘 섬긴다. 아들 둘을 잘 키워서 첫째는 미국 로스쿨에 다니고 있고 둘째는 미국 유학을 마치고 LG에 다닌다.

셋째가 장남 제태(濟泰)이다. 원래 나는 제태가 경기고등학교를 다니면서 공부도 제법 잘하기에 법조인이나 의사를 시키면 좋겠다고 생각했다. 그러다가 판검사 쪽을 생각하면서 외모도 좋고 성격도 명랑해서 연세대 법과를 택하도록 독려했다. 나는 서울대 법대를 나왔지만 연세대가 인성(人性)을 키우는 데는 나을 것 같은 생각이 들었기 때문이다. 졸업 후 사법시험에 2번인가 응시했으나 실패하고 미국으로 MBA 유학을 갔다 왔는데 지금은 어느 보험회사에 전무로 있다.

제태의 처 장채영(張彩英)은 서강대를 졸업했는데 효심이 극진하다. 며느리는 보통 시모와의 관계가 부드럽지 못한 경우가 많은데 그 아이는 독실한 기독교 신자의 집안에서 자랐지만 시어머니가 절에 다니는 것을 알고 교회에 나가는 듯 마는 듯 전혀 표시를 내지 않고 시모를 따라 절에도 자주 간다. 쉽지 않은 일이다. 애초 시집왔을 때도 오자마자 시부모를 모시겠다면서 한집에 들어와서 살겠다고 해 고맙게 생각하면서도 아들 부부의 편의를 위하여 내가 만류했다. 그러나 최근 우리 두 사람도 자주 아파서 현재는 아들 부부가 사는 아파트의 같은 동 상하층에서 살고 있다. 이것이 요즘엔 드문 일이라며 친구들은 칭송하며 부러워한다. 아들 부부는 자랑스러운 존재이며 가족 전체의 행복의 근원이다. 아들 부부는 딸 둘, 아들 하나를 두고 있는데, 큰딸은 벌써 의사에게 시집을 갔고, 둘째 딸은 서울대학교 대학원에서 심리학을 전공하고 있으며 막내아들은 KAIST에 다니고 있는데 졸업 전에 입대하였다.

넷째 딸 제연(濟蓮)은 어느 넉넉한 사업가의 둘째 며느리로 시집을 갔는데 7년 전 남편이 심장병으로 타계해서 혼자 살게 된 것이 한없이 서글픈 일이다. 사위가 세상을 뜨자 나의 죄과로 느끼며 딸의 이웃으로 이사를 가서 가까이서 살려고 했는데 그렇게도 되지 않았다. 제연은 한때 남편이 하던 광학사업을 맡아서 하기도 했으며 혼자 두 아들을 데리고 잘 살고 있다. 두 아들은 시부모의 도움을 받아 모두 미국에 유학을 갔다. 첫째는 대학을 졸업하고 직장에 다니고 있고, 둘째는 군대를 갔다 온 후 아직 재학 중이다.

막내아들 제호(濟晧)는 경희대학교를 졸업하고 현재는 현대모비스의 임원으로 러시아에 나가서 일을 하고 있다. 제호에게는 큰딸과 작은아들이 있는데 큰딸은 영국에 유학 중이고 작은아들은 제호가 기아자동차의 말레이시아 지점에 있었을 때 같이 간 후 지금도 말레이시아에 남아서 외국인 학교에 다니고 있다. 제호는 일 때문에 외국에 나가서 지낸 일이 많았기에 며느리 전혜준(全惠晙)은 서울에서 살 기회가 드물었지만 아이들 교육 때문에 많은 신경을 쓰고 있는 듯이 보인다.

길게 아이들 이야기를 쓴 것은 이 책이 회고뿐 아니라 아이들에게 나의 인생살이를 일러주기 위한 것이기 때문이다. 아이들은 제대로 고등교육을 받고 건강하게 자라 결혼한 후 손자들을 잘 키우면서 수시로 집에 와서 돕고 병원에 갈 때면 한 사람이 꼭 동행을 한다. 나와 처에게 아이들은 행복한 인생살이의 원천이다. 수신제가(修身齊家)라는 말의 의미를 알 만하다.

그런대로 보람 있는 인생이었다
— 상념 10

우리는 새해가 되면 복 많이 받으라는 인사를 한다. 그런데 복이란 무엇일까? 어떤 사람은 수(壽), 부(富), 강녕(康寧)이라 한다. 그러나 수는 몇 살까지를 의미하는지, 부는 어느 정도를 의미하는지 잘 알 수가 없다. 나는 복을 행복이라고 해석한다. 그래서 인간생활을 회고했을 때에 보람 있는 일을 많이 했다고 느끼는 사람을 행복한 사람이라고 생각한다.

나는 1987년 2월 대한변협 협회장에 선출되고 2달도 채 안된 4월에 소위 호헌조치가 발표되고 바로 몇 시간 후에 반대성명을 발표했는데 그것은 어떠한 의미에서는 죽음을 각오한 일이었다고 볼 수 있다. 당시는 박정희 대통령이 사망한 뒤 군인들이 정권을 장악하고 있어서 무슨 일이 벌어질지 모를 때였기 때문이다. 반박성명은 사회에 많은 영향을 주었다. 이렇게 시작된 잇단 성명 발표로 취임 초기에는 대한변협이 정치 단체가 된 것이 아니냐는 비난도 들었지만, 헌법·헌정에 관한 일이며 독재정치에 대한 민주투쟁이고 보면 정치라고 보든 아니라고 보든 어느 쪽이든 상관없다는 것이 나의 생각이었다. 군사정변과 유신의 군사독재 밑에서 나약해질 대로 나약해진 검찰의 법을 어긴 기소와 불기소, 구속과 불구속,

독립성과 중립성을 잃은 편향된 판결을 반박한 일들은 법률가로서 보람 있는 일을 했다고 생각하는 부분이다.

또 1985년 저술한 『한국법의 실상과 허상』이라는 책은 문장이나 학술적 근거는 약해도 한국법 전체를 조망하면서 한국법의 개혁과 실천을 주장한 것이 오늘날에 와서는 많이 현실화되어 가는 것을 보고 나름대로 잘 했다는 자부심을 갖는다. 1977년부터 정주영 회장이 아산재단을 설립한 후 20여 년간 그 재단을 맡아서 운영한 일도 그만하면 잘했다는 생각을 한다. 무슨 일을 해도 나름의 소신을 어기지 않고 일관되게 살아온 일들은 나를 행복감에 젖게 만든다.

이 책의 편집을 도와주던 안동일 변호사가 "그때 그런 말씀을 하셨습니까?" 하고 칭찬할 때도 무척 기쁘다. 노인은 칭찬을 좋아하는 법이다. 한국경제법학회 회장을 지내고 나서 수십 명의 저명한 학자들이 나를 위하여 『현대경제법학의 과제』라는 논문집을 만들어준 일로 큰 영광과 행복을 느낀 것도 이런 이유에서다.

그러나 후회스러운 일이 없는 것은 아니다. 사회생활에 필수적인 운동, 미술, 음악 등 문화의 소양이 너무나 부족한 것은 나의 가장 큰 결함이라 생각한다. 술을 배우지 못한 것도 큰 유감으로 느낄 때가 있다. 가까운 친구 이용훈 변호사가 적당히 반주를 하면서 술을 즐기는 것을 보면 부럽다. 하지만 나에게는 등산이 있다. 등산은 40년 동안 나에게 즐거움과 튼튼한 체력을 주었다.

인생을 살아가면서 많은 사람들로부터 존경을 받는 것은 불가능하므로 나의 법조생활은 말할 것도 없고 생활 전 분야에 걸쳐 나를 잘 아는 몇몇 사람들에게서 상식적이고 정리(情理) 있는 인간으로서 존경받을 수 있다면 거기서 보람을 찾고 인간다운 인간으로 생활한 것으로 자처했다. 젊어서 비교적 많은 일을 하면서 정의감과 인간성에 기초해서 희생적인 일을 마다하지 않은 데는 그런 인성(人性)이 숨은 원동력이 됐는지 모른다. 그래서 사회의 흐름을 그르치는 사람은 공부를 안 한 사람이 아니라 재주가 있고 공부를 많이 한 사람이라고 생각한 때가 있었다. 일반적으로 말하면 재승박덕(才勝薄德)이라고 재주가 있는 사람은 자기 위주의 개성이 강하고 덕이 부족한 것이 보통이기 때문이다. 그러나 오랜 세월을 지내놓고 보니 문화적 소양은 인간성을 바르게 함양하기 위하여 꼭 필요한 것이다. 법률가 중에도 이 방면에 출중한 분들을 보면 부럽기만 하다.

그래서인지 요새 와서 TV의 오락 프로그램을 볼 때 같이 보고 있는 가족들이 재미있다며 웃을 때 나는 별로 웃기지 않을 때가 많다. 이럴 때면 내 머리가 굳어서 그러는 것 같아 쓸쓸할 때가 있다.

공주처럼 키운 막내딸이 남편과 일찍 사별한 것처럼 안타까운 일도 있었지만 전체적으로 보면, 이만하면 나는 행복한 인생을 살았다고 말할 수 있다. 시골에서 국민학교(초등학교)를 졸업하고 산길 넘어 기차 타고 서울로 통학하면서도 재수 좋게 변호사시험에도 합격하여 좋은 선배들과 친구들을 만나 이것도 해보고 저것도 해보면서 지금껏 건강하게 살아오고 있으니 말이다. TV의 오락 프로그램을 보고 깔깔 웃지는 못하더라도 행복하게 살았다고 할 수 있지 않을까?

법률가가 바라는 사법개혁

— 소망 하나

사법개혁은 대법원장이 바뀔 때마다 늘 논의가 됐고 또 그때마다 얼마간의 성과가 있었지만 언제나 미완으로 끝났다. 각 기관은 각자 자기중심으로 생각하게 마련이다. 그러므로 법원, 검찰, 변협, 법학 교육 등 4개 부문 모두를 전체적으로, 종합적으로, 공통적으로 개혁하려 하지 않고 여론에서 문제시하는 명목적인 것만을 들추며 사법개혁을 법원과 판사의 문제로 국한하여 논의하면 한두 가지 개선하는 정도에 그치고 만다. 사법개혁을 제대로 추진하려면 검찰청과 검사, 변협과 변호사는 물론 법학교육이 모두 포함되어야 한다〔이 점에 관해서는 〈인권과 정의〉 2000년 8월 호에 '사법개혁에서 생각나는 일들'이라는 제목으로 기고한 바 있다〕. 이렇게 생각하면 이 문제는 대법원이 아니라 한국법학원이 종합적으로 체계적으로 해결할 일이 아닌가 싶다.

사법을 개혁한다고는 해도 근대법조 110년, 그간 익혀온 일을 1~2년 사이에 고칠 수는 없다. 게다가 사법 기관은 다른 기관과 달리 한 사람 한 사람이 독립된 기관으로서 권한을 행사하는 기관이다. 결국 사법개혁은 제도의 문제라기보다는 4개 기관의 종사자인 '사람'의 문제이다. 그러므로 사법개혁은 판사, 검사, 변호사, 법학교수 모두 이해할 수 있고, 공감할 수 있어서 자연스럽게 호응할 수 있도록 내용이 충실하여야 한다.

그리고 이제는 늘 그렇듯이 하급법원만 사법개혁의 대상으로 삼지 말고 최고법원인 대법원부터 그 대상으로 삼아야 한다. 꼭 대법원에 무슨 더 큰 잘못이 있어서가 아니라 최고법원부터 개혁한 후에 하급법원을 개혁하는 것이 옳다고 생각하기 때문이다. 이런 맥락에서 나는 '대법관'이라는 명칭부터 바꿔야 한다고 생각한다. 어떻게 하다가 대법원 판사면 족한 것을 대법관이라 부르게 되었는지 이해할 수가 없다. 대법관이라는 명칭은 일본인이 영국의 'Lord Chancellor'를 번역한 말인데, 'Lord Chancellor'는 왕과 귀족이 존재하는 영국만의 독특한 제도이다. 'Lord Chancellor'는 한 사람으로서, 우리 제도로 비유하면 법무부 장관, 국회의 상원격인 귀족원 의장, 귀족원의 일부 의원(법관귀족, Law Lord)이 담당하는 대법원의 원장을 겸하며 삼권을 모두 담당하는 어마어마한 직권을 행사하는 사람이다. 그렇게 해석하면 한국에 그런 대법관이 14명이나 되는 셈이다. 내가 1986년 헌법특위에 의견서를 제출했을 때는 판사에 대한 사회적 평가가 그리 높은 편이 아니어서 대법원의 판사만이라도 큰 직함을 갖는 것이 괜찮겠다고 생각했다. 그러나 사회가 변하고 국민의 교육 수준이 높아진 지금은 사정이 다르다. 대법원 판사나 하급법원 판사나 모두 'Justice'라고 부르는 미국의 예가 좋은 본보기가 될 것이다.

이처럼 '대법관'은 너무나 권위적이고 고전적인 명칭이다. 이 명칭 때문에 판사 전체가 완전히 둘로 나뉘었고 일반 판사의 위상은 그만큼 낮아졌다. 법원에 판사면 그만이지 웬 계급이 그렇게 많은가? 그러니 진급이 판사들의 당면 목표가 될 수밖에 없다. 그러므로 나는 1986년 국회 헌법개정특별위원회에 보낸 「헌법 개정에 관한 의견서」에서 이 명칭의 사용을 반대했고 지금도 다른 명칭으로 바꾸었으면 하는 소망을 갖고 있다. 최고법원 판사에 적합한 호칭을 찾되 수수하고 국민이 친근하게 느낄 수 있는 명칭을 골랐으면 한다.

또 오래전부터 대한변협을 포함한 각계에서는 대법관의 수를 늘려 상고심을 촉진하라고 요청하고 있다. 이 요청이 번번이 묵살되는 것도 숫자를 늘리면 대법관의 권위가 떨어진다고 생각하기 때문은 아닐까? 전 재산과 운명을 걸고 패소한 국민이 최고심의 고명한 대법관으로부터 한 번 더 판단을 받아보려는데도 그것을 하급심(고등법원 상고부)에 돌리려고 하면서, 대법관의 수를 수십 명은 고사하고 몇 명도 못 늘리겠다는 것은 아무래도 달리 이유를 생각할 수 없다.

현재 법조 일원화라는 이름으로 하급심에 일부 경험 있는 변호사를 판사로 임명하고 있다. 하지만 판사로 임명된 후 긴 사다리를 하나하나 충실하게 올라간 대법관이 맨 위에 앉아 있는데, 하급법관을 경험 있는 변호사로 임명한다고 하여 사실의 인정과 법률의 적용에서 사회 경험의 활용을 기대할 수 있겠는가? 현재 부분적으로 시험하고 있는 미국식 공판중심주의, 즉 양 당사자 간의 치열한 논쟁의 분위기가 크게 작용하는 초심 판결을, 일찍이 그런 경험을 하지 못한 항소심 판사가 주관하기 어려운 것도 이와 사정은 비슷하다. 대법관에도 사회 경험이 풍부한 변호사가 영입되어야 하지 않겠는가?

전관예우라는 말로 법검변(法檢辯) 유착의 문제를 논의하는 게 벌써 수십 년째이지만 이렇다 할 결과가 없다. 지방법원장, 고등법원장, 대법관을 지낸 사람은 변호사로 전업하면서 돈벌이를 하는 일에서 손을 떼도록 하는 것이 국민의 신뢰를 얻어 사회적 책임을 다하는 데 도움이 될 듯싶다. 원래 사법시험을 준비하고 법조계에 입문하려는 젊은이들, 특히 판사, 검사를 지망하는 젊은이들은 약자를 보호하며 정의를 세우겠다는 자각이 강한 사람들이 아니겠는가? 적어도 우리 세대는 그랬다. 이제는 단호한 조치로 이 문제에 결말을 내야 한다.

그러면 이 사람들은 어떻게 생활할 것인가 하는 문제가 생길지 모르지만 그것은 따로 생각해 보아야 할 문제다. 평생 법관제도가 그 해답의 하나가 될 수 있다. 검찰에서도 사법부와 유사한 생각을 해보아야 한다. 지금 법원과 검찰에 대한 신뢰가 너무나 떨어져 이렇게 극단적인 생각을 해보게 되었다.

행정부가 무너지면 고위직이든 하위직이든 교체가 가능하지만 사법부는 그렇게는 안 된다. 판사 한 사람 한 사람이 각각 헌법기관이요, 사법부 그 자체이기 때문이다. 그러므로 법관이 되기 위해서는 법전뿐 아니라 대한민국의 정체성 수호에 대한 뚜렷한 인식을 키우고 국가 안위를 포함한 국내정세 및 국민생활의 주축이 되는 경제상황과 세계정세도 제대로 살필 줄 알아야 한다.

대법관의 퇴임 후 처신은 나 같은 구식(?) 변호사의 마음을 더욱 괴롭힌다. 퇴임 후에 고액의 보수를 받고 대형 법률사무소에 고문으로 취직하는 일은 이해하기 힘들다. 그 사무소에서 왜 대법관을 고문으로 모셔가겠는가? 대법관이 지방법원에서 아래 사람으로 친분을 쌓은 판사들, 그 후 대법원에서 같이 지내던 동료들과 서로 법적 사상을 전수하고 전화 상담을 하는 등 소문만 탓할 일이 아니다.

사법부에 대한 신뢰의 문제는 하급심보다는 상급심 쪽에 그 책임이 있다. 대법관이라는 자리는 통속적으로 말하면 도덕적, 윤리적 면에서는 대통령보다 윗사람으로 칠 수 있다. 그러므로 퇴임 후에는 자기를 대법관으로까지 키워준 사회에, 그리고 선배, 후배 들에게 보답한다는 의미에서 봉사활동과 후진 양성에 전념하여야 한다. 우리는 대법관 퇴임 후 선비의 길을 걷고 있는 몇몇 분들의 존경스러운 뒷모습을 본 일이 있다. 그러기에 사법개혁을 논의할 때는 먼저 최고법원인 대법원과 대법관에는 문제가 없는지부터 생각해 보았으면 한다. 그래야 다시없는 영광스러운 자리, 대법관을 지낸 분의 퇴임 후의 처신까지 '전관예우'라는 명목으로 법률로 제한하는 수치를 피할 수 있지 않을까?

한국인으로서 바라는 통일 방안

―소망 둘

고 김대중 대통령은 2000년 6월 15일 북한의 김정일을 만나 공동선언을 발표하였고, 2007년 10월 4일에는 고 노무현 대통령 역시 북한을 방문하여 김정일을 만나 공동선언을 발표했다.

전자의 공동선언 중에는 "남과 북은 나라의 통일을 위한 남측의 연합제안과 북측의 낮은 단계의 연방제안이 서로 공통성이 있다고 인정하고 앞으로 이 방향에서 통일을 지향시켜 나가기로 하였다"라는 표현이 있다. '남'의 '연합제안'이 있다는 것을 알지 못하는 많은 국민들은 놀랐다. 그 후 노무현 대통령 역시 북한을 방문하여 10월 4일, 8개항으로 된 공동선언을 발표하였는데 첫머리에 "남과 북은 6·15 공동선언을 변함없이 이행해 나가려는 의지를 반영하여 6월 15일을 기념하는 방안을 강구하기로 하였다"라는 조항을 넣었다. 김대중 대통령이 공동선언에서 말한 통일방안에 대해서 확인을 한 셈이다. 이 공동선언은 정치적인 선언이긴 하지만 대통령이 서명했다는 점에서 걸리는 부분이 있다.

우리 헌법 제69조는 대통령의 취임선서에 관한 조항인데, 이에 따라 우리나라 대통령들은 취임할 때 다음과 같은 선서를 한다.

"나는 헌법을 준수하고 국가를 보위하며 조국의 평화적 통일과 국민의 자유와 복리의 증진 및 민족문화의 창달에 노력하며 대통령으로서의 직책을 성실히 수행할 것을 국민 앞에 엄숙히 선서합니다."

그러므로 누구보다도 대통령은 헌법을 무겁게 여기고 한 치의 위반도 없도록 노력하여야 한다.

헌법에서는 "대통령은 국가의 독립, 영토의 보전, 국가의 계속성과 헌법을 수호할 책무를 진다"(제66조 제2항)고 했고, "대한민국의 영토는 한반도와 그 부속도서로 한다"(제3조)로 규정하고 있으니 남북 공동선언은 이 조항을 위반했다고 본다. 또한 "대통령은 조국의 평화적 통일을 위한 성실한 의무를 진다"(제66조 제3항)고 되어 있어서 대통령이 북한을 방문하는 그 자체는 국제법이나 정치적 해석을 별문제로 한다면 무방하다고 하겠지만, "대한민국은 통일을 지향하며, 자유민주적 기본질서에 입각한 평화적 통일정책을 수립하고 이를 추진한다"(제4조)고 돼 있어서 이 조항에는 정면으로 위반된다.

통일과 북한의 체제

남북이 같은 한민족이라는 점에서 또한 분단국가라는 점에서 언젠가는 통일이 되어 더욱 번영된 대한민국이 되기를 바라는 마음 간절하지만 지금 당장 하나가 되기에는 양쪽의 체제가 너무나 다르다. 이렇게 상이한 체제로 나뉘어 벌써 60년 이상이나 지내왔으니 각 체제하에서 60세가 안 되는 사람들은 서로 다른 세상에서 태어나 살아온 셈이다. 지난날 식민지 생활을 했다는 불행한 사정도 있어서 우리가 민족에 집착하는 것은 당연하다는 생각이 들지만, 통일문제에서는 이성적으로 냉철하게 대응하여 민족이라는 용어에 너무 감상적인 반응을 해서는 안 된다. 그러므로 북한

이 민주체제로의 변화, 적어도 중국 정도의 변화를 이루어 남북 간에 이질적인 요소들이 많이 해소될 때까지 차분히 기다리면서 그간은 평화롭게 공존할 수 있는 틀을 찾는 것이 통일에 앞서 탐구하여야 할 기본정책이라는 생각이 든다.

우리는 독일의 경우와 달라 주변 국가로부터 동의를 받아야 할 필요가 없다. 때가 됐을때 자연스럽게 합치면 된다. 통일은 합치는 것이 목적이 아니고 합친 후에 양측 국민들이 말썽 없이 화목하게 잘 살아가는 것이 목적이다. 체제가 다른 사람들을 그대로 뭉쳐놓으면 기회가 있을 때마다 자기 체제를 살리고 우월성도 확보하기 위하여 항상 분란이 일어날 것이다. 우리 여야관계를 보면 이를 알 수 있다. 같은 헌법, 같은 체제 밑에서 60년 이상의 세월을 보냈지만 여전히 다투는 것을 정당의 목적(?)으로 삼고 있지 않은가. 정치란 원래 서로 우월을 다투고 정권 획득을 노리는 게임이다. 그러므로 가능하다면, 북한이 지금의 사회주의체제와 적화통일의 노동당 규약을 버리고 자유민주주의체제로 전환하는 것이 가장 좋은 방법이라고 생각한다. 물론 비핵화도 포함된다. 그리고 남과 북에서 축하의 대사령을 내려 지난날의 적대관계는 잊고 서로 왕래·친교하면서 서두르지 말고 통일에 대비하는 것이다.

물론 북한이 체제를 바꾸는 일은 쉽지 않을 것이다. 그러나 북한의 헌법 서문을 보면 사회주의 조국을 강조하면서도 '이민위천(以民爲天)' '인덕정치(仁德政治)'라는 유교적 용어를 사용하고 있으니 이런 용어에 의지해서 이런 말도 해보는 것이다. 하지만 "조선민주주의 인민공화국은 조선노동당의 영도 밑에 모든 활동을 진행한다"는 조항은, 북한은 헌법이 주가 아니고 조선노동당의 규약이 우선이라는 것을 알 수 있다. 그러므로 북한에서 헌법은 노동당 규약의 하위법(下位法)이라고 할 수 있으니 헌법을 무상(無上)의 법전으로 아는 우리와는 이런 데서도 너무나 달라서 체제 변환 이야기도 하게 된다.

중국과 같이 복잡하고 다단한, 많은 희생이 따랐던 사회주의 국가도 거의 자본주의와 다름없는 방법으로 경제를 부흥하고, 얼마 안 가서 미국을 제치고 세계 일등 경제국가가 되리라는 예측이 나올 정도로 발전한 나라가 됐으니 북한에게는 좋은 모델이 될 수 있지 않겠는가? 언젠가 신문에서 2011년 말에 갑자기 타계한 김정일 국방위원장이 중국을 가보고 천지개벽이라는 말을 했다는 보도도 있었다.

그런 의미에서 우선은 1991년 12월 체결한 '남북 간의 화해와 불가침 및 교류·협력에 관한 기본합의서'와 '한반도의 비핵화에 관한 공동선언'을 되살려 하나하나 실천하면서 서로 신뢰를 쌓도록 하자. 남북이 서로 큰 희망을 품고 큰 도장을 찍은 유일한 합의문서가 아닌가?

통일은 한민족의 신성한 숙제

내가 북한에 대해 이런 당돌한 바람을 가지게 된 것은 평화 통일의 길을 빨리 찾는 방법은 아무리 생각해도 이것밖에 없다고 느끼기 때문이다. 나는 협상으로 얼마나 성과를 거둔 적이 있는지 알아본 적이 있는데, 1919년 3·1운동이 일어나고 대한민국 임시 정부가 수립된 지 100년이 가까워질 때까지 좌·우파 간, 또 남북 간 많은 회의를 하고 협의를 거쳤건만 한 번도 성사되고 실천된 일이 없었다. 위와 같이 아주 예외가 없는 것은 아니지만 이런 경과에 비추어 앞으로도 합의에 의한 통일을 기대하는 것은 무리라는 생각을 할 수밖에 없다. 오히려 시간이 흐르면서 해결하여야 할 큰 문제들만 돌출하는 실정이다. 이 상태로 남북관계가 자유로워지면 어떻게 될까? 남쪽도 어렵겠지만 북쪽은 더 어려울 것이다. 때를 기다리자는 이유다.

실증적 자유민주주의, 시장경제

내가 북한에 대해 이런 소망을 품게 된 또 하나의 이유는 책에서 얻은 이론에 있지 않다. 자유민주주의체제에 대한 나의 믿음은 6·25전쟁하에서 산 경험으로 얻은 것이다. 비록 자유민주주의체제에도 결점은 있지만 정치를 통해 얼마든지 시정할 수 있다.

1918년 사회주의혁명 후 70년간 소련도 일류 국가가 되기 위하여 노력했건만 1986년 '글라스노스트'와 '페레스트로이카'를 표방한 고르바초프가 등장하면서 소련은 물론 동유럽의 사회주의는 무너졌다. 1989년 독일 국민의 힘에 의해 독일의 동베를린 장벽이 헐리고 독일의 통일이 이루어졌다. 이것도 자유민주주의의 힘이다.

또 중국은 다년간 모진 고통을 겪은 후 사회주의 국가를 이루었지만 중국의 국민들은 30년간을 경제적 궁핍과 문화적 백지 상태에서 벗어날 수 없었다. 덩샤오핑이 개혁개방을 바탕으로 상품경제, 사회주의 시장경제와 같은, 우리에게는 낯설지만 중국 식의 절묘한 시장경제 이론을 창출하여 번영의 길로 치닫고 있다.

이런 근대사의 경험들은 자유민주주의적 시장경제의 가치를 증명해 주고 있다. 따라서 자유민주주의체제에 대한 나의 믿음은 실증을 근거로 한 진정이다. 그리고 북한에 대한 나의 소망은 이런 실증적 믿음을 바탕으로 웅장한 남북통일의 서곡을 울려 북한의 경제발전을 동시에 이루자는 같은 민족의 마음에서 우러난 것이다.

✍ ─마치며

    글을 마치며 한 가지 아쉬운 점은 1945년 기다리고 기다리던 광복이 되었는데도 좌우의 내홍(內訌)으로 즉시 귀국을 못하고 시일을 끈 대한민국 임시정부의 좌우 협상부터 시작하여 광복 후 남북관계의 전개 과정을 회담의 효용에 대한 문제의식으로 연구·정리하고 통일에 대한 나름의 구상을 정리한 원고와, 비록 요점 중심이긴 하지만 인간적인 수양을 위하여 읽은 유교, 불교, 기독교, 천주교에 관한 글들 중 나의 윤리도덕관에 도움이 된 내용을 정리해 둔 것을 분량 문제로 200쪽 이상 떼어낸 일이다. 남북관계를 푸는 단초를 얻기 위해 프랑스혁명사와 스페인내란사에 심취해 공부했던 것도 요약을 해두었지만 다 뺄 수밖에 없어 서운한 마음이 없지 않다.

    현대건설 고문으로 있을 때 중동 일에 관계를 하다보니 직무상 이슬람 법정에도 대리인으로 나갈 일이 있어 자연히 이슬람교에 관한 책을 읽게 되었는데 그 덕분에 이슬람교에 대하여서도 생면부지는 면한 듯했다. 그 무렵에 만난 중동사람들은 세상에 이렇게 착한 사람들도 있나 할 정도였는데 요새는 아주 달라진 것 같다. 어쨌든 표현의 차이는 있을망정 기독교의 사랑, 불교의 자비, 유교의 인은 본질적으로 하나라고 생각한다.

    의사들 눈에는 이상하게 느껴질지도 모를 글도 있다. 의사도 아닌 변호사가 이런저런 구상을 하고 병원을 운영한다는 것은 분에 넘치는 행동이

거나 탈선이라고 비난을 살 만한 일이었다. 그래도 나는 병원 운영에 관한 책도 꽤 읽고 강의도 들으면서 훌륭한 원장, 부원장을 모셔올 수 있었고, 훌륭한 자문위원들 덕분에 병원 일을 배우면서 큰 사고는 저지르지 않았다. 오늘날 아산병원은 한국의 우수한 병원 중 하나로, 세계적으로 주목을 받는 병원으로 성장한 것을 보면 기쁘기만 하다.

변호사 단체들이나 한국법학원에서 내가 한 일들은 오늘날에 와서는 보통이 되었고 변호사 연수는 법률로 의무화될 정도가 되었지만 그때는 하나하나가 나의 창의와 계획으로 이루어진 것들이다. 당시 선배들 중에는 이런 모임을 반대하는 분들도 많아 내가 우겨서 한 일도 많았다. 그래서 자랑 삼아 이 책에 기록했다.

책 말미에 부록을 둔 것은 내가 한 일을 밝히기 위한 것이기도 하지만 평생 편안한 날이 없었던 우리 세대의 인생을 그리기 위한 것이기도 하다. 모든 제도, 학문, 사고, 생활양식이 빠르게 변하는 세상에 5~10년도 더 전에 만들어진 원고를 지금의 세태에 맞게 땜질하여 출판하려니 여전히 잘했는지 못했는지 확신이 서지 않는다. 그러나 보잘것없지만 역사의 격랑을 몸으로 겪어낸 한 세대의 이야기에서 오늘을 사는 양식을 발견해 주리라는 믿음으로 후회는 않는다.

기억나는 대로 감사를 표했지만 언급하지 못한 분들도 적지 않을 것이다. 그러나 감사하는 마음은 같다. 나의 인생은 그분들의 도움으로 행운을 누리며 여기까지 왔다.

부록

광복 후 남북관계의 전개

* 〈주간조선〉 2010년 5월 31일자 10, 11쪽과 인터넷 네이버 백과사전을 참고하여 정리한 것이다.

대한민국의 광복과 독립

1945년 8월 15일 2차 세계대전이 연합군의 승리로 끝나면서 한국은 일본의 식민지로부터 해방되었다. 1948년 5월 10일 UN 감시하에서 총선거 실시, 5월 31일 제헌국회 개원, 7월 17일 대한민국 헌법 제정·공포 후 8월 15일 대한민국 정부 수립이 선포되었다.

신탁통치안과 반대운동

1945년 12월 27일 모스크바에서 채택된 3상회의의 신탁통치안을 반대하던 거족적인 대중운동이다. 당초에는 12월 31일 전군반탁대회를 시초로 애국사회 단체는 물론 모든 국민이 신탁통치 반대 국민총동원 위원회를 조직하여 반대시위를 전개하였고 북한에서도 조만식을 중심으로 조선민주당의 주도로 광범위한 반탁운동이 전개되었다. 그러나 며칠 후 당시의 소련이 3상회의의 결정에 반대하는 세력을 모은 후에 대한민국 임시정부 수립에 참여할 수 없다고 주장하자 공산주의자들은 찬탁으로 나서게 되었다. 1947년 6월 23일 단오절을 계기로 한 전국적인 반탁운동은 8월 말 미소공동위원회가 결렬될 때까지 전개되었다.

정판사 위폐(僞幣)사건

1946년 5월 조선공산당이 남한의 경제를 교란하고 당비를 조달할 목적으로 일으킨 지폐위조사건이다.

대구10 · 1사건

1946년 10월 1일 미군정 영역인 대구 지역에서 조선공산당 주도로 시작된 대규모 시위, 유혈 사건이다.

제주4 · 3사건

1947년 3월 1일을 기점으로 1948년 4월 3일 발생한 소요사태 및 1954년 9월 21일까지 제주도에서 발생한 무력충돌과 진압 과정에서 주민들이 희생당한 사건을 말한다.

여수순천10 · 19사건

전라남도 여수에 주둔하고 있던 국방경비대 제14연대 소속의 일부 군인들이 1948년 10월 19일 제주도 4 · 3사건 진압 출동을 거부하고 대한민국 단독 정부를 저지한다는 구실로 반란을 일으킨 사건이다.

6 · 25전쟁

1950년 6월 25일 북한군이 당시 남북분단선이던 38선 전역에 걸쳐 불법 남침을 감행했다. 선전포고도 없었다. 3년 1개월 2일간 전쟁이 계속됐고 1953년 7월 27일 판문점에서 휴전협정에 조인하면서 전쟁이 중지되었다.

대성호 납북

1955년 5월 28일 6 · 25전쟁 이후 처음으로 한국 어선이 납북된 사건이다.

해군 당포함 피격 침몰

1967년 1월 19일 명태잡이 어선의 월경을 막기 위해 초계 중이던 당포함이 북한 동해안 동굴포대의 해안포 공격을 받아 침몰했다. 승무원 39명이 사망했다.

1 · 21 무장공비 침투사건

1968년 1월 21일 북한 민족보위성 정찰국 소속 무장공비 김신조 등 31명이 청와대 습격을 위해 비밀 침투한 사건이다. 서울 세검정고개까지 들어왔다가 불심검문으로 정체가 드러나자 수류탄과 기관총을 난사했다. 공비 31명 중 28명 사살, 2명 도주, 김신조는 생포됐으나 최규식 종로경찰서장이 순직하고 다수의 민간인들이 피해를 입었다.

미 군함 푸에블로호 납치사건

1968년 1월 23일 동해 공해상에서 미국의 정보수집함 푸에블로(Pueblo)호가 북한의 초계정 4척과 미그기 2대의 위협에 의해 납치된 사건이다.

울진·삼척 무장공비 침투사건

1968년 10월 30일부터 11월 2일까지 3차례에 걸쳐 울진·삼척지구에 무장공비 120명이 침투한 사건이다. 군경 18명이 사망했다. 이승복 어린이도 이때 사망했다.

흑산도 간첩선 침투

1969년 6월 12일 남파 간첩과 접선, 이들을 월북시키기 위해 전남 신안 대흑산도로 북한의 간첩선이 침투했다. 섬으로 상륙하던 북한 공작원 3명을 사살하고 다음날 도주하던 6명을 추가로 사살했다.

KAL YS-11기 납북사건

1969년 12월 11일 승객 47명과 승무원 4명을 태우고 강릉에서 서울로 향하던 대한항공의 KAL YS-11기가 대관령 상공에서 승객으로 위장해 타고 있던 고정간첩 조창희에 의해 납치됐다.

해군 방송선 납치사건

1970년 6월 5일 우리 어선 보호를 위해 서해 연평도 해역에서 비무장 경계임무 중이던 해군 방송선이 북한에 의해 납치됐다.

국립묘지 현충문 폭파미수사건

6·25전쟁 20돌을 앞둔 1970년 6월 22일 새벽 서울국립현충원에 북한 공작원이 잠입, 현충문에 폭약을 장치했다. 이날 행사에 참석하는 요인 암살이 목표였다. 천행

으로 폭약 설치 중 폭약이 폭발돼 미수에 그쳤다.

전북 고창 무장공비 침투사건

1975년 9월 11일 전북 고창의 전경대 해안초소에서 경계병이 해안 순찰 중 북한 공작원 두 명으로부터 공격을 받았다. 두 명 중 한 명은 사살됐고 한 명은 도주했다.

판문점 도끼 만행사건

1976년 8월 18일 판문점 공동경비구역 내에서 미루나무 가지치기 작업을 감독하던 미군 장교 두 명이 북한군이 휘두른 도끼에 의해 살해됐다.

백건우 · 윤정희 부부 납치미수

1977년 7월 30일 프랑스에 거주하던 피아니스트 백건우와 배우 윤정희 부부를 당시 유고슬라비아의 자그레브로 유인해 북한으로 납치하려 했으나 부부는 탈출했다.

서해 고교생 납치

1977년 8월과 1978년 8월 전남 홍도와 1978년 8월 군산 선유도에서 1년 사이 고교생 다섯 명이 실종됐다. 이후 고교생들이 북한 공작원에 의해 납치됐음이 밝혀졌다. 2006년 5월 북한이 일본인 피랍자 요코타 메구미의 유골을 일본에 공개하는 과정에서 1978년 선유도에서 실종된 학생 김영남의 존재가 알려지게 됐다. 메구미가 김영남과 북한에서 결혼했던 것이다.

신상옥 · 최은희 부부 납치

1978년 1월 14일, 홍콩에 머물던 배우 최은희가 북한 공작원에 의해 납치되었고, 같은 해 7월 19일 아내를 찾겠다며 홍콩을 찾았던 신상옥 감독 역시 북한 공작원에 의해 납치됐다. 신상옥 · 최은희 부부는 납치 5년이 지난 1983년 3월 13일, 오스트리아 빈의 미국 대사관을 통해 극적으로 탈출했다.

고상문 납북사건

1978년 4월 13일 서울 수도여고 교사 고상문이 노르웨이 오슬로에서 연수 중 여권

분실을 신고하러 한국 대사관을 찾다 택시기사의 착오로 북한 대사관에 들어가서 북한 공관원에게 붙들려 납북됐다.

한강 하구 무장공비 침투

1980년 3월 23일 한강 하구에서 경계근무 중이던 우리 초병이 경기 고양 법곳리 한강변으로 침투하던 무장공비 3명을 발견하고 전원 사살한 사건이다.

충남 서산 무장 간첩선 침투

1981년 6월 21일 서산에 침투한 간첩선의 공작원 아홉 명을 사살하고 김광현은 생포했다. 당시 김광현은 40대였다. 이 사건을 계기로 북한 남파 공작원의 연령이 젊어지기 시작했다.

2인조 동해안 무장공비 침투

1982년 5월 15일 강원도 고성군 현내면 지경리 해안을 침투하던 북한의 무장공비를 해안 경계병이 발견, 교전 끝에 한 명은 사살됐고 나머지 한 명은 도주했다.

버마(현 미얀마) 아웅산 묘소 테러

1983년 10월 9일 버마(현 미얀마)를 방문 중이던 전두환 대통령 일행의 아웅산 묘소 방문 일정을 미리 알아낸 북한 공작원들이 묘소 내의 지붕에 폭탄 두 개를 설치해 터뜨렸다. 서석준 부총리 등 17명이 순직했다. 전두환 대통령은 당시 예정보다 현장에 늦게 도착해 참사를 피할 수 있었다.

부산 다대포 간첩 침투

1983년 12월 3일 부산 다대포 해안에 매복근무 중이던 초병이 침투하는 간첩 두 명을 발견하고 격투 끝에 생포했다. 이들을 침투시켰던 반잠수정은 우리 고속정과의 충돌로 격침됐다.

동진호 납북

1987년 1월 15일 서해상에서 조업 중이던 제27 동진호가 북한에 의해 납북된 사건이다.

KAL858기 폭파 테러

1987년 11월 29일 이라크 바그다드를 출발해 서울로 향하던 KAL858기가 미얀마 근해 안다만 해역 상공에서 북한 공작원 김승일과 김현희에 의해 장치된 폭팔물로 폭파됐다.

강화 교동도 무장공비 침투

1993년 11월 30일 강화 교동도 빈장포 해안을 따라 침투하던 북한의 무장공비를 해안 경계병이 발견, 교전을 벌였다.

충남 부여 무장공비 침투

1995년 10월 24일 충남 부여군 정각사 뒷산에서 남파 간첩을 월북시키기 위해 내려온 무장공비 두 명을 초병들이 발견하고 교전 끝에 한 명을 사살하고 한 명을 생포했다.

강릉 잠수정 침투

1996년 9월 18일 공작원 침투 임무를 위해 내려왔던 북한의 잠수정이 속초 해역에 좌초하자 타고 있던 공작원들은 강원도 일대에 상륙했다. 우리 군경의 추적 끝에 13명은 사살되었고, 조타수 이광수는 생포됐다.

이한영 피살

1997년 2월 15일 이한영이 성남 분당 자신의 아파트 엘리베이터에서 북한 공작원 두 명의 총격을 받고 사망했다. 이 씨는 김정일의 동거녀로 알려진 성혜림의 언니 성혜랑의 아들로, 1982년 10월 한국으로 망명했다. 망명 후 한 방송국 PD로 일하면서 '대동강 로열패밀리'란 제목의 책을 펴내 북한 정권의 실상을 알리는 데 앞장섰다.

속초 앞바다 잠수정 침투

1998년 6월 22일 강원도 속초시 동쪽 바다에서 북한의 유고급 잠수정 한 척이 어선이 내려놓은 꽁치잡이 그물에 걸려 표류하다 해군 함정에 의해 동해안으로 예인됐다. 잠수정 내에서 승조원과 공작원으로 추정되는 9구의 시신이 발견됐다.

1차 연평해전

1999년 6월 15일 서해 북방한계선 남쪽 2km 해역까지 내려온 북한 경비정 4척에 대해 해군 참수리급 고속정과 초계함 10여 척이 두 차례에 걸쳐 선체를 충돌시키는 밀어내기식 공격을 감행했다. 충돌 공격을 받은 북한 경비정 등산곶 684호가 24mm기관포로 공격을 가해왔다. 북한 어뢰정 3척도 공격에 가담했으나 해군 참수리급 고속정 포항함의 반격으로 반파돼 퇴각했다. 6·25전쟁 이후 최대의 무력 충돌이었다.

2차 연평해전

2002년 6월 29일 서해 연평도 서쪽 14마일 해상에서 북한 경비정이 북방한계선을 넘어와 한국 경비정을 기습포격 했다. 북한 함정이 대한민국 함정의 경고방송에도 불구하고 계속 남하하자 교전이 시작되었고 북한 경비정 중 1척에서 화염이 발생하자 퇴각했다. 이로 인해 한국 장병 6명이 전사하고 19명이 부상하였다. 해군 고속정 1척도 침몰하였다.

금강산 관강객 박왕자 피살

2008년 7월 11일 금강산 관광지구에서 한국 관광객 박왕자가 북한 군사 경계지역을 침범하였다는 이유로 북한 초병에 의해 총격을 받아 사망했다.

대청해전

2009년 11월 10일 북한의 경비정이 우리 측의 경고를 무시하고 북방한계선을 침범, 이에 해군의 고속정이 경고사격을 가하자 북한 경비정이 남측 고속정에 조준사격을 하며 교전이 발생했다. 우리 해군의 사격으로 북한 경비정은 반파되어 북으로 퇴각했다.

천안함 사건

2010년 3월 26일 백령도 근처 해상에서 대한민국 해군의 초계함 PCC-772 천안함이 북한 잠수정의 기습을 받고 침몰된 사건이다. 이로 인하여 한국 해군병사 40명이 사망하고 6명이 실종됐고, 남북 간의 긴장은 더욱 고조됐다.

부록 ❷

아단재산 심포지엄 연차 목록(1979~2001년)

1. 복지사회 심포지엄(1979~88)

제1회 복지사회의 이념과 방향

제2회 산업사회와 직업윤리

제3회 현대사회와 장애자복지

제4회 현대사회와 노인복지

제5회 현대사회와 청소년

제6회 산업사회와 정년

제7회 현대사회와 가족

제8회 현대사회와 여성

제9회 한국의 사회복지 : 현재와 미래

제10회 복지사회와 노사관계

2. 사회윤리 심포지엄(1989~98)

제11회 현대 한국의 사회윤리

제12회 한국의 시민윤리

제13회 도덕성 회복을 위한 교육의 과제

제14회 한국 자본주의와 경제윤리

제15회 현대 산업사회와 환경문제

제16회 현대사회와 의료윤리

제17회 정보사회와 사회윤리

제18회 현대사회와 성윤리

제19회 21세기의 도전, 동양윤리의 응답

제20회 한국의 사회윤리 : 현재와 미래

3. 삶의 질 심포지엄(1999~2001)

제21회 동서의학의 만남과 삶의 질

제22회 사이버 시대의 삶의 질

제23회 환경변화와 삶의 질

부록 ❸

대한변협 성명서(1987. 2~1989. 2)

*『對決과 希望의 時代』에서 수록된 대로 구분하고 정리하였다.

Ⅰ. 憲法과 法의 原理

1. 호헌반대 성명/87.4.13

   改憲은 國民的 合意, 누구도 막을 수 없다

2. 제24회 법의 날 담화문/87.5.1

   法의 濫用은 自由民主主義를 위협한다

3. 제39회 제헌절 담화문/87.7.17

   憲法改正에 정당의 이익과 개인의 욕망이 끼어들어서는 안 된다

4. 헌법 개정에 대한 우리의 주장/87.9.1

   基本權과 司法權의 獨立을 確固하게

5. 제25회 법의 날 성명서/88.5.1

   自由民主主義는 目的보다 節次를 존중한다

6. 보호감호자의 석방 건의서/88.5.20

   社會安全法의 소급적용은 刑罰不遡及의 原則에 위배된다

7. 국가보안법 폐지 및 가칭 민주적 기본질서수호법 입법 방향에 대한 의견서

   /88.11.23

   國家保安法을 폐지ㆍ民主的 基本秩序守護法을 制定하라

Ⅱ. 基本的 人權의 옹호

1. 박종철 군 사건 특별조사단 구성에 대한 성명서/87.5.23

   朴鍾哲事件의 은폐는 司法 秩序의 파괴다

2. 박종철 군 사건 특별조사단 성명서/87.5.26

1924. 11. 1	경기도 부천군 소래면 대야리 310(현재 시흥시)에서 출생
1949. 10	제3회 변호사시험 합격
1950. 5	서울대학교 법과대학 졸업(법학사)
1950. 6	사법관시보(~1951. 10)
1950. 9	육군 법무관(중위)(~1951. 5)
1951. 10	서울지방검찰청 검사(~1959. 4)
1955. 2	미국 국무성 초청으로 미국 사법제도를 시찰하고 남감리교대학교 로 스쿨에서 영미법연구(~1955. 10)
1956. 4	이화여자대학교 법정대학 형사소송법 담당강사(~1960. 3)
1957. 5	경희대학교 법과대학 및 대학원 형사정책 담당강사(~1990. 4)
1959. 4	법무부 검찰국 검찰과장 겸 서울고등검찰청 검사(1961. 5)
1960. 5	UN 주최 인권문제세미나 한국대표(1960. 06)
1961. 5	서울지방검찰청 부장검사(~1963. 9)
1961. 10	한일회담 한국 대표, 재일한국인의 법적지위문제 담당(~1963. 12)
1962. 10	한국법학원 이사
1962. 10	한국형사법학회 이사
1963. 4	서울대학교 사법대학원 형사연습 담당강사(~1968. 3)
1963. 10	변호사 개업(서울제일변호사회 소속)
1964. 4	한국국제법률가협회 이사
1964. 4	현대건설주식회사 법률고문(~2002. 2)
1965. 12	해외동포문제연구소 소장 · 이사장 · 명예이사장(~2000)
1967. 2	재일동포 이득현 사건 후원회 부회장(~1983. 7)
1969. 12	독일, 프랑스, 영국, 미국의 사법제도 연구시찰(~1970. 2)

1970. 10	경희대학교 대학원에서 영미검찰제도에 관한 연구논문으로 법학박사 학위 취득
1971. 12	문교부 재외국민교육정책 심의위원회 위원장(~1973. 4)
1972. 5	대한변협 총무이사 겸 사무총장(~1973. 12)
1973. 4	서울제일변호사회 부회장(~1974. 4)
1976. 8	재단법인 삼미문화재단 이사(~1986. 8.)
1977. 5	대한변협 부회장(~1978. 5)
1977. 7	재단법인 아산사회복지사업재단 상임이사(~2001. 7)
1977. 10	국제키비탄 한국지구 제3대 총재(~1978. 9)
1978. 9	한국경제법학회 회장(~2000. 9)
1980. 6	조선일보사 사빈(~1981. 2)
1980. 6	서울통합변호사협회 초대회장(~1981. 4)
1980. 12	한일변호사협의회 한국측 회장(1987. 2)
1982. 1	해외동포모국방문후원회 이사(~1990. 1)
1982. 10	대한상사중재원 중재인(~1995. 9)
1985. 3	밝은사회국제재단 이사(~현재)
1987. 2	대한변협 협회장(~1989. 2)
1987. 5	대한국제법학회 명예이사(~현재)
1987. 6	세계한인변호사회 창립, 명예회장·고문 (~현재)
1987. 10	미국변호사협회 제헌 200주년 대회 참석
1988. 4	아시아변호사협회장회의 창립
1988. 7	영국 귀족원 의장 및 프랑스 파기원 원장 방문 면담
1988. 10	일변련과 공식 교류
1989. 5	한일21세기위원회 위원(~1992.5)
1990. 2	한국법학원 원장(~1996)
1990. 4	제14차 세계법률가대회 참가(중국, 베이징)
1992. 4	중화전국율사협회와 한중법률학술회의 창설
1993. 9	러시아 사법제도 시찰
1993. 10	세계법률가협회 아시아 지역 회장(~1995. 10)

1994. 1	3 · 1문화재단 이사장(~현재)
1994. 7	EU 본부와 각 부속 기관 시찰
1995	대한유화공업(주) 고문
2011	4 · 19문화상재단 고문
2011	사단법인 국제키비탄 한국본부 이사

상훈

1989. 5	국민훈장 무궁화장 / 대통령
1993. 8	한국법률문화상 / 대한변협
1995. 1	명덕상 / 서울변호사회
1999. 5	자랑스런서울대법대인상 / 서울대학교법과대학 동창회
2007. 9	창립100주년 공로패/서울지방변호사회
2008. 9	국가유공자증/국가보훈처
2011. 2	공로상/대한변협

부록 ❺

저서와 역서

저서

新國家保安法 概論(법률문화사, 1959)

英美檢察制度 概論(법률문화사, 1970)

在日韓國人のための 法律相談(한일변호사협의회, 1984)

韓國法의 實相과 虛相(삼지원, 1985)

憲特委員에게 드리는 憲法改正에 관한 意見書(1986)

現代經濟法學의 課題: 蘇山文仁龜博士華甲紀念(삼지원, 1987)

對決과 希望의 時代(삼지원, 1990)

역서

言論 出版 및 集會의 自由(뉴멘, E. S., 1961)

검찰제도: 그 과거와 미래 1~3(미셀-로르라차, 1972)

검찰제도: 그 과거와 미래 4(미셀-로르라차, 1973)

1. 胃의 자유(조선일보, 1952. 10. 27)

2. 인권옹호 유감(조선일보, 1952. 12. 12)

3. 法窓閑話 1/2(조선일보, 1953. 5. 21, 1953. 5. 22)

4. 인권을 위한 반성(조선일보, 1953. 12. 10)

5. 신형소법과 인권(조선일보, 1954. 10. 4)

6. 세계인권선언의 회고와 전망(조선일보, 1954. 12. 9)

7. 竊盜罪에 관한 두 가지 問題(法政, 제10권 1호, 1955. 1)

8. 美國의 檢察制度 Ⅰ/Ⅱ/Ⅲ/Ⅳ/Ⅴ(法政, 제11권 2~4, 7~8호, 1956. 2, 1956. 3, 1956. 4, 1956. 7, 1956. 8)

9. 現行犯과 拘束令狀制度(法政, 제13권 4~7호, 1956. 4~7)

10. 拘束의 適法與否 審査의 本質(法政, 제11권 6호, 1956. 6)

11. 期待可能性과 實定法의 限界(法政, 제12권 7호, 1956. 7)

12. 再拘束의 禁止理論(法政, 제13권 8호, 1956. 8)

13. 美國檢察制度槪要(法務部 檢察局, 1957)

14. 現代刑事訴訟法의 方向(梨花, 12호, 1957. 9)

15. 美國辨護士協會의 共産主義의 策略戰術과 目的에 關한 硏究委員會報告書 拔萃(法政學報, Vol. 2 No. 1, 1958)

16. 新國家保安法案 實務者로서의 管見(동아일보, 1958. 9. 10~13)

17. 國家機密의 槪念(한국일보, 1958. 9. 14)

18. 國家保安法改正에 관한 意見(국회공청회, 1958. 12. 17)

19. 국가보안법의 기본문제(지방행정, Vol.8 No.66, 1959)

20. The role of substantive criminal law in the protection of human rights and the purpose and legitimate limits of penal sanctions(UN Seminar, 1960)

21. 범죄인의 가족 — 문예 수필(한국사법행정학회, 1960)

22. 刑事判例 硏究(慶熙法學, 2호, 1960. 3)

23. 假裝된 共侵 對處(한국일보, 1960. 5. 3)

24. 新刑事訴訟法의實績(考試界, 제5호, 1960. 11)

25. 拘束의 本質과 事由(저스티스, 제1호, 1960. 11)

26. 橫領罪의 槪念과 그 態樣(企業經營, 제43호, 1961)

27. 保釋의 理論과 實際(法政, 제16권 2호, 1961. 2)

28. 檢事와 司法警察官의 關係(法政, 제16권 3호, 1961. 3)

29. 새헌법상의 기본권의 보장과 사법권(司法權) 독립을 중심으로(한국사법행정학회, Vol.3 No.9, 1962)

30. 改正 刑事訴訟法에 對한 是非: 交互訊問制를 中心으로(法曹, 제11권 1호, 1962. 1)

31. 憲法改正에 관한 意見(국회공청회, 1962. 8. 23)

32. 부장검사가 말하는 실무상의 고민(한국사법행정학회, Vol.4 No.3, 1963)

33. 拘束의 適法 與否審査의 本質: 人身拘束이 被疑者와 그 家族에게 미치는 影響(저스티스, Vol.7 No.2, 1963)

34. 公訴不可分의 原則(法政, 제18권 7호, 1963. 7)

35. 夜間住居侵入竊盜의 未遂(法政, 제18권 8호, 1963. 8.)

36. 不告不理의 原則 : 刑事訴訟法에 있어서의 諸問題(法政, 제18권 12호, 1963. 12)

37. 檢事의 搜査指揮權 確立과 그 對策(法政, 제19권 2호, 1964. 2)

38. 檢察官의 오늘과 앞으로의 課題(法政, 제19권 3호, 1964. 3)

39. 會社經理와 刑事責任(企業經營, 제72호, 1964. 4)

40. 强制執行免脫罪의 本質(法政, 제19권 5호, 1964. 5)

41. 證據의 事前檢閱請求(法政, 제19권 7호, 1964. 7)

42. 公訴時效(法政, 제19권 12호, 1964. 12)

43. 違法으로 蒐集한 證據의 證據能力(司法行政, 제5권 12호, 1964. 12)

44. 형사소송법(刑事訴訟法)의 기본구조(한국사법행정학회, Vol.6 No.12, 1965)

45. 재일교포들의 기대, 60만의 사활문제 — '얻는 것과 잃는 것, 한일타결 새 기점에

70. [一事一言]자제(조선일보, 1971. 8. 5)

71. [一事一言]관례(조선일보, 1971. 8. 11)

72. [一事一言]통일법전(조선일보, 1971. 8. 18)

73. [一事一言]이중의 팁(조선일보, 1971. 8. 25)

74. [一事一言]재일교포(조선일보, 1971. 9. 1)

75. 해외교포문제연구소 발행 〈한민족〉 창간사(월간해외동포, 1972. 3)

76. 검찰제도: 그 과거와 미래 1~3(미셀-로르라차 저, 檢察 제45호, 제47호, 제48호, 1972. 3, 1972. 11, 1972. 12)

77. 민단지도자에게 당부한다(월간해외동포, 1972. 7. 5)

78. 해외동포의 날 제정 건의(월간해외동포, 1972. 8. 15)

79. 재일동포교육 정책심의위원회 소위원회 보고서(월간해외동포, 1972. 12)

80. 브라질 거주 국민에 대한 교육정책이 시급하다(한민족, 제2권 5호, 1973)

81. 검찰제도: 그 과거와 미래 4(미셀-로르라차 저, 檢察 제49호, 1973. 5)

82. 改正 辯護士倫理綱領의 意義(法曹時報, 제130호, 1973. 6)

83. 재일한인은 외국인임을 자각하라 ─ 조련계 학생 폭행사건에 부쳐(월간해외동포, 1973. 6. 30)

84. 在美韓國人問題에 관한 座談會(한민족, 제2호, 제3호, 1973. 9)

85. 교민처(청)의 설치 건의(월간해외동포, 1973. 12. 1)

86. 公正한 裁判과 當事者主義: 拘束의 要件과 目的을 중심으로(辯護士, 제5집, 1974)

87. 有罪와 無罪 사이(한국일보, 1974. 1. 27)

88. 공정한 判決과 當事者主義(辯護士, 제5집, 1974. 4)

89. 박종석 사건에 대한 나의 소감 ─ 민간 단체의 지원 캠페인 의의 크다(월간해외동포, 1974. 6. 30)

90. The relative merits of the adversary and inquisitorial system(IBA, 1974. 7. 28)

91. 當事者主義와 職權主義的 審理方法의 長短點(法曹時報, 제139호, 1974. 8)

92. 不拘束裁判主義의 論理와 人權(신동아, 통권 124호, 1974. 12)

93. 反對訊問研究(辯護士 제6집, 1975. 4)

94. 匍韓辭典 發刊辭(월간해외동포, 1975. 5)

95. 法曹人의 倫理(法律公論, 제2권 9호, 1976. 12)

96. 法曹人의 倫理(法律公論, 제11호 1977. 3)

97. [시론]어느 '재일동포의 교훈 - 일본 사법연수 허용받은 金敬得 씨 투쟁을 보고
(조선일보, 1977. 3. 25)

98. 法曹人의 倫理(辯護士, 제8호, 1977. 4)

99. 韓美防衛條約과 美國의 輿論(大韓辯護士協會誌, 제26호, 1977. 4)

100. 오늘의 刑事裁判을 말한다 座談(大韓辯護士協會誌, 제27호, 1977. 5)

101. 法曹人의 倫理(저스티스, 제14권 1호, 1977. 12)

102. 아산의 오늘과 내일(계간 아산, 하계호, 1978)

103. 아산재단 지방병원에 바란다(계간 아산, 추계호, 1978)

104. 사회복지단체 지원사업의 기본방향(계간 아산, 동계호, 1978)

105. 아산재단 장학사업의 기본방향(계간 아산, 춘계호, 1979)

106. 연구개발지원사업의 기본방향(계간 아산, 추계호, 1979)

107. 法曹의 職能改善에 關한 試論 Ⅰ, Ⅱ, Ⅲ, Ⅳ, Ⅴ(大韓辯護士協會誌, 제48호, 제
49호, 제50호, 제51호, 제52호, 1979. 7, 8, 9, 10, 12)

108. 오늘의 在日韓人社會 座談(한민족, 1979. 8)

109. 농어촌의료사업과 보성병원의 역할(계간 아산, 동계호, 1979)

110. 法曹의 職能改善에 관한 試論 Ⅵ, Ⅶ, Ⅷ, Ⅸ, Ⅹ(大韓辯護士協會誌, 제53호, 제
55호, 제56호, 제57호, 제58호, 1980. 1, 3, 5, 6, 7)

111. 國會改憲公聽會에서의 公述內容(大韓辯護士協會誌, 제54호, 1980. 2)

112. 警察中立化와 搜査權 獨立은 가능한가(政經文化, 통권 제184호, 1980. 6.)

113. 의료취약지구와 인제병원의 역할(계간 아산, 하계호, 1980)

114. 교민정책 획기적인 전환을 기대한다(동아일보, 1981. 2. 24)

115. 새 국회의원에 기대한다(동아일보, 1981. 3. 26)

116. 장애자에 대한 관심 늘려야(계간 아산 하계호, 1981)

117. [아침논단]법과 규칙의 논리(조선일보, 1981. 8. 16)

118. [아침논단]해외동포 관심 갖자(조선일보, 1981. 8. 30)

119. [아침논단]한일관계와 민간교류(조선일보, 1981. 9. 17)

120. [아침논단]어른들의 무관심(조선일보, 1981. 10. 9)

121. [아침논단]사건과 혐의자구속(조선일보, 1981. 11. 9)

122. [아침논단]범인과 "인간대접"(조선일보, 1981. 11. 20)

123. 新參判事와 令狀發付(동아일보, 1981. 11. 27)

124. [아침논단] '장애자의 해'는 간다(조선일보, 1981. 12. 9)

125. [아침논단]기업인을 뛰게 하자. 의욕과 희생정신 없으면 발전은 없다(조선일보, 1981. 12. 27)

126. [創刊號 創刊辭]경제법의 이론과 실제(경제법 연구, Vol.1 No. 1, 1982)

127. [아침논단]법률의 대량생산. 제정과 정서 국민의 뜻 담겨져아(조선일보, 1982. 1. 23)

128. 열사람 범인 놓치더라도(한국일보, 1982. 12. 12)

129. [좌담]현대사회와 청소년(제5회 복지사회 심포지엄 논문집, 1983)

130. 韓國的 法律體系을 세울 때(동아일보, 1983. 4. 30)

131. 在日僑胞가 本國에서까지 差別을 받는다면 그것은 母國도 祖國도 아니다(海外同胞, 제9호, 1983. 6)

132. [좌담]정박교육현장의 문제점(계간 아산, 추계호, 1984)

133. [좌담]시각장애자 교육현장의 문제점(계간 아산, 동계호, 1984)

134. 老人福祉便覽(峨山社會福祉事業財團, 1985)

135. [좌담]농촌보건의료의 오늘과 내일(계간 아산, 추계호, 1985)

136. 法官制度와 司法權의 獨立, 對談 /梁建(考試界, 제344호, 1985. 10)

137. 辯護士 母體論(大韓辯護士協會誌, 제120호, 1986. 8)

138. 法과 裁判의 人間化(松軒 안이준 박사 회갑기념 논문집, 1986. 10)

139. 민주, 인권과 판사의 자주성(考試界, 제32권 제6호, 1987)

140. 인권신장과 민주화의 선구자역할 다짐(사법행정, Vol.29 No.1, 1988)

141. 在日韓國人의 人權問題(고베 인권대회 연설, 1988. 11)

142. [변협회장 신임새안]정과 질서 속에 자유민주주의의 정착을 기대하며(사법행정, Vol.30 No.1, 1989)

143. 北京 世界法律家大會 論文 등(저스티스, 제23권 제1호, 1990)

144. 年2回로 增刊하면서(저스티스, 제23권 제2호, 1990)

가족

1989년 5월 국민훈장 무궁화장을 받고 아내와 함께

2011년 3월 8일 가족과 함께한 미수(음력)

나는 아내와 함께 자주 여행을 했다. 독일 퓌센의 노이반슈타인 성(위), 오스트레일리아 퍼스의 웨이브록(가운데), 러시아 모스크바 크렘린 궁 앞 광장(아래)

지중해 크루즈 선상(위), 미국 그랜드캐니언 부근의 나바호(가운데), 알프스 마테호른 산(아래)